펼쳐 보면 느껴집니다

단 한 줄도 배움의 공백이 생기지 않도록
문장 한 줄마다 20년이 넘는
해커스의 영어교육 노하우를 담았음을

덮고 나면 확신합니다

수많은 선생님의 목소리와
정확한 출제 데이터 분석으로 꽉 찬
교재 한 권이면 충분함을

해커스북 중·고등
HackersBook.com

해커스 보카

수능 필수 2000+가 특별한 이유!

내신+수능 1등급 필수 어휘가 모두 있으니까!

1 수능·모평·학평
교과서에서 엄선한
**단골 출제
어휘 2000**

2 서술형·어휘
문제에 대비하는
**추가 어휘 및
Plus Voca**

해커스 보카
수능 필수 2000+

단어 하나를 외워도 **전략적**으로 외우니까!

3 쓰임새를 같이 익혀
실전에 더욱 강해지는
진짜 기출 예문

4 편리하고 효과적인
복습을 위한
미니 암기장 &
Daily Quiz

해커스 어학연구소 자문위원단 3기

수능·내신 한 번에 잡는 고교 필수 영단어

해커스 보카

수능 필수 2000+

해커스 어학연구소

목차

PART 3 혼동어

이 책의 구성과 특징

50일 만에 시험 단골 2000+단어 완성

수능, 모평, 학평, 교과서에서 엄선한 2000개 이상의
시험 단골 출제 어휘를 50일만에 완성할 수 있어요.

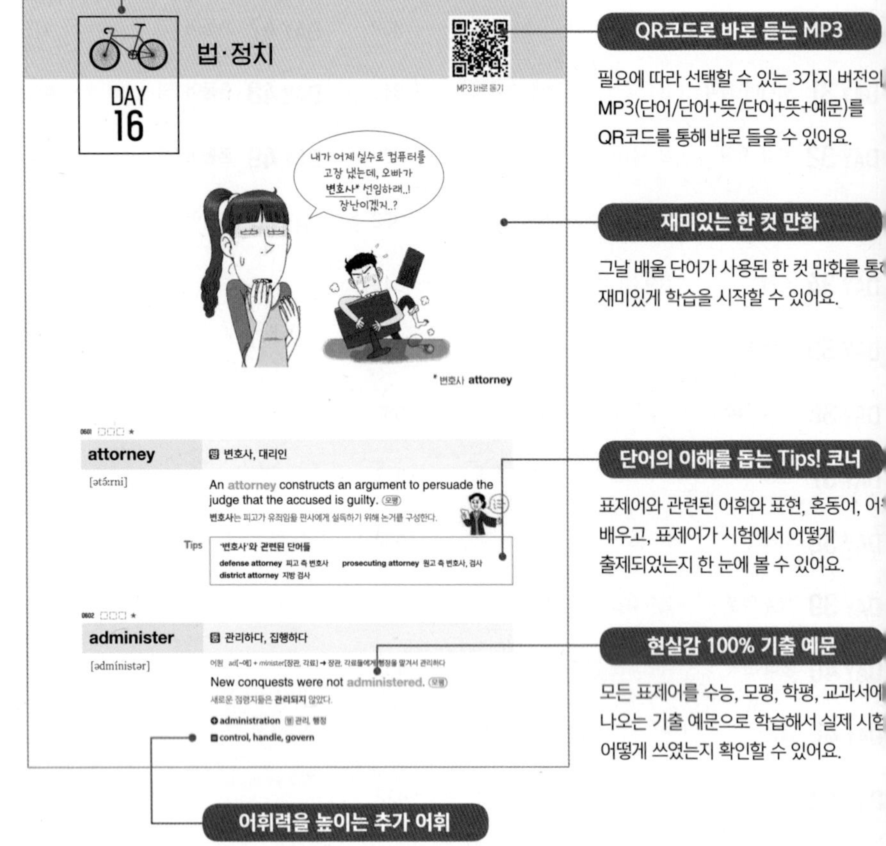

QR코드로 바로 듣는 MP3

필요에 따라 선택할 수 있는 3가지 버전의
MP3(단어/단어+뜻/단어+뜻+예문)를
QR코드를 통해 바로 들을 수 있어요.

재미있는 한 컷 만화

그날 배울 단어가 사용된 한 컷 만화를 통해
재미있게 학습을 시작할 수 있어요.

단어의 이해를 돕는 Tips! 코너

표제어와 관련된 어휘와 표현, 혼동어, 어
배우고, 표제어가 시험에서 어떻게
출제되었는지 한 눈에 볼 수 있어요.

현실감 100% 기출 예문

모든 표제어를 수능, 모평, 학평, 교과서에
나오는 기출 예문으로 학습해서 실제 시험
어떻게 쓰였는지 확인할 수 있어요.

어휘력을 높이는 추가 어휘

표제어의 파생어, 유의어, 반의어, 그리고 자주 쓰이는 형태의 핵심 표현까지
한 번에 학습해서 쉽고 빠르게 어휘력을 확장하고, 어휘 문제에 효과적으로
대비할 수 있어요.

● 교재에 사용된 약호

명 명사　동 동사　형 형용사　부 부사　전 전치사　접 접속사
+ 파생어/핵심 표현　= 유의어　↔ 반의어

Daily Quiz

영어는 우리말로, 우리말은 영어로 쓰세요.

01 assign ______
02 conventional ______
03 core ______
04 attract ______
05 afford ______
06 establish ______
07 corporation ______
08 enterprise ______
09 profit ______
10 strict ______
11 권한, 권위, 당국 ______
12 비서, 서기 ______
13 목표, 목적, 목표로 하다 ______
14 예산(안), 비용 ______
15 열등한, 하위의 ______
16 임원, 경영진, 실행의 ______
17 고용하다 ______
18 준비하다, 정리하다 ______
19 건설, 공사, 건축(물) ______
20 전략, 전술 ______

다음 빈칸에 들어갈 가장 알맞은 것을 박스 안에서 고르세요.

headquarters policy potential confuse expose

21 The directors think your proposal has great ______.
임원들은 당신의 제안이 큰 잠재력을 가지고 있다고 생각한다.

22 It has its ______ in Chicago.
그것은 시카고에 본부가 있다.

23 All the company wants is to ______ you to those product brands and images.
회사가 원하는 것은 그 제품 브랜드와 이미지에 당신을 노출시키는 것뿐이다.

24 Many companies ______ activities and results.
많은 회사들이 활동과 성과를 혼동한다.

25 Our company ______ doesn't allow us to spend more than $800 per ticket.
우리 회사 정책은 우리가 표 한 장당 800달러 이상 쓰는 것을 허용하지 않는다.

정답
01 배정하다, (일을) 맡기다 02 관습적인, 전통적인 03 핵심적, 핵심, 중심부 04 (마음·주의 등을) 끌다, 유혹하다 05 여유가 있다, 제공하다 06 설립하다, 수립하다, 확립하다 07 기업, 법인 08 기업, 회사, 사업 09 수익, 이익, 이익을 얻다 10 엄격한, 엄한 11 authority 12 secretary 13 aim 14 budget 15 inferior 16 executive 17 employ 18 organize 19 construction 20 strategy 21 potential 22 headquarters 23 expose 24 confuse 25 policy

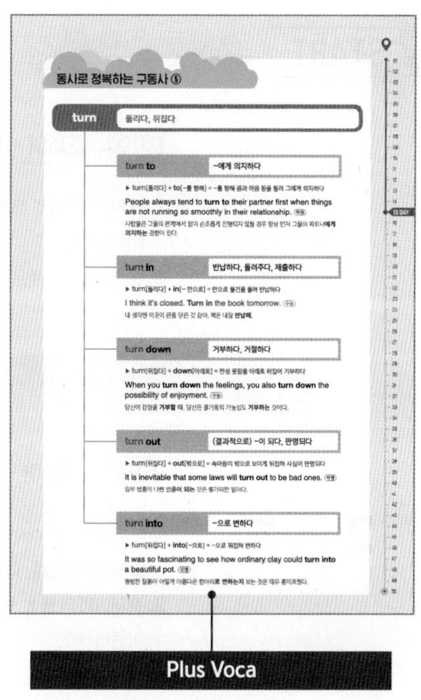
동사로 정복하는 구동사 ⑤

turn 돌리다, 뒤집다

turn to ~에게 의지하다
▶ turn[돌리다] + to[~를 향해] = ~를 향해 몸과 마음 등을 돌려 그에게 의지하다
People always tend to **turn to** their partner first when things are not running so smoothly in their relationship. 학평
사람들은 그들의 관계에서 일이 순조롭게 진행되지 않을 경우 항상 먼저 그들의 파트너**에게 의지하는** 경향이 있다.

turn in 반납하다, 돌려주다, 제출하다
▶ turn[돌리다] + in[~ 안으로] = 안으로 물건을 돌려 반납하다
I think it's closed. **Turn in** the book tomorrow. 수능
내 생각엔 이곳이 문을 닫은 것 같아. 책은 내일 **반납해**.

turn down 거부하다, 거절하다
▶ turn[뒤집다] + down[아래로] = 찬성 푯말을 아래로 뒤집어 거부하다
When you **turn down** the feelings, you also **turn down** the possibility of enjoyment. 수능
당신이 감정을 **거부할** 때, 당신은 즐거움의 가능성도 **거부하는** 것이다.

turn out (결과적으로) ~이 되다, 판명되다
▶ turn[뒤집다] + out[밖으로] = 속마음이 밖으로 보이게 뒤집혀 사실이 판명되다
It is inevitable that some laws will **turn out** to be bad ones. 학평
일부 법들이 나쁜 법률**이 되는** 것은 불가피한 일이다.

turn into ~으로 변하다
▶ turn[뒤집다] + into[~으로] = ~으로 뒤집혀 변하다
It was so fascinating to see how ordinary clay could **turn into** a beautiful pot. 모평
평범한 점토가 어떻게 아름다운 항아리**로 변하는지** 보는 것은 매우 흥미로웠다.

15 DAY

Daily Quiz

매 Day마다 제공되는 Daily Quiz를 통해 학습한 내용을 복습하고 학업 성취도를 확인할 수 있어요.

Plus Voca

구동사, 형용사 표현, 숙어, 연결어 등 수능 고득점에 꼭 필요한 어휘들을 학습하여 서술형 및 어휘 문제에 대비할 수 있어요.

추가 학습 자료로 어휘 실력 업그레이드!

미니 암기장

미니 암기장을 가지고 언제 어디서나 간편하게 단어를 학습할 수 있어요.

단어가리개

단어가리개를 이용한 셀프테스트로 단어의 암기 여부를 쉽고 빠르게 확인할 수 있어요.

3회독 학습플랜

START

1

1회독 표제어 + Daily Quiz

1. 하루에 1 Day씩 표제어를 학습하고 예문을 통해 어휘의 쓰임을 학습하세요.
2. Daily Quiz로 배운 내용을 복습하세요.

2

2회독 표제어 + 파생어 + 핵심 표현 + 유의어 + 반의어

1. 하루에 2개 Day씩 학습하면서 1회독 때 외웠던 표제어를 복습하세요. 잘 외워지지 않는 어휘는 따로 체크하세요.
2. 표제어의 파생어, 핵심표현, 유의어, 그리고 반의어도 꼼꼼하게 학습하세요.

3

3회독 잘 외워지지 않는 단어 + Plus Voca

1. 1~2회독 때 잘 외워지지 않았던 어휘를 복습하며 다시 암기하세요.
2. Plus Voca에서 시험에 자주 나오는 구동사, 형용사 표현, 숙어, 연결어도 함께 암기하세요.

FINISH

단어암기 TIP

- **미니 암기장**을 이용하면 언제 어디서나 간편하게 복습할 수 있어요.
- 2회독부터는 부가물로 제공되는 **나만의 단어장 양식**을 활용해서 단어장을 만들면, 잘 안 외워지는 단어를 더 효율적으로 학습할 수 있어요.

학습을 완료한 Day에 체크 표시를 해서 학습 여부를 기록해보세요.

DAY 01	DAY 02	DAY 03	DAY 04	DAY 05
□ □ □	□ □ □	□ □ □	□ □ □	□ □ □
DAY 06	DAY 07	DAY 08	DAY 09	DAY 10
□ □ □	□ □ □	□ □ □	□ □ □	□ □ □
DAY 11	DAY 12	DAY 13	DAY 14	DAY 15
□ □ □	□ □ □	□ □ □	□ □ □	□ □ □
DAY 16	DAY 17	DAY 18	DAY 19	DAY 20
□ □ □	□ □ □	□ □ □	□ □ □	□ □ □
DAY 21	DAY 22	DAY 23	DAY 24	DAY 25
□ □ □	□ □ □	□ □ □	□ □ □	□ □ □
DAY 26	DAY 27	DAY 28	DAY 29	DAY 30
□ □ □	□ □ □	□ □ □	□ □ □	□ □ □
DAY 31	DAY 32	DAY 33	DAY 34	DAY 35
□ □ □	□ □ □	□ □ □	□ □ □	□ □ □
DAY 36	DAY 37	DAY 38	DAY 39	DAY 40
□ □ □	□ □ □	□ □ □	□ □ □	□ □ □
DAY 41	DAY 42	DAY 43	DAY 44	DAY 45
□ □ □	□ □ □	□ □ □	□ □ □	□ □ □
DAY 46	DAY 47	DAY 48	DAY 49	DAY 50
□ □ □	□ □ □	□ □ □	□ □ □	□ □ □

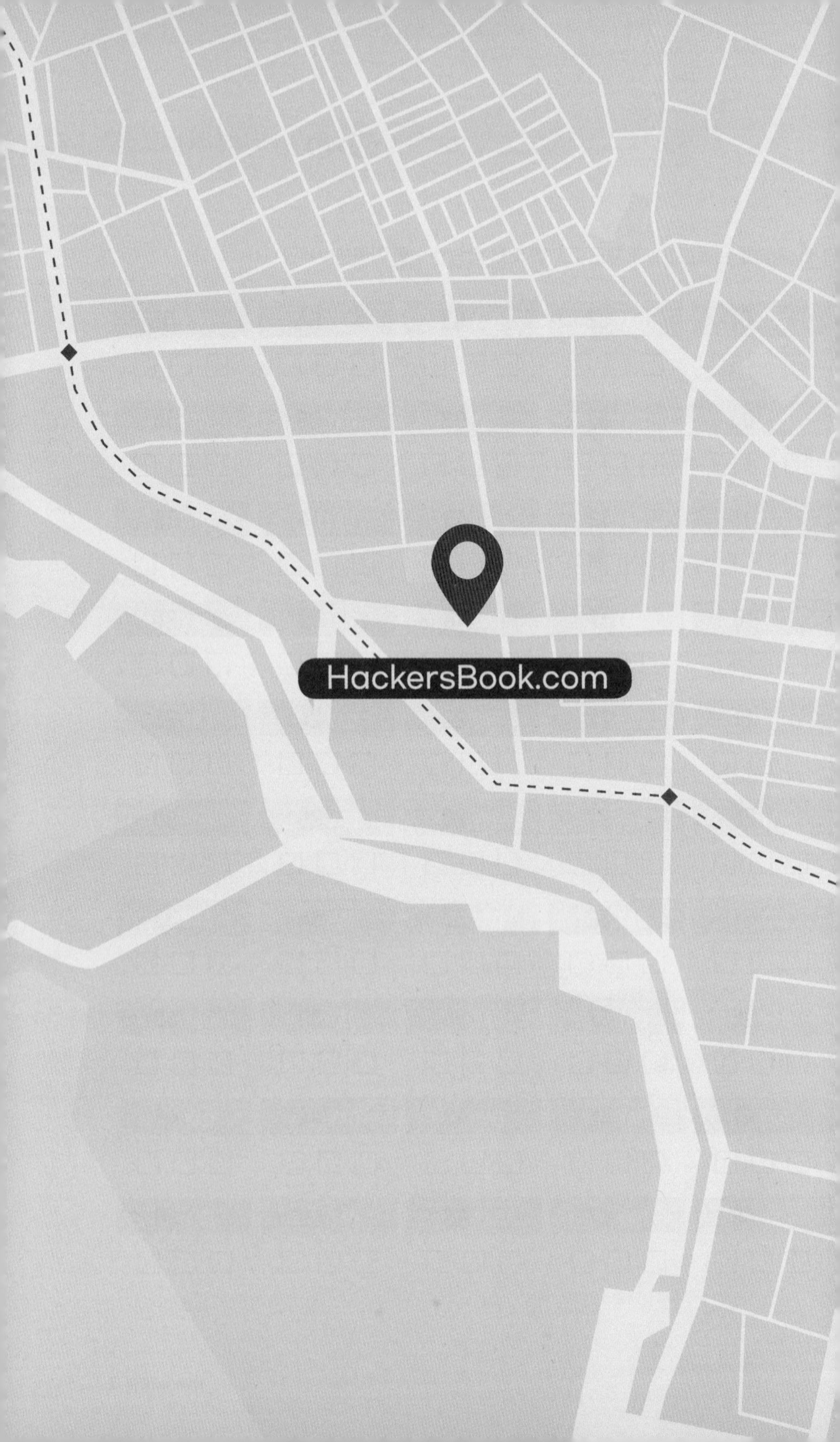
HackersBook.com

해커스 보카

수능 필수 2000+

PART 1

고교 필수 어휘

DAY
01

MP3 바로 듣기

요리의 맛은 좋은 재료와
정성에 달려 있지*.
라면스프만 있으면 나도 김셰프
라면

* 달려 있다 **depend**

0001 □□□ ★★★

depend

[dipénd]

동 (~에) 달려 있다, 의존하다

어원 de[아래로] + pend[매달다] → 상대의 아래에 매달려 의존하다

Many of your day-to-day judgments **depend** on your experience. (수능)

그날그날의 판단 중 다수가 당신의 경험에 **달려 있다**.

⊕ **dependent** 형 의존하는, 의지하는 **dependence** 명 의존, 의지
depend on ~에 달려 있다, ~에 의존하다

0002 □□□ ★★★

increase

동[inkríːs]
명[ínkriːs]

동 늘리다, 증가하다 명 증가, 증대

어원 in[안에] + crea(se)[자라다] → 안에서부터 자라나서 증가하다

She works hard to **increase** donations all year round. (수능)

그녀는 기부금을 **늘리기** 위해 일 년 내내 열심히 일한다.

⊕ **increasingly** 부 점점 더, 갈수록 더 **be on the increase** 증가하고 있다
⊜ **raise** ⇔ **decrease** 동 감소하다, 줄이다 명 감소

0003 □□□ ★★★

article

명 기사, 조항, 물품

[ɑ́:rtikl]

The **articles** in your magazine are very informative. (수능)
당신 잡지의 **기사들**은 매우 유익하네요.

Tips
시험에는 이렇게 나온다
article이 '기사'를 뜻하는 경우, 주로 전치사 about이나 on과 함께 '~에 관한 기사'로 사용돼요.
an article about the dangers of dust in air conditioners (학평)
에어컨 속 먼지의 위험성에 관한 기사

0004 □□□ ★★

result

명 결과 동 (~의 결과로) 발생하다, 기인하다

[rizʌ́lt]

어원 re[다시] + sult[뛰어오르다] → 어떤 행위를 하면 다시 뛰어올라 나타나는 결과

Did the X-ray **result** come out? (수능)
엑스레이 **결과**가 나왔나요?

⊕ **result in** ~을 야기하다 **result from** ~으로부터 기안하다
⊜ **outcome, consequence**

0005 □□□ ★★★

target

명 목표, 표적 동 목표로 삼다

[tɑ́:rgit]

We need to do research to figure out who our **target** customers are. (모평)
우리는 우리의 **목표** 고객층이 누구인지 파악하기 위해 조사해야 한다.

0006 □□□ ★★★

industry

명 산업, 공업

[índəstri]

어원 indu[안에] + stry[세우다] → 나라 안의 여러 생산 주체가 세운 산업

Is the future of the fashion **industry** bright? (학평)
패션 **산업**의 미래는 밝은가?

⊕ **industrial** 형 산업의 **industrialize** 동 산업화하다 **industrious** 형 근면한

0007 □□□ ★★★

option

명 선택, 옵션

[ɑ́:pʃən]

If you choose the safe **option** all of your life, you will never grow. (학평)
만약 당신이 평생 안전한 **선택**을 한다면, 당신은 결코 성장하지 않을 것이다.

⊕ **optional** 형 선택적인, 마음대로의 **optionally** 부 마음대로

0008 □□□ ★★

scan

[skæn]

동 살피다, 훑어보다

He paused and **scanned** the field, but he could not see anything familiar. 학평

그는 잠시 멈추고 들판을 **살폈지만**, 그 어떤 익숙한 것도 볼 수 없었다.

= **skim, look over**

0009 □□□ ★★★

success

[səksés]

명 성공, 성과

Sometimes failure can lead us to **success.** 교과서

때때로 실패는 우리를 **성공**으로 이끌 수 있다.

+ **succeed** 동 성공하다, 뒤를 잇다 **successful** 형 성공적인

0010 □□□ ★★★

even

[íːvən]

부 ~조차도, 훨씬 형 평평한, 짝수의

Even the team that wins the game might make mistakes. 수능

경기에서 이기는 팀**조차도** 실수를 저지를 수 있다.

Tips

비교급을 수식하는 부사 *even*

even은 비교급 앞에 위치할 때 '훨씬 더 ~한'이라는 의미를 나타내요. 그 외에 much, still, far, a lot 등도 같은 뜻으로 비교급을 강조하는 부사로 쓰여요.

0011 □□□ ★★★

pose

[pouz]

동 (위험·문제 등을) 제기하다, 자세를 취하다 명 자세

These explorations **pose** no risk to human life. 학평

이 탐사들은 인간의 삶에 위험을 **제기하지** 않는다.

0012 □□□ ★★★

serve

[səːrv]

동 (음식 등을) 제공하다, 기여하다, 역할을 하다

When you **serve** a sweet treat at dinner, think about lighting a vanilla-scented candle. 학평

당신이 저녁 식사에 달콤한 음식을 **제공할** 때, 바닐라 향의 양초에 불을 붙이는 것을 생각해 보라.

+ **service** 명 서비스, 공공 체제 **serve in the military** 군 복무를 하다
serve a purpose 도움이 되다

LONDON

0013 □□□ ★★★

develop

[divéləp]

동 개발하다, 발달하다

I've already finished **developing** a recipe. (수능)

나는 이미 요리법을 **개발하는** 것을 마쳤다.

⊕ **development** 명 개발, 발달

0014 □□□ ★★★

average

[ǽvəridʒ]

형 보통의, 평균의 명 표준, 평균

Researchers say the **average** child consumes 2,700 mg of salt a day. (학평)

연구원들은 **보통의** 어린이가 하루에 2,700밀리그램의 소금을 섭취한다고 말한다.

⊕ **on average** 평균적으로

⊟ **ordinary, usual, normal**

0015 □□□ ★★★

order

[ɔ́:rdər]

동 주문하다, 명령하다 명 주문, 명령, 순서

I'd like to **order** a book online. (학평)

나는 온라인으로 책을 **주문하고** 싶다.

Tips

시험에는 이렇게 나온다

place an order 주문하다 **in order to** ~하기 위하여 **out of order** 고장난

0016 □□□ ★★★

situation

[sìtʃuéiʃən]

명 상황, 처지, 위치

This means you should play many roles in different **situations**. (수능)

이것은 당신이 여러 가지 **상황들**에서 많은 역할을 해야 한다는 것을 의미한다.

⊕ **situational** 형 상황에 따른 **situate** 동 놓다, 위치를 정하다

⊟ **condition, circumstances**

0017 □□□ ★★★

specific

[spisífik]

형 구체적인, 명확한, 특정한

어원 spec(i)[보다] + fic[만들다] → 볼 수 있도록 형태가 다 만들어져 모습이 구체적인

Think of **specific** times when you were mad. (학평)

당신이 화가 났던 **구체적인** 때를 생각해보세요.

⊕ **specifically** 부 명확하게, 분명히 **specify** 동 명시하다

specificative 형 명확히 말하는 **specification** 명 설명서, 상술

0018 □□□ ★★★

view

명 전망, 견해, 관점 동 바라보다

[vjuː]

We have a room with a great ocean **view**. (학평)

저희는 멋진 바다 **전망**을 가진 방을 보유하고 있습니다.

⊕ **viewer** 명 시청자, 관찰자 **point of view** 관점

⊜ **scene, sight**

0019 □□□ ★★★

positive

형 긍정적인, 확신하는

[pάːzətiv]

어원 pos(it)[놓다] + ive[형·접] → 놓을 자리가 마음에 드는, 즉 그곳에 두는 것에 긍정적인

The purpose of the program is to encourage us to build a **positive** mindset. (학평)

그 프로그램의 목적은 우리가 **긍정적인** 사고방식을 형성하도록 장려하는 것이다.

0020 □□□ ★★★

raise

동 기르다, 양육하다, 올리다 명 증가

[reiz]

Every parent wants to **raise** a child with a strong moral character. (수능)

모든 부모는 자녀가 강한 도덕성을 갖추도록 **기르고** 싶어 한다.

⊜ **rear, nurture**

0021 □□□ ★★★

recommend

동 추천하다, 권고하다

[rèkəménd]

어원 re[다시] + commend[명령하다] → 내가 했던 것을 다시 해보라고 명령하다, 즉 추천하다

I can **recommend** a stylist if you want. (수능)

당신이 원하신다면 제가 스타일리스트를 **추천해** 드릴 수 있습니다.

⊕ **recommendation** 명 추천, 권고

⊜ **suggest, propose**

0022 □□□ ★★★

climate

명 기후, 풍토

[kláimət]

어원 clim[경사지다] + ate[명·접] → 지구의 경사에 따라 다른 기후

The dry **climate** in India led to early development of water management techniques. (학평)

인도의 건조한 **기후**는 수자원 관리 기술의 조기 발전을 야기했다.

0023 □□□ ★★

capture

동 체포하다, 붙잡다, (사진·문장 등에) 담다 명 포획

[kǽptʃər]

Captain Charlie Plumb was **captured** and spent six years in a Vietnamese prison. (학평)

Charlie Plumb 대령은 **체포되어** 베트남 감옥에서 6년을 보냈다.

⊜ arrest, catch

0024 □□□ ★★★

necessary

형 필요한, 필수적인

[nésəsèri]

어원 ne[아닌] + cess[가다] + ary[형·접] → 그냥 지나쳐 가면 안 되는, 즉 꼭 필요한

Breaks are **necessary** to revive your energy levels and recharge your mental stamina. (학평)

휴식은 당신의 에너지 수준을 회복하고 정신적인 원기를 재충전하기 위해 **필요하다**.

⊕ necessarily 부 필연적으로, 반드시 necessitate 동 필요하게 하다

⊜ needed, essential, required ⇔ unnecessary 형 불필요한

Tips

not necessarily + 동사

necessary의 부사형 necessarily는 'not necessarily + 동사'의 형태로 not과 함께 쓰여 부분 부정 구문으로 자주 출제되는데, '반드시 ~하는 것은 아니다'라는 의미로 쓰여요.

Money and power do not necessarily lead you to success. (학평)

돈과 권력이 너를 반드시 성공으로 이끄는 것은 아니다.

0025 □□□ ★★

journal

명 일기, 신문

[dʒə́ːrnl]

If you express your emotions in your **journal**, you'll feel relieved and refreshed. (학평)

만약 당신이 감정을 **일기**에 표현한다면, 당신은 안도감과 상쾌함을 느낄 것이다.

⊕ journalism 명 언론계, 저널리즘 journalist 명 기자

⊜ diary

Tips

'신문, 잡지'와 관련된 단어들

magazine 잡지	**article** 기사	**newspaper** 신문
editorial 사설	**comment** 논평, 비판	**column** 기고란, 칼럼

0026 □□□ ★★

pile

명 더미, 쌓아 놓은 것 동 쌓아 올리다

[pail]

There is a **pile** of dishes in the sink. (학평)

싱크대에 접시 한 **더미**가 있다.

⊜ stack, heap

0027 □□□ ★★

maximize

통 극대화하다, 최대화하다

[mǽksəmàiz]

Macronutrients can help your body **maximize** its ability to repair, rebuild, and grow stronger. 학평

다량 영양소는 당신의 신체가 회복하고, 재건하고, 더 튼튼하게 성장할 수 있는 능력을 **극대화하는** 것에 도움이 될 수 있다.

↔ **minimize** 통 최소화하다, 축소하다

0028 □□□ ★★

stem

명 줄기, 대 통 유래하다, 생기다

[stem]

The plant has a **stem** that can grow up to four feet long. 학평

그 식물은 4피트까지 자랄 수 있는 **줄기**가 있다.

⊕ **stem from** ~에서 생겨나다

⊜ **stalk, trunk**

0029 □□□ ★★★

peak

명 정점, 절정, 산봉우리

[pi:k]

The population growth rate reached its **peak** in 2010 and began to decrease. 학평

인구 증가율은 2010년에 **정점**을 찍고 감소하기 시작했다.

0030 □□□ ★★★

amount

명 액수, 양, 총계 통 ~에 달하다

[əmáunt]

어원 a[~에] + mount[오르다] → 액수가 올라서 달한 총계, 수량이 늘어나 달한 양

Shoppers usually have a limited **amount** of money to spend. 학평

쇼핑객들은 보통 쓸 수 있는 한정된 **액수**의 돈을 가지고 있다.

⊜ **quantity, number**

Tips

amount와 number의 의미 구분

amount는 셀 수 없는 명사의 '양'을 나타내고, number는 셀 수 있는 명사의 '수'를 나타내요.

0031 □□□ ★★

closely

부 가까이, 밀접하게

[klóusli]

Don't follow too **closely** behind the car ahead of you. 학평

당신 앞의 차 뒤에 너무 **가까이** 붙어 가지 마세요.

LONDON

0032 □□□ ★★★

object

명 물체, 목표, 대상 동 반대하다

명[ɑ́:bdʒekt]
동[əbdʒékt]

어원 ob[맞서] + ject[던지다] → 어떤 대상에 맞서 던지는 물체 또는 맞서는 의견을 던져 반대하다

A moving **object** continues to move unless some force is used to stop it. (수능)

움직이는 **물체**는 그것을 멈추기 위해 어떤 물리력이 사용되지 않는 한 계속 움직인다.

⊕ **objection** 명 반대, 이의 **objective** 형 객관적인 **objectivity** 명 객관성
object to ~에 반대하다

⊟ **item, article**

0033 □□□ ★★

draft

명 초안, 원고 동 초안을 작성하다, 선발하다

[dræft]

I knew that the first **draft** wouldn't be perfect. (학평)

나는 첫 번째 **초안**이 완벽하지 않을 것이라는 걸 알았다.

0034 □□□ ★

outlook

명 전망, 관점, 경치

[áutluk]

어원 out[밖으로] + look[보다] → 밖으로 내다볼 때 보이는 전망

He developed a positive **outlook** towards the future. (학평)

그는 미래에 대해 긍정적인 **전망**을 전개했다.

⊟ **prospect**

0035 □□□ ★★★

state

명 상태, 국가, 주(州) 동 진술하다

[steit]

Living things naturally return to a **state** of balance. (수능)

생물체는 자연스럽게 균형의 **상태**로 돌아간다.

Tips

시험에는 이렇게 나온다

state of mind 정신 상태	**physical state** 물리적 상태
state of equilibrium 평형 상태	**emotional state** 감정 상태

0036 □□□ ★

chaos

명 혼란, 혼돈, 무질서

[kéiɑ:s]

Without creative thinking, our lives would be in **chaos**. (모평)

창의적 사고가 없다면, 우리의 삶은 **혼란** 속에 있을 것이다.

⊕ **chaotic** 형 혼란의, 무질서한

⊟ **disorder, confusion**

0037 □□□ ★

upward

[ʌ́pwərd]

부 위쪽으로 형 위쪽을 향한, 증가하는

Looking **upward**, I could see the sky splashed with cotton-white clouds. (수능)

위쪽으로 보았을 때, 나는 솜사탕 같은 하얀 구름들이 흩어져 있는 하늘을 볼 수 있었다.

↔ **downward** 부 아래쪽으로 형 아래를 향한, 내려가는

0038 □□□ ★

invariably

[invέəriəbli]

부 언제나, 반드시, 변함없이

어원 in[아닌] + vari[달라지다] + abl(e)[할 수 있는] + ly[부·접] → 달라질 수 있는 것이 아닌, 즉 언제나

Individuals with the highest capability **invariably** make perfect team members. (교과서)

가장 뛰어난 능력을 가진 개인들은 **언제나** 완벽한 팀 구성원이 된다.

= **always, constantly**

0039 □□□ ★★

capable

[kéipəbl]

형 할 수 있는, 유능한

어원 cap[취하다] + able[할 수 있는] → 어떤 것을 취할 수 있는, 즉 유능한

Perfect courage is to do unwitnessed what we should be **capable** of doing before all men. (수능)

완전한 용기는 모든 사람 앞에서 **할 수 있는** 일을 보이지 않는 곳에서 하는 것이다.

+ **capability** 명 능력, 역량 **be capable of** ~할 수 있다

↔ **incapable** 형 할 수 없는, 무능한

Tips

'할 수 있는, 유능한'과 관련된 단어들
able 할 수 있는, 재능 있는 **competent** 유능한 **talented** 재능 있는, 유능한

0040 □□□ ★★★

suppose

[səpóuz]

동 가정하다, 추정하다

어원 sup[아래에] + pos(e)[놓다] → 근거를 아래에 깔아 놓고 미루어 생각하다, 즉 가정하다

Suppose that you are busy working on a project. (학평)

당신이 프로젝트를 하느라 바쁘다고 **가정해보세요**.

+ **supposed** 형 추정되는, 여겨지는
  supposedly 부 추정 상, 아마
  be supposed to ~하기로 되어 있다

= **assume**

Daily Quiz

영어는 우리말로, 우리말은 영어로 쓰세요.

01 suppose ____________

02 object ____________

03 article ____________

04 average ____________

05 recommend ____________

06 state ____________

07 success ____________

08 serve ____________

09 increase ____________

10 situation ____________

11 주문하다, 주문, 순서 ____________

12 필요한, 필수적인 ____________

13 액수, 양, ~에 달하다 ____________

14 전망, 관점, 바라보다 ____________

15 개발하다, 발달하다 ____________

16 기르다, 양육하다, 증가 ____________

17 산업, 공업 ____________

18 긍정적인, 확신하는 ____________

19 목표, 표적, 목표로 삼다 ____________

20 기후, 풍토 ____________

다음 빈칸에 들어갈 가장 알맞은 것을 박스 안에서 고르세요.

even	depend	peak	specific	option

21 If you choose the safe ____________ all of your life, you will never grow.
만약 당신이 평생 안전한 선택을 한다면, 당신은 결코 성장하지 않을 것이다.

22 Think of ____________ times when you were mad.
당신이 화가 났던 구체적인 때를 생각해보세요.

23 ____________ the team that wins the game might make mistakes.
경기에서 이기는 팀조차도 실수를 저지를 수 있다.

24 The population growth rate reached its ____________ in 2010 and began to decrease.
인구 증가율은 2010년에 정점을 찍고 감소하기 시작했다.

25 Many of your day-to-day judgments ____________ on your experience.
그날그날의 판단 중 다수가 당신의 경험에 달려 있다.

정답

01 가정하다, 추정하다 **02** 물체, 목표, 대상, 반대하다 **03** 기사, 조항, 물품 **04** 보통의, 평균의, 표준, 평균 **05** 추천하다, 권고하다
06 상태, 국가, 주, 진술하다 **07** 성공, 성과 **08** (음식 등을) 제공하다, 기여하다, 역할을 하다 **09** 늘리다, 증가하다, 증가, 증대 **10** 상황, 처지, 위치
11 order **12** necessary **13** amount **14** view **15** develop **16** raise **17** industry **18** positive **19** target **20** climate
21 option **22** specific **23** Even **24** peak **25** depend

DAY 02

MP3 바로 듣기

* 약속 **promise**

0041 □□□ ★★★

promise

명 약속 **동** 약속하다, 장담하다

[prá:mis]

어원 pro[앞에] + mis(e)[보내다] → 앞에 미리 보내서 정한 약속

I decided that I would not break any **promises**. (수능)

나는 어떠한 **약속**도 어기지 않겠다고 결심했다.

⊕ **promising** 형 유망한

⊜ **guarantee, assure**

0042 □□□ ★★★

likely

형 ~할 것 같은, 가능성이 있는, 그럴듯한

[láikli]

This is not **likely** to change before 2025. (수능)

이것은 2025년 이전에는 바뀔 **것 같지** 않다.

⊕ **likelihood** 명 가능성, 공산

↔ **unlikely** 형 ~할 것 같지 않은

Tips

시험에는 이렇게 나온다

be likely to ~할 것 같다
far more likely 훨씬 더 그럴듯한
the least likely 가장 ~할 것 같지 않은

0043 □□□ ★★★

period

[pí:əriəd]

명 시대, 기간, 주기

Kansong collected art during the harsh Japanese colonial **period**. 교과서

간송은 가혹한 일제강점기 **시대** 동안 미술품을 수집했다.

⊕ **periodic** 형 주기적인, 정기의 **periodical** 명 정기 간행물

⊜ **era, age, time**

0044 □□□ ★★★

limit

[límit]

명 제한, 한계 동 제한하다

Set a time **limit** when making a presentation. 수능

발표를 할 때에는 시간**제한**을 정해두세요.

⊕ **limitation** 명 제한, 제약 **limited** 형 제한된

⊜ **restriction**

0045 □□□ ★★★

reality

[riǽləti]

명 현실, 실제

It gave me great pleasure to think about how my dream would become a **reality**. 수능

내 꿈이 어떻게 **현실**이 될지에 대해 생각해보는 것은 나에게 큰 기쁨을 주었다.

⊕ **realism** 명 현실주의 **realize** 동 깨닫다, 실현하다 **real** 형 진짜의, 현실적인

0046 □□□ ★★

broad

[brɔ:d]

형 넓은, 광범위한

Students should study a **broad** range of subjects throughout middle and high school. 수능

학생들은 중고등학교 재학 동안 **넓은** 범위의 과목들을 학습해야 한다.

⊕ **broadly** 부 광범위하게 **broaden** 동 넓히다, 퍼지다

⊜ **wide** ⇔ **narrow** 형 좁은

0047 □□□ ★★★

therefore

[ðέərfɔ̀:r]

부 따라서, 그러므로

The second graders have taken more science courses and, **therefore**, have more knowledge. 모평

2학년생들은 더 많은 과학 수업을 들었고, **따라서** 더 많은 지식을 갖고 있다.

0048 □□□ ★★★

produce

동 만들어내다, 생산하다 명 농산물, 생산품

동[prədjúːs]
명[prádjuːs]

어원 pro[앞으로] + duc(e)[끌다] → 소비자 앞으로 끌고 올 새 제품을 만들어내다

Technology that **produces** pollution is generally cheaper. (수능)
오염 물질을 **만들어내는** 기술은 일반적으로 더 저렴하다.

⊕ **product** 명 상품, 제품 **production** 명 생산 **productivity** 명 생산성
⊜ **make, generate**

0049 □□□ ★★

garage

명 차고

[gərάːdʒ]

It won't be easy to park in the **garage**. (모평)
차고에 주차하는 것은 쉽지 않을 것이다.

0050 □□□ ★★★

advantage

명 이점, 장점

[ædvǽntidʒ]

어원 adv[~로부터] + ant[앞에] + age[명·접] → 남들로부터 앞에 있는 유리함, 즉 이점

Let's talk about the **advantages** and disadvantages. (교과서)
이점들과 불리한 점들에 대해 이야기해보자.

⊕ **advantageous** 형 이로운, 유리한
⊜ **benefit** ↔ **disadvantage** 명 불리한 점, 약점

Tips
시험에는 이렇게 나온다
take advantage of (이점 등을) 이용하다 **to one's advantage** ~에게 유리하게

0051 □□□ ★★★

rather

부 ~보다는, 오히려, 꽤, 약간

[rǽðər]

He painted for money **rather** than for art's sake. (수능)
그는 예술을 위해서라기**보다는** 돈을 위해서 그림을 그렸다.

⊕ **would rather A than B** B하기보다는 차라리 A하겠다

0052 □□□ ★★★

credit

명 신용, 공로 동 믿다, ~의 공으로 인정하다

[krédit]

I'll pay by **credit** card. (학평)
신용 카드로 지불하겠습니다.

⊕ **credible** 형 믿을 수 있는 **credibility** 명 신뢰성
be credited to ~의 덕택이다

0053 □□□ ★★

discard

[diskɑ́:rd]

동 버리다, 폐기하다

We **discard** the old for the new without thought. (학평)

우리는 새로운 것을 위해 생각 없이 낡은 것들을 **버린다**.

= **get rid of, dump**

0054 □□□ ★

division

[divíʒən]

명 부서, 분할, 분배

John got a job with the Australian **division** of a famous American company. (모평)

John은 유명한 미국 회사의 호주 담당 **부서**에 직장을 얻었다.

+ **divisible** 형 나눌 수 있는 **divide** 동 나누다, 나뉘다

0055 □□□ ★★★

probably

[prɑ́bəbli]

부 아마(도), 대개는

He **probably** doesn't know any better. (수능)

그가 **아마** 더 잘 알지는 못할 것이다.

+ **probability** 명 확률, 개연성

0056 □□□ ★★★

eventually

[ivéntʃuəli]

부 결국, 마침내

He **eventually** became the principal surgeon of the French Army. (수능)

그는 **결국** 프랑스 군대의 수석 군의관이 되었다.

= **ultimately, in the end**

Tips

eventually와 finally의 의미 구분

두 단어 모두 '결국, 마침내'를 뜻하지만 약간의 차이가 있어요. eventually는 시간의 흐름에 따라 나타난 결과를 말할 때 자주 쓰이고, finally는 노력 끝에 바란 결과가 나타난 상황에서 주로 사용해요.

0057 □□□ ★★★

ability

[əbíləti]

명 능력, 재능

They often underestimate their **abilities**. (학평)

그들은 종종 그들의 **능력**을 과소평가한다.

+ **able** 형 ~할 수 있는

↔ **inability** 명 무능(력) **disability** 명 (신체적·정신적) 장애

0058 □□□ ★★★

force

명 힘, 물리력 동 강요하다

[fɔːrs]

The **force** of gravity is always attractive. (학평)

중력의 **힘**은 항상 끌어당긴다.

⊕ **forceful** 형 강력한, 강압적인 **net force** 알짜 힘(합력)
be forced to ~하도록 강요받다

⊜ **power**

0059 □□□ ★★★

value

명 가치, 중요성 동 가치 있게 여기다

[vǽljuː]

The **value** of information depends on speed. (수능)

정보의 **가치**는 속도에 달려 있다.

⊕ **valuable** 형 가치 있는, 소중한 **valueless** 형 무가치한

⊜ **worth**

0060 □□□ ★★

mode

명 방식, 유형

[moud]

This cell phone shows the time in a digital **mode** along with a calendar. (학평)

이 휴대폰은 시간을 달력과 함께 디지털 **방식**으로 보여준다.

⊜ **way, means**

0061 □□□ ★

coincidence

명 우연의 일치, 동시 발생

[kouínsidəns]

어원 co[함께] + incidence[발생] → 우연히 두 가지가 함께 발생하는 우연의 일치

What a **coincidence**! (수능)

이런 **우연의 일치**가 있다니!

⊕ **coincide** 동 일치하다, 동시에 일어나다

0062 □□□ ★★★

subject

명 과목, 주제, 대상 형 ~의 영향을 받는

[sʌ́bdʒikt]

Math is probably the most difficult **subject** for most students. (학평)

수학은 아마도 대부분의 학생들에게 가장 어려운 **과목**일 것이다.

⊕ **subjective** 형 주관적인 **be subject to** ~의 대상이다

0063 □□□ ★★

accidentally

부 우연히, 뜻하지 않게

[æ̀ksədéntəli]

Some food products were made **accidentally**. (모평)

몇몇 식료품들은 **우연히** 만들어졌다.

⊕ **accidental** 형 우연한, 우발적인 **accident** 명 사고, 우연

⊟ **by accident, by chance**

0064 □□□ ★★

erase

동 지우다, 없애다

[iréis]

It is better to write on a blackboard because chalk is easier to **erase**. (수능)

분필이 더 **지우기** 쉬우므로 칠판에 쓰는 것이 낫다.

⊟ **delete, remove**

0065 □□□ ★★★

remain

동 남아 있다, 여전히 ~이다

[riméin]

어원 re(뒤에) + main(남다) → 뒤에 그대로 남아 있다

She wished all the memories would **remain** in her mind forever. (수능)

그녀는 그 모든 기억들이 그녀의 마음에 영원히 **남아 있기를** 바랐다.

⊕ **remaining** 형 남아 있는 **remainder** 명 나머지, 재고품

⊟ **stay**

0066 □□□ ★★

trail

명 산길, 흔적, 자국 **동** 추적하다

[treil]

You can walk along the **trails** and enjoy all the wonders of the forest. (학평)

당신은 **산길**을 따라 걸으면서 숲의 모든 경이로움을 즐길 수 있다.

0067 □□□ ★★★

nowadays

부명 요즘, 오늘날

[náuədeiz]

Nowadays, many young people seem to prefer surfing the Internet to reading books. (수능)

요즘, 많은 젊은이들이 책을 읽는 것보다 인터넷 서핑을 선호하는 것으로 보인다.

⊟ **now, today**

0068 □□□ ★★

rapid

형 빠른, 신속한

[rǽpid]

People try to adjust their behaviors to a **rapid** pace of living and working. (수능)

사람들은 그들의 행동을 **빠른** 일상 생활과 업무 속도에 맞추려고 노력한다.

⊕ **rapidly** 부 빨리, 신속히

⊜ **quick, fast**

0069 □□□ ★★

tune

명 선율, 곡조 동 조율하다, 조정하다

[tjuːn]

When you listen to a **tune**, you move your hands as if you were actually playing it. (교과서)

당신이 한 **선율**을 들을 때, 당신은 마치 실제로 그것을 연주하는 것처럼 손을 움직인다.

⊕ **in tune with** 조화되어, 장단이 맞아서

⊜ **melody**

0070 □□□ ★★

circular

형 원형의, 둥근, 순환하는

[sə́ːrkjulər]

어원 circul[원] + ar[형·접] → 원의, 원형의

The **circular** seating arrangements typically activated people's need to belong. (학평)

원형의 좌석 배치가 대체로 사람들의 소속 욕구를 활성화했다.

⊕ **circulate** 동 순환하다 **circulation** 명 순환, 유통

⊜ **round**

0071 □□□ ★★★

appreciate

동 감사하다, 이해하다, 감상하다

[əpríːʃieit]

We would **appreciate** a response by February 20. (학평)

2월 20일까지 답변을 주시면 **감사하겠습니다**.

⊕ **appreciation** 명 감사, 감상 **appreciable** 형 주목할 만한 **appreciative** 형 고마워하는, 감탄하는

Tips

시험에는 이렇게 나온다

appreciate는 주로 consideration(배려), cooperation(협조) 등의 명사와 함께 사용되어 배려 또는 협조 등에 대한 감사함을 정중히 표현해요.

I really appreciate your cooperation. 당신의 협조에 정말 감사드립니다. (수능)

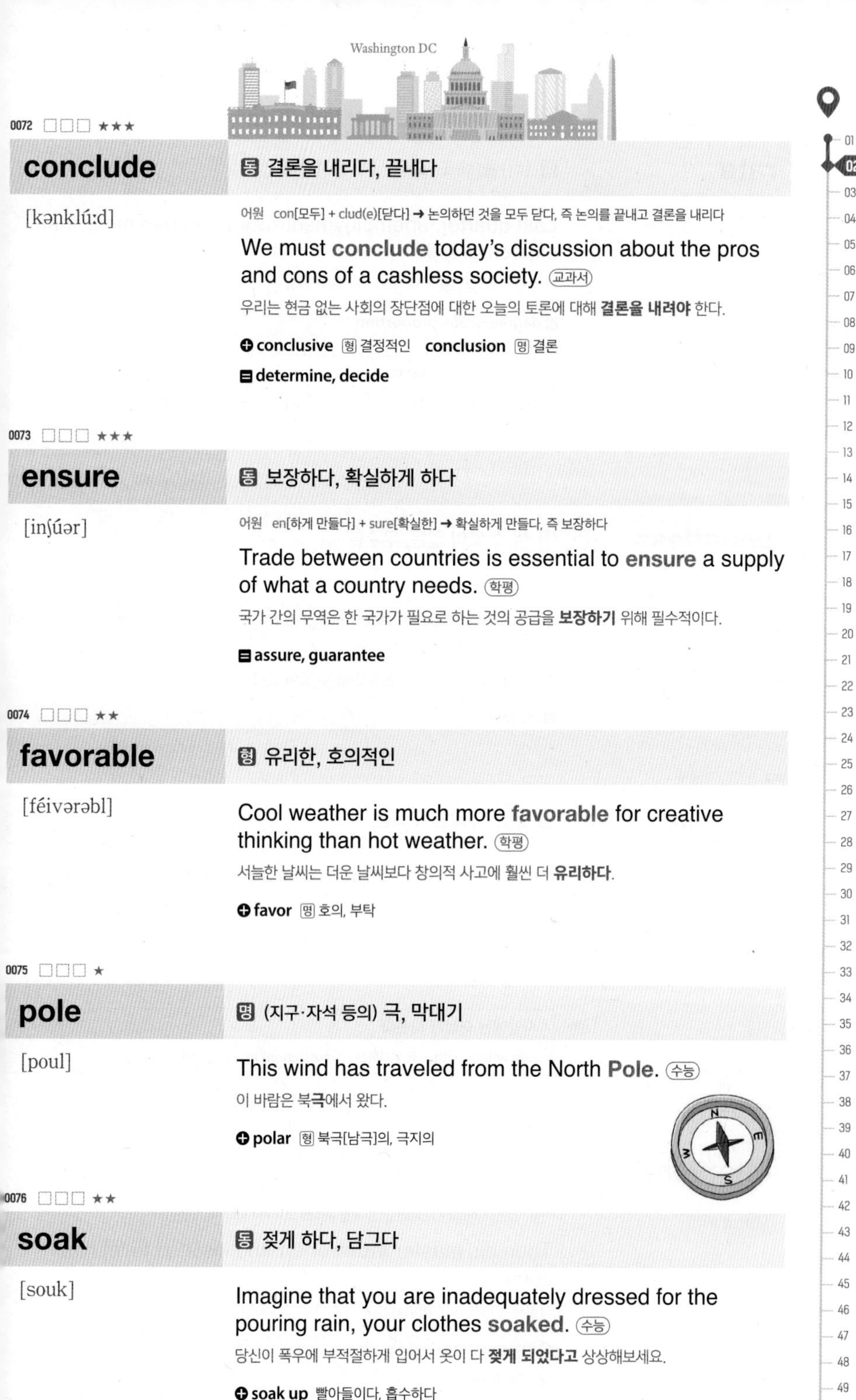

0072 □□□ ★★★

conclude

[kənklúːd]

동 결론을 내리다, 끝내다

어원 con[모두] + clud(e)[닫다] → 논의하던 것을 모두 닫다, 즉 논의를 끝내고 결론을 내리다

We must **conclude** today's discussion about the pros and cons of a cashless society. (교과서)

우리는 현금 없는 사회의 장단점에 대한 오늘의 토론에 대해 **결론을 내려야** 한다.

⊕ **conclusive** 형 결정적인 **conclusion** 명 결론

⊜ **determine, decide**

0073 □□□ ★★★

ensure

[inʃúər]

동 보장하다, 확실하게 하다

어원 en[하게 만들다] + sure[확실한] → 확실하게 만들다, 즉 보장하다

Trade between countries is essential to **ensure** a supply of what a country needs. (학평)

국가 간의 무역은 한 국가가 필요로 하는 것의 공급을 **보장하기** 위해 필수적이다.

⊜ **assure, guarantee**

0074 □□□ ★★

favorable

[féivərəbl]

형 유리한, 호의적인

Cool weather is much more **favorable** for creative thinking than hot weather. (학평)

서늘한 날씨는 더운 날씨보다 창의적 사고에 훨씬 더 **유리하다**.

⊕ **favor** 명 호의, 부탁

0075 □□□ ★

pole

[poul]

명 (지구·자석 등의) 극, 막대기

This wind has traveled from the North **Pole**. (수능)

이 바람은 북**극**에서 왔다.

⊕ **polar** 형 북극[남극]의, 극지의

0076 □□□ ★★

soak

[souk]

동 젖게 하다, 담그다

Imagine that you are inadequately dressed for the pouring rain, your clothes **soaked**. (수능)

당신이 폭우에 부적절하게 입어서 옷이 다 **젖게 되었다고** 상상해보세요.

⊕ **soak up** 빨아들이다, 흡수하다

0077 □□□ ★★★

rate

명 (비)율, 속도, 요금 동 평가하다

[reit]

Last quarter, unemployment **rates** dropped more than expected. (학평)

지난 분기에, 실업**률**은 예상보다 더 떨어졌다.

= **degree, scale, proportion**

Tips

시험에는 이렇게 나온다

growth rate 성장률, 증가율	**employment rate** 고용률, 취업률
at a rapid rate 빠른 속도로	**exchange rate** 환율

0078 □□□ ★★

countless

형 셀 수 없이 많은, 무수한

[káuntlis]

어원 count[계산하다] + less[없는] → 계산할 수 없을 정도로 무수히 많은

There are **countless** scientific inventions that have been generated by accident. (학평)

우연히 생겨난 과학적 발명품들은 **셀 수 없이 많다**.

= **infinite**

0079 □□□ ★★

consistent

형 일관된, 모순이 없는

[kənsístənt]

Habits are **consistent**, almost unconscious responses. (학평)

습관은 **일관된**, 거의 무의식적인 반응이다.

+ **consistently** 부 일관하여, 지속적으로 **consistency** 명 일관성

= **coherent** ↔ **inconsistent** 형 일관성이 없는, 모순되는

Tips

시험에는 이렇게 나온다

consistent with ~과 일치하는 **consistent in** ~이 한결같은

0080 □□□ ★

intervene

동 끼어들다, 개입하다

[ìntərvíːn]

어원 inter[사이에] + ven(e)[오다] → 둘 사이에 와서 끼어들다, 즉 개입하다

Then his master **intervened** and insisted to let him continue. (학평)

그러자 그의 스승이 **끼어들었고** 그가 계속하도록 놔두라고 주장했다.

+ **intervention** 명 중재, 개입

= **interfere**

Daily Quiz

영어는 우리말로, 우리말은 영어로 쓰세요.

01 limit ____________

02 conclude ____________

03 broad ____________

04 force ____________

05 appreciate ____________

06 ability ____________

07 therefore ____________

08 rate ____________

09 eventually ____________

10 accidentally ____________

11 버리다, 폐기하다 ____________

12 현실, 실제 ____________

13 ~할 것 같은, 그럴듯한 ____________

14 약속, 약속하다 ____________

15 가치, 가치 있게 여기다 ____________

16 이점, 장점 ____________

17 요즘, 오늘날 ____________

18 차고 ____________

19 아마(도), 대개는 ____________

20 신용, 공로, 믿다 ____________

다음 빈칸에 들어갈 가장 알맞은 것을 박스 안에서 고르세요.

subject	period	rather	produce	remain

21 He painted for money ____________ than for art's sake.
그는 예술을 위해서라기보다는 돈을 위해서 그림을 그렸다.

22 Technology that ____________(e)s pollution is generally cheaper.
오염 물질을 만들어내는 기술은 일반적으로 더 저렴하다.

23 Kansong collected art during the harsh Japanese colonial ____________.
간송은 가혹한 일제강점기 시대 동안 미술품을 수집했다.

24 Math is probably the most difficult ____________ for most students.
수학은 아마도 대부분의 학생들에게 가장 어려운 과목일 것이다.

25 She wished all the memories would ____________ in her mind forever.
그녀는 그 모든 기억들이 그녀의 마음에 영원히 남아 있기를 바랐다.

정답

01 제한, 한계, 제한하다 **02** 결론을 내리다, 끝내다 **03** 넓은, 광범위한 **04** 힘, 물리력, 강요하다 **05** 감사하다, 이해하다, 감상하다 **06** 능력, 재능 **07** 따라서, 그러므로 **08** (비)율, 속도, 요금, 평가하다 **09** 결국, 마침내 **10** 우연히, 뜻하지 않게 **11** discard **12** reality **13** likely **14** promise **15** value **16** advantage **17** nowadays **18** garage **19** probably **20** credit **21** rather **22** produce **23** period **24** subject **25** remain

DAY 03

MP3 바로 듣기

벌써 15,000원이나 썼지만..
왠지 이번엔 뽑힐 거 같단 말이지..!
원가 1500원
오늘의 교훈*: 쓸데없는 긍정 에너지는 과소비를 부른다.

* 교훈 **moral**

0081 □□□ ★★★

moral

명 교훈 형 도덕적인

[mɔ́ːrəl]

The **morals** of her stories taught me how I should live my life. 수능

그녀 이야기의 **교훈들**은 나에게 인생을 어떻게 살아야 할지 가르쳐주었다.

⊕ **morality** 명 도덕(성) **morally** 부 도덕적으로

⊟ **lesson, message**

0082 □□□ ★★★

decision

명 결정, 판단

[disíʒən]

Everyone makes **decisions** every day. 수능

모든 사람은 매일 **결정**을 내린다.

⊕ **decide** 동 결정하다 **decisive** 형 결정적인, 결단력 있는

⊟ **judgment, conclusion**

Tips

시험에는 이렇게 나온다

make a decision 결정을 내리다	**decision making** 의사 결정
impulsive decision 충동적인 결정	**wise decision** 현명한 판단

0083 □□□ ★★★

issue

명 문제, 쟁점, (발행물의) 호 동 발급하다, 공표하다

[íʃuː]

Hunger is not just an **issue** for people in faraway countries. (학평)

굶주림은 먼 나라 사람들만의 **문제**가 아니다.

⊜ problem

Tips

시험에는 이렇게 나온다

political issue 정치적 문제	**common issue** 흔한 문제
the December issue (잡지 등의) 12월호	**issue a visa** 비자를 발급하다

0084 □□□ ★★★

crop

명 (농)작물, 수확량 동 수확하다, 잘라내다

[krɑːp]

Rice is one of the most important food **crops** in Asia. (학평)

쌀은 아시아에서 가장 중요한 식량 **작물** 중 하나이다.

0085 □□□ ★★★

range

동 (범위가 A에서 B의) 사이이다, ~에 이르다 명 범위, 영역

[reindʒ]

The price of the food **ranges** from $2 to $5. (학평)

음식의 가격은 2달러에서 5달러 **사이이다**.

⊕ **out of range** 범위 밖의

0086 □□□ ★★★

document

명 서류, 문서 동 기록하다

명 [dɑ́ːkjumənt]
동 [dɑ́ːkjumènt]

He accidentally left his **document** in the office. (수능)

그는 뜻하지 않게 자신의 **서류**를 사무실에 두고 왔다.

⊜ paper

0087 □□□ ★★★

term

명 용어, 학기

[təːrm]

The **term** "artist" is used to refer to a broad range of creative individuals. (모평)

"예술가"라는 **용어**는 넓은 범위의 창의적인 사람들을 지칭하는 데 사용된다.

⊕ **in terms of** ~에 관해서는

⊜ word

0088 □□□ ★★★

figure

명 수치, 계산, 인물 동 판단하다

[fígjər]

These **figures** clearly show how successful the two movies were around the world. (수능)

이 **수치들**은 두 영화가 세계적으로 얼마나 성공적이었는지 명확히 보여준다.

⊕ **figure out** ~을 이해하다, 계산하다

⊟ **number**

0089 □□□ ★★★

occur

동 일어나다, 발생하다

[əkə́ːr]

어원 oc[향하여] + cur[달리다] → 어떤 일이 나를 향해 달려오다, 즉 일어나다

A collision will **occur** unless you each move out of the other's way. (학평)

여러분 각자가 길을 비키지 않으면 충돌이 **일어날** 것입니다.

⊕ **occurrent** 형 현재 일어나고 있는, 우연의 **occurrence** 명 발생

⊟ **happen**

0090 □□□ ★★★

recognize

동 인지하다, 알아보다, 인정하다

[rékəgnaiz]

어원 re[다시] + cogn[알다] + ize[동·접] → 다시 보고 알게 되다, 즉 인지하다

Bob instantly **recognized** the error and corrected his interpretation. (수능)

Bob은 즉시 오류를 **인지했고** 그의 해설을 정정했다.

⊕ **recognition** 명 인지, 알아봄, 인정

⊟ **identify, notice**

0091 □□□ ★

herd

명 무리, 떼 동 떼를 짓다, 떼 지어 가다

[həːrd]

Cattle owners consider the relative advantage of adding one more animal to the **herd**. (수능)

소 떼의 소유주들은 **무리**에 가축 한 마리를 더 추가하는 것의 상대적 이점을 고려한다.

0092 □□□ ★★★

due

형 ~하기로 되어 있는, 예정된

[djuː]

The report is **due** on Tuesday. (학평)

보고서는 화요일까지 **하기로 되어 있다**.

⊕ **due to** ~ 때문에

Washington DC

0093 □□□ ★★★

express

[iksprés]

동 표현하다, 나타내다 명 급행, 속달

어원 ex[밖으로] + press[누르다] → 생각, 감정을 눌러 밖으로 드러내어 표현하다

You can **express** all the things you're thankful for in a gratitude journal. 학평

당신은 감사 일기에 당신이 고맙게 여기는 모든 것들을 **표현할** 수 있다.

⊕ **expressive** 형 나타내는 **expression** 명 표현

⊟ **state**

0094 □□□ ★★

signature

[sígnətʃər]

명 서명, 특징

He left the box with his **signature** on it. 수능

그는 자신의 **서명**이 있는 상자를 두고 갔다.

⊕ **sign** 동 서명하다

0095 □□□ ★★

settle

[sétl]

동 정착하다, 해결하다, 처리하다

After the war, she **settled** in France. 학평

전쟁이 끝난 후, 그녀는 프랑스에 **정착했다**.

⊕ **settlement** 명 정착(지), 해결, 합의

0096 □□□ ★★★

serious

[síəriəs]

형 심각한, 진지한

The doctor said the injury wasn't that **serious**. 모평

의사는 그 부상이 그렇게 **심각하지** 않다고 말했다.

⊟ **severe**

0097 □□□ ★★★

charge

[tʃɑːrdʒ]

동 청구하다, 고발하다 명 요금, 책임

Late fees will be **charged** from next week. 수능

연체료는 다음 주부터 **청구될** 것이다.

⊟ **demand**

Tips

시험에는 이렇게 나온다

in charge of ~을 맡고 있는 **free of charge** 무료로 **extra charge** 추가 요금

0098 □□□ ★★★

observe

[əbzə́:rv]

동 관찰하다, 주시하다, (법·관습 등을) 지키다

어원 ob[향하여] + serve[지키다] → 어떤 것을 향하여 지키고 서서 관찰하다

I **observed** the people around me. (수능)

나는 내 주변의 사람들을 **관찰했다**.

⊕ **observer** 명 관찰자 **observance** 명 (법·관습 등의) 준수
observatory 명 관측소

⊟ **watch, view**

0099 □□□ ★★★

purchase

[pə́:rtʃəs]

동 구입하다, 구매하다 명 구입, 구매

She **purchased** an orange grove in Florida. (수능)

그녀는 플로리다에 있는 오렌지 과수원을 **구입했다**.

⊟ **buy**

0100 □□□ ★★

acknowledge

[æknɑ́:lidʒ]

동 인정하다, 시인하다

어원 ac(know)[인정하다] + know(ledge)[알다] → 어떤 사실에 대해 아는 것을 인정하다

Many fathers are reluctant to **acknowledge** the realities of their kids' psychological health. (학평)

많은 아버지들은 자녀의 정신 건강의 실상을 **인정하는** 것을 꺼린다.

⊕ **acknowledgement** 명 인정

⊟ **admit, accept, recognize** ⇔ **deny** 동 부인하다

0101 □□□ ★★★

reflect

[riflékt]

동 반영하다, 반사하다, 숙고하다

Coins **reflect** a country's history. (수능)

동전은 국가의 역사를 **반영한다**.

⊕ **reflection** 명 반영, 반사, 영상 **reflex** 명 반사 작용 형 반사적인

⊟ **show, reveal, indicate**

0102 □□□ ★

upright

[ʌ́pràit]

부 (위치·자세를) 똑바로, 꼿꼿이

어원 up[위로] + right[정확한] → 정확하게 위로 똑바른, 꼿꼿한

Mary opened her eyes and sat **upright** in bed. (학평)

Mary는 눈을 뜨고 침대에 **똑바로** 앉았다.

⊟ **straight**

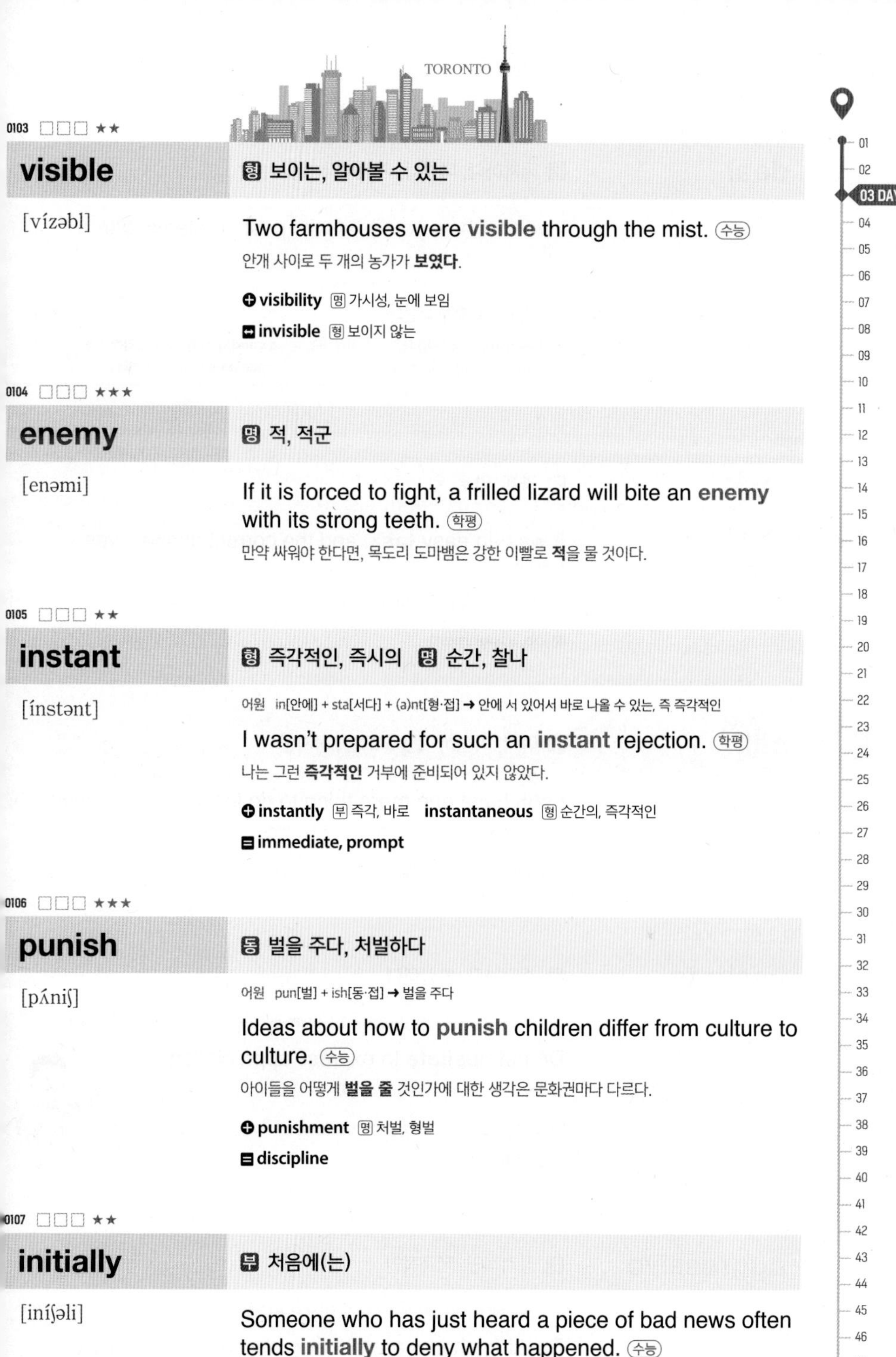

0103 □□□ ★★

visible

[vízəbl]

형 보이는, 알아볼 수 있는

Two farmhouses were **visible** through the mist. (수능)

안개 사이로 두 개의 농가가 **보였다**.

⊕ **visibility** 명 가시성, 눈에 보임

↔ **invisible** 형 보이지 않는

0104 □□□ ★★★

enemy

[enəmi]

명 적, 적군

If it is forced to fight, a frilled lizard will bite an **enemy** with its strong teeth. (학평)

만약 싸워야 한다면, 목도리 도마뱀은 강한 이빨로 **적**을 물 것이다.

0105 □□□ ★★

instant

[ínstənt]

형 즉각적인, 즉시의 명 순간, 찰나

어원 in[안에] + sta[서다] + (a)nt[형·접] → 안에 서 있어서 바로 나올 수 있는, 즉 즉각적인

I wasn't prepared for such an **instant** rejection. (학평)

나는 그런 **즉각적인** 거부에 준비되어 있지 않았다.

⊕ **instantly** 부 즉각, 바로 **instantaneous** 형 순간의, 즉각적인

= **immediate, prompt**

0106 □□□ ★★★

punish

[pʌ́niʃ]

동 벌을 주다, 처벌하다

어원 pun[벌] + ish[동·접] → 벌을 주다

Ideas about how to **punish** children differ from culture to culture. (수능)

아이들을 어떻게 **벌을 줄** 것인가에 대한 생각은 문화권마다 다르다.

⊕ **punishment** 명 처벌, 형벌

= **discipline**

0107 □□□ ★★

initially

[iníʃəli]

부 처음에(는)

Someone who has just heard a piece of bad news often tends **initially** to deny what happened. (수능)

나쁜 소식을 막 접한 사람은 종종 **처음에는** 일어난 일을 부정하는 경향이 있다.

⊕ **initial** 형 처음의, 최초의

= **at first**

0108 □□□ ★★★

deal

동 대처하다, 다루다, 거래하다 **명** 거래

[diːl]

I wonder how you **deal** with pest problems. (학평)

나는 당신이 해충 문제에 어떻게 **대처하는지** 궁금하다.

Tips

시험에는 이렇게 나온다

deal with (문제 등에) 대처하다, 처리하다
a good[great] deal 유리한 거래
a good[great] deal of 다량의, 많은
a package deal 일괄 거래

0109 □□□ ★★★

task

명 과제, 업무, 일

[tæsk]

It was an easy **task**, and the correct answer was obvious. (수능)

그것은 쉬운 **과제**였고, 정답은 명백했다.

⊜ **job, assignment**

0110 □□□ ★★★

still

부 아직, 여전히 **형** 고요한, 정지한

[stil]

I **still** have one more thing to do for the presentation. (수능)

나는 **아직** 발표를 위해 해야 할 일이 하나 더 있다.

⊕ **stillness** 명 고요함, 정적, 정지

0111 □□□ ★★

hesitate

동 주저하다, 망설이다

[héziteit]

어원 hes[달라붙다] + it[가다] + ate[동·접] → 원래 있던 곳에 달라붙은 채로 가기를 주저하다

Do not **hesitate** to express appreciation. (학평)

감사를 표하는 것을 **주저하지** 마세요.

⊕ **hesitation** 명 주저, 망설임 **hesitate to** ~하는 것을 망설이다

⊜ **be reluctant**

0112 □□□ ★★

aggressive

형 공격적인, 적극적인

[əgrésiv]

어원 ag[~에] + gress[걸어가다] + ive[형·접] → 상대에게로 걸어가서 먼저 공격하려 하는, 즉 공격적인

Basking sharks are not **aggressive** and generally harmless to people. (학평)

돌묵상어는 **공격적이지** 않고 일반적으로 사람들에게 무해하다.

⊕ **aggressively** 부 공격적으로 **aggression** 명 공격(성), 침략

0113 □□□ ★★

shade

명 그늘, 음영 동 그늘지게 하다, 가리다

[ʃeid]

Tree **shade** and a breeze are fantastic. (학평)

나무 **그늘**과 산들바람이 환상적이다.

⊕ **shady** 형 그늘이 드리워진, 수상한

0114 □□□ ★

drown

동 익사하다, 물에 빠져 죽다

[draun]

Thousands of young seals **drown** every year. (학평)

매년 수천 마리의 어린 바다표범들이 **익사한다**.

0115 □□□ ★

quest

명 추구, 탐구 동 탐구하다

[kwest]

The great scientists are driven by an inner **quest** to understand the nature of the universe. (모평)

위대한 과학자들은 우주의 본성을 이해하려는 내면의 **추구**에 의해 움직인다.

⊜ **search**

0116 □□□ ★★★

apply

동 지원하다, 신청하다, 적용하다

[əplái]

어원 ap[~에] + ply[접다] → 자리에 맞도록 접어서 맞춰보다, 즉 그 자리에 지원하다

She made a portfolio to **apply** for university. (학평)

그녀는 대학에 **지원하기** 위해 포트폴리오를 만들었다.

⊕ **applicant** 명 지원자 **application** 명 지원서, 신청서
applicable 형 적용되는

Tips

시험에는 이렇게 나온다

apply for the position 직무에 지원하다
apply online 온라인으로 신청하다
apply to the program 프로그램에 적용하다
apply the technique 기술을 적용하다

0117 □□□ ★

wilderness

명 황야, 야생

[wíldərnəs]

The road is the supply route to diamond mines in the remote Canadian **wilderness**. (학평)

그 도로는 외딴 캐나다 **황야**에 있는 다이아몬드 광산으로의 공급로이다.

⊜ **wilds**

0118 □□□ ★★

hence

부 그러므로, ~한 이유로

[hens]

Some people are very good at their jobs but are poor at presenting themselves and, **hence**, do not convince the audience of their capabilities. (모평)

어떤 사람들은 자신의 일에 매우 능숙하지만 자기 자신을 표현하는 데에 서툴며, **그러므로**, 청중들에게 자신의 역량을 납득시키지 못한다.

Tips

결과를 나타내는 접속부사

hence 그러므로　**therefore** 따라서, 그래서　**thus** 그러므로, 따라서

0119 □□□ ★★★

variety

명 다양함, 다양성

[vəráiəti]

Variety is the beauty of a buffet. (학평)

다양함은 뷔페의 장점이다.

+ **vary** 동 서로 다르다, 다양하다　**various** 형 다양한

= **diversity**

Tips

a variety of + 복수 명사

'다양한'이라는 뜻의 'a variety of' 뒤에는 복수 명사가 와야 해요.

a variety of animals 다양한 동물들　**a variety of materials** 다양한 재료들

0120 □□□ ★★

solid

형 단단한, 견고한 **명** 고체

[sá:lid]

어원 sol[하나] + id[형·접] → 하나로 단단하게 뭉쳐 견고한

I jumped and landed on **solid** ground. (학평)

나는 점프해서 **단단한** 지면 위에 착지했다.

+ **solidity** 명 견고함　**solidarity** 명 연대, 결속

= **firm, hard**

Daily Quiz

영어는 우리말로, 우리말은 영어로 쓰세요.

01 punish ____________
02 due ____________
03 settle ____________
04 figure ____________
05 serious ____________
06 reflect ____________
07 task ____________
08 enemy ____________
09 express ____________
10 term ____________
11 구입하다, 구입, 구매 ____________
12 서류, 문서, 기록하다 ____________
13 교훈, 도덕적인 ____________
14 지원하다, 적용하다 ____________
15 대처하다, 거래하다, 거래 ____________
16 문제, 쟁점, 발급하다 ____________
17 관찰하다, 주시하다 ____________
18 다양함, 다양성 ____________
19 (농)작물, 수확량 ____________
20 (범위가 A에서 B의) 사이이다 ____________

다음 빈칸에 들어갈 가장 알맞은 것을 박스 안에서 고르세요.

recognize	decision	charge	occur	still

21 I ____________ have one more thing to do for the presentation.
나는 아직 발표를 위해 해야 할 일이 하나 더 있다.

22 Everyone makes ____________(e)s every day.
모든 사람은 매일 결정을 내린다.

23 A collision will ____________ unless you each move out of the other's way.
여러분 각자가 길을 비키지 않으면 충돌이 일어날 것입니다.

24 Late fees will be ____________(e)d from next week.
연체료는 다음 주부터 청구될 것이다.

25 Bob instantly ____________(e)d the error and corrected his interpretation.
Bob은 즉시 오류를 인지했고 그의 해설을 정정했다.

정답

01 벌을 주다, 처벌하다 **02** ~하기로 되어 있는, 예정된 **03** 정착하다, 해결하다, 처리하다 **04** 수치, 계산, 인물, 판단하다 **05** 심각한, 진지한 **06** 반영하다, 반사하다, 숙고하다 **07** 과제, 업무, 일 **08** 적, 적군 **09** 표현하다, 나타내다, 급행, 속달 **10** 용어, 학기 **11** purchase **12** document **13** moral **14** apply **15** deal **16** issue **17** observe **18** variety **19** crop **20** range **21** still **22** decision **23** occur **24** charge **25** recognize

DAY 04

MP3 바로 듣기

너 진짜 대단하더라! 버스 타고 가는데 단 한 번도 네가 시야*에서 사라지질 않았어!

태릉이 놓친 인재 발견..!

* 시야 **vision**

0121 □□□ ★★★

vision

명 시야, 시력, 통찰력

[víʒən]

어원 vis[보다] + ion[명·접] → 보는 범위 또는 능력, 즉 시야 또는 시력

The disease blurred his **vision**. (교과서)

그 질환이 그의 **시야**를 흐려지게 했다.

⊜ **sight, view**

0122 □□□ ★★★

recent

형 최근의

[ríːsnt]

He saw a report about a **recent** exhibition of modern art. (학평)

그는 **최근의** 현대 미술 전시에 대한 보도를 보았다.

⊕ **recently** 부 최근에

⊜ **new, modern**

Tips

recent와 modern의 의미 구분

둘 다 '최근의'를 뜻하지만 recent는 현재와 가까운 짧은 시간 범위를 말할 때, modern은 역사상 최근의 비교적 긴 시간 범위인 현대를 나타낼 때 사용돼요.

0123 □□□ ★★

salary

명 급여, 봉급

[sǽləri]

Some people believe that success generally means promotion or an increase in **salary**. (수능)

어떤 사람들은 성공이 일반적으로 승진이나 **급여** 인상을 의미한다고 생각한다.

Tips

'급여'와 관련된 단어들

salary (고정적) 급여 **wage** 임금, 급료 **income** 수입, 소득
pay 보수, 지불하다 **fee** 보수, 수수료, 요금

0124 □□□ ★★

rub

동 문지르다, 비비다 명 문지르기

[rʌb]

When you **rub** the cream on your muscles, it will relieve some of the pain. (학평)

그 크림을 당신의 근육에 **문지르면**, 그것은 약간의 통증을 완화할 것이다.

0125 □□□ ★★★

treat

동 대하다, 치료하다, 처리하다 명 대접

[triːt]

Treat every person you encounter with respect. (학평)

당신이 만나는 모든 사람을 정중함을 갖추어 **대하라**.

= **deal with, handle**

0126 □□□ ★★★

account

명 계좌, 장부, 설명 동 설명하다, 간주하다

[əkáunt]

A charge of $2 will be added to your **account**. (학평)

2달러의 수수료가 당신의 **계좌**에 추가될 것입니다.

+ **accounting** 명 회계(학) **accountant** 명 회계사 **on account of** ~ 때문에
account for ~을 설명하다, (비율을) 차지하다 **take A into account** A를 고려하다

0127 □□□ ★★

minor

형 가벼운, 작은 명 부전공, 미성년자

[máinər]

I had a **minor** bike accident on my way home. (수능)

나는 집으로 가는 길에 **가벼운** 자전거 사고를 당했다.

+ **minority** 명 소수

= **small, slight** ↔ **major** 형 주요한, 대다수의

0128 □□□ ★★★

maintain

[meintéin]

동 유지하다, 지속하다, 주장하다

어원 main[손] + tain[잡다] → 손으로 꼭 잡아 상태를 유지하다

Teachers must **maintain** a good relationship with parents. (수능)

교사들은 학부모들과 좋은 관계를 **유지해야** 한다.

⊜ **keep up, preserve**

0129 □□□ ★★★

immediately

[imí:diətli]

부 즉시, 즉각, 곧

The teddy in the window **immediately** caught her eye. (학평)

진열창의 곰 인형은 **즉시** 그녀의 눈길을 사로잡았다.

⊕ **immediate** 형 즉각적인

⊜ **instantly, promptly, directly**

0130 □□□ ★★★

contain

[kəntéin]

동 포함하다, 함유하다

어원 con[함께] + tain[잡다] → 여럿을 함께 잡아서 안에 넣어두다, 즉 그것을 포함하다

Fruit peels **contain** essential vitamins. (수능)

과일 껍질은 필수 비타민들을 **포함한다**.

⊕ **container** 명 그릇, 용기

⊜ **include, consist of**

0131  ★★★

main

[mein]

형 주요한, 주된

Illegal hunting and habitat loss are the **main** reasons behind the decrease of the tigers' population. (교과서)

불법 사냥과 서식지 상실이 호랑이 개체 수 감소의 **주요한** 원인이다.

⊕ **mainly** 부 주로, 대부분

⊜ **primary, chief**

0132 □□□ ★

warehouse

[wérhaus]

명 창고

James had an opportunity to visit the **warehouse** of the company in Boston. (학평)

James는 보스턴에 있는 회사의 **창고**를 방문할 기회가 있었다.

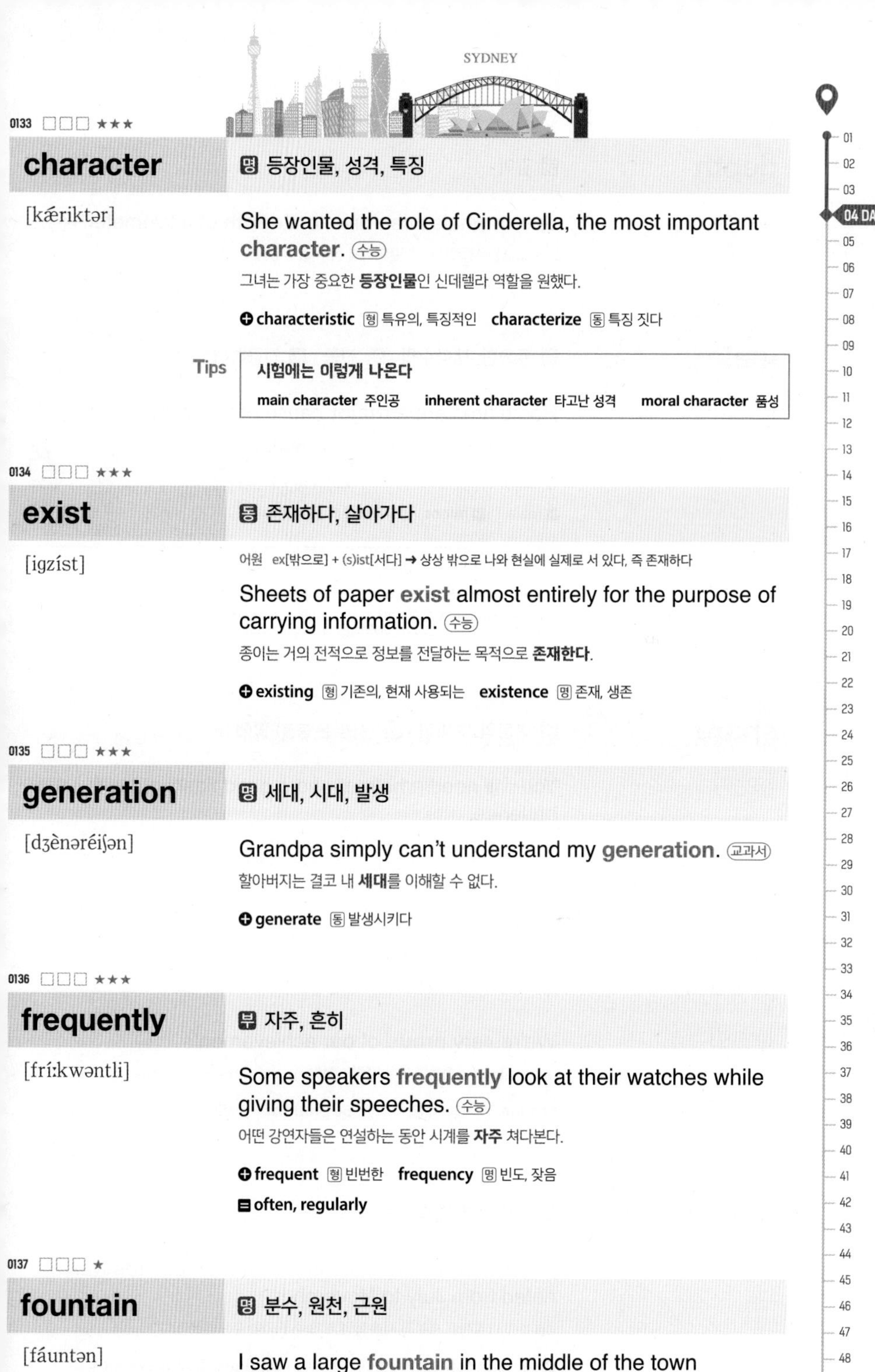

0133 □□□ ★★★

character

[kǽriktər]

명 등장인물, 성격, 특징

She wanted the role of Cinderella, the most important **character**. (수능)

그녀는 가장 중요한 **등장인물**인 신데렐라 역할을 원했다.

⊕ **characteristic** 형 특유의, 특징적인 **characterize** 동 특징 짓다

Tips

시험에는 이렇게 나온다

main character 주인공 **inherent character** 타고난 성격 **moral character** 품성

0134 □□□ ★★★

exist

[igzíst]

동 존재하다, 살아가다

어원 ex[밖으로] + (s)ist[서다] ➜ 상상 밖으로 나와 현실에 실제로 서 있다, 즉 존재하다

Sheets of paper **exist** almost entirely for the purpose of carrying information. (수능)

종이는 거의 전적으로 정보를 전달하는 목적으로 **존재한다**.

⊕ **existing** 형 기존의, 현재 사용되는 **existence** 명 존재, 생존

0135 □□□ ★★★

generation

[dʒènəréiʃən]

명 세대, 시대, 발생

Grandpa simply can't understand my **generation**. (교과서)

할아버지는 결코 내 **세대**를 이해할 수 없다.

⊕ **generate** 동 발생시키다

0136 □□□ ★★★

frequently

[fríːkwəntli]

부 자주, 흔히

Some speakers **frequently** look at their watches while giving their speeches. (수능)

어떤 강연자들은 연설하는 동안 시계를 **자주** 쳐다본다.

⊕ **frequent** 형 빈번한 **frequency** 명 빈도, 잦음

⊜ **often, regularly**

0137 □□□ ★

fountain

[fáuntən]

명 분수, 원천, 근원

I saw a large **fountain** in the middle of the town square. (학평)

나는 마을 광장의 한가운데에 있는 큰 **분수**를 보았다.

0138 □□□ ★★

depth

명 깊이

[depθ]

Sperm whales can dive to a **depth** of a kilometer. 수능

향유 고래는 1킬로미터의 **깊이**까지 잠수할 수 있다.

0139 □□□ ★★★

major

형 주요한, 대다수의 명 전공 동 전공하다

[méidʒər]

Home fires are a **major** cause of home injuries. 학평

가정 내 화재는 가정에서 일어나는 부상의 **주요한** 원인이다.

⊕ **majority** 명 대부분, 대다수 **major in** ~을 전공하다

⊜ **main** ⇔ **minor** 형 작은, 소수의 명 부전공

Tips

시험에는 이렇게 나온다

major problem 주요 문제 **major role** 주요 역할
major source 주요 공급원 **major obstacle** 주요 장애물

0140 □□□ ★★

spare

형 여분의, 예비의 동 (시간·돈 등을) 할애하다

[speər]

You will need a helmet and a good flashlight with **spare** batteries. 학평

당신은 헬멧과 **여분의** 배터리가 있는 좋은 손전등이 필요할 것이다.

⊜ **extra**

0141 □□□ ★★★

proud

형 자랑스러운, 자부심이 강한

[praud]

We're very **proud** of our achievements. 수능

우리는 우리의 업적들이 매우 **자랑스럽다**.

⊕ **pride** 명 자랑스러움, 자부심 **be proud of** ~을 자랑스러워하다

0142 □□□ ★★

continuous

형 지속적인, 계속되는

[kəntínjuəs]

A **continuous** increase in the number of birds was noted from July to November. 모평

7월에서 11월까지 새들의 **지속적인** 개체 수 증가가 두드러졌다.

⊕ **continuously** 부 연속적으로, 계속해서 **continue** 동 지속하다, 계속하다

0143 □□□ ★★

dislike

동 싫어하다 명 싫음, 반감

[disláik]

어원 dis[반대의] + like[좋아하다] → '좋아하다'의 반대, 즉 싫어하다

A critic who **disliked** the painting wrote an article. (교과서)

그 그림을 **싫어한** 한 비평가가 기사를 썼다.

⊟ hate ⇔ like 동 좋아하다

0144 □□□ ★★

seal

명 바다표범, 물개 동 봉인하다, 밀폐하다

[si:l]

Suddenly, the **seals** began to slip into the water. (학평)

갑자기, **바다표범들**이 물속으로 미끄러져 들어가기 시작했다.

0145 □□□ ★★★

thus

부 따라서, 그러므로

[ðʌs]

Since oceans are the "earth's weather engine", microbes **thus** affect the weather. (학평)

바다는 "지구의 기상 엔진"이기 때문에, **따라서** 미생물은 날씨에 영향을 미친다.

⊕ **thus far** 이제까지는, 여태까지

0146 □□□ ★★

propose

동 제안하다, 청혼하다

[prəpóuz]

어원 pro[앞에] + pos(e)[놓다] → 상대 앞에 의견을 놓아 제안하다

The students will **propose** a variety of ideas for developing employment opportunities. (학평)

학생들은 고용 기회 창출에 대한 다양한 의견들을 **제안할** 것이다.

⊕ **proposal** 명 제안, 청혼

⊟ **suggest**

0147 □□□ ★★★

jealous

형 질투하는

[dʒéləs]

We are not **jealous** of someone who is too highly placed. (학평)

우리는 너무 높은 곳에 있는 사람에게는 **질투하지** 않는다.

⊟ **envious, desirous**

Tips

시험에는 이렇게 나온다

jealous는 주로 화자의 심경을 묻는 문제의 선택지로 출제돼요. 유의어로는 envious, desirous 등이 있으니 함께 알아두세요.

0148 □□□ ★★

complicated

형 복잡한

[ká:mpləkeitid]

The application form is too **complicated** for me to fill out. (학평)

그 지원서 양식은 내가 작성하기에 너무 **복잡하다**.

= **complex** ↔ **uncomplicated** 형 복잡하지 않은, 단순한 **simple** 형 간단한

0149 □□□ ★★

heavily

부 과하게, 심하게, 무겁게

[hévili]

Most people attack a new problem by relying **heavily** on the tools that are most familiar to them. (수능)

대부분의 사람들은 그들에게 가장 익숙한 도구에 **과하게** 의존하여 새로운 문제에 대처한다.

= **excessively**

0150 □□□ ★★★

respect

명 존중, 존경 동 존중하다, 존경하다

[rispékt]

어원 re[뒤로] + spect[보다] → 뒤로 돌아 다시 볼 만큼 존경하는 것, 즉 존중

One of the best ways to show your **respect** for others is attentive listening. (학평)

다른 사람들에 대한 당신의 **존중**을 보여주는 가장 좋은 방법 중 하나는 경청하는 것이다.

+ **respectful** 형 존경하는, 공손한 **as respects** ~에 대해서는

= **regard**

0151 □□□ ★★★

shot

명 슛, 발포, 시도

[ʃɑ:t]

I dribbled awkwardly around the free-throw line and made a flat **shot**. (수능)

나는 자유투 라인 주변에서 어설프게 드리블하며 낮은 **슛**을 날렸다.

0152 □□□ ★★★

disaster

명 재앙, 재난

[dizǽstər]

A nuclear winter caused by a nuclear war would be a tremendous **disaster**. (학평)

핵전쟁으로 인한 핵겨울은 엄청난 **재앙**이 될 것이다.

Tips

'재앙'과 관련된 단어들

catastrophe 대참사, 재앙	**incident** 사건, 사고	**wreck** 난파(선), 조난
tragedy 비극	**casualty** 사상자	**fatality** 치사율, 사망자

0153 □□□ ★★★

attend

동 참석하다, 출석하다, 주의를 기울이다

[ətend]

어원 at[~쪽으로] + tend[뻗다] → 어떤 장소 쪽으로 발걸음을 뻗어 가서 그곳에 참석하다

I thought you had to **attend** a conference with your boss. 수능

나는 당신이 상사와 함께 회의에 **참석해야** 한다고 생각했다.

⊕ **attendee** 명 참석자 **attendance** 명 참석, 출석 **attentive** 형 주의 깊은, 정중한

0154 □□□ ★★

welfare

명 복지, 후생, 행복

[wélfeər]

어원 wel(l)[잘] + fare[가다] → 사회나 개인의 삶이 잘 돌아가게 하는 복지

We need to keep a balance between human pleasure and animal **welfare**. 학평

우리는 인간의 만족과 동물의 **복지** 사이에서 균형을 유지할 필요가 있다.

⊕ **social welfare** 사회 복지

⊟ **well-being**

0155 □□□ ★

boost

동 끌어올리다, 부양하다, 신장시키다

[buːst]

Make an egg and mushroom omelet to **boost** your intake of nutrients like vitamin D. 학평

비타민 D와 같은 영양분의 섭취를 **끌어올리기** 위해 계란 버섯 오믈렛을 만드세요.

⊟ **raise, increase**

0156 □□□ ★

terminal

형 불치의, 말기의 명 종착역, 터미널

[tə́ːrminəl]

The doctor told her she had a **terminal** illness. 학평

의사는 그녀가 **불치**병에 걸렸다고 그녀에게 말했다.

⊟ **fatal, deadly**

0157 □□□ ★

blind

형 앞을 못 보는, 눈먼 동 눈멀게 하다

[blaind]

She had been **blind**, but regained her sight by an operation. 학평

그녀는 **앞을 못 봤었지만**, 수술로 시력을 되찾았다.

0158 □□□ ★★★

certainly

부 틀림없이, 확실히

[sə́:rtnli]

If students enjoy themselves in class, it'll **certainly** help their learning. (수능)

만약 학생들이 수업에서 즐거운 시간을 보낸다면, 그것은 **틀림없이** 그들의 학습에 도움이 될 것이다.

⊕ **certain** 형 확실한, 특정한 **certainty** 명 확실성

⊜ **surely, definitely**

0159 □□□ ★★★

regard

동 ~으로 여기다, 간주하다 **명** 존경, 관심

[rigά:rd]

어원 re[다시] + gard[지켜보다] → 반복해서 다시 지켜본 결과 상대를 어떤 것으로 여기다

Some people **regard** ordinary people as their heroes. (학평)

어떤 사람들은 보통의 사람들을 그들의 영웅**으로 여긴다**.

⊜ **consider, see** ⇔ **regardless** 형 부주의한, 무관심한

Tips

시험에는 이렇게 나온다

in regard to ~과 관련하여
regardless of ~에 상관없이
best regards (편지 등의 맺음말로) 안부를 전합니다
self-regard 자존심, 자애심

0160 □□□ ★★★

judge

동 판단하다, 평가하다 **명** 판사, 심판

[dʒʌdʒ]

어원 jud[올바른] + ge[말하다] → 올바른 것을 가려서 말하다, 즉 판단하다

It's not good to **judge** others with prejudice. (학평)

편견을 가지고 다른 사람들을 **판단하는** 것은 좋지 않다.

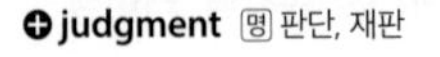

⊕ **judgment** 명 판단, 재판

⊜ **assess, estimate, evaluate**

Tips

시험에는 이렇게 나온다

judge by appearance 겉모습으로 판단하다
a juvenile court judge 소년 법원 판사

Daily Quiz

영어는 우리말로, 우리말은 영어로 쓰세요.

01 propose ______________

02 thus ______________

03 shot ______________

04 treat ______________

05 immediately ______________

06 vision ______________

07 respect ______________

08 main ______________

09 maintain ______________

10 generation ______________

11 자주, 흔히 ______________

12 참석하다, 주의를 기울이다 ______________

13 가벼운, 작은, 부전공 ______________

14 재앙, 재난 ______________

15 포함하다, 함유하다 ______________

16 자랑스러운 ______________

17 ~으로 여기다, 존경, 관심 ______________

18 주요한, 대다수의, 전공 ______________

19 존재하다, 살아가다 ______________

20 최근의 ______________

다음 빈칸에 들어갈 가장 알맞은 것을 박스 안에서 고르세요.

character	judge	certainly	account	jealous

21 She wanted the role of Cinderella, the most important ______________.
그녀는 가장 중요한 등장인물인 신데렐라 역할을 원했다.

22 We are not ______________ of someone who is too highly placed.
우리는 너무 높은 곳에 있는 사람에게는 질투하지 않는다.

23 If students enjoy themselves in class, it'll ______________ help their learning.
만약 학생들이 수업에서 즐거운 시간을 보낸다면, 그것은 틀림없이 그들의 학습에 도움이 될 것이다.

24 It's not good to ______________ others with prejudice.
편견을 가지고 다른 사람들을 판단하는 것은 좋지 않다.

25 A charge of $2 will be added to your ______________.
2달러의 수수료가 당신의 계좌에 추가될 것입니다.

정답

01 제안하다, 청혼하다 02 따라서, 그러므로 03 슛, 발포, 시도 04 대하다, 치료하다, 처리하다, 대접 05 즉시, 즉각, 곧 06 시야, 시력, 통찰력 07 존중, 존경, 존중하다, 존경하다 08 주요한, 주된 09 유지하다, 지속하다, 주장하다 10 세대, 시대, 발생 11 frequently 12 attend 13 minor 14 disaster 15 contain 16 proud 17 regard 18 major 19 exist 20 recent 21 character 22 jealous 23 certainly 24 judge 25 account

DAY 05

MP3 바로 듣기

베로니카.. 난 널 많이 사랑하지만, 내 목숨을 버릴 정도*로는 아니야..
바이크를 샀다 이거지?
목숨이 아깝지도 않은가 봐?
베로니카

* 정도 **degree**

0161 □□□ ★★★

degree

[digríː]

명 정도, (각도·온도 단위) 도, 학위

We are healthy only when the **degree** of coldness and hotness of our body is balanced. (교과서)

우리는 신체의 차가움과 뜨거움의 **정도**가 균형을 유지할 때에만 건강하다.

Tips

'학위'와 관련된 단어들

bachelor's degree 학사 학위	**master's degree** 석사 학위
doctor's degree 박사 학위	**medical degree** 의학 학위

0162 □□□ ★★★

tension

[ténʃən]

명 긴장, 갈등

There was an uncomfortable air of **tension** between Dave and Steve. (수능)

Dave와 Steve 사이에 불편한 **긴장**감이 감돌았다.

+ **tense** 형 긴장한, 팽팽한

0163 □□□ ★

leather

형 가죽의 명 가죽

[léðər]

That's a very elegant **leather** sofa. (학평)

그것은 매우 품격 있는 **가죽** 소파이다.

0164 □□□ ★★★

fund

명 기금, 자금 동 자금을 제공하다

[fʌnd]

We're raising **funds** to donate books to the library. (모평)

우리는 도서관에 책을 기부하기 위해 **기금**을 모으고 있다.

⊕ **fund raising** 모금

0165 □□□ ★★★

equal

형 동등한, 동일한

[íːkwəl]

어원 equ[같은] + al[형·접] → 같은, 즉 동등한 또는 동일한

Everyone should have an **equal** opportunity. (수능)

모든 사람은 **동등한** 기회를 가져야 한다.

⊕ **equality** 명 동등, 평등 **equally** 부 동등하게, 동일하게

⊜ **equivalent** ⇔ **unequal** 형 불공평한

0166 □□□ ★★★

entire

형 전체의, 완전한

[intáiər]

She wants to go to a place where she can see the view of the **entire** city. (수능)

그녀는 도시 **전체의** 풍경을 볼 수 있는 곳으로 가고 싶어 한다.

⊕ **entirely** 부 전적으로, 완전히

⊜ **whole, complete**

0167 □□□ ★★★

reaction

명 반응, 반작용

[riǽkʃən]

어원 re[다시] + act[행동하다] + ion[명·접] → 어떤 행동에 대해 다시 행동함, 즉 반응

Human **reactions** are so complex that they can be difficult to interpret objectively. (학평)

인간의 **반응들**은 매우 복잡해서 객관적으로 해석하기 어려울 수 있다.

⊕ **react** 동 반응하다

⊜ **response**

0168 □□□ ★★★

decline

동 거절하다, 감소하다 명 감소, 하락

[dikláin]

It was difficult for anyone to **decline** that invitation. 수능

그 초대를 **거절하는** 것은 누구에게나 어려웠다.

⊕ **declining** 형 쇠퇴하는, 하락하는

⊜ **refuse, reject**

0169 □□□ ★

workload

명 업무량, 작업량

[wə́ːrkloud]

For the next month, my **workload** is a lot lighter. 학평

다음 달에, 나의 **업무량**은 훨씬 더 적다.

0170 □□□ ★

bound

형 얽매인, ~할 것 같은, ~로 향하는

[baund]

Since politeness is culturally **bound**, appropriate ways to express this will vary in different cultures. 학평

예의 바름은 문화적으로 **얽매여** 있기 때문에, 이것을 표현하는 적절한 방식들은 문화마다 다를 것이다.

⊕ **be bound to** 반드시 ~하다, ~할 의무가 있다

0171 □□□ ★★★

match

동 연결시키다, 어울리다 명 시합, 어울리는 것

[mætʃ]

Once you are registered, we will **match** you with a perfect tutor. 수능

일단 등록하시면, 저희가 당신을 완벽한 지도 교사와 **연결시켜** 드리겠습니다.

Tips

시험에는 이렇게 나온다

lose a match 시합에서 지다	**play a match against** ~와 시합을 하다
a perfect match 잘 어울리는 짝	**final match** 최종 경기

0172 □□□ ★

bride

명 신부

[braid]

I'm planning to sing a song for my **bride** as a special event. 모평

나는 특별 이벤트로 나의 **신부**를 위해 노래를 부를 계획이다.

⊖ **groom** 명 신랑

LONDON

0173 □□□ ★★★

recall

동 회상하다, 기억해 내다, 회수하다 명 회상, 상기, 회수

동[rikɔ́ːl]
명[ríkɔːl]

She **recalled** the first day of school. 수능

그녀는 학교에서의 첫날을 **회상했다**.

= remember, evoke

0174 □□□ ★★★

praise

명 칭찬, 찬사 동 칭찬하다, 찬양하다

[preiz]

For decades, people have been told that **praise** is vital for happy and healthy children. 학평

수십 년간, 사람들은 **칭찬**이 행복하고 건강한 아이들을 위해 필수적이라는 말을 들어왔다.

= compliment

Tips

'칭찬하다'와 관련된 단어들

admire 존경하다, 감탄하다 **appreciate** 높이 평가하다 **respect** 존경하다, 존중하다

0175 □□□ ★★★

attack

동 공격하다, 습격하다 명 공격, 습격

[ətǽk]

어원 at[~에] + tack[들러붙게 하다] → 어떤 것에 들러붙어 공격하다

The leopard began to **attack** dogs and cattle in the village. 수능

표범이 마을의 개들과 소 떼들을 **공격하기** 시작했다.

↔ defend 동 방어하다

0176 □□□ ★★★

disappoint

동 실망시키다, 좌절시키다

[dìsəpɔ́int]

어원 dis[반대의] + appoint[지정하다] → 지정한 것과 반대로 움직여 실망시키다

I'll do my best not to **disappoint** you. 학평

당신을 **실망시키지** 않도록 최선을 다하겠습니다.

+ disappointment 명 실망

0177 □□□ ★★★

relative

명 친척, 동족 형 상대적인, 관련 있는

[rélətiv]

Miloš Forman was raised by his **relatives** when his parents died during World War Ⅱ. 수능

Miloš Forman은 부모님이 제2차 세계대전 중 사망하자 그의 **친척들**에 의해 양육되었다.

+ relatively 부 비교적 relate 동 관련시키다, 연관되다

0178 □□□ ★★★

aware

[əwéər]

형 알고 있는, 의식하는

Leaders must be **aware** of how the organization works. (학평)

리더는 조직이 어떻게 운영되는지 반드시 **알고 있어야** 한다.

⊕ **awareness** 명 의식, 관심

⊖ **unaware** 형 알지 못하는

Tips

시험에는 이렇게 나온다

be aware of ~을 알고 있다 **without being aware** 무의식적으로

0179 □□□ ★★★

destroy

[distrɔ́i]

동 파괴하다

어원 de[아래로] + story[세우다] → 세운 것을 아래로 무너뜨리다, 즉 파괴하다

Many roads and buildings were **destroyed**. (수능)

많은 도로와 건물들이 **파괴되었다**.

⊜ **ruin**

0180 □□□ ★★★

otherwise

[ʌ́ðərwàiz]

부 그렇지 않으면

어원 other[다른] + wise[방향] → 그렇게 하지 않고 다른 방향으로 하면, 즉 그렇지 않으면

Questions lead you to examine an issue that **otherwise** might go unexamined. (학평)

질문은 **그렇지 않으면** 검토되지 않은 채 지나갈지도 모르는 문제를 검토하도록 당신을 이끌어 준다.

0181 □□□ ★★★

awesome

[ɔ́ːsəm]

형 굉장한, 훌륭한

It was **awesome** to see the moon change color. (학평)

달이 색을 바꾸는 것을 보는 건 **굉장했다**.

⊜ **amazing, stunning**

0182 □□□ ★

savage

[sǽvidʒ]

형 야만적인, 포악한

Words like "**savage**" and "primitive" began to disappear from the vocabulary of cultural studies. (수능)

"**야만적인**"과 "원시적인" 같은 단어들은 문화 연구의 어휘에서 사라지기 시작했다.

⊜ **brutal**

0183 □□□ ★★

pasture

[pǽstʃər]

명 목초지, 초원

Overgrazing totally destroys the **pasture**. 수능

지나친 방목은 **목초지**를 완전히 파괴한다.

= meadow, grassland

0184 □□□ ★★

faith

[feiθ]

명 믿음, 신의, 신념

어원 fai[믿다] + th[명·접] → 믿음

Sometimes even promises made in good **faith** can't be kept. 모평

때로는 올바른 **믿음**으로 만들어진 약속들도 지켜지지 못한다.

+ faithful 형 신의 있는, 충실한

0185 □□□ ★★

sword

[sɔːrd]

명 칼, 검

The older man handed the ferryman his **sword**. 학평

노인은 뱃사공에게 그의 **칼**을 건네주었다.

Tips

'무기'와 관련된 단어들

sword 검 spear 창 shield 방패 arrow 화살 bow 활

0186 □□□ ★★

fortune

[fɔ́ːrtʃən]

명 운, 재산, 부

She had the good **fortune** to have enlightened parents. 학평

그녀는 생각이 깨어 있는 부모님을 둔 행**운**을 가졌다.

+ fortunate 형 운 좋은, 다행인 fortunately 부 다행히도

= luck ↔ misfortune 명 불운, 불행

0187 □□□ ★★

burden

[bə́ːrdn]

명 부담, 짐 동 부담을 주다, 짐을 지우다

Responsibility is when one takes on a task or **burden** and accepts the associated consequences. 학평

책임은 사람이 어떤 일이나 **부담**을 맡고 그와 관련된 결과들도 받아들일 때이다.

+ burdensome 형 부담스러운, 힘든 be a burden to[on] ~에게 짐이 되다

0188 □□□ ★★

breakdown

명 붕괴, 실패, 고장

[bréikdàun]

어원 break[깨다] + down[아래로] → 깨져서 아래로 허물어지는 것, 즉 붕괴

A shortage of industrial diamonds would cause a **breakdown** in the metal-working industry. (수능)

산업용 다이아몬드의 부족은 금속 공업의 **붕괴**를 야기할 수 있다.

= collapse

0189 □□□ ★★

vice

형 부(副)의, 대리의 명 악덕, 범죄

[vais]

I'm honored that the board recommended me for **vice** president. (학평)

이사회가 저를 **부**회장의 자리에 추천해주셨다니 영광입니다.

+ vice versa 거꾸로, 반대의 경우도 마찬가지

0190 □□□ ★★

vivid

형 선명한, 생생한

[vívid]

어원 viv[생명] + id[형·접] → 생명이 있는 듯 선명하고 생생한

The distant hills looked soft blue, and the far-reaching plain was **vivid** green. (학평)

먼 언덕들은 연한 파란색으로 보였고, 넓은 평야는 **선명한** 초록빛이었다.

+ vividly 부 선명하게, 생생하게

↔ vague 형 모호한, 막연한

0191 □□□ ★★

stare

동 빤히 쳐다보다, 응시하다

[steər]

She was motionless as she **stared** at the gun. (학평)

그녀는 꼼짝 않고 총을 **빤히 쳐다보았다**.

= gaze

0192 □□□ ★★

trace

동 찾아내다, 추적하다 명 흔적

[treis]

Scientists have **traced** the origins of "shopping" back to prehistoric times, when it was called "hunting." (학평)

과학자들은 "쇼핑"의 기원을 그것이 "사냥"이라고 불렸던 선사시대에서 **찾아냈다**.

= track

0193 □□□ ★★

lighting

명 조명

[láitiŋ]

Every boat should be equipped with the required **lighting** to avoid collisions. (수능)

모든 보트는 충돌을 방지하기 위해 필요한 **조명**을 갖추어야 한다.

0194 □□□ ★★★

youth

명 젊은 시절, 청춘, 청년

[juːθ]

The adult forgets the troubles of his **youth**. (수능)

어른은 자신의 **젊은 시절**의 문제들을 잊어버린다.

0195 □□□ ★

currency

명 통화, (화폐 등의) 유통

[kə́ːrənsi]

The islanders had an unusual system of **currency**. (학평)

섬 주민들은 특이한 **통화** 체계를 가지고 있었다.

0196 □□□ ★★★

forward

부 앞으로 형 앞의 동 (물건·정보를) 보내다

[fɔ́ːrwərd]

Moving **forward** does not always mean making new things. (교과서)

앞으로 나아간다는 것이 항상 새로운 것을 만들어냄을 의미하지는 않는다.

= **forth** ↔ **backward** 부 뒤로 형 뒤의

Tips

시험에는 이렇게 나온다

forward는 'look forward to + -ing'의 형태로도 자주 출제돼요. 전치사 to 뒤에는 동사원형이 아닌 동명사가 온다는 점을 꼭 기억하세요.

0197 □□□ ★★

minimum

명 최소, 극소

[mínəməm]

Employees must receive a **minimum** of five weeks of vacation a year. (모평)

직원들은 1년에 **최소** 5주의 휴가를 받아야 한다.

+ **minimal** 형 최소의

↔ **maximum** 명 최고, 최대

01 02 03 04 05 DAY 06 07 08 09 10 11 12 13 14 15 16 17 18 19 20 21 22 23 24 25 26 27 28 29 30 31 32 33 34 35 36 37 38 39 40 41 42 43 44 45 46 47 48 49 50

0198 □□□ ★★★

present

동 제시하다, 보여주다 형 존재하는, 현재의 명 선물, 현재

동[prizént]
형명[préznt]

어원 pre[앞에] + sent[존재하다] → 지금 눈 앞에 존재하도록 제시하다 또는 보여주다

If you **present** your ticket, there will be no charge for this service. (수능)

만약 당신의 표를 **제시한다면**, 이 서비스에 대한 요금은 없을 것입니다.

⊕ presence 명 존재, 참석

⊟ show

Tips

present와 current의 의미 구분

두 단어 모두 '현재의'라는 뜻이지만, present는 '지금 이 순간'의 의미가, current는 '최근'의 의미가 더 강해요.

0199 □□□ ★★★

circumstance

명 환경, 상황, 형편

[sə́:rkəmstæns]

어원 circum[둘레] + sta[서다] + (a)nce[명·접] → 서 있는 곳의 둘레, 즉 환경

To be courageous under all **circumstances** requires strong determination. (수능)

모든 **환경**에서 용감해지는 것은 강한 결단력을 필요로 한다.

⊟ situation, condition

Tips

시험에는 이렇게 나온다

under ~ circumstances ~한 상황에서
unexpected circumstance 뜻밖의 상황
dangerous circumstance 위험한 상황
social circumstance 사회적 환경

0200 □□□ ★

pregnant

형 임신한

[prégnənt]

어원 pre[전에] + gn[출생] + ant[형·접] → 출생 전의 아기가 뱃속에 있는, 즉 임신한

Pregnant women are told to stay indoors. (학평)

임신한 여성들은 실내에 머무를 것을 당부받는다.

⊕ pregnancy 명 임신

⊟ expecting

Daily Quiz

영어는 우리말로, 우리말은 영어로 쓰세요.

01 pasture	______________	**11** 부담, 짐, 부담을 주다	______________
02 equal	______________	**12** 굉장한, 훌륭한	______________
03 forward	______________	**13** 그렇지 않으면	______________
04 match	______________	**14** 전체의, 완전한	______________
05 decline	______________	**15** 긴장, 갈등	______________
06 disappoint	______________	**16** 젊은 시절, 청춘, 청년	______________
07 praise	______________	**17** 반응, 반작용	______________
08 recall	______________	**18** 정도, 학위	______________
09 fund	______________	**19** 공격하다, 공격, 습격	______________
10 relative	______________	**20** 파괴하다	______________

다음 빈칸에 들어갈 가장 알맞은 것을 박스 안에서 고르세요.

aware	present	fortune	faith	circumstance

21 If you ______________ your ticket, there will be no charge for this service.
만약 당신의 표를 제시한다면, 이 서비스에 대한 요금은 없을 것입니다.

22 To be courageous under all ______________(e)s requires strong determination.
모든 환경에서 용감해지는 것은 강한 결단력을 필요로 한다.

23 Leaders must be ______________ of how the organization works.
리더는 조직이 어떻게 운영되는지 반드시 알고 있어야 한다.

24 Sometimes even promises made in good ______________ can't be kept.
때로는 올바른 믿음으로 만들어진 약속들도 지켜지지 못한다.

25 She had the good ______________ to have enlightened parents.
그녀는 생각이 깨어 있는 부모님을 둔 행운을 가졌다.

정답

01 목초지, 초원 **02** 동등한, 동일한 **03** 앞으로, 앞의, (물건·정보를) 보내다 **04** 연결시키다, 어울리다, 시합, 어울리는 것 **05** 거절하다, 감소하다, 감소, 하락 **06** 실망시키다, 좌절시키다 **07** 칭찬, 찬사, 칭찬하다, 찬양하다 **08** 회상하다, 기억해 내다, 회수하다, 회상, 상기, 회수 **09** 기금, 자금, 자금을 제공하다 **10** 친척, 동족, 상대적인, 관련 있는 **11** burden **12** awesome **13** otherwise **14** entire **15** tension **16** youth **17** reaction **18** degree **19** attack **20** destroy **21** present **22** circumstance **23** aware **24** faith **25** fortune

MP3 바로 듣기

혹~시 까먹었을까 봐 상기시켜* 주는 건데~ 오늘 내 생일이야!
HAPPY BI
누가 봐도 생일이잖아...

* 상기시키다 remind

0201 □□□ ★★★

remind

[rimáind]

동 상기시키다, 생각나게 하다

어원 re[다시] + mind[생각하다] → 다시 생각나게 하다, 즉 상기시키다

The smell of cinnamon **reminds** many people of their homes. (학평)

계피 향은 많은 사람들에게 고향을 **상기시킨다**.

⊕ **remindful** 형 생각나게 하는 **reminder** 명 상기시키는 것, 독촉장

Tips

시험에는 이렇게 나온다

remind A of B A에게 B를 상기시키다 **be reminded to** ~할 것을 잊지 않도록 주의받다

0202 □□□ ★★★

inner

[ínər]

형 내면의, 내부의

Listening to your **inner** voice is always a good idea. (수능)

자신의 **내면의** 소리를 듣는 것은 언제나 좋은 생각이다.

↔ **outer** 형 바깥쪽의, 외곽의

0203 □□□ ★

billion

[bíljən]

명 십(10)억

As long as the popular app sucks data, it could be worth **billions.** 학평

그 인기 앱이 데이터를 흡수하기만 하면, 그것은 수**십억**의 가치가 있을 수 있다.

0204 □□□ ★★★

finding

[fáindiŋ]

명 발견, 결과

The most exciting **finding** about Mars is water, one of the most vital ingredients for life. 교과서

화성에 관한 가장 흥미로운 **발견**은 생명체에 가장 필수적인 요소 중 하나인 물이다.

= **discovery**

0205 □□□ ★★★

normal

[nɔ́:rməl]

형 정상적인, 보통의, 평범한 명 정상, 표준

어원 norm[기준] + al[형·접] → 기준에 맞는, 즉 정상적인

Lying is **normal** for kids of her age. 학평

거짓말을 하는 것은 그녀 또래의 아이들에게는 **정상적이다**.

+ **normally** 부 정상적으로, 보통

↔ **abnormal** 형 비정상적인

0206 □□□ ★★★

monitor

[má:nitər]

동 감시하다, 관찰하다 명 감시 장치, 화면

The police will **monitor** the entire race course. 학평

경찰은 경주 코스 전체를 **감시할** 것이다.

0207 □□□ ★★★

worth

[wə:rθ]

형 (~할) 가치가 있는 명 가치, 진가

I'm not sure the question is **worth** asking. 학평

나는 그 질문이 물어볼 만할 **가치가 있는지** 잘 모르겠다.

+ **worthy** 형 가치 있는, 훌륭한 **worthwhile** 형 ~할 가치 있는
worth ~ing ~할 가치가 있다

↔ **worthless** 형 가치 없는

0208 □□□ ★★★

arrange

동 준비하다, 정리하다, 배열하다

[əréindʒ]

어원 ar[~쪽으로] + rang(e)[줄] → 한쪽으로 줄을 세워 준비하다

After correcting the picture, the painter **arranged** a second preview. (수능)

그림을 수정한 후, 화가는 두 번째 시연을 **준비했다**.

⊕ **arrangement** 명 준비, 정리, 배열

⊜ **prepare, organize**

0209 □□□ ★★★

invent

동 발명하다, 고안하다

[invént]

어원 in[안에] + vent[오다] → 머리 안에 어떤 것에 대한 아이디어가 와서 그것을 발명하다

Many people have tried to **invent** a machine that would run forever. (학평)

많은 사람들은 영원히 가동되는 기계를 **발명하려고** 노력해왔다.

⊕ **invention** 명 발명(품) **inventor** 명 발명가 **inventive** 형 창의적인

0210 □□□ ★★

arrival

명 도착, 도래

[əráivəl]

The **arrival** time of her flight from Denver was 7:20. (학평)

그녀의 덴버발 항공편 **도착** 시각은 7시 20분이었다.

⊕ **arrive** 동 도착하다, 오다

⇔ **departure** 명 출발, 떠남

0211 □□□ ★★

pretend

동 ~인 척하다, (거짓으로) 주장하다

[priténd]

He **pretended** to be cheerful when he was not. (학평)

그는 그렇지 않았을 때에도 쾌활한 **척했다**.

⊕ **pretending** 형 겉치레하는, 거짓의

0212 □□□ ★★★

reasonable

형 합리적인, 타당한

[rí:zənəbl]

I think the price is **reasonable**. (학평)

나는 그 가격이 **합리적이라고** 생각한다.

⊕ **reason** 명 이유, 이성 **reasoned** 형 심사숙고한 **reasonably** 부 합리적으로, 상당히

⊜ **rational, sensible** ⇔ **unreasonable** 형 불합리한

Washington DC

0213 □□□ ★★★

category

[kǽtəgɔ̀ːri]

명 범주, 부문, 종류

Introducing a new product **category** is difficult. 학평

새 제품 **범주**를 도입하는 것은 어렵다.

➕ **categorize** 동 ~을 범주에 넣다, 분류하다

⊜ **class**

0214 □□□ ★★★

typical

[típikəl]

형 대표적인, 전형적인, 일반적인

The **typical** equipment of a mathematician is a blackboard and chalk. 수능

수학자의 **대표적인** 장비는 칠판과 분필이다.

➕ **typically** 부 전형적으로

⊜ **representative**

0215 □□□ ★★★

delight

[diláit]

명 기쁨, 즐거움 동 기쁘게 하다

Suddenly, **delight** appeared on their faces. 수능

갑자기, 그들의 얼굴에 **기쁨**이 나타났다.

➕ **delightful** 형 즐거운, 마음에 드는

Tips

'기쁨'과 관련된 단어들		
bliss 큰 행복, 환희	**joy** 큰 기쁨	**pleasure** 기쁨, 즐거움

0216 □□□ ★★

justice

[dʒʌ́stis]

명 정의, 공정(성), 사법

어원 just[올바른] + ice[명·접] → 올바름, 즉 정의

The organization's mission is to move the world towards social, racial, and economic **justice**. 수능

그 단체의 임무는 세계를 사회적, 인종적, 경제적 **정의**로 나아가게 하는 것이다.

⇔ **injustice** 명 불의, 불평등

0217 □□□ ★★★

stock

[stɑːk]

명 주식, 재고(품) 동 (물품을) 채우다, 갖추다

People believe the **stocks** they own will perform better than those they do not own. 수능

사람들은 자신이 소유한 **주식**이 소유하지 않은 것보다 더 좋은 성과를 낼 것이라고 믿는다.

0218 □□□ ★★★

track

[træk]

동 추적하다 명 흔적, 오솔길, 선로

A study in Britain has **tracked** 17,000 children since their birth. (학평)

영국의 한 연구는 1만 7천 명의 아이들을 그들의 출생 이래로 **추적해왔다**.

⊕ **tracker** 명 추적자, 사냥꾼 **trackable** 형 추적할 수 있는

⊜ **trace, follow**

Tips

track, lane, route의 의미 구분

track은 (밟아서 생긴) 오솔길이나 철도 선로를, lane은 차선이나 좁은 길을, route는 길이나 노선을 나타낼 때 사용해요.

0219 □□□ ★★★

significant

[signífikənt]

형 중요한, 중대한, 상당한

어원 sign(i)[표시] + fic[만들다] + ant[형·접] → 표시를 만들어 둘 만큼 중요한

Many people made **significant** discoveries that led to the invention of the automobile. (학평)

많은 사람들이 자동차의 발명으로 이어진 **중요한** 발견을 했다.

⊕ **significantly** 부 중요하게, 상당히 **significance** 명 중요성

⊜ **important** ⇔ **insignificant** 형 중요하지 않은, 하찮은

0220 □□□ ★★★

plain

[plein]

명 평지, 평원 형 분명한, 평범한, 무늬가 없는

The lowest type of a landform is called a **plain**. (학평)

지형의 가장 낮은 형태는 **평지**라고 불린다.

⊜ **flat land**

0221 □□□ ★★★

rush

[rʌʃ]

동 급히 가다, 서두르다 명 서두름, 돌진

He got dressed quickly and **rushed** downstairs. (학평)

그는 빨리 옷을 입고 아래층으로 **급히 갔다**.

0222 □□□ ★★

pupil

[pjúːpl]

명 동공, 학생, 제자

Our **pupils** get smaller in the light and bigger in the dark. (교과서)

우리의 **동공**은 밝은 곳에서는 더 작아지고 어두운 곳에서는 더 커진다.

0223 □□□ ★★

regulation

명 규정, 규제, 단속

[règjuléiʃən]

Scooter companies provide safety **regulations**, but the **regulations** aren't always followed by the riders. (학평)

스쿠터 회사들은 안전 **규정**을 제공하지만, 운전자들이 항상 **규정**을 따르지는 않는다.

⊕ **regulate** 동 규제하다, 단속하다

⊟ **rule**

0224 □□□ ★★★

private

형 개인의, 사적인, 사립의

[práivət]

어원 priv[떼어놓다] + ate[형·접] → 개인용으로 따로 떼어놓은, 즉 개인의 또는 사적인

Educated by **private** tutors at home, she enjoyed reading early on. (학평)

가정에서 **개인** 교사들에게 교육을 받아, 그녀는 일찍부터 독서를 즐겼다.

⊕ **privately** 부 사적으로 **privacy** 명 사생활

⊟ **individual, personal**

0225 □□□ ★★★

predict

동 예측하다, 예언하다

[pridíkt]

어원 pre[앞서] + dict[말하다] → 미래에 발생할 일을 앞서 말하다, 즉 예측하다

We cannot **predict** the outcomes of sporting contests, which vary from week to week. (학평)

우리는 매주 달라지는 스포츠 대회의 결과를 **예측할** 수 없다.

⊕ **prediction** 명 예측, 예언 **predictability** 명 예측 가능성

⊟ **foretell**

0226 □□□ ★★

retail

형 소매의 명 소매(업) 동 소매하다

[rí:teil]

어원 re[다시] + tail[자르다] → 도매로 산 것을 다시 작게 잘라서 파는 소매

It keeps their farms competitive with the traditional **retail** chain stores. (학평)

그것은 전통적인 **소매** 체인점과 견주어 그들의 농장이 경쟁력이 있도록 유지한다.

⇔ **wholesale** 형 도매의 명 도매(업) 동 도매하다

0227 □□□ ★

slam

동 쾅 닫다, 강타하다, 때리다

[slæm]

I **slammed** the bedroom door. (학평)

나는 침실 문을 **쾅 닫았다**.

01 02 03 04 05 06 DAY 07 08 09 10 11 12 13 14 15 16 17 18 19 20 21 22 23 24 25 26 27 28 29 30 31 32 33 34 35 36 37 38 39 40 41 42 43 44 45 46 47 48 49 50

0228 □□□ ★★

govern

동 다스리다, 통치하다, 지배하다

[gʌ́vərn]

The various ethnic groups within Babylonia **governed** themselves according to their own customs. 학평

바빌로니아 내의 다양한 민족들은 그들만의 관습에 따라 그들 자신을 **다스렸다**.

⊕ **governor** 명 통치자 **government** 명 정부, 정권

⊜ **rule, control**

0229 □□□ ★★★

operate

동 운영하다, 작동하다, 수술하다

[ɑ́:pəreit]

어원 oper[일] + ate[동·접] → 기계나 사람 등이 일을 하다, 즉 운영하다 또는 작동하다

A partnership is an agreement between two or more people to **operate** a business. 학평

동업은 사업체를 **운영하기** 위한 두 명 또는 그 이상의 사람들 간의 협약이다.

⊕ **operator** 명 운영자, 조작자 **operation** 명 운영, 작동, 수술

0230 □□□ ★★★

promote

동 홍보하다, 촉진하다, 승진시키다

[prəmóut]

어원 pro[앞으로] + mot(e)[움직이다] → 앞으로 움직여 더 좋은 자리로 가도록 홍보하다

Tanning was fashionable and even **promoted** by doctors as a healthful activity. 수능

태닝은 유행했고 심지어 의사들에 의해 건강에 좋은 활동으로 **홍보되기도** 했다.

⊕ **promotion** 명 홍보, 승진 **promotional** 형 홍보의

0231 □□□ ★★

rehearsal

명 암송, 예행연습

[rihə́:rsəl]

It is widely believed that verbal **rehearsal** improves our memory. 학평

구두 **암송**은 기억력을 향상시킨다고 널리 알려져 있다.

⊕ **rehearse** 동 예행연습을 하다

0232 □□□ ★★

honesty

명 정직함, 솔직함

[ɑ́:nəsti]

Honesty is a fundamental part of every strong relationship. 학평

정직함은 모든 공고한 관계의 핵심적인 부분이다.

⊕ **honest** 형 정직한 **honestly** 부 솔직하게

TORONTO

0233 □□□ ★★

preview

[príːvjuː]

명 예고편, 시사회, 사전 검토

어원 pre[앞서] + view[보다] → 남들보다 앞서 사전에 보는 예고편

I'm watching the **preview** of the new TV drama, *Romance City*. 학평

나는 새로운 TV 드라마인 「Romance City」의 **예고편**을 시청하고 있다.

⊟ trailer

0234 □□□ ★★★

severe

[sivíər]

형 심한, 맹렬한, 엄격한

I have a **severe** sunburn on my back. 모평

나는 등에 햇볕으로 입은 **심한** 화상이 있다.

⊕ severely 부 심하게, 엄격하게 severity 명 격렬함, 엄격

Tips

'심한'과 관련된 단어들		
serious 심각한	critical 중대한, 위태로운	terrible 심각한, 끔찍한

0235 □□□ ★

elegance

[éligəns]

명 우아함, 고상함

I hope to see the extra touch of **elegance** added to my daughter's wedding. 학평

내 딸의 결혼식에 **우아함**이 조금 더 더해지는 것을 보고 싶어요.

⊕ elegant 형 우아한, 품격 있는

⊟ grace

0236 □□□ ★★

ongoing

[ɑ́ːngòuiŋ]

형 계속되는, 진행 중인

We hadn't noticed the sound while it was **ongoing**. 학평

우리는 그것이 **계속되는** 동안 아무 소리도 듣지 못했다.

⊟ continuous

0237 □□□ ★

breeze

[briːz]

명 산들바람, 미풍

I can feel the **breeze**. 학평

나는 **산들바람**을 느낄 수 있다.

⊟ light wind, air

0238 □□□ ★

ridiculous

형 우스운, 터무니없는

[ridíkjuləs]

Nobody wants to look **ridiculous** by wearing something out of fashion. (학평)

아무도 유행에 뒤떨어진 옷을 입음으로써 **우스워** 보이고 싶어 하지 않는다.

⊕ **ridicule** 명 조롱 동 조롱하다, 비웃다

0239 □□□ ★★★

absolutely

부 전적으로, 완전히

[ǽbsəluːtli]

You're **absolutely** right. (수능)

당신이 **전적으로** 옳아요.

⊕ **absolute** 형 절대적인, 완전한

⊜ **totally, completely**

시험에는 이렇게 나온다

듣기 영역 대화에서 absolutely는 주로 상대방의 말에 강한 동의나 허락을 나타내는 '물론이지!'라는 뜻으로 쓰여요.

0240 □□□ ★★★

construct

동 건설하다, 세우다, 구성하다

[kənstrʌ́kt]

어원 con[함께] + struct[세우다] → 여러 재료를 함께 사용해 건물을 세우다, 즉 건설하다

It took more than two years to **construct**, and the restaurant finally opened in 2014. (모평)

건설하는 데 2년 이상이 걸렸고, 그 레스토랑은 마침내 2014년에 문을 열었다.

⊕ **construction** 명 건설, 공사, 구조 **constructive** 형 건설적인

⊜ **build**

Tips

construct와 establish의 의미 구분

두 단어 모두 '세우다'라는 뜻이지만, construct는 건물을 세우다, 즉 '건설하다'라는 뜻이고, establish는 기업이나 학교 등의 기관을 세우다, 즉 '설립하다'라는 뜻이에요.

Daily Quiz

영어는 우리말로, 우리말은 영어로 쓰세요.

01 severe ______________
02 monitor ______________
03 delight ______________
04 stock ______________
05 category ______________
06 construct ______________
07 rush ______________
08 finding ______________
09 promote ______________
10 arrange ______________
11 중요한, 중대한, 상당한 ______________
12 도착, 도래 ______________
13 평지, 평범한, 무늬가 없는 ______________
14 대표적인, 일반적인 ______________
15 (~할) 가치가 있는, 가치 ______________
16 개인의, 사적인, 사립의 ______________
17 정상적인, 평범한, 정상 ______________
18 전적으로, 완전히 ______________
19 상기시키다, 생각나게 하다 ______________
20 추적하다, 흔적, 오솔길, 선로 ______________

다음 빈칸에 들어갈 가장 알맞은 것을 박스 안에서 고르세요.

invent	operate	predict	inner	reasonable

21 Listening to your ______________ voice is always a good idea.
자신의 내면의 소리를 듣는 것은 언제나 좋은 생각이다.

22 We cannot ______________ the outcomes of sporting contests, which vary from week to week.
우리는 매주 달라지는 스포츠 대회의 결과를 예측할 수 없다.

23 A partnership is an agreement between two or more people to ______________ a business.
동업은 사업체를 운영하기 위한 두 명 또는 그 이상의 사람들 간의 협약이다.

24 Many people have tried to ______________ a machine that would run forever.
많은 사람들은 영원히 가동되는 기계를 발명하려고 노력해왔다.

25 I think the price is ______________.
나는 그 가격이 합리적이라고 생각한다.

정답

01 심한, 맹렬한, 엄격한 **02** 감시하다, 관찰하다, 감시 장치, 화면 **03** 기쁨, 즐거움, 기쁘게 하다 **04** 주식, 재고(품), (물품을) 채우다, 갖추다 **05** 범주, 부문, 종류 **06** 건설하다, 세우다, 구성하다 **07** 급히 가다, 서두르다, 서두름, 돌진 **08** 발견, 결과 **09** 홍보하다, 촉진하다, 승진시키다 **10** 준비하다, 정리하다, 배열하다 **11** significant **12** arrival **13** plain **14** typical **15** worth **16** private **17** normal **18** absolutely **19** remind **20** track **21** inner **22** predict **23** operate **24** invent **25** reasonable

DAY 07

MP3 바로 듣기

희진아, 저기 서 있는 사람
뭔가 익숙한데*,
너희 오빠 아니야?
희진아 오빠가
마중 나왔다
아니요! 모르는 사람입니다.

* 익숙한 **familiar**

0241 □□□ ★★★

familiar

형 익숙한, 친숙한

[fəmíljər]

Globalization has made western culture more **familiar** to people in developing countries. 학평

세계화는 개발도상국의 사람들에게 서구 문화를 더 **익숙하게** 만들었다.

⊕ **familiarize** 동 익숙하게 하다　**familiar-looking** 형 눈에 익은
familiarity 명 익숙함, 낯익음

Tips

familiar와 intimate의 의미 구분

두 단어 모두 '친숙한'을 뜻하지만 familiar는 안 지 오래되어 익숙하고 친숙함을, intimate은 속마음까지 터놓는 아주 가깝고 친숙함을 의미해요.

0242 □□□ ★

usage

명 사용(량), 용법

[jú:sidʒ]

The graph shows the global Internet **usage** rate in 2017. 학평

그 그래프는 2017년의 전 세계 인터넷 **사용** 비율을 보여준다.

0243 □□□ ★★★

pleasant

[plézənt]

형 기분 좋은, 즐거운, 상냥한

Everyone wants a house with a **pleasant**, fresh smell. (학평)

모든 사람은 **기분 좋고** 상쾌한 냄새가 나는 집을 원한다.

⊕ **pleasantly** 부 즐겁게, 유쾌하게 **pleasure** 명 기쁨, 즐거움

⊜ **pleasing** ⇔ **unpleasant** 형 불쾌한, 무례한

0244 □□□ ★★★

frame

[freim]

명 액자, 틀 동 틀을 잡다

I can't guarantee that I can fix the bent **frame**. (수능)

나는 그 휘어진 **액자**를 고칠 수 있다고 보장할 수 없다.

0245 □□□ ★★★

deadline

[dédlain]

명 마감일, 기한

어원 dead[죽은, 끝난] + line[선] → 어떤 일이 끝나야 하는 시간적인 선, 즉 마감일

The **deadline** for registration is July 15. (수능)

등록 **마감일**은 7월 15일입니다.

⊜ **due date**

0246 □□□ ★★★

mobile

[móubəl]

형 이동식의, 이동하는, 움직이기 쉬운

어원 mob[움직이다] + ile[형·접] → 움직일 수 있는, 즉 이동식의

We can access news wirelessly by **mobile** devices. (수능)

우리는 **이동식** 기기를 통해 무선으로 뉴스를 볼 수 있다.

⊕ **mobility** 명 이동성, 유동성 **mobilize** 동 동원하다

0247 □□□ ★★★

blame

[bleim]

동 탓하다, 비난하다 명 책망, 비난

You shouldn't **blame** your team members. (모평)

당신은 당신의 팀원들을 **탓해서는** 안 된다.

⊕ **blameful** 형 비난할 만한

⇔ **praise** 동 칭찬하다

Tips

'비난하다'와 관련된 단어들

criticize 비난하다, 비판하다 **condemn** 비난하다 **denounce** 맹렬히 비난하다

0248 □□□ ★★★

likewise

부 마찬가지로

[láikwàiz]

He used reasons to inquire into the nature of the universe, and encouraged others to do **likewise**. (학평)

그는 우주의 섭리를 탐구할 때 이성을 사용했고, 다른 사람들에게도 **마찬가지로** 하라고 장려했다.

≡ similarly

0249 □□□ ★★★

obtain

동 얻다, 입수하다

[əbtéin]

어원 ob[향하여] + tain[잡다] → 어떤 것을 향하여 가서 잡다, 즉 그것을 얻다

You may **obtain** information from an advertisement, a friend, the Internet, or several other sources. (학평)

당신은 광고, 친구, 인터넷, 또는 여러 다른 출처로부터 정보를 **얻을** 수 있다.

+ obtainable 형 얻을 수 있는

≡ gain, acquire

0250 □□□ ★★

tiny

형 아주 작은[적은]

[táini]

An animal's body is made up of **tiny** cells. (학평)

동물의 몸은 **아주 작은** 세포들로 이루어져 있다.

≡ small, microscopic **↔ huge** 형 거대한

0251 □□□ ★★★

sink

동 가라앉다, 침몰하다

[siŋk]

Suddenly, the engine died and the boat began to **sink**. (수능)

갑자기, 엔진이 꺼졌고 배가 **가라앉기** 시작했다.

0252 □□□ ★★★

contrary

형 반대되는, ~과는 다른 **명** 반대되는 것

[kɑ́:ntreri]

어원 contra[반대의] + (a)ry[형·접] → 반대되는

Very often, multitasking only slows you down, **contrary** to popular belief. (학평)

흔히, 일반적인 생각과는 **반대되게**, 멀티태스킹은 당신을 느려지게 할 뿐이다.

+ contrarily 부 이에 반하여 **on the contrary** 이에 반하여

≡ opposite

0253 □□□ ★★★

mine

동 채굴하다, 캐다 명 광산

[main]

To manufacture electronics products, resources such as copper and steel must be **mined.** 교과서

전자 제품을 제조하기 위해서는, 구리와 철 같은 자원이 **채굴되어야** 한다.

⊕ **miner** 명 광부

Tips

시험에는 이렇게 나온다

mine이 '나의 것'이라는 대명사로 쓰일 때는 'a friend of mine(나의 친구)'의 형태로도 시험에 자주 등장해요.

0254 □□□ ★★★

appointment

명 약속, 지명, 임명

[əpɔ́intmənt]

어원 ap[~에] + point[지점] + ment[명·접] → 어떤 지점에 모이자고 하는 약속

I have an **appointment** with a customer this Wednesday. 수능

저는 이번 수요일에 고객과 **약속**이 있습니다.

⊕ **appoint** 동 (시간 등을) 지정하다, 임명하다

0255 □□□ ★★★

lift

동 끌어올리다, 들어 올리다

[lift]

Listening to the bright warm sounds **lifted** her spirits and made her day more pleasant. 모평

밝고 따뜻한 소리를 듣는 것은 그녀의 기운을 **끌어올렸고** 그녀의 하루를 더 즐겁게 했다.

⊜ **raise, elevate**

0256 □□□ ★★★

shelf

명 선반, 책꽂이

[ʃelf]

For years, I kept it in my room on the same **shelf.** 수능

수년간, 나는 그것을 내 방에 있는 같은 **선반** 위에 두었다.

0257 □□□ ★★

halfway

부 중간까지, 중간에(서) 형 중간의

[hǽfwei]

The clerk got a ladder and climbed **halfway** up. 수능

점원은 사다리를 가져와 **중간까지** 타고 올라갔다.

01 02 03 04 05 06 07 DAY 08 09 10 11 12 13 14 15 16 17 18 19 20 21 22 23 24 25 26 27 28 29 30 31 32 33 34 35 36 37 38 39 40 41 42 43 44 45 46 47 48 49 50

0258 □□□ ★★★

basis

명 근거, 기초, 원리

[béisis]

Your past experience gives you the **basis** for judging whether your instincts can be trusted. 수능

당신의 과거 경험은 당신의 본능을 믿어도 될지를 판단하는 데 **근거**를 제공한다.

Tips

'기초, 토대'와 관련된 단어들

base 토대, 기반 **foundation** 토대, 기초 **ground** 기초, 근거

0259 □□□ ★★★

unable

형 ~하지 못하는, ~할 수 없는

[ʌnéibəl]

어원 un[아닌] + able[할 수 있는] → 할 수 있지 않은, 즉 하지 못하는, 할 수 없는

Sandra is **unable** to concentrate and is feeling exhausted. 수능

Sandra는 집중**하지 못하고** 매우 지쳐 있다.

유 **incapable** 반 **able** 형 ~할 수 있는

0260 □□□ ★★★

shift

명 변화, 이동, 교대 근무 동 바꾸다, 이동하다

[ʃift]

We are now witnessing a fundamental **shift** in resource demands. 수능

우리는 지금 자원 수요의 근본적인 **변화**를 목격하고 있다.

유 **change, move**

0261 □□□ ★★

craft

명 (수)공예, 기술, 비행기, 선박 동 공들여 만들다

[kræft]

I learned how to make curtains in my **craft** class. 모평

나는 **공예** 수업에서 커튼을 만드는 방법을 배웠다.

0262 □□□ ★★

poison

명 독(약) 동 독살하다

[pɔ́izn]

Small animals have developed useful weapons such as **poison** to protect themselves. 수능

작은 동물들은 자신을 보호하기 위해 **독**과 같은 유용한 무기를 발달시켰다.

⊕ **poisoning** 명 중독, 독살 **poisonous** 형 독이 있는

유 **toxin**

0263 □□□ ★★

dynamic

[dainǽmik]

형 역동적인, 활동적인

This is an exciting and **dynamic** place to work. (수능)
여기는 일 하기에 재미있고 **역동적인** 곳이다.

⊜ energetic, lively ⇔ static 형 고정된, 정적인

0264 □□□ ★★★

commercial

[kəmə́ːrʃəl]

형 상업의, 상업적인 명 광고 방송

어원 com[함께] + merc[장사하다] + ial[형·접] → 여럿이 함께 서로에게 장사하는 일의, 즉 상업의

The objective of a **commercial** advertisement is to sell a product. (교과서)
상업 광고의 목적은 제품을 판매하는 것이다.

⊕ commercialize 동 상업화하다 commercially 부 상업적으로

0265 □□□ ★★★

firm

[fəːrm]

명 회사 형 단단한, 확고한

Your contributions to this **firm** have been invaluable. (수능)
이 **회사**에 대한 당신의 공헌은 매우 소중한 것이었습니다.

⊕ firmness 명 견고함 firmly 부 단호히, 확고히

Tips

시험에는 이렇게 나온다

law firm 법률 회사	**software firm** 소프트웨어 회사
architecture firm 건축 회사	**a firm decision** 확고한 결심
a firm view 확고한 견해	**a firm voice** 확고한 목소리

0266 □□□ ★★

brilliant

[bríljənt]

형 훌륭한, 뛰어난, 명석한

What a **brilliant** idea! (학평)
정말 **훌륭한** 생각이구나!

⊜ superb, excellent

0267 □□□ ★★

meantime

[míːntàim]

명 그동안

In the **meantime**, we will expect delivery to stop no later than the end of this week. (수능)
그동안에, 늦어도 이번 주말까지는 배달이 중단될 것으로 예상합니다.

0268 □□□ ★★

plot

명 줄거리, 구상 동 음모하다, 모의하다

[plɑːt]

The **plot** is about a character accidentally traveling to the future. 학평

줄거리는 우연히 미래로 여행하게 된 등장인물에 관한 것이다.

= **story**

0269 □□□ ★★★

agreement

명 동의, 합의

[əgríːmənt]

Mary's parents nodded in **agreement**. 학평

Mary의 부모는 **동의**하며 고개를 끄덕였다.

+ **agree** 동 동의하다, 합의하다 **reach[come to] an agreement** 합의에 이르다

0270 □□□ ★

forehead

명 이마

[fɔ́ːrhed]

어원 fore[앞에] + head[머리] → 머리의 앞쪽, 즉 이마

The hat protects the head and **forehead** from freezing winds. 수능

모자는 머리와 **이마**를 아주 차가운 바람으로부터 보호한다.

Tips

'얼굴 부위'와 관련된 단어들

eyebrow 눈썹	**eyelash** 속눈썹	**pupil** 눈동자
cheek 뺨	**chin** 턱	

0271 □□□ ★★

fierce

형 사나운, 치열한, 극심한

[fiərs]

The hunter owned a few **fierce** hunting dogs. 학평

사냥꾼은 **사나운** 사냥개 몇 마리를 소유하고 있었다.

+ **fiercely** 부 사납게, 맹렬하게 **fierceness** 명 사나움, 맹렬함

0272 □□□ ★★

nerve

명 신경, 불안

[nəːrv]

The foot contains a wide network of important **nerves**. 학평

발에는 중요한 **신경들**의 광범위한 연결망이 있다.

+ **nervous** 형 불안한

0273 □□□ ★★

mount

[maunt]

동 올라타다, 올라가다 명 산

The rider **mounts** the bike and puts on the virtual reality gear. (학평)

타는 사람이 자전거에 **올라타서** 가상 현실 장치를 착용한다.

⊕ **mountain** 명 산

0274 □□□ ★★

unlock

[ʌnlɑ́:k]

동 열다, 밝히다, 드러내다

어원 un[아닌] + lock[잠그다] ➜ 잠그는 것이 아니다, 즉 열다

The windows of the car were down, and the doors were **unlocked**. (학평)

차의 창문들은 내려져 있었고, 문은 **열려** 있었다.

⊕ **unlockable** 형 열 수 있는, 밝힐 수 있는

0275 □□□ ★★

grief

[gri:f]

명 깊은 슬픔, 비탄

Meeting new people helped her recover from her **grief**. (교과서)

새로운 사람들을 만나는 것은 그녀가 **깊은 슬픔**으로부터 회복하는 데 도움이 되었다.

⊕ **grieve** 동 몹시 슬퍼하다, 슬프게 하다 **grievance** 명 불만, 고충

⊜ **sorrow, sadness**

0276 □□□ ★

dine

[dain]

동 식사를 하다, 만찬을 들다

Women who **dined** with two or three friends ate 700 calories on average. (모평)

두세 명의 친구들과 함께 **식사를 한** 여성들은 평균 700칼로리를 섭취했다.

⊕ **dining** 명 식사, 정찬 **diner** 명 식사하는 사람, 손님

0277 □□□ ★

righteous

[ráitʃəs]

형 옳은, 정의로운, 당연한

어원 rig(hte)[바르게 이끌다] + ous[형·접] ➜ 바르게 이끌어져 옳은

Critics' refusal of the 'vulgar' enjoyments functions to secure the **righteous** logic of good tastes. (모평)

비평가들의 '저속한' 즐거움에 대한 거부는 좋은 취향의 **옳은** 논리를 지키도록 기능한다.

01 02 03 04 05 06 07 DAY 08 09 10 11 12 13 14 15 16 17 18 19 20 21 22 23 24 25 26 27 28 29 30 31 32 33 34 35 36 37 38 39 40 41 42 43 44 45 46 47 48 49 50

0278 □□□ ★

ideology

명 이념, 이데올로기

[àidiɑ́:lədʒi]

어원 ide(o)[생각] + log[말] + y[명·접] → 어떤 것에 대한 생각을 구체적인 말이 되게 한 것, 즉 이념

Maps are powerful carriers of **ideology** and they reflect the world views of the makers. (수능)

지도는 **이념**의 강력한 매개체이고 제작자들의 세계관을 반영한다.

㊐ belief, ideas

0279 □□□ ★★★

license

명 면허(증), 허가(증) 동 허가하다

[láisəns]

You have to renew your driver's **license**. (수능)

당신은 운전**면허**를 갱신해야 한다.

0280 □□□ ★★

portion

명 1인분, 부분, 몫 동 나누다, 분배하다

[pɔ́:rʃən]

어원 port[나누다] + ion[명·접] → 전체를 나눈 부분 또는 1인분

Controlling **portion** sizes is one of the best ways of preventing your meals from becoming too large. (학평)

1인분의 양을 조절하는 것은 식사량이 너무 많아지는 것을 방지하는 가장 좋은 방법 중 하나이다.

㊐ part, piece

Daily Quiz

영어는 우리말로, 우리말은 영어로 쓰세요.

01 familiar ______

02 dynamic ______

03 basis ______

04 blame ______

05 shift ______

06 likewise ______

07 mobile ______

08 pleasant ______

09 agreement ______

10 lift ______

11 선반, 책꽂이 ______

12 상업의, 광고 방송 ______

13 가라앉다, 침몰하다 ______

14 마감일, 기한 ______

15 반대되는, 반대되는 것 ______

16 채굴하다, 캐다, 광산 ______

17 그동안 ______

18 액자, 틀, 틀을 잡다 ______

19 면허(증), 허가하다 ______

20 회사, 단단한, 확고한 ______

다음 빈칸에 들어갈 가장 알맞은 것을 박스 안에서 고르세요.

obtain	unable	fierce	grief	appointment

21 I have a(n) ______ with a customer this Wednesday.
저는 이번 수요일에 고객과 약속이 있습니다.

22 The hunter owned a few ______ hunting dogs.
사냥꾼은 사나운 사냥개 몇 마리를 소유하고 있었다.

23 Sandra is ______ to concentrate and is feeling exhausted.
Sandra는 집중하지 못하고 매우 지쳐 있다.

24 You may ______ information from an advertisement, a friend, the Internet, or several other sources.
당신은 광고, 친구, 인터넷, 또는 여러 다른 출처로부터 정보를 얻을 수 있다.

25 Meeting new people helped her recover from her ______.
새로운 사람들을 만나는 것은 그녀가 깊은 슬픔으로부터 회복하는 데 도움이 되었다.

정답

01 익숙한, 친숙한 **02** 역동적인, 활동적인 **03** 근거, 기초, 원리 **04** 탓하다, 비난하다, 책망, 비난 **05** 변화, 이동, 교대 근무, 바꾸다, 이동하다 **06** 마찬가지로 **07** 이동식의, 이동하는, 움직이기 쉬운 **08** 기분 좋은, 즐거운, 상냥한 **09** 동의, 합의 **10** 끌어올리다, 들어 올리다 **11** shelf **12** commercial **13** sink **14** deadline **15** contrary **16** mine **17** meantime **18** frame **19** license **20** firm **21** appointment **22** fierce **23** unable **24** obtain **25** grief

DAY 08

MP3 바로 듣기

지갑에 분명 다수의* 지폐가
들어 있었는데..?
왜 이거 한 장만 남아 있지?
범인: 어제의 나
범인은 항상 가까운 곳에 있다!

* 다수의 **multiple**

0281 □□□ ★★★

multiple

형 다수의, 복합의 명 배수

[mʌ́ltipəl]

Life is a game where there are **multiple** winners. (수능)

인생은 **다수의** 우승자가 있는 게임이다.

⊕ **multiply** 동 곱하다, 크게 증대하다 **multiplication** 명 곱셈, 증대

⊟ **many, several**

0282 □□□ ★★★

bond

명 유대, 결속, 접착제 동 유대를 맺다

[bɑːnd]

Afraid of the world portrayed on TV, people do not build **bonds** with their neighbors. (수능)

TV에서 묘사된 세상이 두려워서, 사람들은 이웃들과 **유대**를 형성하지 않는다.

⊕ **bondage** 명 구속, 속박

⊟ **tie, connection**

Tips

시험에는 이렇게 나온다

strong bond 강한 유대 **social bond** 사회 유대 **special bond** 특별한 유대, 결속력

0283 □□□ ★★★

hire

[haiər]

동 고용하다, 빌리다

They can **hire** a professional nanny for a while. (학평)

그들은 한동안 전문 보모를 **고용할** 수 있다.

⊜ employ ⇔ fire 동 해고하다

0284 □□□ ★

sole

[soul]

형 유일한, 단독의 명 신발 밑창, 발바닥

They're not your **sole** responsibility. (교과서)

그것들은 당신의 **유일한** 책임이 아니다.

⊕ solely 부 오로지, 단지

0285 □□□ ★★★

hardly

[há:rdli]

부 거의 ~할 수 없다, 간신히

I was sinking and **hardly** able to move. (학평)

나는 가라앉고 있었고 **거의** 움직일 **수 없었다**.

⊜ barely

Tips

부정의 의미를 갖는 hardly

hardly는 단어 자체로 이미 부정의 의미를 가지기 때문에, 다른 부정어와 함께 사용하지 않아요.

0286 □□□ ★★★

deny

[dinái]

동 부정하다, 부인하다, 거부하다

어원 de[떨어져] + ny[아닌] → 한 발짝 떨어져서 아니라고 부정하다

Who could **deny** that the human body is a miracle? (학평)

누가 인체는 기적이라는 것을 **부정할** 수 있을까?

⊕ denial 명 부정, 부인

0287 □□□ ★★★

classic

[klǽsik]

형 전형적인, 고전적인 명 고전, 명작

One of the **classic** signs of emotional eating is night eating. (수능)

감정적 섭식의 **전형적인** 징후 중 하나는 야식을 먹는 것이다.

⊕ classical 형 고전적인, 클래식의

⊜ typical

0288 □□□ ★★★

decade

명 십(10) 년

[dékeid]

어원 deca[십] + (a)de[명·접] → 십의 단위로 묶은 것, 즉 십(10) 년

The impact of color has been studied for **decades**. (수능)

색의 영향은 수**십 년**에 걸쳐 연구되어왔다.

Tips

시험에는 이렇게 나온다

for decades 수십 년간
three decades 30년
over the past decades 지난 수십 년간
in the next decade 향후 십 년간

0289 □□□ ★★★

infant

명 유아, 아기 형 유아의

[ínfənt]

어원 in[아닌] + fa[말하다] + (a)nt[명·접] → 아직 말을 하지 않는 어린 유아

Infants enter the world ready to respond to pain as bad. (수능)

유아들은 고통은 안 좋은 것이라고 반응할 준비가 되어 있는 상태로 세상에 나온다.

0290 □□□ ★★★

tough

형 힘든, 단단한, 강인한

[tʌf]

I know your job is pretty **tough**. (학평)

나는 당신의 일이 꽤 **힘들다는** 것을 안다.

⊕ **toughness** 명 단단함, 억셈 **toughly** 부 단단하게, 억세게

⊜ **hard, difficult, demanding**

0291 □□□ ★★★

shelter

명 주거지, 피난처 동 보호하다, 숨겨주다

[ʃéltər]

All human beings need food and **shelter**. (학평)

모든 인간은 음식과 **주거지**가 필요하다.

0292 □□□ ★★★

flat

형 평평한, 바람이 빠진 명 아파트

[flæt]

It wasn't too long ago that the majority of people believed the world was **flat**. (학평)

대다수의 사람들이 지구가 **평평하다고** 믿었던 것은 그리 오래 전 일이 아니었다.

⊕ **flatten** 동 납작해지다, 납작하게 만들다 **flatly** 부 단호히, 심드렁하게

0293 □□□ ★★★

insist

동 주장하다, 고집하다

[insíst]

어원 in[안에] + sist[서다] → 믿는 것 안에 확고히 서서 그것을 주장하다

He **insisted** that his son go to a special school for the gifted. (수능)

그는 자신의 아들이 영재들을 위한 특수 학교에 가야 한다고 **주장했다**.

⊕ **insistent** 형 고집하는, 우기는 **insistence** 명 주장, 고집, 강조

Tips

'주장하다'와 관련된 단어들

assert 강력히 주장하다 **claim** 주장하다, 요구하다 **argue** 논쟁하다, 주장하다
advocate 옹호하다, 주장하다 **contend** 주장하다, 싸우다

0294 □□□ ★★★

memorize

동 암기하다, 기억하다

[méməraiz]

One of the effective ways to **memorize** foreign words is visualization. (학평)

외국어 단어를 **암기하는** 효과적인 방법 중 하나는 시각화이다.

⊕ **memorization** 명 암기, 기억 **memory** 명 기억

0295 □□□ ★★★

fault

명 잘못, 결점, 흠 동 나무라다, 흠잡다

[fɔːlt]

If you go out and hurt yourself, it's your own **fault**. (학평)

당신이 나가서 다치면, 그것은 당신의 **잘못**이다.

⊕ **faulty** 형 흠이 있는, 불완전한 **faultless** 형 흠 잡을 데 없는

⊜ **mistake, error**

0296 □□□ ★★★

rescue

동 구조하다, 구출하다 명 구조, 구출

[réskjuː]

Firefighters **rescue** people during natural disasters. (수능)

소방관들은 자연재해 동안 사람들을 **구조한다**.

⊜ **save**

0297 □□□ ★★

kin

명 친족, 친척

[kin]

Many species can recognize which members of their species are **kin**. (학평)

많은 종들은 그들 종의 어떤 구성원이 **친족**인지 분간할 수 있다.

0298 □□□ ★

silly 형 바보 같은, 유치한

[síli]

I made a **silly** mistake yesterday. (학평)

나는 어제 **바보 같은** 실수를 했다.

0299 □□□ ★★★

pace 명 속도, 걸음

[peis]

People take in fewer calories when they slow their eating **pace**. (학평)

사람들은 먹는 **속도**를 늦출 때 좀 더 적은 열량을 섭취한다.

= speed, tempo

0300 □□□ ★★★

obvious 형 명백한, 분명한

[ɑ́:bviəs]

어원 ob[맞서] + vi[길] + ous[형·접] → 길 앞에 맞서 있어 분명히 보이는, 즉 명백한

The environmental benefits of recycling are **obvious**. (학평)

재활용의 환경적 이점은 **명백하다**.

+ obviously 부 분명히

= clear, apparent

0301 □□□ ★★

makeup 명 보강, 구성, 화장(품)

[méikʌp]

The **makeup** for the final exam will be on December 17 at 2 p.m. (학평)

기말 **보강** 시험은 12월 17일 오후 2시에 있을 예정이다.

0302 □□□ ★★★

valid 형 유효한, 타당한

[vǽlid]

어원 val[가치 있는] + id[형·접] → 가치가 인정되고 있는, 즉 유효한

Valid experiments must have data that are measurable. (수능)

유효한 실험은 측정 가능한 데이터가 있어야 한다.

+ validity 명 유효함, 타당성

↔ invalid 형 무효한, 근거 없는

0303 □□□ ★★★

atmosphere

명 대기, 분위기, 환경

[ǽtməsfiər]

어원 atmo[공기] + sphere[구] → 지구를 둘러싼 공기인 대기, 상황을 둘러싼 분위기

As you climb higher, the amount of oxygen in the **atmosphere** decreases. 학평

당신이 더 높이 등반할수록, **대기** 중 산소의 양은 감소한다.

⊕ **atmospheric** 형 대기의, 분위기 있는

0304 □□□ ★★

breakthrough

명 돌파구, 획기적인 발견

[bréikθruː]

어원 break[깨다] + through[통과하여] → 난관을 통과해 나갈 수 있는 깨진 틈, 즉 돌파구

The world will discover a clean energy **breakthrough** that will stop climate change. 교과서

세계는 기후 변화를 멈출 청정 에너지 **돌파구**를 발견할 것이다.

0305 □□□ ★★

stroke

명 뇌졸중, 발작, 타격 동 쓰다듬다

[strouk]

If untreated, snoring can cause major health problems such as heart disease and **stroke**. 학평

치료되지 않으면, 코골이는 심장병과 **뇌졸중** 같은 심각한 건강 문제들을 유발할 수 있다.

⊕ **strike** 동 치다, 부딪히다 명 파업, 공격

0306 □□□ ★★

furious

형 격노한, 맹렬한

[fjúəriəs]

His clients were **furious** about the mistake. 학평

그의 고객들은 실수에 대해 **격노했다**.

⊕ **fury** 명 격노, 분노

Tips

'격노한'과 관련된 단어들

fierce 맹렬한, 사나운 **raging** 격노한, 극심한 **violent** 난폭한, 맹렬한

0307 □□□ ★★

caution

명 주의, 조심 동 주의를 주다

[kɔ́ːʃən]

A child opened the refrigerator without sufficient **caution**. 모평

한 아이가 충분한 **주의** 없이 냉장고를 열었다.

⊕ **cautious** 형 주의하는, 조심하는 **cautiously** 부 조심스럽게

01 02 03 04 05 06 07 08 DAY 09 10 11 12 13 14 15 16 17 18 19 20 21 22 23 24 25 26 27 28 29 30 31 32 33 34 35 36 37 38 39 40 41 42 43 44 45 46 47 48 49 50

0308 □□□ ★★

suspect

동 추측하다, 의심하다 명 용의자

동[səspékt]
명[sʌ́spekt]

어원 su[아래로] + spect[보다] → 상대를 위에서 아래로 훑어보며 추측하다

For a long time, many scientists **suspected** that koalas were lethargic. (학평)

오랫동안, 많은 과학자들은 코알라가 무기력하다고 **추측했다**.

⊕ **suspicion** 명 의심 **suspicious** 형 의심스러운

⊜ **suppose, speculate**

0309 □□□ ★★

exclude

동 배제하다, 제외하다

[iksklúːd]

어원 ex[밖으로] + clud(e)[닫다] → 밖에 두고 문을 닫아 못 들어오게 배제하다

When you photograph people, remember to get closer to them to **exclude** unwanted objects. (수능)

당신이 사람들의 사진을 찍을 때, 그들에게 가까이 다가가
원치 않는 사물들은 **배제할** 것을 기억하세요.

⊕ **exclusive** 형 배타적인, 독점적인 **exclusion** 명 배제

⇔ **include** 동 포함하다

0310 □□□ ★★

interfere

동 방해하다, 간섭하다

[ìntərfíər]

어원 inter[서로] + fere[치다] → 서로 상대방을 쳐서 방해하다

Politics should not **interfere** with the purpose of the reading club. (학평)

정치가 독서 모임의 목적을 **방해해서는** 안 된다.

⊕ **interference** 명 방해, 간섭 **interfere with** ~을 방해하다

⊜ **intervene**

0311 □□□ ★★

quarter

명 4분의 1, 분기, 25센트

[kwɔ́ːrtər]

The United States recycled about a **quarter** of its total solid waste. (학평)

미국은 전체 고형폐기물 중 약 **4분의 1**을 재활용했다.

Tips

시험에는 이렇게 나온다

도표 문제에는 a quarter($\frac{1}{4}$), three-quarters($\frac{3}{4}$) 등의 분수가 자주 출제돼요.

one third $\frac{1}{3}$ **two-thirds** $\frac{2}{3}$ **one and a half** $1\frac{1}{2}$

NEW YORK

0312 □□□ ★★

careless

[kéərlis]

형 부주의한, 조심성 없는

Many **careless** fishermen have lost their lives on these rocks. 학평

많은 **부주의한** 어부들이 이 암석들 위에서 목숨을 잃었다.

⊕ **carelessly** 부 부주의하게, 무심코

↔ **careful** 형 조심성 있는

0313 □□□ ★★

initial

[iníʃəl]

형 초기의, 처음의 명 이름의 첫 글자

I'd like to change two things in the **initial** plan. 학평

나는 **초기** 계획에서 두 가지를 바꾸고 싶다.

⊕ **initially** 부 처음에 **initiate** 동 시작하다

↔ **final** 형 마지막의

0314 □□□ ★

fragment

명 [frǽgmənt]
동 [frægmént]

명 일부, 파편, 조각 동 산산이 부수다

어원 frag[부수다] + ment[명·접] → 부서져서 나온 파편, 조각, 일부

He planned to publish an encyclopedia of all science, but only **fragments** ever appeared. 학평

그는 모든 과학의 백과사전을 출판할 계획이었지만, 이제껏 **일부**만 나왔다.

⊕ **fragmentary** 형 단편적인, 부분적인

= **piece, bit**

0315 □□□ ★

corrupt

[kərʌ́pt]

동 변질시키다, 부패하게 만들다 형 부패한, 타락한, 부정직한

어원 cor[모두] + rupt[깨뜨리다] → 법이나 도덕을 모두 깨뜨려 변질시키다

Putting a price on the good things in life can **corrupt** them. 학평

인생의 좋은 것들에 가격을 매기는 것은 그것들을 **변질시킬** 수 있다.

⊕ **corruption** 명 변질, 부패, 타락

0316 □□□ ★

career

[kəríər]

명 경력, 직업 형 직업적인, 전문적인

어원 car[마차] + eer[명·접] → 마차가 오래 다녀서 생긴 길처럼 오랜 직업 생활로 쌓인 경력

The opponent's speech was so powerful that it threatened Franklin's political **career**. 교과서

그 경쟁자의 연설은 너무 강력해서 프랭클린의 정치 **경력**을 위협했다.

0317 □□□ ★

gigantic

형 거대한

[dʒaigǽntik]

An Egyptian sculpture no bigger than a person's hand is more monumental than that **gigantic** pile of stones. 수능

사람의 손보다 크지 않은 한 이집트 조각품이 저 **거대한** 돌더미보다 더 기념비적이다.

Tips

'거대한'과 관련된 단어들

enormous 엄청난, 거대한 **immense** 거대한, 막대한 **huge** 거대한, 엄청난
tremendous 엄청난, 막대한 **grand** 웅장한, 장려한

0318 □□□ ★

eternal

형 영원한, 불변의

[itə́:rnəl]

어원 etern[영원] + al[형·접] → 영원한

Early photographs represented the world as stable, **eternal**, and unshakable. 모평

초기의 사진들은 세계를 안정되고, **영원하며**, 흔들리지 않는 것으로 표현했다.

⊕ **eternally** 부 영원히, 끝없이

Tips

'영원한'과 관련된 단어들

permanent 영구적인 **lasting** 영속적인, 지속적인 **enduring** 오래가는, 지속되는

0319 □□□ ★★★

scale

명 규모, 저울, 등급

[skeil]

The size of our world has not changed, but the **scale** of human activities has increased greatly. 수능

우리 세계의 크기는 변하지 않았지만, 인간 활동의 **규모**는 크게 증가했다.

⊕ **on a large scale** 대규모로

⊜ **size**

0320 □□□ ★★★

accurate

형 정확한, 정밀한

[ǽkjurət]

어원 ac[~에] + cur[관심] + ate[형·접] → 어떤 것에 관심을 쏟아 정확한

Maps became increasingly **accurate** with the application of scientific methods. 교과서

지도는 과학적 방법의 적용으로 점점 더 **정확해졌다**.

⊕ **accurately** 부 정확히 **accuracy** 명 정확도

⊜ **precise** ↔ **inaccurate** 형 부정확한

Daily Quiz

영어는 우리말로, 우리말은 영어로 쓰세요.

01 accurate ______________

02 classic ______________

03 shelter ______________

04 memorize ______________

05 scale ______________

06 fault ______________

07 deny ______________

08 kin ______________

09 tough ______________

10 furious ______________

11 유대, 결속, 유대를 맺다 ______________

12 부주의한, 조심성 없는 ______________

13 대기, 분위기, 환경 ______________

14 주장하다, 고집하다 ______________

15 고용하다, 빌리다 ______________

16 거의 ~할 수 없다 ______________

17 방해하다, 간섭하다 ______________

18 명백한, 분명한 ______________

19 구조하다, 구조, 구출 ______________

20 돌파구, 획기적인 발견 ______________

다음 빈칸에 들어갈 가장 알맞은 것을 박스 안에서 고르세요.

valid	infant	flat	multiple	decade

21 Life is a game where there are ______________ winners.
인생은 다수의 우승자가 있는 게임이다.

22 It wasn't too long ago that the majority of people believed the world was ______________.
대다수의 사람들이 지구가 평평하다고 믿었던 것은 그리 오래 전 일이 아니었다.

23 ______________(e)s enter the world ready to respond to pain as bad.
유아들은 고통은 안 좋은 것이라고 반응할 준비가 되어 있는 상태로 세상에 나온다.

24 ______________ experiments must have data that are measurable.
유효한 실험은 측정 가능한 데이터가 있어야 한다.

25 The impact of color has been studied for ______________(e)s.
색의 영향은 수십 년에 걸쳐 연구되어왔다.

정답

01 정확한, 정밀한 02 전형적인, 고전적인, 고전, 명작 03 주거지, 피난처, 보호하다, 숨겨주다 04 암기하다, 기억하다 05 규모, 저울, 등급 06 잘못, 결점, 흠, 나무라다, 흠잡다 07 부정하다, 부인하다, 거부하다 08 친족, 친척 09 힘든, 단단한, 강인한 10 격노한, 맹렬한 11 bond 12 careless 13 atmosphere 14 insist 15 hire 16 hardly 17 interfere 18 obvious 19 rescue 20 breakthrough 21 multiple 22 flat 23 Infant 24 Valid 25 decade

이런 성적을 받는 건
어쩌면 내 운명*이었을지도 몰라..
어제 미드를 안 봤어도 비슷했을 듯…

* 운명 **fate**

0321 □□□ ★★

fate

[feit]

명 운명, 숙명

Luck isn't a matter of **fate**. (모평)

행운은 **운명**의 문제가 아니다.

= destiny

0322 □□□ ★★★

attach

[ətǽtʃ]

동 첨부하다, 붙이다, (단체 등에) 소속시키다

어원 at[~에] + tach[들러붙게 하다] → 어떤 것에 들러붙게 하다, 즉 붙이다 또는 첨부하다

Please **attach** information about the photographs with your submission. (모평)

사진에 대한 정보를 제출물과 함께 **첨부해주세요**.

+ **attachment** 명 부착, 결부, 애착

↔ **detach** 동 떼다, 분리하다

0323 □□□ ★★★

wildlife

명 야생 동물

[wáildlaif]

You can see diverse **wildlife** such as monkeys, buffalos, and elephants. (학평)

당신은 원숭이, 물소, 그리고 코끼리와 같은 다양한 **야생 동물**을 볼 수 있다.

0324 □□□ ★★★

cast

동 드리우다, 던지다, (빛을) 발하다

[kæst]

If you believe you're smart, that belief will **cast** a rosy hue on everything you do. (학평)

만약 자신이 똑똑하다고 생각한다면, 그 믿음은 당신이 하는 모든 일에 장밋빛을 **드리울** 것이다.

0325 □□□ ★★★

seemingly

부 겉보기에, 외견상으로

[síːmiŋli]

어원 seem(ing)[비슷한] + ly[부·접] → 언뜻 비슷하게, 즉 겉보기에

Light pollution has been ignored by many because of its **seemingly** harmless nature. (교과서)

빛 공해는 **겉보기에** 무해한 성질 때문에 다수에 의해 간과되어왔다.

0326 □□□ ★★★

bet

동 확신하다, 내기하다 명 내기

[bet]

I **bet** you can be an excellent sports club leader. (학평)

나는 당신이 뛰어난 스포츠 동아리 대표가 될 수 있다고 **확신한다**.

⊕ **betting** 명 내기, 도박

0327 □□□ ★★★

absence

명 부재, 결석

[ǽbsəns]

The **absence** of an audience has affected performers of all types. (학평)

관객의 **부재**는 모든 종류의 공연자들에게 영향을 미쳤다.

⊕ **absent** 형 부재한, 결석한

Tips

시험에는 이렇게 나온다

in the absence of ~이 없을 때 **leave of absence** 휴가, 휴직

0328 □□□ ★★★

grant

동 주다, 수여하다, 승인하다 명 보조금

[grænt]

The winner of the award will be **granted** a full scholarship for next semester. (학평)

수상자에게는 다음 학기에 대한 전액 장학금이 **주어질** 것이다.

⊟ award, present

0329 □□□ ★★★

ideal

명 이상 형 이상적인

[aidíːəl]

Consumer advertising shows an unrealistic **ideal** of the female body shape. (학평)

소비자 광고는 여성의 몸매에 대한 비현실적인 **이상**을 보여준다.

⊕ **idealize** 동 이상화하다 **ideally** 부 이상적으로
idealism 명 이상주의 **idealistic** 형 이상주의적인

0330 □□□ ★

auction

명 경매 동 경매로 팔다

[ɔ́ːkʃən]

A Dutch **auction** referred to a type of **auction** that starts with a high price that keeps going down until the item sells. (학평)

역**경매**는 높은 가격에서 시작하여 물건이 팔릴 때까지 계속 내려가는 **경매**의 한 종류를 가리켰다.

0331 □□□ ★★

factual

형 사실에 입각한, 사실상의

[fǽktʃuəl]

어원 fac(t)[행하다] + ual[형·접] → 행해서 실제가 된, 즉 사실에 입각한

Most people will resist correcting their **factual** beliefs. (학평)

대부분의 사람들은 그들의 **사실에 입각한** 믿음을 정정하기를 반대할 것이다.

⊕ **fact** 명 사실, 실제 **factually** 부 사실상, 실제로 **in fact** 사실상

0332 □□□ ★★★

pound

명 (무게·화폐 단위) 파운드 동 두드리다, 치다

[paund]

Warthogs can reach between 110 and 260 **pounds** in weight. (학평)

혹멧돼지는 무게가 110에서 260**파운드**에 이를 수 있다.

0333 □□□ ★★★

procedure

명 절차, 과정

[prəsíːdʒər]

어원 pro[앞으로] + ced(e)[가다] + ure[명·접] → 순서대로 일을 진행해 앞으로 나가는 절차

If you follow the same **procedures**, you will be very likely to get the same results. (수능)

만약 당신이 같은 **절차**를 따른다면, 같은 결과를 얻을 가능성이 매우 높을 것이다.

⊕ **procedural** 형 절차상의

⊜ **process, course**

0334 □□□ ★★★

differ

동 다르다, 의견을 달리하다

[dífər]

People's lifestyles **differ** from one another. (학평)

사람들의 생활 방식은 서로 **다르다**.

⊕ **different** 형 다른, 여러 가지의 **difference** 명 다름, 차이 **differ from** ~과 다르다

0335 □□□ ★★★

rough

형 거친, 힘든, 대강의

[rʌf]

Without senses, we could not feel any difference between **rough** and smooth surfaces. (학평)

감각이 없다면, 우리는 **거친** 표면과 매끄러운 표면의 어떤 차이도 느낄 수 없을 것이다.

⊕ **roughly** 부 대략, 대강

⊜ **tough**

0336 □□□ ★★★

trial

명 시행, 시도, 재판

[tráiəl]

In general, every achievement requires **trial** and error. (수능)

일반적으로, 모든 성취는 **시행**착오가 필요하다.

0337 □□□ ★★★

official

형 공식적인 명 공무원

[əfíʃəl]

어원 offic[일] + ial[형·접] → 사적인 것이 아니라 일에 관련된, 즉 공식적인

The Sillok is the **official** record of the Joseon Dynasty. (교과서)

조선왕조실록은 조선 왕조의 **공식적인** 기록물이다.

⊕ **officially** 부 공식적으로

⊜ **formal** ⇔ **unofficial** 형 비공식적인

01 02 03 04 05 06 07 08 09 DAY 10 11 12 13 14 15 16 17 18 19 20 21 22 23 24 25 26 27 28 29 30 31 32 33 34 35 36 37 38 39 40 41 42 43 44 45 46 47 48 49 50

0338 □□□ ★★★

owe

동 신세 지다, 빚지다

[ou]

I'll work for you this time, but you **owe** me! (수능)

이번에는 너를 위해 일해주겠지만, 너 나한테 **신세 진** 거야!

⊕ **owe A to B** B에게 A를 빚지다

0339 □□□ ★★

grace

명 품위, 우아함, 은혜

[greis]

People who are self-aware manage their affairs with wisdom and **grace**. (학평)

자신에 대해 잘 알고 있는 사람들은 지혜와 **품위**로 자신의 일을 처리한다.

⊕ **graceful** 형 우아한 **gracefully** 부 우아하게

⊟ **dignity**

0340 □□□ ★★★

refuse

동 거부하다, 거절하다

[rifjú:z]

어원 re[다시] + fus(e)[붓다] → 들어온 것을 다시 부어내다, 즉 거부하다

When things are darkest, successful people **refuse** to give up. (수능)

최악의 상황일 때, 성공적인 사람들은 포기하기를 **거부한다**.

⊕ **refusal** 명 거부, 거절

⊟ **decline, reject**

0341 □□□ ★★★

folk

형 민속의 명 사람들

[fouk]

Perhaps you remember the **folk** tale about the lazy son. (학평)

아마 당신은 게으른 아들에 대한 **민속** 설화를 기억할 것이다.

0342 □□□ ★★★

occasion

명 때, 경우, 행사

[əkéiʒən]

어원 oc[향하여] + cas[떨어지다] + ion[명·접] → 현실을 향하여 떨어진 특별한 때, 경우, 즉 행사

Delight hangs in the air tonight for what is a very special **occasion**. (수능)

매우 특별한 **때**를 위해 오늘 밤 기쁨의 기운이 감돌고 있다.

⊕ **occasional** 형 가끔의 **occasionally** 부 가끔

⊟ **time, moment**

Washington DC

0343 □□□ ★★

margin

[mɑ́:rdʒin]

명 차익, 판매 수익, 여백, 가장자리

Companies' profit **margins** have been squeezed by the lowering of trade barriers. (학평)

기업들의 이윤 **차익**은 무역 장벽을 낮춤으로써 겨우 얻어졌다.

⊕ **marginal** 형 미미한, 주변부의

0344 □□□ ★★

desperate

[déspərət]

형 절망적인, 필사적인, 절박한

어원 de[떨어져] + sper[희망] + ate[형·접] → 희망에서 떨어진 상태인, 즉 절망적인

Charles Dickens used his **desperate** experience as a child laborer to write *David Copperfield.* (수능)

찰스 디킨스는 「데이비드 코퍼필드」를 집필하기 위해 아동 노동자로서의 자신의 **절망적인** 경험을 이용했다.

⊕ **desperately** 부 절망적으로, 필사적으로 **desperation** 명 절망, 필사적임

0345 □□□ ★★

polish

[pɑ́:liʃ]

동 닦다, 광을 내다

He used napkins to **polish** the silverware before each meal. (학평)

그는 매 식사 전에 은 식기를 **닦으려고** 냅킨을 사용했다.

0346 □□□ ★★

uncover

[ʌnkʌ́vər]

동 알아내다, 발견하다, 폭로하다

어원 un[아닌] + cover[덮다] → 덮여서 가려져 있던 것을 아닌 상태로 만들다, 즉 알아내다

The essence of science is to **uncover** patterns and regularities in nature. (모평)

과학의 본질은 자연의 경향과 규칙성을 **알아내는** 것이다.

⊜ **reveal**

0347 □□□ ★★★

journey

[dʒə́:rni]

명 여행, 여정

We invite you to go on a great **journey** with us. (학평)

당신이 우리와 함께 멋진 **여행**을 떠나도록 초대합니다.

⊜ **trip**

0348 □□□ ★★★

insect

명 곤충, 벌레

[ínsekt]

어원 in[안에] + sect[자르다] ➜ 몸 안이 여러 부분으로 잘려 있는 곤충

Unfortunately, many **insects** don't live through the cold winter. 학평

불행하게도, 많은 **곤충들**이 추운 겨울 동안 살아남지 못한다.

⊟ bug

0349 □□□ ★★★

precise

형 정확한, 정밀한

[prisáis]

어원 pre[앞에] + cis(e)[자르다] ➜ 앞에 붙은 군더더기를 잘라내 정확한

Numbers were invented to describe **precise** amounts. 학평

숫자는 **정확한** 양을 묘사하기 위해 발명되었다.

⊕ **precisely** 부 정확히

Tips

'정확한'을 뜻하는 단어들		
accurate 정확한	**exact** 정확한, 빈틈없는	**right** 정확한, 확실한

0350 □□□ ★★★

trap

동 가두다, 덫을 놓다 명 함정, 덫

[træp]

A little girl was **trapped** in the burning building. 학평

한 어린 소녀가 불타는 건물 안에 **갇혔다**.

0351 □□□ ★★

modest

형 적당한, 겸손한, 수수한

[mɑ́:dist]

어원 mod[기준] + est[형·접] ➜ 과하지 않고 기준에 맞는, 즉 적당한

Merchant ships paid a **modest** toll to safeguard their goods. 학평

상선은 그들의 상품을 보호하기 위해 **적당한** 통행료를 지불했다.

0352 □□□ ★

pulse

명 맥박, 진동, 파동 동 고동 치다

[pʌls]

Lie detector tests base judgments of honesty on blood pressure, **pulse**, and vocal pitch. 학평

거짓말 탐지기 테스트는 혈압, **맥박**, 그리고 목소리의 높낮이에 근거하여 정직성을 판단한다.

Washington DC

0353 □□□ ★★

secondary

형 중등(교육)의, 이차적인, 부수적인

[sékənderi]

Burton was the first member of his family to go to **secondary** school. (모평)

Burton은 그의 가족 중에서 **중등**학교에 갔던 최초의 구성원이었다.

0354 □□□ ★

outline

명 윤곽, 개요 동 윤곽을 그리다, 개요를 서술하다

[aútlàin]

어원 out[밖에] + line[선] → 바깥쪽에 선으로 대략 그린 윤곽 또는 개요

He started to draw the **outline** of the zebra's body, adding more details. (학평)

그는 얼룩말 몸통의 **윤곽**을 그리기 시작했고, 더 많은 세부 사항들을 추가했다.

0355 □□□ ★

edge

명 모서리, 가장자리, (칼 등의) 날

[edʒ]

Janet grabbed the **edge** of the curtain. (모평)

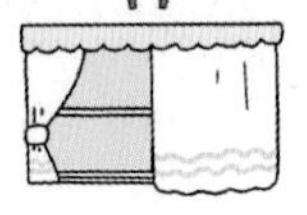

Janet은 커튼의 **모서리**를 잡았다.

= corner

0356 □□□ ★

interchange

동 교체하다, 교환하다 명 교환, (도로의) 분기점

동 [ìntərtʃéindʒ]
명 [íntərtʃèindʒ]

어원 inter[서로] + change[바꾸다] → 서로 가진 것을 맞바꾸어 교체하다

In that image, the right and left sides of your face are **interchanged**. (수능)

그 그림에서, 당신 얼굴의 오른쪽과 왼쪽은 서로 **교체되어** 있다.

+ **interchangeable** 형 교환할 수 있는

= **replace, substitute**

0357 □□□ ★★

subjective

형 주관적인

[səbdʒéktiv]

The **subjective** approach to probability is based mostly on opinions, feelings, or hopes. (학평)

가능성에 대한 **주관적인** 접근은 주로 의견, 감정, 또는 희망에 근거를 둔다.

+ **subject** 명 주제, 문제

↔ **objective** 형 객관적인

0358 □□□ ★★

barely

[bɛ́ərli]

부 간신히, 겨우, 꼭, 거의 ~ 않다

He **barely** nodded, and then looked away. (학평)

그는 **간신히** 고개를 끄덕였고, 그 후 눈길을 돌렸다.

= only, just

0359 □□□ ★

confess

[kənfés]

동 고백하다, 자백하다

어원 con[모두] + fess[말하다] → 감추는 것 없이 모두 말하여 고백하다

He **confessed** that he was having a great deal of trouble completing his tasks. (모평)

그는 자신의 일을 완수하는 데 많은 어려움을 겪고 있었다고 **고백했다**.

+ **confession** 명 고백, 자백

0360 □□□ ★★★

admit

[ædmít]

동 인정하다, 받아들이다

어원 ad[~에] + mit[보내다] → 자신에게 보내진 것을 받아들이다, 즉 인정하다

You'll get less stress if you **admit** that someone else can do a job just as well as you can. (학평)

다른 사람도 당신만큼 일을 잘할 수 있다는 것을 **인정한다면** 당신은 스트레스를 덜 받을 것이다.

+ **admission** 명 인정, 입장, 입학

= **accept** ↔ **deny** 동 부인하다

Tips

admit과 accept의 의미 구분

두 단어 모두 '인정하다, 받아들이다'라는 뜻이지만 admit은 어떤 부정적인 사실 등을 마지못해 인정할 때, accept는 어떤 대상의 가치 등을 긍정적으로 인정할 때 주로 사용돼요.

Daily Quiz

영어는 우리말로, 우리말은 영어로 쓰세요.

01 absence ______________

02 trap ______________

03 folk ______________

04 pound ______________

05 rough ______________

06 wildlife ______________

07 attach ______________

08 official ______________

09 precise ______________

10 procedure ______________

11 때, 경우, 행사 ______________

12 주다, 승인하다, 보조금 ______________

13 겉보기에, 외견상으로 ______________

14 절망적인, 필사적인, 절박한 ______________

15 곤충, 벌레 ______________

16 여행, 여정 ______________

17 확신하다, 내기하다 ______________

18 드리우다, (빛을) 발하다 ______________

19 다르다, 의견을 달리하다 ______________

20 운명, 숙명 ______________

다음 빈칸에 들어갈 가장 알맞은 것을 박스 안에서 고르세요.

trial	ideal	refuse	admit	owe

21 You'll get less stress if you ______________ that someone else can do a job just as well as you can.
다른 사람도 당신만큼 일을 잘할 수 있다는 것을 인정한다면 당신은 스트레스를 덜 받을 것이다.

22 In general, every achievement requires ______________ and error.
일반적으로, 모든 성취는 시행착오가 필요하다.

23 When things are darkest, successful people ______________ to give up.
최악의 상황일 때, 성공적인 사람들은 포기하기를 거부한다.

24 I'll work for you this time, but you ______________ me!
이번에는 너를 위해 일해주겠지만, 너 나한테 신세 진 거야!

25 Consumer advertising shows an unrealistic ______________ of the female body shape.
소비자 광고는 여성의 몸매에 대한 비현실적인 이상을 보여준다.

정답

01 부재, 결석 02 가두다, 덫을 놓다, 함정, 덫 03 민속의, 사람들 04 (무게·화폐 단위) 파운드, 두드리다, 치다 05 거친, 힘든, 대강의 06 야생 동물 07 첨부하다, 붙이다, (단체 등에) 소속시키다 08 공식적인, 공무원 09 정확한, 정밀한 10 절차, 과정 11 occasion 12 grant 13 seemingly 14 desperate 15 insect 16 journey 17 bet 18 cast 19 differ 20 fate 21 admit 22 trial 23 refuse 24 owe 25 ideal

너 이 자식! 언니 명품 구두 어디에 숨겼어!
말할 때까지 계속 간지럽힐* 거야!!
간지러워서 말이 안 나와!

* 간지럽히다 **tickle**

0361 □□□ ★★★

tickle

[tíkl]

동 간지럽히다 명 간지럼

If someone else **tickles** you, you cannot stand it. (수능)

만약 다른 누군가가 당신을 **간지럽히면**, 당신은 그것을 견딜 수 없다.

0362 □□□ ★★★

universal

[jù:nəvə́:rsəl]

형 보편적인, 일반적인, 전 세계의

I saw **universal** truths in their simple lives. (수능)

나는 그들의 소박한 삶에서 **보편적인** 진리를 보았다.

➕ **universally** 부 보편적으로, 일반적으로

= **general, common**

0363 □□□ ★★★

dozen

[dʌ́zn]

명 12개, 다수(dozens)

The price per unit is way cheaper when you buy a **dozen**. (학평)

12개를 구매할 때 개당 단가는 훨씬 더 저렴하다.

0364 □□□ ★★★

vary

동 다양하다, 다르다, 변하다

[véəri]

Moles **vary** in color from light to dark brown or black. (수능)

점은 밝은 갈색부터 어두운 갈색 또는 검은색까지 색이 **다양하다**.

⊕ **variety** 명 다양성 **variation** 명 변화 **various** 형 다양한
variable 형 변동이 심한 명 변수

⊜ **differ**

0365 □□□ ★

asset

명 재산, 자산

[ǽset]

어원 as[~쪽으로] + set[충분한] → 가치가 충분하여 내 쪽으로 가져오는 재산

Remember, your family is your greatest **asset**. (수능)

가족이 당신의 가장 큰 **재산**임을 기억하세요.

⊜ **property**

Tips

시험에는 이렇게 나온다

asset은 주로 valuable, important, precious 등 중요함을 뜻하는 단어와 함께 사용돼요.

valuable asset 귀중한 자산 **important asset** 중요한 자산
precious asset 소중한 자산

0366 □□□ ★★★

hardship

명 어려움, 고난

[hɑ́ːrdʃip]

In the middle of global economic **hardship**, many people lost their jobs. (학평)

세계적인 경제적 **어려움** 가운데에서, 많은 사람들이 직장을 잃었다.

⊕ **hard** 형 어려운, 단단한

⊜ **suffering, difficulty**

0367 □□□ ★★★

lately

부 최근에

[léitli]

My dad doesn't seem to be sleeping well **lately**. (수능)

우리 아빠는 **최근에** 푹 주무시는 것 같지 않다.

⊕ **late** 형 늦은 부 늦게

⊜ **recently**

0368 □□□ ★★★

trait

명 특성, 특징

[treit]

It is a human **trait** to try to define and classify the things we find in the world. (수능)

우리가 세상에서 발견하는 것들을 정의하고 분류하려는 것은 인간의 **특성**이다.

Tips

'특성'과 관련된 단어들

character 특징, 성격 **quality** 특성, 자질 **feature** 특성, 특징

0369 □□□ ★★

fruitful

형 유익한, 생산적인, 결실 있는

[frú:tfəl]

Life becomes **fruitful** with our endless pursuit of dreams. (수능)

삶은 우리의 꿈에 대한 무한한 추구로 **유익해진다**.

⊕ **fruit** 명 과일, 열매, 수확물

↔ **fruitless** 형 성과 없는, 결실 없는

0370 □□□ ★★★

passion

명 열정, 정열

[pǽʃən]

어원 pass[느끼다] + ion[명·접] → 강하게 느끼는 애정, 즉 열정

His commitment and **passion** seemed to fade gradually. (모평)

그의 헌신과 **열정**은 점차 사그라드는 듯했다.

⊕ **passionate** 형 열정적인

0371 □□□ ★

wicked

형 사악한, 못된, 심술궂은

[wíkid]

The cities he'd visited were full of **wicked** liars. (학평)

그가 방문했던 도시들은 **사악한** 거짓말쟁이들로 가득했다.

= **evil, vicious**

0372 □□□ ★★

deposit

명 보증금, 예금 동 입금하다, 예금하다

[dipɑ́:zit]

어원 de[아래로] + pos(it)[놓다] → 계약 조건 아래 미리 넣어 두는 보증금

Sometimes customers have to pay a small **deposit**. (학평)

때때로 고객들은 소액의 **보증금**을 지불해야 한다.

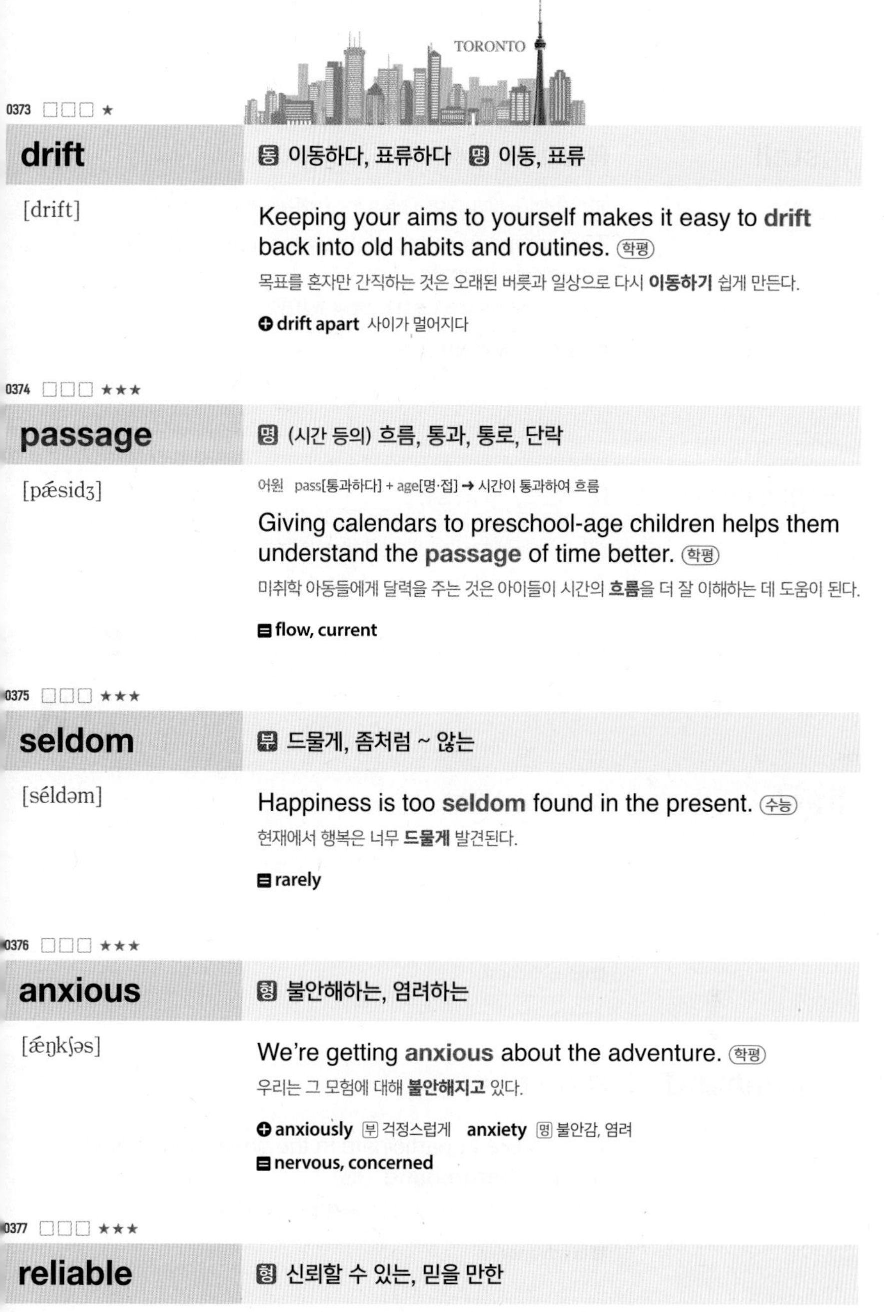

0373 □□□ ★

drift

[drift]

동 이동하다, 표류하다 명 이동, 표류

Keeping your aims to yourself makes it easy to **drift** back into old habits and routines. (학평)

목표를 혼자만 간직하는 것은 오래된 버릇과 일상으로 다시 **이동하기** 쉽게 만든다.

➕ **drift apart** 사이가 멀어지다

0374 □□□ ★★★

passage

[pǽsidʒ]

명 (시간 등의) 흐름, 통과, 통로, 단락

어원 pass[통과하다] + age[명·접] → 시간이 통과하여 흐름

Giving calendars to preschool-age children helps them understand the **passage** of time better. (학평)

미취학 아동들에게 달력을 주는 것은 아이들이 시간의 **흐름**을 더 잘 이해하는 데 도움이 된다.

⊜ **flow, current**

0375 □□□ ★★★

seldom

[séldəm]

부 드물게, 좀처럼 ~ 않는

Happiness is too **seldom** found in the present. (수능)

현재에서 행복은 너무 **드물게** 발견된다.

⊜ **rarely**

0376 □□□ ★★★

anxious

[ǽŋkʃəs]

형 불안해하는, 염려하는

We're getting **anxious** about the adventure. (학평)

우리는 그 모험에 대해 **불안해지고** 있다.

➕ **anxiously** 부 걱정스럽게 **anxiety** 명 불안감, 염려

⊜ **nervous, concerned**

0377 □□□ ★★★

reliable

[riláiəbl]

형 신뢰할 수 있는, 믿을 만한

Fortunately, we've developed faster and more **reliable** delivery systems. (수능)

다행히도, 우리는 더 빠르고 **신뢰할 수 있는** 배송 시스템을 개발했다.

➕ **reliably** 부 신뢰할 수 있게 **reliability** 명 신뢰성

⊜ **trustworthy** ⇔ **unreliable** 형 신뢰할 수 없는

0378 □□□ ★★★

install

통 설치하다, 설비하다

[instɔ́:l]

어원 in[안에] + sta(ll)[세우다] → 건물 등의 안에 어떤 것을 세우다, 즉 설치하다

The company reduced its water use by **installing** automatic faucets. (수능)

그 회사는 자동 수도꼭지를 **설치함으로써** 물 사용량을 감소시켰다.

⊕ **installation** 명 설치, 설비

⊟ **set up**

0379 □□□ ★★★

depressed

형 우울한, 의기소침한

[diprést]

어원 de[아래로] + press[누르다] + ed[형·접] → 기분을 아래로 눌러 우울한

A decreased amount of daylight can cause you to feel **depressed.** (학평)

일조량의 감소는 당신이 **우울한** 기분을 느끼게 만들 수 있다.

⊕ **depressing** 형 우울하게 만드는 **depression** 명 우울(증)

0380 □□□ ★

frank

형 솔직한, 숨김없는

[fræŋk]

You have to be **frank** about yourself. (학평)

당신은 스스로에 대해 **솔직해야** 한다.

⊕ **frankly** 부 솔직히, 노골적으로

⊟ **open, honest**

0381 □□□ ★

beforehand

부 사전에, 전부터

[bifɔ́:rhænd]

If you'd like to participate in the show, you should audition **beforehand.** (학평)

만약 공연에 참가하고 싶다면, 당신은 **사전에** 오디션을 봐야 한다.

⊟ **in advance**

0382 □□□ ★★

hasty

형 성급한, 경솔한

[héisti]

Don't jump to a **hasty** conclusion. (학평)

성급한 결론으로 넘어가지 마세요.

SYDNEY

0383 ☐☐☐ ★★★

static

[stǽtik]

형 정적인, 고정된

어원 sta(t)[서다] + ic[형·접] → 움직이지 않고 가만히 서 있는, 즉 정적인

Far from being **static**, the environment is constantly changing. (모평)

정적이기는커녕, 환경은 끊임없이 변화하고 있다.

⊟ **stable, fixed**

0384 ☐☐☐ ★★★

burst

[bəːrst]

동 터뜨리다, 터지다 명 파열, 폭발

When Louis finished his performance, everybody **burst** into laughter. (학평)

Louis가 공연을 마쳤을 때, 모두가 웃음을 **터뜨렸다**.

⊕ **burst into** ~을 터뜨리다, 갑자기 ~하다

⊟ **explode, break**

0385 ☐☐☐ ★★★

apart

[əpάːrt]

부 떨어져, 따로

어원 a[~쪽으로] + part[나누다] → 서로 다른 쪽으로 나누어져, 즉 떨어져

You must ensure that the tents are at least six meters **apart**. (학평)

당신은 텐트들이 적어도 6미터 간격으로 반드시 **떨어져** 있도록 해야 한다.

⊕ **apart from** ~ 외에는, ~을 제외하고

0386 ☐☐☐ ★★★

measure

[méʒər]

동 측정하다, 재다 명 단위, 척도, 조치

Please **measure** and record the blood pressure of the patients. (학평)

환자들의 혈압을 **측정하고** 기록해주세요.

⊕ **measurement** 명 측정, 치수 **measurable** 형 측정할 수 있는

0387 ☐☐☐ ★★

whisper

[wíspər]

동 속삭이다, 소곤거리다 명 속삭임

The judges bent their heads together and began to **whisper**. (모평)

심판들은 함께 고개를 숙이고 **속삭이기** 시작했다.

0388 □□□ ★★

dull

[dʌl]

형 흐릿한, 둔한, 지루한

I could only see **dull** gray rocks. (수능)

나는 **흐릿한** 회색 바위들만 볼 수 있었다.

0389 □□□ ★★

charm

[tʃɑːrm]

동 매료하다, 매혹하다 명 매력

I was **charmed** by the native birds and lizards moving among the branches. (수능)

나는 나뭇가지 사이로 움직이는 토종 새와 도마뱀들에 **매료되었다**.

⊕ **charming** 형 매력적인, 멋진

⊜ **fascinate, captivate**

0390 □□□ ★★

lean

[liːn]

동 기대다, 기울다, 숙이다

Neil **leaned** back to enjoy his book. (학평)

Neil은 독서를 즐기기 위해 등을 **기댔다**.

⊜ **rest**

0391 □□□ ★★

abuse

명 [əbjúːs]
동 [əbjúːz]

명 남용, 학대 동 남용하다, 악용하다, 학대하다

어원 ab[떨어져] + us(e)[사용하다] → 정해진 것과 동떨어지게 함부로 사용하는 것, 즉 남용

They grew up in environments with alcohol **abuse**. (학평)

그들은 알코올 **남용**이 있는 환경에서 자랐다.

⊕ **abusive** 형 남용하는, 모욕적인, 학대하는

Tips

시험에는 이렇게 나온다

abuse of power 권력 남용 **child abuse** 아동 학대 **verbal abuse** 언어적 폭력

0392 □□□ ★★

domain

[douméin]

명 영토, 소유지, 분야

He was the king of his **domain**. (학평)

그는 자신의 **영토**의 왕이었다.

⊜ **realm, kingdom**

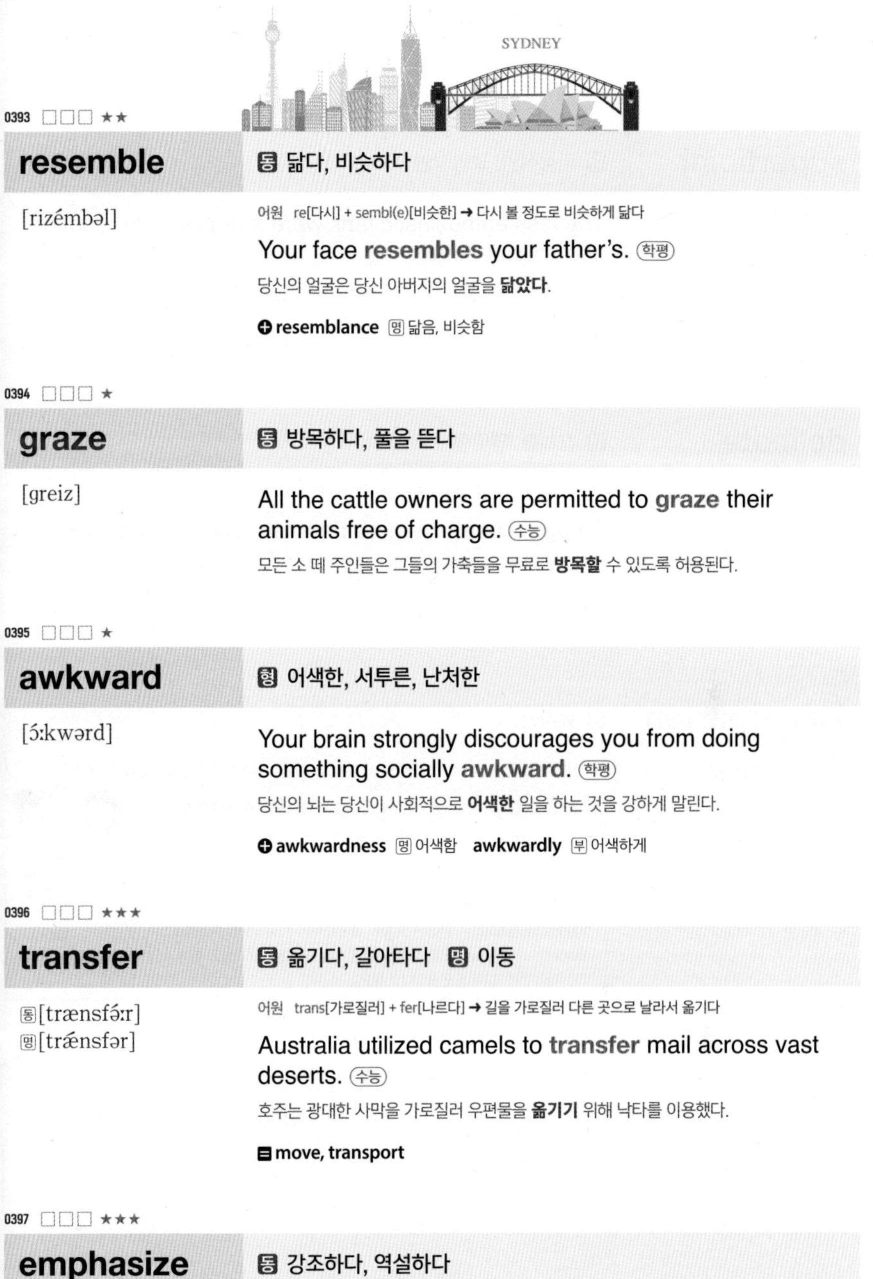

0393 □□□ ★★

resemble

[rizémbəl]

동 닮다, 비슷하다

어원 re[다시] + sembl(e)[비슷한] → 다시 볼 정도로 비슷하게 닮다

Your face **resembles** your father's. 학평

당신의 얼굴은 당신 아버지의 얼굴을 **닮았다**.

⊕ **resemblance** 명 닮음, 비슷함

0394 □□□ ★

graze

[greiz]

동 방목하다, 풀을 뜯다

All the cattle owners are permitted to **graze** their animals free of charge. 수능

모든 소 떼 주인들은 그들의 가축들을 무료로 **방목할** 수 있도록 허용된다.

0395 □□□ ★

awkward

[ɔ́:kwərd]

형 어색한, 서투른, 난처한

Your brain strongly discourages you from doing something socially **awkward**. 학평

당신의 뇌는 당신이 사회적으로 **어색한** 일을 하는 것을 강하게 말린다.

⊕ **awkwardness** 명 어색함 **awkwardly** 부 어색하게

0396 □□□ ★★★

transfer

동[trænsfə́:r]
명[trǽnsfər]

동 옮기다, 갈아타다 명 이동

어원 trans[가로질러] + fer[나르다] → 길을 가로질러 다른 곳으로 날라서 옮기다

Australia utilized camels to **transfer** mail across vast deserts. 수능

호주는 광대한 사막을 가로질러 우편물을 **옮기기** 위해 낙타를 이용했다.

⊜ **move, transport**

0397 □□□ ★★★

emphasize

[émfəsaiz]

동 강조하다, 역설하다

어원 em[안에] + phas[보여주다] + ize[동·접] → 안에 있는 여럿 중에 특별히 잘 보여주려고 강조하다

He **emphasizes** that trust is the most important factor in the child's developing personality. 수능

그는 어린이의 인격 발달에 신뢰가 가장 중요한 요소라는 점을 **강조한다**.

⊕ **emphasis** 명 강조

⊜ **stress, highlight**

0398 □□□ ★

superficial

형 피상적인, 표면적인

[sùːpərfíʃəl]

The less enthusiastic fans were more likely to recount **superficial** details. 학평

덜 열성적인 팬들은 **피상적인** 세부 사항들에 대해 더 이야기하는 경향이 있었다.

⊟ **shallow**

0399 □□□ ★

delicate

형 섬세한, 연약한

[délikət]

어원 de[아래로] + lic[빛] + ate[형·접] → 빛 아래로 가서 봐야 할 정도로 섬세한

An egg requires a more **delicate** touch than a rock. 모평

달걀은 바위보다 더 **섬세한** 손길이 필요하다.

⊕ **delicacy** 명 섬세함, 연약함

0400 □□□ ★

kindergarten

명 유치원

[kíndərgὰːrtn]

어원 kind(er)[태어남] + garten[정원] → 태어난 지 얼마 안 된 어린이들이 노는 정원, 즉 유치원

She's old enough to go to **kindergarten**. 학평

그녀는 **유치원**에 가기에 충분한 나이이다.

Tips

kindergarten의 유래

kindergarten이라는 단어는 독일의 교육학자인 Friedrich Froebel이 만들었어요. 독일어로 kinder는 아이들, garten은 정원이라는 뜻인데, 아이들이 또래들과 함께 자연 속에서 교육받기를 바라는 마음에서 유치원을 만들었다고 해요.

Daily Quiz

영어는 우리말로, 우리말은 영어로 쓰세요.

01 apart ______________

02 hasty ______________

03 transfer ______________

04 fruitful ______________

05 dozen ______________

06 seldom ______________

07 passage ______________

08 measure ______________

09 hardship ______________

10 passion ______________

11 터뜨리다, 폭발 ______________

12 우울한, 의기소침한 ______________

13 정적인, 고정된 ______________

14 흐릿한, 둔한, 지루한 ______________

15 특성, 특징 ______________

16 보편적인, 전 세계의 ______________

17 설치하다, 설비하다 ______________

18 간지럽히다, 간지럼 ______________

19 보증금, 예금, 입금하다 ______________

20 신뢰할 수 있는, 믿을 만한 ______________

다음 빈칸에 들어갈 가장 알맞은 것을 박스 안에서 고르세요.

whisper	vary	lately	anxious	emphasize

21 My dad doesn't seem to be sleeping well ______________.
우리 아빠는 최근에 푹 주무시는 것 같지 않다.

22 The judges bent their heads together and began to ______________.
심판들은 함께 고개를 숙이고 속삭이기 시작했다.

23 Moles ______________ in color from light to dark brown or black.
점은 밝은 갈색부터 어두운 갈색 또는 검은색까지 색이 다양하다.

24 He ______________(e)s that trust is the most important factor in the child's developing personality.
그는 어린이의 인격 발달에 신뢰가 가장 중요한 요소라는 점을 강조한다.

25 We're getting ______________ about the adventure.
우리는 그 모험에 대해 불안해지고 있다.

정답

01 떨어져, 따로 **02** 성급한, 경솔한 **03** 옮기다, 갈아타다, 이동 **04** 유익한, 생산적인, 결실 있는 **05** 12개, 다수(dozens) **06** 드물게, 좀처럼 ~ 않는 **07** (시간 등의) 흐름, 통과, 통로, 단락 **08** 측정하다, 재다, 단위, 척도, 조치 **09** 어려움, 고난 **10** 열정, 정열 **11** burst **12** depressed **13** static **14** dull **15** trait **16** universal **17** install **18** tickle **19** deposit **20** reliable **21** lately **22** whisper **23** vary **24** emphasize **25** anxious

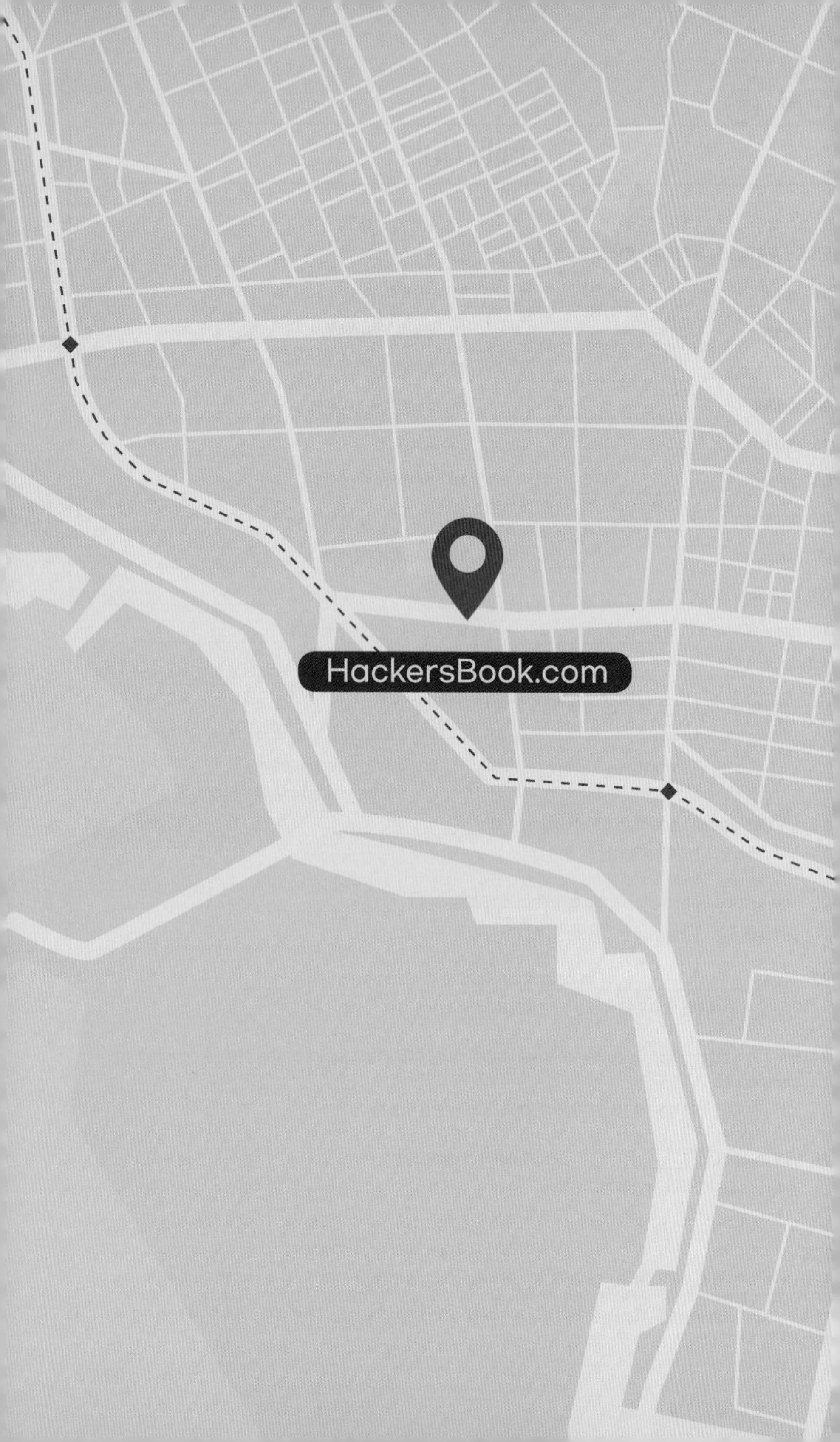
HackersBook.com

해커스 보카

수능 필수 2000+

PART 2

주제별 어휘

DAY 11

심리

MP3 바로 듣기

난 인생을 잘 살고 있는 걸까?
자꾸 의심*이 생겨...
집에서 코트 입고
왜 저러는 거야...
그는 1년 365일 가을 타는 중...

* 의심 **doubt**

0401 □□□ ★★★

doubt

명 의심, 의혹 동 의심하다, 의문을 갖다

[daut]

Everybody has moments of **doubt** about something from time to time. (모평)

모든 사람은 때때로 어떤 것에 대한 **의심**을 품는 순간이 있다.

⊕ **doubtful** 형 확신이 없는, 의심스러운

⊜ **distrust, uncertainty**

0402 □□□ ★★★

tend

동 경향이 있다, 하기 쉽다, 돌보다

[tend]

We **tend** to avoid blue-colored food because it may be poisonous. (교과서)

우리는 파란색 음식을 피하는 **경향이 있는데**, 이는 그것이 유독할 수도 있기 때문이다.

⊕ **tendency** 명 경향, 추세

⊜ **incline, be likely**

Tips

시험에는 이렇게 나온다

tend to ~하는 경향이 있다 **tend a garden** 정원을 돌보다[가꾸다]

0403 □□□ ★★★

justify

[dʒʌ́stifai]

동 정당화하다

어원 just[올바른] + ify[동·접] → 올바른 것으로 만들다, 즉 정당화하다

It is easy to justify your failure to help by telling yourself someone else will help. 모평

다른 누군가가 도울 거라고 자신에게 말함으로써 도와주지 못한 것을 **정당화하기는** 쉽다.

⊕ **justification** 명 정당화, 타당한 이유 **justifiable** 형 정당한

0404 □□□ ★★★

anxiety

[æŋzáiəti]

명 불안, 걱정

Anxiety has a damaging effect on mental performance of all kinds. 수능

불안은 모든 종류의 정신적인 수행에 해로운 영향을 끼친다.

⊕ **anxious** 형 불안해하는

⊜ **concern**

0405 □□□ ★★

terrify

[térifai]

동 겁먹게 하다, 무섭게 하다

When you are absolutely terrified, your body can produce too much adrenaline. 학평

당신이 극도로 **겁먹었을** 때, 신체는 과도한 아드레날린을 생성할 수 있다.

⊕ **terrified** 형 겁먹은, 무서워하는 **terrifying** 형 겁나게 하는

⊜ **frighten, scare**

0406 □□□ ★★★

warn

[wɔːrn]

동 경고하다, 주의를 주다

Anxiety warns people when their lives are in danger. 학평

불안은 사람들의 생명이 위험에 처할 때 그들에게 **경고한다**.

⊕ **warning** 명 경고, 주의

⊜ **alert, caution**

0407 □□□ ★★★

cue

[kjuː]

명 신호, 암시, 단서 **동** 신호를 주다

People who have been raised in extreme social isolation are poor at reading emotional cues. 모평

극단적인 사회적 고립 상태에서 양육된 사람들은 감정적 **신호**를 읽는 것에 서투르다.

⊜ **clue, hint**

01 02 03 04 05 06 07 08 09 10 11 DAY 12 13 14 15 16 17 18 19 20 21 22 23 24 25 26 27 28 29 30 31 32 33 34 35 36 37 38 39 40 41 42 43 44 45 46 47 48 49 50

0408 □□□ ★★★

rational

[rǽʃənəl]

형 합리적인, 이성적인

어원 rat[추론하다] + ion[명·접] + al[형·접] → 이성에 따라 추론이 가능한 상태인, 즉 합리적인

We tend to consider ourselves **rational** decision makers. (모평)

우리는 자기 자신을 **합리적인** 의사 결정자로 여기는 경향이 있다.

⊕ **rationally** 부 합리적으로, 이성적으로 **rationalize** 동 합리화하다

⊜ **reasonable**

0409 □□□ ★★★

nervous

[nə́ːrvəs]

형 불안한, 초조한, 신경(성)의

Taking a bath helps calm you down when you are feeling **nervous**. (수능)

목욕을 하는 것은 당신이 **불안하다고** 느낄 때 진정시키는 데 도움이 된다.

⊕ **nervously** 부 초조하게, 신경질적으로 **nervousness** 명 불안, 신경과민

⊜ **anxious, worried**

0410 □□□ ★★★

emotion

[imóuʃən]

명 감정, 정서

어원 e[밖으로] + mot[움직이다] + ion[명·접] → 마음이 밖으로 움직여 나타나는 감정

Emotion is crucial for everyday decision making. (학평)

감정은 일상적인 의사 결정에 매우 중요하다.

⊕ **emotional** 형 감정적인 **emotionally** 부 감정적으로, 정서적으로

0411 □□□ ★

habitual

[həbítʃuəl]

형 습관적인, 평소의

The **habitual** acts we automatically do are related to our intention. (학평)

우리가 무의식적으로 하는 **습관적인** 행동들은 우리의 의도와 관련되어 있다.

⊕ **habit** 명 습관 **habitually** 부 습관적으로

0412 □□□ ★★

formation

[fɔːrméiʃən]

명 형성(물), 구조

Recent studies show some interesting findings about habit **formation**. (학평)

최근 연구는 습관 **형성**에 관한 몇 가지 흥미로운 결과를 보여준다.

⊕ **form** 동 형성하다 명 종류, 형체 **formative** 형 형성의, 발달의

0413 □□□ ★★★

envious

[énviəs]

형 부러워하는

Being **envious** of what others have serves to make you unhappy with what you have. (학평)

다른 사람들이 가진 것을 **부러워하는** 것은 당신이 가진 것에 대해 불만족스럽게 하는 데 기여한다.

⊕ **enviously** 부 부러운 듯이 **envy** 명 선망, 질투 동 부러워하다

⊜ **jealous**

0414 □□□ ★★★

confident

[ká:nfidənt]

형 자신(감) 있는, 확신하는

어원 con[모두] + fid[믿다] + ent[형·접] → 자신의 모든 것을 믿어 자신 있는

Practicing again and again will help you feel **confident** during the audition. (학평)

반복해서 연습하는 것은 당신이 오디션 동안 **자신 있게** 느끼도록 도울 것이다.

⊕ **confidently** 부 자신 있게, 확신하여 **confidence** 명 자신(감), 확신

Tips

시험에는 이렇게 나온다

look confident 자신 있어 보이다 **become confident** 자신 있게 되다

0415 □□□ ★★

self-esteem

[selfistí:m]

명 자존감, 자부심

It has been said that high **self-esteem** is essential for achievements. (학평)

성취에는 높은 **자존감**이 필수적이라고 알려져 왔다.

⊜ **pride**

0416 □□□ ★★★

convince

[kənvíns]

동 납득시키다, 설득하다

어원 con[모두] + vinc(e)[이기다] → 논쟁의 모든 쟁점에서 이겨 상대를 납득시키다

For your child to be happy, you need to **convince** them that success comes from effort. (학평)

당신의 자녀가 행복하기 위해서는, 성공은 노력에서 나온다는 것을 아이들에게 **납득시킬** 필요가 있다.

⊕ **convincing** 형 설득력 있는, 확실한 **convinced** 형 확신하는

⊜ **persuade**

0417 □□□ ★★★

enhance

[inhǽns]

통 향상시키다, 높이다

어원 en(하게 만들다) + hance(앞서) → 능력이나 자질 등이 지금보다 앞서게 만들다, 즉 향상시키다

Being observed while doing a task tends to **enhance** performance. (수능)

과제를 수행하는 동안 관찰당하는 것은 성과를 **향상시키는** 경향이 있다.

= **improve, upgrade**

0418 □□□ ★★

external

[ikstə́ːrnl]

형 외부의, 밖의

어원 exter(n)[밖에] + al[형·접] → 밖에 있는, 즉 외부의

Human behavior can be influenced by **external** factors. (학평)

인간 행동은 **외부** 요소들에 영향을 받을 수 있다.

= **exterior, outer** ↔ **internal** 형 내부의

0419 □□□ ★★

affection

[əfékʃən]

명 애정, 애착

When people face real adversity, **affection** from a pet takes on new meaning. (수능)

사람들이 진정한 역경을 직면할 때, 반려동물의 **애정**은 새로운 의미를 가진다.

+ **affectionate** 형 다정한, 애정 어린

= **fondness, love**

0420 □□□ ★

cowardly

[káuərdli]

형 비겁한, 겁이 많은

Plato is sure that the representation of **cowardly** people makes us **cowardly**. (수능)

플라톤은 **비겁한** 사람들의 표상이 우리를 **비겁하게** 만든다고 확신한다.

+ **coward** 명 겁쟁이

0421 □□□ ★★★

isolation

[àisəléiʃən]

명 고립, 격리, 소외

Isolation feels like being in a room with no way out. (수능)

고립은 출구 없는 방에 있는 것처럼 느껴진다.

+ **isolate** 동 고립시키다, 격리하다

0422 □□□ ★★

passive

[pǽsiv]

형 수동적인, 소극적인

어원 pass[느끼다] + ive[형·접] → 행동하지 않고 자극을 느끼기만 하는, 즉 수동적인

These studies show that people feel relaxed and **passive** while watching television. 학평

이 연구들은 사람들이 TV를 시청할 때 느긋하고, **수동적이라는** 것을 보여준다.

↔ **active** 형 능동적인, 적극적인

0423 □□□ ★★

endure

[indjúər]

동 견디다, 참다

어원 en[안에] + dur(e)[지속적인] → 어려운 상황 안에서도 일을 지속하다, 즉 견디다

It's hard to **endure** the loss of a cherished puppy. 수능

아끼던 강아지의 죽음을 **견디는** 것은 힘든 일이다.

⊕ **enduring** 형 참을성 있는, 오래가는

= **bear, stand**

0424 □□□ ★★

trigger

[trígər]

동 촉발하다, 쏘다 명 계기, 방아쇠

The anxiety was **triggered** to a large extent by the uncertainty of what lay ahead. 학평

그 불안감은 앞으로 무슨 일이 있을지에 대한 불확실성에서 대부분 **촉발되었다**.

= **set off**

0425 □□□ ★★

prone

[proun]

형 ~하기 쉬운, ~하는 경향이 있는

The more **prone** to anxieties a person is, the poorer his or her academic performance is. 수능

불안해**하기** 더 **쉬운** 사람일수록, 학업적 성과가 더 안 좋다.

Tips

시험에는 이렇게 나온다

prone은 'be prone to'의 형태로 자주 출제되며, '~하기 쉽다'라는 뜻이에요. 전치사 to 뒤에는 주로 부정적인 느낌의 명사나 동명사가 와요.

1등급 완성 단어

0426 □□□ ★★	**suppress** [səprés]	동 억제하다, 참다, 진압하다
0427 □□□ ★★	**assure** [əʃúər]	동 확신시키다, 보장하다
0428 □□□ ★★	**miserable** [mízərəbl]	형 비참한, 불쌍한
0429 □□□ ★	**manifest** [mǽnəfest]	동 나타내다, 명백히 하다 형 분명한, 명백한
0430 □□□ ★★	**insecure** [ìnsikjúər]	형 불안정한, 자신이 없는
0431 □□□ ★★	**overestimate** [òuvəréstəmeit]	동 과대평가하다
0432 □□□ ★	**magnify** [mǽgnifai]	동 확대하다, 과장하다
0433 □□□ ★★	**confront** [kənfrʌ́nt]	동 직면하다, 맞서다
0434 □□□ ★	**afflict** [əflíkt]	동 괴롭히다, 들볶다
0435 □□□ ★★	**solitude** [sɑ́:lətju:d]	명 고독, 외로움
0436 □□□ ★★	**intuition** [ìntju:íʃən]	명 직관, 직감
0437 □□□ ★	**compel** [kəmpél]	동 강요하다
0438 □□□ ★	**sentiment** [séntəmənt]	명 정서, 감상
0439 □□□ ★	**subconscious** [sʌ̀bkɑ́:nʃəs]	형 잠재의식의 명 잠재의식
0440 □□□ ★	**unconsciously** [ʌnkɑ́:nʃəsli]	부 무의식적으로

It's been demonstrated that the color blue naturally **suppresses** your appetite. (교과서)
파란색은 본래 식욕을 **억제한다는** 것이 입증되었다.

To help ease your child's condition, **assure** them that they are loved and safe. (학평)
아이의 상태를 편하게 해주려면, 그들이 사랑받고 있으며 안전하다는 것을 **확신시켜** 주세요.

Losing something makes you twice as **miserable** as gaining the same thing makes you happy. (학평)
무언가를 잃는 것은 똑같은 것을 얻어 행복할 때보다 당신을 두 배나 **비참하게** 만든다.

Emotional eaters **manifest** their problem in lots of different ways. (수능)
감정적인 섭취자들은 여러 다양한 방법으로 그들의 문제를 **나타낸다**.

As the world gets more complex, we feel more helpless and **insecure**. (수능)
세상이 더 복잡해질수록, 우리는 더 무기력하고 **불안정하게** 느낀다.

People who watch a lot of news on television **overestimate** the threats to their well-being. (수능)
TV에서 뉴스를 많이 시청하는 사람들은 그들의 안위에 대한 위협을 **과대평가한다**.

Some people tend to **magnify** the importance of their failures. (학평)
어떤 사람들은 그들의 실패에 대한 중대성을 **확대하는** 경향이 있다.

Emma doesn't want to **confront** the issue, but it has started bothering her so much. (학평)
Emma는 그 문제에 **직면하고** 싶지 않지만, 그것은 그녀를 상당히 괴롭게 만들기 시작했다.

A person **afflicted** with loneliness will realize that only he can find his own cure. (수능)
외로움에 **괴로워하는** 사람은 오직 자신만이 자신의 치료법을 찾을 수 있다는 것을 깨닫게 될 것이다.

If you want to do some serious thinking, try spending 24 hours in absolute **solitude**. (모평)
진지한 생각을 하고 싶다면, 24시간을 완전한 **고독**의 상태로 지내보세요.

We need our **intuitions** to make the millions of quick judgments. (모평)
우리는 수백만 개의 신속한 판단을 하기 위해 **직관**이 필요하다.

For reasons unknown, most people feel **compelled** to answer a ringing phone. (학평)
알 수 없는 이유로, 대부분의 사람들은 벨이 울리고 있는 전화를 받도록 **강요받는다고** 느낀다.

Negative **sentiments** are emotions like grief, guilt, resentment, and anger. (수능)
부정적인 **정서**는 슬픔, 죄책감, 억울함, 그리고 분노와 같은 감정이다.

Conformation bias acts at a **subconscious** level to control the way we filter information. (학평)
확증 편향은 우리가 정보를 걸러내는 방식을 통제하기 위해 **잠재의식의** 단계에서 기능한다.

Consciously and **unconsciously**, people tend to imitate those around them. (학평)
의식적으로나 **무의식적으로**, 사람들은 그들 주변의 사람들을 따라 하는 경향이 있다.

01 02 03 04 05 06 07 08 09 10 11 DAY 12 13 14 15 16 17 18 19 20 21 22 23 24 25 26 27 28 29 30 31 32 33 34 35 36 37 38 39 40 41 42 43 44 45 46 47 48 49 50

Daily Quiz

영어는 우리말로, 우리말은 영어로 쓰세요.

01 passive ________
02 terrify ________
03 confident ________
04 tend ________
05 justify ________
06 emotion ________
07 suppress ________
08 envious ________
09 prone ________
10 cue ________
11 불안한, 신경(성)의 ________
12 견디다, 참다 ________
13 촉발하다, 계기, 방아쇠 ________
14 직면하다, 맞서다 ________
15 향상시키다, 높이다 ________
16 고독, 외로움 ________
17 고립, 격리, 소외 ________
18 경고하다, 주의를 주다 ________
19 애정, 애착 ________
20 불안, 걱정 ________

다음 빈칸에 들어갈 가장 알맞은 것을 박스 안에서 고르세요.

overestimate	intuition	doubt	rational	convince

21 People who watch a lot of news on television ________ the threats to their well-being.
TV에서 뉴스를 많이 시청하는 사람들은 그들의 안위에 대한 위협을 과대평가한다.

22 Everybody has moments of ________ about something from time to time.
모든 사람은 때때로 어떤 것에 대한 의심을 품는 순간이 있다.

23 We tend to consider ourselves ________ decision makers.
우리는 자기 자신을 합리적인 의사 결정자로 여기는 경향이 있다.

24 We need our ________(e)s to make the millions of quick judgments.
우리는 수백만 개의 신속한 판단을 하기 위해 직관이 필요하다.

25 For your child to be happy, you need to ________ them that success comes from effort.
당신의 자녀가 행복하기 위해서는, 성공은 노력에서 나온다는 것을 아이들에게 납득시킬 필요가 있다.

정답
01 수동적인, 소극적인 02 겁먹게 하다, 무섭게 하다 03 자신(감) 있는, 확신하는 04 경향이 있다, 하기 쉽다, 돌보다 05 정당화하다 06 감정, 정서 07 억제하다, 참다, 진압하다 08 부러워하는 09 ~하기 쉬운, ~하는 경향이 있는 10 신호, 암시, 단서, 신호를 주다 11 nervous 12 endure 13 trigger 14 confront 15 enhance 16 solitude 17 isolation 18 warn 19 affection 20 anxiety 21 overestimate 22 doubt 23 rational 24 intuition 25 convince

동사로 정복하는 구동사 ①

go 가다

go ahead 진행시키다, 진행되다

▶ go[가다] + ahead[앞으로] = 앞으로 가서 진행시키다

Would you like to **go ahead** with the reservation? (수능)

예약을 **진행시키기를** 원하시나요?

go for ~을 택하다

▶ go[가다] + for[~을 위하여] = ~을 위하여 가서 택하다

I think you should **go for** the $100 set. (학평)

제 생각엔 당신이 100달러짜리 세트**를 택하는** 게 좋을 것 같아요.

go into ~을 하기 시작하다

▶ go[가다] + into[~으로] = ~으로 들어가 하기 시작하다

I've decided to **go into** business for myself. (학평)

나는 내 혼자 힘으로 사업**을 하기 시작하기로** 결정했다.

go over 검토하다, 조사하다

▶ go[가다] + over[~ 위로] = ~ 위로 가며 훑으며 검토하다

Let's **go over** what we've prepared. (수능)

우리가 준비한 것을 **검토해보자**.

go with 선택하다, 고르다

▶ go[가다] + with[~와 함께] = ~와 함께 가기로 선택하다

I think we should **go with** the one that has two seats. (수능)

내 생각엔 우리가 두 자리가 있는 것으로 **선택해야** 할 것 같아.

DAY 12 대인관계

MP3 바로 듣기

내가 100일 때 우리 자기 감동시키기* 위해 여기서 이벤트 했던 거 기억나?

나는 아닌데... 누구냐 그 여자...

* 감동시키다 **impress**

0441 □□□ ★★★

impress

[imprés]

동 감동시키다, 깊은 인상을 주다, 감명을 주다

어원 im[안에] + press[누르다] → 마음 안에 도장 눌러 찍듯 깊은 인상을 주다, 즉 감동시키다

A well-written email can **impress** the reader. 학평

잘 써진 이메일은 읽는 사람을 **감동시킬** 수 있다.

⊕ **impressive** 형 인상적인 **impression** 명 인상, 감명

0442 □□□ ★★★

compare

[kəmpέər]

동 비교하다, 비유하다

어원 com[함께] + par(e)[동등한] → 둘을 동등한 선에 함께 놓고 비교하다

Don't **compare** yourself with others. 학평

자신을 다른 사람들과 **비교하지** 마라.

⊕ **comparable** 형 비교할 만한, 비슷한 **comparative** 형 비교의, 비교적인 **comparison** 명 비교, 비유

Tips

시험에는 이렇게 나온다

compare A with B A와 B를 비교하다 **compare and contrast** 비교 및 대조하다

0443 □□□ ★★★

marriage

[mǽridʒ]

명 결혼 (생활)

We have a saying that if it snows on the wedding day, the couple will have a happy **marriage**. 학평

우리에게는 결혼식 날 눈이 내리면, 부부가 행복한 **결혼 생활**을 할 것이라는 속담이 있다.

⊕ **marry** 동 결혼하다

0444 □□□ ★★★

reject

[ridʒékt]

동 거절하다, 거부하다

어원 re[다시] + ject[던지다] → 다시 던져서 돌려보내다, 즉 거절하다

You may know how difficult it is to **reject** the invitation. 학평

당신은 초대를 **거절하는** 것이 얼마나 어려운지 알 것이다.

⊕ **rejection** 명 거절

⊜ **refuse, decline**

0445 □□□ ★★

shame

[ʃeim]

명 부끄러움, 수치심

I couldn't say anything, but was full of **shame** and regret for misunderstanding him. 학평

나는 아무 말도 할 수 없었지만, 그를 오해한 것에 대한 **부끄러움**과 후회로 가득했다.

0446 □□□ ★★★

sorrowful

[sɑ́:roufəl]

형 슬픔에 잠긴, 비탄에 빠진

You might encounter a **sorrowful** friend who has suffered sudden trouble. 학평

당신은 갑작스러운 문제로 고통받아 **슬픔에 잠긴** 친구를 마주칠지도 모른다.

⊕ **sorrow** 명 슬픔

⊜ **depressed, miserable**

0447 □□□ ★★★

aid

[eid]

명 도움, 조력 동 돕다

Many are reluctant to request **aid** when we need it. 학평

많은 사람들은 필요할 때 **도움**을 요청하기를 주저한다.

⊜ **assist, help**

0448 □□□ ★★★

annoy

동 짜증나게 하다, 괴롭히다

[ənɔ́i]

If people around us do not accept our values, we become **annoyed** and angry. 수능

만약 주변 사람들이 우리의 가치를 받아들이지 않는다면, 우리는 **짜증나게 되고** 화가 난다.

⊕ **annoying** 형 짜증나는, 성가신

⊟ **bother**

0449 □□□ ★★

adequate

형 충분한, 적절한, 알맞은

[ǽdikwət]

어원 ad[~에] + equ[같은] + ate[형·접] → 어떤 기준에 딱 맞게 같은, 즉 알맞은 또는 충분한

If people do not have an **adequate** number of friends, they often suffer from illnesses. 학평

만약 사람들이 **충분한** 수의 친구가 없으면, 그들은 자주 질병에 시달린다.

⊕ **adequately** 부 충분하게, 적절히

⊟ **sufficient, enough** ⇔ **inadequate** 형 불충분한, 부적절한

0450 □□□ ★★★

argue

동 논쟁하다, 논의하다, 주장하다

[ɑ́:rgju:]

With old friends, you can **argue** about politics, tell informal jokes, and reveal sensitive personal facts. 학평

오랜 친구들과는 정치에 대해 **논쟁하고**, 격의 없는 농담을 하고, 민감한 개인적인 사실들을 드러낼 수 있다.

⊕ **argument** 명 논쟁, 주장

⊟ **claim, insist**

0451 □□□ ★★★

companion

명 친구, 동료, 동반자

[kəmpǽnjən]

어원 com[함께] + pan[빵] + ion[명·접] → 빵을 함께 나누는 사이, 즉 친구

Choose your **companions** well. 학평

당신의 **친구들**을 잘 선택하세요.

Tips

companion의 유래

'빵'을 뜻하는 pan과 '함께'를 뜻하는 com이 합쳐져 만들어진 companion은 고대 로마의 군인들이 빵을 나누어 먹으며 고생을 함께한 것에서 유래했어요. 빵을 함께 먹으며 생사고락을 같이한 전우에서 '동반자'라는 의미가 생겨났답니다.

LONDON

0452 □□□ ★

tease

[ti:z]

동 놀리다, 괴롭히다

Bob was worried that Jason might be **teased** by the other kids. (학평)

Bob은 Jason이 다른 아이들에게 **놀림을 받을까** 봐 걱정했다.

⊕ **teasing** 형 괴롭히는, 성가신

0453 □□□ ★★★

achieve

[ətʃíːv]

동 성취하다, 달성하다

어원 a[~에] + chiev(e)[머리] → 머리에, 즉 높은 목표에 이르러 그것을 성취하다

Active attitudes help to **achieve** friendship. (학평)

적극적인 태도는 우정을 **성취하는** 데 도움이 된다.

⊕ **achievement** 명 성취, 달성

⊜ **accomplish, attain**

0454 □□□ ★★★

emerge

[imə́ːrdʒ]

동 생겨나다, 나타나다, 드러나다

어원 e[밖으로] + merg(e)[물에 잠기다] → 물에 잠겼던 것이 밖으로 나오다, 즉 생겨나다

An increasing number of self-help groups have **emerged** in recent years. (학평)

최근 몇 년간 점점 더 많은 수의 자립 집단이 **생겨났다**.

⊕ **emerging** 형 신생의 **emergence** 명 출현, 발생

⊜ **arise, come up**

0455 □□□ ★

mimic

[mímik]

동 모방하다, 흉내 내다

People may **mimic** each others' accents when they are in rapport. (학평)

사람들은 친밀한 관계에 있을 때 서로의 억양을 **모방할** 수도 있다.

⊜ **imitate**

0456 □□□ ★

suicide

[sjúːəsaid]

명 자살 (행위) 동 자살하다

어원 sui[자신] + cide[죽이다] → 자신을 죽이는 행위인 자살

I am no longer thinking about **suicide** because people care about me. (학평)

사람들이 나에게 관심을 가져주기 때문에 나는 더 이상 **자살**에 대해 생각하지 않는다.

0457 □□□ ★★★

surround

[səráund]

동 둘러싸다, 에워싸다

어원 sur[위에] + round[둥글게 돌다] → 어떤 것 위에 둥글게 돌아 둘러싸다

Surrounding yourself with positive people will give you health benefits. (학평)

자기 자신을 긍정적인 사람들로 **둘러싸는** 것은 건강상의 이점을 줄 것이다.

⊕ **surrounding** 형 둘러싸는, 주위의 **surroundings** 명 (주변) 환경

0458 □□□ ★★★

attractive

[ətrǽktiv]

형 매력적인, 마음을 끄는

Attractive candidates tend to receive more votes than unattractive candidates. (수능)

매력적인 후보들은 매력적이지 않은 후보들보다 더 많은 표를 얻는 경향이 있다.

⊕ **attraction** 명 매력, 끌림

⊜ **charming, fascinating** ⇔ **unattractive** 형 매력적이지 않은

0459 □□□ ★★

correspondence

[kɔ̀:rəspɑ́:ndəns]

명 서신 왕래, 편지, 유사(성)

Many will use e-mail for **correspondence**. (학평)

많은 사람들은 **서신 왕래**를 위해 이메일을 사용할 것이다.

⊕ **correspond** 동 서신을 주고받다, 부합하다

correspondence between A and B A와 B 사이의 유사성

0460 □□□ ★★★

ignore

[ignɔ́:r]

동 무시하다, 간과하다

어원 i[아닌] + gno(re)[알다] → 아는 체하지 않고 무시하다

Some people **ignore** others in order to maintain control. (학평)

어떤 사람들은 통제권을 유지하기 위해 다른 사람들을 **무시한다**.

⊕ **ignorance** 명 무지, 무식 **ignorant** 형 무지한, 무식한

⊜ **neglect, overlook**

0461 □□□ ★★

peer

[piər]

명 또래, 동료

For many young people, **peers** are of significant importance. (학평)

많은 젊은이들에게, **또래**는 상당히 중요하다.

0462 □□□ ★★★

parental

[pərέntl]

형 부모의

A loving touch after a disappointing day at school will be welcomed as true **parental** love. (학평)

학교에서 실망스러운 하루를 보낸 후의 애정 어린 손길은 진정한 **부모의** 사랑으로서 환영받을 것이다.

0463 □□□ ★★★

individual

[ìndəvídʒuəl]

명 개인, 개체 형 개인의, 개인적인

Surely, a group of minds can do better than an **individual**. (학평)

확실히, 다수는 **개인**보다 더 잘할 수 있다.

⊕ **individually** 부 개별적으로 **individualize** 동 개별화하다
individuality 명 개성, 특성 **individualistic** 형 개인주의적인

0464 □□□ ★★★

realize

[ríːəlaiz]

동 깨닫다, 인식하다, 실현하다

They gradually **realize** that others are not really interested in them. (수능)

그들은 다른 사람들이 그들에게 별로 관심이 없다는 것을 점차 **깨닫는다**.

⊕ **realization** 명 깨달음, 실현

0465 □□□ ★★★

contact

[kάːntækt]

동 연락하다, 접촉하다 명 연락, 접촉

어원 con[함께] + tact[접촉하다] → 서로 함께 소식을 전하며 계속 접촉하다 또는 연락하다

Peter strongly suggested I **contact** you. (수능)

Peter가 당신에게 **연락하라고** 강력히 제안했어요.

⊕ **make contact with** ~와 연락하다

⊖ **reach, communicate with**

01 02 03 04 05 06 07 08 09 10 11 12 DAY 13 14 15 16 17 18 19 20 21 22 23 24 25 26 27 28 29 30 31 32 33 34 35 36 37 38 39 40 41 42 43 44 45 46 47 48 49 50

0466 □□□ ★★	**offense**	[əféns]	명 무례, 위반, 공격
0467 □□□ ★	**ensue**	[insúː]	동 잇따라 일어나다, 계속되다
0468 □□□ ★★	**quarrel**	[kwɔ́ːrəl]	명 싸움, 언쟁 동 다투다, 언쟁하다
0469 □□□ ★	**contempt**	[kəntémpt]	명 경멸, 모욕
0470 □□□ ★	**ally**	명[ǽlai] 동[əlái]	명 동맹국, 동료 동 동맹하다, 결연하다
0471 □□□ ★★	**empathetic**	[èmpəθétik]	형 공감적인, 감정 이입의
0472 □□□ ★	**indifference**	[indífərəns]	명 무관심, 냉담
0473 □□□ ★★	**resolve**	[rizɑ́ːlv]	동 해결하다, 결심하다, 분해하다
0474 □□□ ★	**impulse**	[ímpʌls]	명 충동, 자극, 충격
0475 □□□ ★★	**assertive**	[əsə́ːrtiv]	형 자기 주장이 강한, 확신에 찬
0476 □□□ ★	**resentment**	[rizéntmənt]	명 분노, 분함
0477 □□□ ★★	**mediation**	[mìːdiéiʃən]	명 중재, 조정
0478 □□□ ★★	**extrinsic**	[ekstrínsik]	형 외적인, 외부의
0479 □□□ ★★	**empower**	[impáuər]	동 권한을 주다, 할 수 있게 하다
0480 □□□ ★	**receptive**	[riséptiv]	형 수용적인, 선뜻 받아들이는

I would like to ask for the kindness in your heart to forgive my unintended **offense**. (수능)
저의 뜻하지 않은 **무례**를 너그럽게 용서해주시기를 부탁드립니다.

When sincere apologies are offered, reconciliations **ensue**. (수능)
진심 어린 사과가 행해질 때, 화해가 **잇따라 일어난다**.

I had a **quarrel** with Julie. (학평)
나는 Julie와 **싸움**을 했다.

One may provoke disapproval, hostility, or **contempt**. (수능)
사람은 반대, 적개심, 또는 **경멸**을 불러일으킬 수 있다.

The neighborhoods were unable to block unfavorable policies for lack of ties to **allies**. (모평)
그 지역들은 **동맹국**과의 유대관계가 없어 불리한 정책을 저지할 수 없었다.

Humans are very **empathetic** creatures. (학평)
인간은 매우 **공감적인** 생명체이다.

She took Amy's considerateness as **indifference**. (학평)
그녀는 Amy의 신중함을 **무관심**으로 받아들였다.

We must work to **resolve** conflicts in a spirit of reconciliation. (수능)
우리는 화해의 태도로 갈등을 **해결하려고** 노력해야 한다.

Sometimes we make **impulse** judgments and dislike people. (학평)
때때로 우리는 **충동** 판단을 내리고 사람을 싫어한다.

Being **assertive** does not have to mean being disagreeable. (수능)
자기 주장이 강한 것이 반드시 무례한 것을 의미하지는 않는다.

This lessened his **resentment** toward his colleagues. (모평)
이것은 동료들을 향한 그의 **분노**를 경감했다.

Mediation is a process that has much in common with advocacy but is also crucially different. (수능)
중재는 옹호와 많은 공통점이 있는 과정이지만 결정적으로 다르기도 하다.

The **extrinsic** reward that matters most to the great scientists is the recognition of their peers. (모평)
훌륭한 과학자들에게 가장 중요한 **외적** 보상은 동료들의 인정이다.

When we learn to say no, we feel **empowered**, and our relationships with others improve. (수능)
아니라고 말하는 것을 배우게 될 때, 우리는 **권한을 가졌다고** 느끼며, 타인과의 관계도 개선된다.

When we participate in telephone conversations, we need to be **receptive** to others. (학평)
전화 통화에 참여할 때, 우리는 타인에게 **수용적일** 필요가 있다.

Daily Quiz

영어는 우리말로, 우리말은 영어로 쓰세요.

01 annoy	________	**11** 감동시키다, 감명을 주다	________
02 reject	________	**12** 친구, 동료, 동반자	________
03 sorrowful	________	**13** 연락하다, 접촉하다, 연락	________
04 aid	________	**14** 무례, 위반, 공격	________
05 attractive	________	**15** 결혼 (생활)	________
06 surround	________	**16** 해결하다, 분해하다	________
07 realize	________	**17** 개인, 개체, 개인적인	________
08 argue	________	**18** 성취하다, 달성하다	________
09 tease	________	**19** 부모의	________
10 adequate	________	**20** 비교하다, 비유하다	________

다음 빈칸에 들어갈 가장 알맞은 것을 박스 안에서 고르세요.

assertive	emerge	ignore	quarrel	empathetic

21 Being ________ does not have to mean being disagreeable.
자기 주장이 강한 것이 반드시 무례한 것을 의미하지는 않는다.

22 An increasing number of self-help groups have ________(e)d in recent years.
최근 몇 년간 점점 더 많은 수의 자립 집단이 생겨났다.

23 I had a(n) ________ with Julie.
나는 Julie와 싸움을 했다.

24 Some people ________ others in order to maintain control.
어떤 사람들은 통제권을 유지하기 위해 다른 사람들을 무시한다.

25 Humans are very ________ creatures.
인간은 매우 공감적인 생명체이다.

정답

01 짜증나게 하다, 괴롭히다 **02** 거절하다, 거부하다 **03** 슬픔에 잠긴, 비탄에 빠진 **04** 도움, 조력, 돕다 **05** 매력적인, 마음을 끄는 **06** 둘러싸다, 에워싸다 **07** 깨닫다, 인식하다, 실현하다 **08** 논쟁하다, 논의하다, 주장하다 **09** 놀리다, 괴롭히다 **10** 충분한, 적절한, 알맞은 **11** impress **12** companion **13** contact **14** offense **15** marriage **16** resolve **17** individual **18** achieve **19** parental **20** compare **21** assertive **22** emerge **23** quarrel **24** ignore **25** empathetic

동사로 정복하는 구동사 ②

come 오다

come along 생기다, 나타나다, 함께 가다

▶ come[오다] + along[~와 함께] = ~와 함께 와서 나타나다

An idea has to wait for another idea to **come along** so that the combination of the two can demonstrate value. (학평)

하나의 아이디어는 다른 아이디어가 **생기는** 것을 기다려서 그 둘의 조합이 가치를 발휘할 수 있도록 해야 한다.

come down with (병에) 걸리다

▶ come[오다] + down[약해져] + with[~을 가지고] = 병을 가지고 약해져서 오다

She has **come down with** a severe flu. (학평)

그녀는 심한 독감에 **걸렸다**.

come across 우연히 발견하다, 마주치다

▶ come[오다] + across[건너서] = 건너와서 우연히 발견하다

I happened to **come across** economic data on one country. (학평)

나는 한 국가에 대한 경제 자료를 **우연히 발견하게** 되었다.

come over (특히 누구의 집에) 들르다, 건너오다

▶ come[오다] + over[넘어] = ~을 넘어 건너오다

Come over sometime to have dinner together. (학평)

언제 같이 저녁 식사하러 **들르세요**.

come up with 제안[제시]하다, 생각해내다

▶ come[오다] + up[위로] + with[~을 가지고] = 생각을 가지고 위로 가서 제안하다

I'm trying to **come up with** a creative idea for the project. (모평)

나는 프로젝트를 위한 창의적인 아이디어를 **제안하기** 위해 노력하고 있다.

DAY 13 사회

MP3 바로 듣기

* 편견 **prejudice**

0481 □□□ ★★

prejudice

[prédʒudis]

명 편견, 선입견 동 편견을 갖게 하다

어원 pre[앞서] + jud[올바른] + ice[명·접] → 무엇이 올바른지 미리 앞서 가지고 있는 생각, 즉 편견

Lookism refers to **prejudice** against people based on their appearance. (학평)

외모지상주의는 외모에 기반하여 사람들에 대해 가지는 **편견**을 말한다.

Tips

'편견'과 관련된 단어들

bias 선입견, 편견	**preconception** 선입견, 편견
intolerance 편협	**unfairness** 편파적임, 불공평

0482 □□□ ★★

racial

[réiʃəl]

형 인종의, 민족의

All Americans need to appreciate the contributions made by the various **racial** groups. (수능)

모든 미국인들은 다양한 **인종** 집단들의 기여를 높이 평가할 필요가 있다.

⊕ **race** 명 인종 **racism** 명 인종 차별

0483 □□□ ★★

uncertain

형 불확실한, 확신이 없는

[ʌnsə́:rtn]

We live in difficult and **uncertain** times. 수능

우리는 힘들고 **불확실한** 시대에 산다.

⊕ **uncertainty** 명 불확실성

⊜ **unsure, doubtful** ⇔ **certain** 형 확실한, 확신하는

0484 □□□ ★★★

rural

형 시골의, 지방의

[rúərəl]

More people moved from **rural** to urban areas. 학평

더 많은 사람들이 **시골** 지역에서 도시 지역으로 이사했다.

⇔ **urban** 형 도시의

Tips

'시골'과 관련된 단어들

suburban 교외의 **rustic** 시골의, 소박한 **countryside** 시골 지역

0485 □□□ ★★

tragedy

명 비극, 참사

[trǽdʒədi]

As you are well aware, a great **tragedy** took place in our city last week. 수능

당신도 잘 알고 있듯이, 지난주에 우리 도시에서 엄청난 **비극**이 일어났다.

⊜ **disaster, catastrophe**

0486 □□□ ★★★

community

명 지역 사회, 공동체

[kəmjú:nəti]

어원 com[함께] + mun[의무] + ity[명·접] → 의무를 함께 지는 지역 사회 또는 공동체

Over the years, my dad noticed dramatic changes in the **community**. 수능

수년간, 나의 아버지는 **지역 사회**의 극적인 변화들을 알아차렸다.

0487 □□□ ★★

unemployment

명 실업

[ʌ̀nimplɔ́imənt]

The female adult **unemployment** rate exceeded the male adult rate in the three countries. 학평

성인 여성 **실업**률은 3개국에서 성인 남성의 비율을 초과했다.

⊕ **unemployed** 형 실직한

⇔ **employment** 명 고용, 취업

0488 □□□ ★★★

urban

[ə́ːrbən]

형 도시의, 도회지의

어원 urb[도시] + an[형·접] → 도시의

Most city dwellers get tired of **urban** lives. 모평

대부분의 도시 거주자들은 **도시의** 삶에 싫증이 난다.

⊕ **urbanize** 동 도시화하다 **urbanization** 명 도시화

⇔ **rural** 형 시골의, 지방의

0489 □□□ ★★

border

[bɔ́ːrdər]

명 경계, 국경, 가장자리

Industrial society set a clear **border** between life at home and life on the job. 학평

산업 사회는 가정 생활과 직장 생활의 명확한 **경계**를 설정했다.

⊜ **boundary**

0490 □□□ ★★★

gender

[dʒéndər]

명 성별, 성

어원 gen(d)[출생] + er[명·접] → 남녀, 암수 등 출생할 때 정해져 있는 성별

Everyone should be treated equally regardless of **gender**. 교과서

모든 사람은 **성별**과 관계없이 동등하게 대우받아야 한다.

⊕ **gender equality** 양성평등

0491 □□□ ★★

alienation

[èiljənéiʃən]

명 소외

In the primitive societies, there was little **alienation** of young from old so marked in modern industrial societies. 수능

원시 사회에서는, 현대 산업 사회에서 아주 두드러지는 어른과 아이 간의 **소외**는 거의 없었다.

⊕ **alienate** 동 멀어지게 만들다 **alien** 형 생경한, 외국(인)의 명 외계인, 외국인

⊜ **isolation, separation**

0492 □□□ ★★

facilitate

[fəsíliteit]

동 용이하게 하다, 촉진하다

Blockchains serve as a powerful new tool to **facilitate** economic and social activity. 학평

블록체인은 경제와 사회 활동을 **용이하게 하는** 강력한 새로운 도구의 역할을 한다.

⊕ **facilitation** 명 용이하게 함, 촉진

0493 □□□ ★★

inequality

[ìnikwɑ́:ləti]

명 불평등, 불균형

Marie Curie had to fight against gender **inequality**. 교과서

마리 퀴리는 성 **불평등**에 대항해야 했다.

↔ **equality** 명 평등, 균형

0494 □□□ ★★★

intend

[inténd]

동 계획하다, 의도하다

어원 in[안에] + tend[뻗다] → 마음 안의 의도가 어떤 쪽으로 뻗다, 즉 계획하다 또는 의도하다

A public service ad is **intended** to change the public awareness of an issue. 교과서

공익 광고는 하나의 쟁점에 대한 대중의 인식을 변화시키기 위해 **계획된다**.

+ **intention** 명 의도, 목적

0495 □□□ ★★

incident

[ínsidənt]

명 사건, 일어난 일

어원 in[안에] + cid[떨어지다] + ent[명·접] → 본래 있어서는 안 될 범위 안에 떨어진 것, 즉 사건

An **incident** in the 1950s alerted the world to the problems of organic mercury in fish. 수능

1950년대의 한 **사건**은 생선에 들어 있는 유기 수은 문제에 대해 세계에 경각심을 주었다.

+ **incidental** 형 부수적인 **incidentally** 부 부수적으로, 우연히

= **affair, event, occasion**

0496 □□□ ★★

wage

[weidʒ]

명 임금, 급료

Most workers are paid hourly **wages** without medical or other benefits. 학평

대부분의 노동자들은 의료나 다른 혜택 없이 시간당 **임금**을 받는다.

= **salary, payment**

0497 □□□ ★★★

earn

[ə:rn]

동 벌다, 얻다

We need to help poor people to **earn** their own money. 학평

우리는 가난한 사람들이 스스로 돈을 **벌** 수 있도록 도와주어야 한다.

+ **earnings** 명 소득

= **acquire, gain, obtain** ↔ **spend** 동 쓰다, 소비하다

01 02 03 04 05 06 07 08 09 10 11 12 13 DAY 14 15 16 17 18 19 20 21 22 23 24 25 26 27 28 29 30 31 32 33 34 35 36 37 38 39 40 41 42 43 44 45 46 47 48 49 50

0498 □□□ ★★

unite

통 통합시키다, 연합하다

[juːnáit]

어원 uni[하나] + (a)te[동·접] → 하나로 통합시키다

One founder of a famous social media company believed social media would **unite** us. (학평)

한 유명한 소셜 미디어 회사의 설립자는 소셜 미디어가 우리를 **통합시킬** 것이라고 믿었다.

⊕ **unity** 명 통합, 일치 **united** 형 통합된, 연합한

⊜ **link, combine** ⇔ **separate** 동 분리하다, 가르다

0499 □□□ ★★

agriculture

명 농업

[ǽgrikʌltʃər]

어원 agri[밭] + cult[경작하다] + ure[명·접] → 밭을 경작하는 일, 즉 농업

The percentage of the population involved in **agriculture** is declining. (수능)

농업에 종사하는 인구 비율은 감소하고 있다.

⊕ **agricultural** 형 농업의

⊜ **farming**

Tips

'농업'과 관련된 단어들

rural 농촌의	**irrigation** 관개	**wheat** 밀
barley 보리	**flood** 홍수	**drought** 가뭄

0500 □□□ ★★★

secure

형 안전한 동 안전하게 하다, 확보하다

[sikjúər]

어원 se[떨어져] + cure[돌봄] → 위험한 것에서 떨어져 있도록 돌보아 안전한

In a community built on trust, students feel **secure** and can develop self-confidence. (수능)

신뢰에 기반한 공동체에서, 학생들은 **안전하다고** 느끼며 자신감을 발달시킬 수 있다.

⊕ **security** 명 안전, 보안

⊜ **safe, protected** ⇔ **insecure** 형 불안정한, 자신이 없는

0501 □□□ ★

flourish

동 (동식물이) 잘 자라다, 번영하다, 번창하다

[flə́ːriʃ]

어원 flour[꽃] + ish[동·접] → 꽃이 활짝 피어 잘 자라다

The purified water flows into Humboldt Bay, where marine life **flourishes**. (학평)

정제수는 해양 생물이 **잘 자라는** 훔볼트 만으로 흘러 들어간다.

⊕ **flourishing** 형 무성한, 번영하는

⊜ **prosper, thrive, blossom**

0502 □□□ ★★★

conflict

명 갈등, 충돌 동 대립하다, 충돌하다

명[kάːnflikt]
동[kənflíkt]

어원 con[함께] + flict[치다] ➜ 상대와 함께 치고받으며 겪는 갈등

Members of collectivist groups are socialized to avoid **conflict** and to empathize with others. (학평)

집단주의 무리의 구성원들은 **갈등**을 피하고 다른 사람들과 공감하도록 사회화된다.

Tips

시험에는 이렇게 나온다

resolve[handle] conflict 갈등을 해결하다 **avoid conflict** 갈등을 피하다

0503 □□□ ★

transition

명 과도(기), 변화, 전환

[trænzíʃən]

어원 trans[가로질러] + it[가다] + ion[명·접] ➜ 다른 상태나 조건으로 가로질러 가는 것, 즉 변화 또는 과도기

New York has made the **transition** and is thriving. (학평)

뉴욕은 **과도기**를 거치며 번창하고 있다.

⊕ **transitional** 형 과도적인, 변천하는

⊟ **change, shift**

0504 □□□ ★★

suburb

명 교외, 근교

[sʌ́bəːrb]

어원 sub[아래에] + urb[도시] ➜ 도시 아래쪽의 주택지 등이 있는 교외

Cities in Western Europe tend to be economically healthy compared with their **suburbs**. (수능)

서유럽의 도시들은 **교외**에 비해 경제적으로 건전한 경향이 있다.

⊕ **suburban** 형 교외의

0505 □□□ ★★

anticipate

동 예상하다, 기대하다

[æntísəpeit]

어원 anti[전에] + cip[잡다] + ate[동·접] ➜ 일이 일어나기 전에 미리 감을 잡다, 즉 예상하다

I **anticipate** that your approval of this request will greatly improve the safety of our children. (학평)

저는 이 요청에 대한 당신의 승인이 우리 아이들의 안전을 크게 개선할 것으로 **예상합니다**.

⊕ **anticipation** 명 예상, 기대

⊟ **expect, predict**

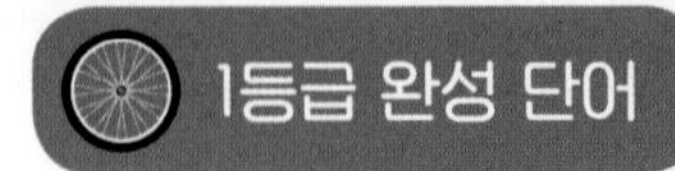

0506 □□□ ★	**infrastructure** [ínfrəstrʌ̀ktʃər]	명 사회 기반 시설, 하부 구조
0507 □□□ ★★★	**indeed** [indíːd]	부 정말로, 사실
0508 □□□ ★★	**coverage** [kʌ́vəridʒ]	명 (적용·보장) 범위, 보도 (방송)
0509 □□□ ★	**refuge** [réfjuːdʒ]	명 은신처, 피난(처), 도피(처)
0510 □□□ ★	**unify** [júːnifai]	동 통합하다, 통일하다
0511 □□□ ★	**provoke** [prəvóuk]	동 유발하다, 자극하다, 화나게 하다
0512 □□□ ★	**accuse** [əkjúːz]	동 비난하다, 고발하다
0513 □□□ ★	**affair** [əféər]	명 문제, 일, 사건
0514 □□□ ★	**affirm** [əfə́ːrm]	동 단언하다, 확언하다
0515 □□□ ★	**counteract** [kàuntərǽkt]	동 대항하다, 대응하다
0516 □□□ ★	**eligible** [élidʒəbl]	형 자격이 있는, 적격의
0517 □□□ ★	**hierarchy** [háiərɑːrki]	명 계급, 계층
0518 □□□ ★	**nuisance** [njúːsns]	명 골칫거리, 성가신 것, 방해 행위
0519 □□□ ★★	**vulnerable** [vʌ́lnərəbəl]	형 취약한, 연약한
0520 □□□ ★	**predecessor** [prédəsesər]	명 전신, 이전 것, 전임자

Rome's agricultural production could not provide sufficient energy to maintain its **infrastructure**. (수능)
로마의 농업 생산량은 **사회 기반 시설**을 유지하는 데 충분한 동력 자원을 공급할 수 없었다.

There are, **indeed**, serious problems in many parts of Africa. (학평)
아프리카의 많은 지역들에는 **정말로** 심각한 문제들이 있다.

Unemployment insurance **coverage** in the US is smaller than in Europe. (학평)
미국의 실업 보험 **보장 범위**는 유럽에 비해 작다.

Refugees from burning cities were desperate to find safe **refuge**. (학평)
불길에 휩싸인 도시의 난민들은 안전한 **은신처**를 찾는 데 필사적이었다.

The current disagreements about the issue of **unifying** Europe are typical of Europe's disunity. (학평)
유럽을 **통합하는** 문제에 대한 현재의 의견 충돌은 유럽의 분열의 전형이다.

The art exhibits naturally **provoke** an interest in environmental conservation in people. (교과서)
그 미술 전시품들은 자연스럽게 사람들에게 환경 보전에 대한 관심을 **유발한다**.

A guard at Windsor Castle was **accused** of being asleep on duty. (학평)
윈저 성의 한 경비가 근무 중에 잠이 들어 있었다며 **비난받았다**.

The development of nylon had a surprisingly profound effect on world **affairs**. (학평)
나일론의 개발은 세계 **문제**에 놀랄 만큼 지대한 영향을 미쳤다.

In much of social science, evidence is used only to **affirm** a particular theory. (수능)
사회 과학의 많은 부분에서, 증거는 오로지 특정한 이론을 **단언하는** 데만 사용된다.

Social sharing may help to **counteract** some natural tendency people have. (수능)
사회적 공유는 사람들이 가지고 있는 자연적인 경향에 **대항하는** 데 도움을 줄 수 있다.

Women were not **eligible** for admission to Ivy League universities. (교과서)
여성들은 아이비리그 대학에 입학할 **자격이 주어지지** 않았다.

It's easy to move up the social **hierarchy** based on their individual efforts. (학평)
그들 각자의 노력에 기초하여 사회 **계급**을 상승시키는 것은 쉽다.

Their protests are seen by developers as an expensive **nuisance**. (학평)
그들의 시위는 개발업자들에게 값비싼 **골칫거리**로 여겨지고 있다.

The statistics show how **vulnerable** senior citizens are to poverty. (학평)
통계는 고령자들이 가난에 얼마나 **취약한지** 보여준다.

Symbols representing tradesmen are the **predecessors** of modern trademarks. (모평)
상인을 대표하는 상징들은 현대 상표의 **전신**이다.

01 02 03 04 05 06 07 08 09 10 11 12 13 DAY 14 15 16 17 18 19 20 21 22 23 24 25 26 27 28 29 30 31 32 33 34 35 36 37 38 39 40 41 42 43 44 45 46 47 48 49 50

Daily Quiz

영어는 우리말로, 우리말은 영어로 쓰세요.

01 earn ____________

02 wage ____________

03 tragedy ____________

04 prejudice ____________

05 incident ____________

06 unite ____________

07 gender ____________

08 suburb ____________

09 community ____________

10 anticipate ____________

11 용이하게 하다, 촉진하다 ____________

12 실업 ____________

13 도시의, 도회지의 ____________

14 갈등, 충돌, 충돌하다 ____________

15 농업 ____________

16 계획하다, 의도하다 ____________

17 경계, 국경, 가장자리 ____________

18 안전한, 확보하다 ____________

19 불확실한, 확신이 없는 ____________

20 소외 ____________

다음 빈칸에 들어갈 가장 알맞은 것을 박스 안에서 고르세요.

rural	racial	inequality	indeed	coverage

21 All Americans need to appreciate the contributions made by the various ____________ groups.
모든 미국인들은 다양한 인종 집단들의 기여를 높이 평가할 필요가 있다.

22 Unemployment insurance ____________ in the US is smaller than in Europe.
미국의 실업 보험 보장 범위는 유럽에 비해 작다.

23 Marie Curie had to fight against gender ____________.
마리 퀴리는 성 불평등에 대항해야 했다.

24 There are, ____________, serious problems in many parts of Africa.
아프리카의 많은 지역들에는 정말로 심각한 문제들이 있다.

25 More people moved from ____________ to urban areas.
더 많은 사람들이 시골 지역에서 도시 지역으로 이사했다.

정답

01 벌다, 얻다 02 임금, 급료 03 비극, 참사 04 편견, 선입견, 편견을 갖게 하다 05 사건, 일어난 일 06 통합시키다, 연합하다 07 성별, 성 08 교외 09 지역 사회, 공동체 10 예상하다, 기대하다 11 facilitate 12 unemployment 13 urban 14 conflict 15 agriculture 16 intend 17 border 18 secure 19 uncertain 20 alienation 21 racial 22 coverage 23 inequality 24 indeed 25 rural

동사로 정복하는 구동사 ③

run 달리다, ~이 되다

run into 마주치다, 우연히 만나다

▶ run[달리다] + **into**[안에] = ~의 안쪽으로 달려서 마주치다

They were unlikely to **run into** each other very often. (학평)

그들은 서로 그렇게 자주 **마주치지** 않을 것 같았다.

run for ~에 출마하다

▶ run[달리다] + **for**[~을 위하여] = 선출을 위하여 달리다, 즉 출마하다

I'm making plans to **run for** president of student council. (학평)

나는 학생회장 선거**에 출마할** 계획을 세우고 있다.

run over (차로) ~을 치다

▶ run[달리다] + **over**[~ 위로] = ~ 위로 달려서 치다

A few months ago, a turtle in Thailand was grievously injured when it was **run over** by a truck. (학평)

몇 달 전, 태국의 한 거북이가 트럭에 **치였을** 때 심하게 다쳤다.

run after ~을 뒤쫓다, 따라가다

▶ run[달리다] + **after**[뒤에] = ~의 뒤에 달리다, 즉 뒤쫓다

Wolves **run after** their prey in packs until the victim gets tired. (학평)

늑대들은 먹잇감이 지칠 때까지 그 먹잇감을 무리지어 **뒤쫓는다**.

run out of 다 써버리다, 바닥나다

▶ run[~이 되다] + **out of**[부족하여] = ~이 부족하게 되다, 즉 다 써버리다

We have **run out of** the oil that was accessible with the technologies of the 1970s. (학평)

우리는 1970년대의 기술로 사용할 수 있었던 석유를 **다 써버렸다**.

DAY 14

경제

MP3 바로 듣기

언제까지 득실만 계산하고* 있을 거야? 고민은 배송일만 늦출 뿐이란다!
구두?
지름
둘다 사!
둘다 사!
가방?

* 계산하다 **calculate**

0521 □□□ ★

calculate

[kǽlkjuleit]

동 계산하다, 추정하다

She **calculated** how much money she needed for the car. 학평

그녀는 차를 사기 위해 돈이 얼마나 필요한지 **계산했다**.

⊕ **calculation** 명 계산, 추정

0522 □□□ ★★

realistic

[rìːəlístik]

형 현실적인, 사실적인

Be sure to make your budget **realistic.** 수능

당신의 예산을 반드시 **현실적으로** 세우도록 하세요.

⊕ **realistically** 부 현실적으로, 사실적으로

⊖ **unrealistic** 형 비현실적인

Tips

시험에는 이렇게 나온다

realistic goal 현실적인 목표
realistic choice 현실적인 선택
realistic solution 현실적인 해결책
realistic view 현실적인 관점

0523 □□□ ★★★

invest

[invést]

동 투자하다, (노력·시간 등을) 쏟다

I would like to give you a chance to **invest** in a great new product. 수능

저는 당신에게 훌륭한 신제품에 **투자할** 기회를 드리고 싶습니다.

⊕ **investment** 명 투자 **investor** 명 투자자

0524 □□□ ★★

debt

[det]

명 빚, 부채

Debt of any kind is failure and will only lead to disappointment. 학평

어떤 종류의 **빚**도 실패이며 오직 실망으로만 이어질 것이다.

0525 □□□ ★★★

income

[ínkʌm]

명 소득, 수입

어원 in[안에] + come[오다] → 주머니 안에 들어온 것, 즉 소득 또는 수입

Most people believe an increase in **income** is likely to improve their quality of life. 학평

대부분의 사람들은 **소득**의 증가가 삶의 질을 향상시킬 것이라고 믿는다.

⊜ **profit, earnings**

0526 □□□ ★★★

economy

[ikɑ́ːnəmi]

명 경제, 경기

어원 eco[집] + nomy[관리] → 관리를 해야 하는 집 또는 국가의 살림살이, 즉 경제

The problem could slow down the development of our **economy**. 수능

그 문제는 우리 **경제**의 발전을 늦출 수 있다.

⊕ **economical** 형 경제적인, 알뜰한 **economically** 부 경제적으로
economic 형 경제의 **economics** 명 경제학

0527 □□□ ★★★

guarantee

[gæ̀rəntíː]

동 보장하다, 보증하다 명 보증(서)

어원 guarant[보호하다] + ee[명·접] → 약속한 내용이 지켜지도록 보장하다

The introduction of unique products alone does not **guarantee** market success. 수능

독특한 제품들의 도입만으로는 시장에서의 성공을 **보장하지** 않는다.

⊕ **guaranteed** 형 확실한, 보장된

⊜ **assure, ensure**

0528 □□□ ★★★

labor

명 노동(력) 동 노동하다

[léibər]

There is a gap between the **labor** supply and demand in the e-business industry. (수능)

전자 상거래 산업에서는 **노동력**의 공급과 수요 사이에 격차가 있다.

0529 □□□ ★★★

actual

형 실제의, 사실상의

[ǽktʃuəl]

어원 act[행동하다] + ual[형·접] → 행동으로 옮겨서 실제가 된, 실제의

But if I pay monthly, I'll have to pay much more than the **actual** cost. (학평)

그러나 내가 다달이 지불한다면, 나는 **실제** 가격보다 훨씬 더 많이 지불해야 할 것이다.

⊕ **actually** 부 실제로

0530 □□□ ★★★

expense

명 비용, 지출

[ikspéns]

National galleries are maintained at public **expense**. (수능)

국립 미술관들은 공공 **비용**으로 유지된다.

⊕ **expensive** 형 비싼, 돈이 많이 드는

at the expense of ~을 희생하면서

⊜ **cost, charge**

0531 □□□ ★★★

supply

명 공급(량) 동 공급하다

[səplái]

어원 sup[아래에] + ply[채우다] → 아래에서부터 채워 필요한 것을 공급하다

The **supply** of bulbs could not keep pace with the demand. (교과서)

전구의 **공급**은 수요를 따라갈 수 없었다.

⊕ **supplier** 명 공급(업)자

⇔ **demand** 명 수요(량) 동 요구하다

0532 □□□ ★★★

notion

명 관념, 개념, 생각

[nóuʃən]

어원 not[알다] + ion[명·접] → 사물이나 현상에 대해 알려진 일반적인 지식, 즉 관념 또는 개념

The man didn't have the slightest **notion** of economy. (학평)

그 남자는 최소한의 경제 **관념**도 가지고 있지 않았다.

⊜ **idea, view, opinion**

0533 □□□ ★★★

rely

[rilái]

동 의존하다, 의지하다, 믿다

어원 re[세게] + ly[묶다] → 상대에게 몸을 세게 묶어 의존하다

Social enterprises tend to **rely** on grant capital. 학평

사회적 기업들은 보조금 자본에 **의존하는** 경향이 있다.

⊕ **reliant** 형 의존하는 **reliable** 형 믿을 수 있는 **rely on** ~에 의존하다

⊖ **depend (on)**

0534 □□□ ★★★

introduction

[ìntrədʌ́kʃən]

명 도입, 소개

어원 intro[안으로] + duc[끌다] + tion[명·접] → 새로운 것을 안으로 끌고 들어옴, 즉 도입 또는 소개

The **introduction** of these planes cut the travel cost by almost 50 percent. 모평

이런 비행기의 **도입**은 여행 비용을 거의 50퍼센트 정도 줄였다.

⊕ **introduce** 동 도입하다, 소개하다 **introductory** 형 소개하는, 서두의

0535 □□□ ★

estate

[istéit]

명 땅, 부동산, 사유지, 재산

You would be foolish to invest in real **estate** if you needed constant access to your money. 학평

만약 당신의 현금을 지속적으로 이용해야 한다면 당신이 **땅**에 투자하는 것은 어리석은 일일 것이다.

⊕ **real estate** 부동산 (중개업)

0536 □□□ ★★

entail

[intéil]

동 수반하다

어원 en[하게 만들다] + tail[자르다] → 어떤 것을 잘라 다른 결과가 나오게 만들다, 즉 결과를 수반하다

When facing a choice that **entails** risk, which guidelines should we use? 수능

위험을 **수반하는** 선택에 직면할 때, 우리는 어떤 지침을 사용해야 하는가?

0537 □□□ ★

statistic

[stətístik]

명 통계 (자료)

어원 stat(e)[국가] + ist[명·접] + ics[명·접] → 국가를 운영하는 사람들에게 필요한 통계, 통계학

There is another **statistic** that I think is even more important. 학평

내가 생각하기에 훨씬 더 중요한 또 다른 **통계 자료**가 있다.

⊕ **statistical** 형 통계적인, 통계학상의 **statistics** 명 통계학

01 02 03 04 05 06 07 08 09 10 11 12 13 14 DAY 15 16 17 18 19 20 21 22 23 24 25 26 27 28 29 30 31 32 33 34 35 36 37 38 39 40 41 42 43 44 45 46 47 48 49 50

0538 □□□ ★★

fishery

명 어업, 양식장

[fíʃəri]

The **fishery** stopped altogether, bringing economic destruction to the village. (수능)

어업은 완전히 중단되었고, 마을에 경제적 파괴를 가져왔다.

0539 □□□ ★★★

crisis

명 위기, 고비

[kráisis]

Online shopping is causing a **crisis** for retailers. (학평)

온라인 쇼핑은 소매상들에게 **위기**를 초래하고 있다.

Tips

시험에는 이렇게 나온다

financial crisis 재정적 위기	**political crisis** 정치적 위기
emotional crisis 정서적 위기	**international crisis** 국제적 위기

0540 □□□ ★★★

benefit

명 이익, 혜택 동 이익을 얻다

[bénəfit]

어원 bene[좋은] + fit[행하다] → 어떤 대상에게 좋게 행해진 것, 즉 이익

People make choices that maximize **benefit** and minimize cost. (교과서)

사람들은 **이익**을 극대화하고 비용을 최소화하는 선택을 한다.

⊕ **beneficial** 형 유익한, 이로운

⊟ **profit, advantage**

0541 □□□ ★

declare

동 선고하다, 선언하다, (세관에서) 신고하다

[dikléər]

어원 de[아래로] + clar(e)[명백한] → 위에 올라서서 아래로 명백하게 선고하다

If a man is unable to repay his debt, he is **declared** bankrupt. (학평)

만약 어떤 사람이 빚을 갚을 수 없다면, 그는 파산을 **선고받는다**.

⊕ **declaration** 명 선언(서)

⊟ **state, claim, announce**

TORONTO

0542 □□□ ★★★

trade

명 무역, 거래 동 무역하다, 거래하다

[treid]

어원 tra[끌다] + (a)de[명·접] → 서로의 물건을 끌고 와서 바꾸는 것, 즉 무역 또는 거래

The FTF is a **trade** association that promotes fair **trade**. (학평)

FTF는 공정**무역**을 촉진하는 **무역** 협회이다.

⊕ **trader** 명 상인

0543 □□□ ★★★

financial

형 재무의, 재정의

[fainǽnʃəl]

Banks use AI to study **financial** data and manage money effectively. (학평)

은행들은 **재무** 데이터를 연구하고 돈을 효과적으로 관리하기 위해 인공 지능을 사용한다.

⊕ **financially** 부 재정적으로 **finance** 명 재무, 자금

Tips

시험에는 이렇게 나온다

financial status 재무 상태 **financial crisis** 재정 위기 **financial aid** 재정적 보조

0544 □□□ ★★★

import

동 수입하다 명 수입(품)

동[impɔ́:rt]
명[ímpɔ:rt]

어원 im[안에] + port[운반하다] → 산 물품을 나라 안으로 운반해서 수입하다

It is generally agreed that the less fuel we must **import**, the better. (학평)

우리가 **수입해야** 할 연료가 더 적을수록 좋다는 것은 일반적으로 합의된 사실이다.

↔ **export** 동 수출하다 명 수출(품)

0545 □□□ ★★★

consider

동 고려하다, 숙고하다, ~으로 여기다

[kənsídər]

어원 con[함께] + sider[별] → 미래를 점칠 때 여러 별을 함께 보고 고려하다

We have to **consider** our budget. (수능)

우리는 우리의 예산을 **고려해야** 한다.

⊕ **considerate** 형 사려 깊은, 배려하는
considerable 형 상당한, 많은 **considerably** 부 상당히, 많이

⊜ **think, account**

번호	단어	발음	중요도	뜻
0546 □□□	**impose**	[impóuz]	★★	동 부과하다, 시행하다, 강요하다
0547 □□□	**monetary**	[mʌ́nəteri]	★	형 금전적인, 재정적인, 통화의
0548 □□□	**liberate**	[líbərèit]	★★	동 해방시키다, 자유롭게 하다
0549 □□□	**inflation**	[infléiʃən]	★★	명 물가 상승, 통화 팽창
0550 □□□	**federal**	[fédərəl]	★	형 연방 정부의, 연합의
0551 □□□	**imprint**	동[imprínt] 명[ímprint]	★★	동 새기다, 찍다 명 자국, 각인
0552 □□□	**aspire**	[əspáiər]	★	동 열망하다, 염원하다
0553 □□□	**yield**	[ji:ld]	★★★	명 수확량, 산출량 동 산출하다, 양보하다
0554 □□□	**mortgage**	[mɔ́:rgidʒ]	★	명 (담보) 대출
0555 □□□	**inevitable**	[inévətəbəl]	★★	형 불가피한, 필연적인
0556 □□□	**dispute**	[dispjú:t]	★	동 이의를 제기하다, 반박하다 명 분쟁, 논쟁
0557 □□□	**transaction**	[trænzǽkʃən]	★	명 거래, 매매
0558 □□□	**correspond**	[kɔ̀:rəspɑ́:nd]	★	동 상응하다, 일치하다, 서신을 주고받다
0559 □□□	**barter**	[bɑ́:rtər]	★	동 물물 교환하다 명 물물 교환
0560 □□□	**magnitude**	[mǽgnitju:d]	★	명 규모, 중요도

Centuries ago, the Duke of Tuscany **imposed** a tax on salt. (학평)
몇 세기 전, 토스카나의 공작은 소금에 세금을 **부과했다**.

Many unemployed people competed in the contests in order to win **monetary** prizes. (학평)
많은 실업자들이 **금전적인** 상을 타기 위해 대회에 참가했다.

Financial security can **liberate** us from work we do not find meaningful. (수능)
재정적 안정은 우리가 의미 있다고 여기지 않는 일로부터 우리를 **해방시킬** 수 있다.

Inflation can be a major life concern for most people. (모평)
물가 상승은 대부분의 사람들에게 중요한 삶의 문제가 될 수 있다.

Nearly 40 percent of **federal** expenditures were financed by borrowing. (모평)
40퍼센트에 육박하는 **연방 정부의** 지출은 대출로 자금이 충당되었다.

A check is a piece of paper that is specially **imprinted** with the name and number of the bank. (학평)
수표는 은행의 이름과 번호가 특별히 **새겨진** 한 장의 종이이다.

What the sharing economy **aspires** to is a more sustainable way of utilizing limited resources. (교과서)
공유 경제가 **열망하는** 것은 한정된 자원들을 사용하는 더욱 지속 가능한 방법이다.

The green revolution increased crop **yields** in many different parts of the world. (학평)
녹색 혁명은 세계의 여러 다른 지역에서 농작물 **수확량**을 증가시켰다.

If you fail to keep up your **mortgage** payments, the bank can sell your property. (학평)
만약 당신이 **담보 대출**금을 갚지 못하면, 은행은 당신의 부동산을 팔 수 있다.

It seems that the global shift to a cash-free economy is **inevitable**. (교과서)
현금을 사용하지 않는 경제로의 세계적인 변화는 **불가피해** 보인다.

Ecological economists **dispute** this claim. (학평)
생태 경제학자들은 이 주장에 **이의를 제기한다**.

Trust is the basis of all **transactions**. (학평)
신뢰는 모든 **거래**의 기초이다.

An unemployment rate of 7 percent seems to **correspond** to an inflation rate of 4 percent. (학평)
7퍼센트의 실업률은 4퍼센트의 물가 상승률에 **상응하는** 것으로 보인다.

Without money, people could only **barter**. (학평)
돈이 없다면, 사람들은 **물물 교환**만 **할** 수 있을 것이다.

A defining element of catastrophes is the **magnitude** of their harmful consequences. (수능)
재앙을 정의하는 요소는 폐해의 **규모**이다.

Daily Quiz

영어는 우리말로, 우리말은 영어로 쓰세요.

01 impose ________________

02 notion ________________

03 fishery ________________

04 yield ________________

05 realistic ________________

06 introduction ________________

07 invest ________________

08 consider ________________

09 income ________________

10 rely ________________

11 경제, 경기 ________________

12 빚, 부채 ________________

13 해방시키다, 자유롭게 하다 ________________

14 무역, 거래, 거래하다 ________________

15 노동(력), 노동하다 ________________

16 이익, 혜택, 이익을 얻다 ________________

17 공급(량), 공급하다 ________________

18 위기, 고비 ________________

19 보장하다, 보증(서) ________________

20 물가 상승, 통화 팽창 ________________

다음 빈칸에 들어갈 가장 알맞은 것을 박스 안에서 고르세요.

financial	expense	entail	actual	import

21 When facing a choice that ________________(e)s risk, which guidelines should we use?
위험을 수반하는 선택에 직면할 때, 우리는 어떤 지침을 사용해야 하는가?

22 Banks use AI to study ________________ data and manage money effectively.
은행들은 재무 데이터를 연구하고 돈을 효과적으로 관리하기 위해 인공 지능을 사용한다.

23 But if I pay monthly, I'll have to pay much more than the ________________ cost.
그러나 내가 다달이 지불한다면, 나는 실제 가격보다 훨씬 더 많이 지불해야 할 것이다.

24 It is generally agreed that the less fuel we must ________________, the better.
우리가 수입해야 할 연료가 더 적을수록 좋다는 것은 일반적으로 합의된 사실이다.

25 National galleries are maintained at public ________________.
국립 미술관들은 공공 비용으로 유지된다.

정답

01 부과하다, 시행하다, 강요하다 02 관념, 개념, 생각 03 어업, 양식장 04 수확량, 산출량, 산출하다, 양보하다 05 현실적인, 사실적인 06 도입, 소개 07 투자하다, (노력·시간 등을) 쏟다 08 고려하다, 숙고하다, ~으로 여기다 09 소득, 수입 10 의존하다, 의지하다, 믿다 11 economy 12 debt 13 liberate 14 trade 15 labor 16 benefit 17 supply 18 crisis 19 guarantee 20 inflation 21 entail 22 financial 23 actual 24 import 25 expense

동사로 정복하는 구동사 ④

look 보다

look after ~을 돌보다

▶ look[보다] + **after**[뒤에] = ~의 뒤를 봐주어 돌보다

The ants **look after** a caterpillar which lives inside the ant plant. (수능)

개미들은 개미 식물 안에 사는 애벌레**를 돌본다**.

look down on ~을 무시하다, 깔보다

▶ look[보다] + **down**[아래로] + **on**[~을] = ~을 아래로 보아 무시하다

I want to follow fashion so that other people will not **look down on** me. (학평)

나는 다른 사람들이 나**를 무시하지** 않도록 유행을 따르고 싶다.

look for ~을 찾다, 구하다

▶ look[보다] + **for**[~을 위해] = 더 잘 보기 위해 안경을 찾다

To find a planet in the night sky, **look for** a steady light. (학평)

밤하늘에서 행성을 찾으려면, 고정적인 빛**을 찾아라**.

look forward to ~을 기대하다

▶ look[보다] + **forward**[앞쪽] + **to**[~을 향해] = 앞쪽을 향해 서서 보기를 기대하다

We **look forward to** seeing you soon. (학평)

우리는 곧 당신을 만날 수 있기**를 기대합니다**.

look up ~을 찾아보다

▶ look[보다] + **up**[자세히] = 구석구석 자세히 찾아보다

It's easier to **look up** words with e-books. (학평)

전자책으로 단어**를 찾아보는** 것이 더 쉽다.

DAY 15 경영

MP3 바로 듣기

* 부서 **department**

0561 □□□ ★★★

department

명 부서

[dipɑ́ːrtmənt]

The editorial **department** met all day with the marketing **department**. (학평)

편집 **부서**는 마케팅 **부서**와 하루 종일 회합했다.

0562 □□□ ★★★

authority

명 권한, 권위, 당국

[əθɔ́ːrəti]

Managers manage by using the **authority** given to them by the factory. (학평)

관리자들은 공장에서 부여받은 **권한**을 이용하여 감독한다.

⊕ **authoritative** 형 권위적인 **authoritarian** 형 권위주의적인 명 권위주의자

Tips

시험에는 이렇게 나온다

legal authority 법적 권한 **parental authority** 친권 **local authority** 지역 당국

0563 □□□ ★★★

policy

[pɑ́:ləsi]

명 정책, 방침

어원 polic[도시] + y[명·접] → 도시를 운영하기 위한 정책

Our company **policy** doesn't allow us to spend more than $800 per ticket. (수능)

우리 회사 **정책**은 우리가 표 한 장당 800달러 이상 쓰는 것을 허용하지 않는다.

= **rules**

0564 □□□ ★★★

aim

[eim]

명 목표, 목적 동 목표로 하다

A salesperson's **aim** is to conclude a sale profitably. (모평)

영업 사원의 **목표**는 이익이 되게 판매를 끝마치는 것이다.

= **goal, target**

0565 □□□ ★★★

expose

[ikspóuz]

동 노출시키다, 드러내다, 폭로하다

어원 ex[밖으로] + pos(e)[놓다] → 밖으로 내놓아 노출시키다

All the company wants is to **expose** you to those product brands and images. (학평)

회사가 원하는 것은 그 제품 브랜드와 이미지에 당신을 **노출시키는** 것뿐이다.

+ **exposure** 명 노출, 폭로 **be exposed to** ~에 노출되다

= **reveal, disclose**

0566 □□□ ★★★

organize

[ɔ́:rgənaiz]

동 준비하다, 조직하다, 정리하다

어원 organ[기관] + ize[동·접] → 운영 체계를 갖춘 기관처럼 만들다, 즉 조직하다 또는 준비하다

I have to **organize** the company fashion show this Friday. (수능)

나는 이번 금요일에 있을 회사 패션쇼를 **준비해야** 한다.

+ **organized** 형 조직화된, 정리된 **organization** 명 조직, 단체

= **arrange, set up**

0567 □□□ ★★

secretary

[sékrəteri]

명 비서, 서기

Her skills led to her being promoted to executive **secretary**. (수능)

그녀의 역량은 그녀를 **비서**실장으로 승진하게 했다.

0568 □□□ ★★★

budget

명 예산(안), 비용 동 예산을 짜다

[bʌ́dʒit]

Plan your **budget** in advance to give yourself time to research the costs fully. (수능)

비용에 대해 충분히 조사할 시간을 가질 수 있도록 **예산**을 미리 계획해라.

Tips

'돈'과 관련된 단어들

budget 예산 **incentive** 장려금 **earnings** 수입, 소득 **wage** 임금

0569 □□□ ★★★

employ

동 고용하다, (기술·방법 등을) 쓰다

[implɔ́i]

We should press the fashion industry not to **employ** very skinny models. (학평)

우리는 패션계가 너무 마른 모델을 **고용하지** 않도록 압력을 가해야 한다.

⊕ **employment** 명 고용, 취업 **employer** 명 고용주 **employee** 명 직원

⊜ **hire**

0570 □□□ ★★★

establish

동 설립하다, 수립하다, 확립하다

[istǽbliʃ]

어원 (e)stabl(e)[안정적인] + ish[동·접] → 체계, 기관 등이 안정적으로 존재할 수 있게 설립하다

Carl Strokes **established** a law firm in 1962. (모평)

Carl Strokes는 1962년에 법률 회사를 **설립했다**.

⊕ **establishment** 명 설립, 시설

⊜ **set up, found**

0571 □□□ ★★

corporation

명 기업, 법인

[kɔ̀ːrpəréiʃən]

The bank was assigned to prepare a report on a certain **corporation**. (학평)

은행은 특정한 **기업**에 대한 보고서를 준비하도록 지시받았다.

⊕ **corporate** 형 기업의, 회사의

⊜ **business, company, firm**

Tips

시험에는 이렇게 나온다

large corporation 대기업 **international corporation** 국제 기업
multinational corporation 다국적 기업

SYDNEY

0572 □□□ ★★

strict

[strikt]

형 엄격한, 엄한

We have a **strict** discount policy. (학평)

우리는 **엄격한** 할인 정책을 갖고 있다.

⊕ **strictly** 부 엄격하게 **strictness** 명 엄격함, 가혹함

0573 □□□ ★★★

potential

[pəténʃəl]

명 잠재력, 가능성 형 잠재적인, 가능성이 있는

The directors think your proposal has great **potential**. (수능)

임원들은 당신의 제안이 큰 **잠재력**을 가지고 있다고 생각한다.

⊕ **potentiality** 명 잠재력 **potent** 형 강한, 강력한

⊜ **possibility, prospect**

0574 □□□ ★★★

assign

[əsáin]

동 배정하다, (일을) 맡기다

어원 as[~에] + sign[표시] → 어떤 것에 누구 것인지 표시하여 그 사람에게 배정하다

We'll just **assign** roles to each member. (학평)

우리는 각 구성원에게 역할만 **배정할** 것이다.

⊕ **assignment** 명 배정, 과제 **assigned** 형 배정된, 할당된

0575 □□□ ★★★

attract

[ətrǽkt]

동 (마음·주의 등을) 끌다, 유혹하다

어원 at[~쪽으로] + tract[끌다] → 어떤 쪽으로 마음을 끌다

Soft drink companies **attract** consumers by adding sweet flavors to their products. (교과서)

탄산음료 회사들은 제품에 단맛을 첨가함으로써 소비자들의 **마음을 끈다**.

⊕ **attractive** 형 마음을 끄는, 매력적인 **attraction** 명 끌림, 명소

⊜ **draw, fascinate**

0576 □□□ ★★★

profit

[prά:fit]

명 수익, 이익 동 이익을 얻다

어원 pro[앞으로] + fit[만들다] → 남보다 앞으로 나아가야 만들 수 있는 수익 또는 이익

It's a kind of secondhand store, but all the **profits** go to charity. (수능)

그것은 일종의 중고품 가게이지만, 모든 **수익**이 자선 단체에 전달된다.

⊕ **profitable** 형 수익성이 있는 **profitability** 명 수익성, 유익성

0577 □□□ ★★

enterprise

명 기업, 회사, 사업

[éntərpraiz]

어원 enter[사이에] + pris(e)[붙잡다] ➔ 사이에 숨어 있는 기회를 붙잡으려 노력하는 기업

The Internet provides **enterprises** with the ability to make real-time data widely available. (학평)

인터넷은 **기업들**에게 실시간 정보를 널리 이용할 수 있는 능력을 제공한다.

⊜ business, company, firm

0578 □□□ ★★★

strategy

명 전략, 전술

[strǽtədʒi]

The company can re-plan its **strategy** on the basis of the consultant's advice. (수능)

회사는 컨설턴트의 조언을 기반으로 **전략**을 다시 세울 수 있다.

⊜ approach, method

Tips

시험에는 이렇게 나온다

learning strategy 학습 전략	**sales strategy** 판매 전략
management strategy 경영 전략	**effective strategy** 효과적인 전략

0579 □□□ ★★

executive

명 임원, 경영진 형 경영의, 실행의

[igzékjətiv]

On behalf of all the **executives**, we hope you enjoy your well-earned retirement. (수능)

모든 **임원들**을 대표하여, 저희는 당신이 충분히 누릴 자격이 있는 은퇴 생활을 즐기기를 기원합니다.

⊕ execution 명 실행, 처형 **execute** 동 실행하다, 처형하다

0580 □□□ ★★★

construction

명 건설, 공사, 건축(물), 건축 양식

[kənstrʌ́kʃən]

어원 con[함께] + struct[세우다] + ion[명·접] ➔ 함께 세우는 일, 즉 건설

Some investment will go into the **construction** of new renewable energy supply. (수능)

일부 투자금은 새로운 재생 가능 에너지 공급을 위한 **건설**에 투입될 것이다.

⊕ construct 동 건설하다 **constructive** 형 건설적인

⊜ building, composition

SYDNEY

0581 □□□ ★★

core

[kɔːr]

형 핵심의 명 핵심, 중심부

I've completed all the **core** classes in the investment management program. 학평

나는 투자 관리 프로그램의 **핵심** 강좌를 모두 수료했다.

= center

0582 □□□ ★★★

confuse

[kənfjúːz]

동 혼동하다, 혼란하게 하다

어원 con[함께] + fus(e)[붓다] → 여러 가지를 함께 부어 혼동하다

Many companies **confuse** activities and results. 모평

많은 회사들이 활동과 성과를 **혼동한다**.

+ **confused** 형 혼란스러워 하는 **confusing** 형 혼란스럽게 하는 **confusion** 명 혼란

0583 □□□ ★★

relevant

[réləvənt]

형 관련 있는, 적절한

When facing a problem, we should consider all **relevant** information. 학평

문제에 직면할 때, 우리는 **관련 있는** 모든 정보를 고려해야 한다.

+ **be relevant to** ~과 관련이 있다

↔ **irrelevant** 형 관련 없는

0584 □□□ ★

headquarters

[hédkwɔ̀ːrtərz]

명 본부

It has its **headquarters** in Chicago. 수능

그것은 시카고에 **본부**가 있다.

Tips **'회사'와 관련된 단어들**

branch 지사	**affiliate** 계열사	**president** 대표, 사장
employee 직원	**department** 부서	**head office** 본사

0585 □□□ ★★

inferior

[infíəriər]

형 열등한, 하위의

Unless something interferes, the **inferior** competitor loses out. 모평

무언가가 개입하지 않는 한, **열등한** 경쟁자는 손해를 본다.

= **lower, minor** ↔ **superior** 형 우세한, 우월한

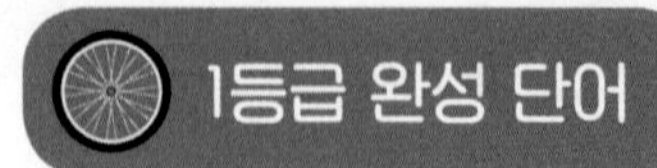

0586 □□□ ★	**surpass** [sərpǽs]	동 뛰어넘다, 능가하다
0587 □□□ ★★	**radical** [rǽdikəl]	형 급진적인, 철저한, 근본적인
0588 □□□ ★★★	**afford** [əfɔ́:rd]	동 여유가 있다, 제공하다
0589 □□□ ★	**multitask** [mʌ̀ltitǽsk]	동 다중 작업을 하다
0590 □□□ ★★	**mutual** [mjú:tʃuəl]	형 상호 간의, 공통의
0591 □□□ ★	**undertake** [ʌ̀ndərtéik]	동 (일을) 맡다, 착수하다
0592 □□□ ★★	**negotiation** [nigòuʃiéiʃən]	명 협상, 교섭
0593 □□□ ★	**interval** [íntərvəl]	명 간격, (중간) 휴식 시간
0594 □□□ ★	**chamber** [tʃéimbər]	명 회의소, 회의실, 방
0595 □□□ ★★★	**conventional** [kənvénʃənəl]	형 관습적인, 전통적인
0596 □□□ ★	**utmost** [ʌ́tmòust]	형 최대한의, 최고의 명 최대 한도
0597 □□□ ★★	**revenue** [révənju:]	명 수익, 수입
0598 □□□ ★★	**compensate** [ká:mpənseit]	동 보상하다, (결점 등을) 보완하다
0599 □□□ ★	**uphold** [ʌphóuld]	동 유지하다, 옹호하다, 떠받치다
0600 □□□ ★★	**allocate** [ǽləkeit]	동 할당하다, 배분하다

It was an astounding achievement that was not **surpassed** for 28 years. (수능)
그것은 28년 동안 **뛰어넘지** 못했던 믿기 어려운 성과였다.

The company was on the brink of bankruptcy when its CEO, Robert McEwen, got a **radical** idea. (학평)
CEO인 Robert McEwen이 **급진적인** 생각을 떠올렸을 때, 회사는 파산 직전의 상황이었다.

I don't think we can **afford** to spend more than five hundred dollars. (학평)
나는 우리가 500달러 넘게 쓸 **여유가 있다고** 생각하지 않는다.

They focused on a single task instead of trying to **multitask**. (모평)
그들은 **다중 작업을 하려고** 애쓰는 대신 하나의 작업에 집중했다.

International business must be grounded in trust and **mutual** respect. (학평)
국제 비즈니스는 신뢰와 **상호 간의** 존중에 기반해야 한다.

Commonly, one person would **undertake** all the tasks involved in producing an item. (학평)
보통, 물건을 생산하는 데 포함되는 모든 업무를 한 사람이 **맡곤** 했다.

Toward the end of the **negotiation**, the seller made a final offer. (모평)
협상의 끝 무렵에서, 판매자는 최종 제안을 했다.

Schedule **intervals** of productive time and breaks so that you get the most from people. (모평)
생산하는 시간과 휴식 시간의 **간격**을 계획하여 사람들에게서 최대한 많은 것을 얻도록 하세요.

For more information, contact the **Chamber** of Commerce. (학평)
더 자세한 내용을 원하시면 상공**회의소**에 문의하십시오.

You have to challenge the **conventional** ways of doing things. (수능)
당신은 일을 하는 **관습적인** 방식에 도전해야 한다.

I myself will be overseeing this and expect to have the **utmost** cooperation. (학평)
제가 직접 이것을 감독할 것이며 **최대한의** 협력을 기대합니다.

They discussed the company's expenses and dwindling **revenue**. (수능)
그들은 회사의 경비와 줄어드는 **수익**에 대해 논의했다.

Employees want to be **compensated** fairly for their work. (학평)
직원들은 자신들의 업무에 대해 공정하게 **보상받기를** 원한다.

If you make a commitment in a negotiation, you have to **uphold** it. (학평)
만약 당신이 협상에서 약속을 한다면, 그것을 **유지해야** 한다.

The Customer Service department was **allocated** 60,000 dollars. (모평)
고객 서비스 부서에는 60,000달러가 **할당되었다**.

Daily Quiz

영어는 우리말로, 우리말은 영어로 쓰세요.

01 assign ______________

02 conventional ______________

03 core ______________

04 attract ______________

05 afford ______________

06 establish ______________

07 corporation ______________

08 enterprise ______________

09 profit ______________

10 strict ______________

11 권한, 권위, 당국 ______________

12 비서, 서기 ______________

13 목표, 목적, 목표로 하다 ______________

14 예산(안), 비용 ______________

15 열등한, 하위의 ______________

16 임원, 경영진, 실행의 ______________

17 고용하다 ______________

18 준비하다, 정리하다 ______________

19 건설, 공사, 건축(물) ______________

20 전략, 전술 ______________

다음 빈칸에 들어갈 가장 알맞은 것을 박스 안에서 고르세요.

headquarters	policy	potential	confuse	expose

21 The directors think your proposal has great ______________.
임원들은 당신의 제안이 큰 잠재력을 가지고 있다고 생각한다.

22 It has its ______________ in Chicago.
그것은 시카고에 본부가 있다.

23 All the company wants is to ______________ you to those product brands and images.
회사가 원하는 것은 그 제품 브랜드와 이미지에 당신을 노출시키는 것뿐이다.

24 Many companies ______________ activities and results.
많은 회사들이 활동과 성과를 혼동한다.

25 Our company ______________ doesn't allow us to spend more than $800 per ticket.
우리 회사 정책은 우리가 표 한 장당 800달러 이상 쓰는 것을 허용하지 않는다.

정답

01 배정하다, (일을) 맡기다 **02** 관습적인, 전통적인 **03** 핵심의, 핵심, 중심부 **04** (마음·주의 등을) 끌다, 유혹하다 **05** 여유가 있다, 제공하다 **06** 설립하다, 수립하다, 확립하다 **07** 기업, 법인 **08** 기업, 회사, 사업 **09** 수익, 이익, 이익을 얻다 **10** 엄격한, 엄한 **11** authority **12** secretary **13** aim **14** budget **15** inferior **16** executive **17** employ **18** organize **19** construction **20** strategy **21** potential **22** headquarters **23** expose **24** confuse **25** policy

동사로 정복하는 구동사 ⑤

turn 돌리다, 뒤집다

turn to ~에게 의지하다

▶ turn[돌리다] + to[~를 향해] = ~를 향해 몸과 마음 등을 돌려 그에게 의지하다

People always tend to **turn to** their partner first when things are not running so smoothly in their relationship. (학평)

사람들은 그들의 관계에서 일이 순조롭게 진행되지 않을 경우 항상 먼저 그들의 파트너**에게 의지하는** 경향이 있다.

turn in 반납하다, 돌려주다, 제출하다

▶ turn[돌리다] + in[~ 안으로] = 안으로 물건을 돌려 반납하다

I think it's closed. **Turn in** the book tomorrow. (수능)

내 생각엔 이곳이 문을 닫은 것 같아. 책은 내일 **반납해**.

turn down 거부하다, 거절하다

▶ turn[뒤집다] + down[아래로] = 찬성 푯말을 아래로 뒤집어 거부하다

When you **turn down** the feelings, you also **turn down** the possibility of enjoyment. (수능)

당신이 감정을 **거부할** 때, 당신은 즐거움의 가능성도 **거부하는** 것이다.

turn out (결과적으로) ~이 되다, 판명되다

▶ turn[뒤집다] + out[밖으로] = 속마음이 밖으로 보이게 뒤집혀 사실이 판명되다

It is inevitable that some laws will **turn out** to be bad ones. (학평)

일부 법률이 나쁜 법률**이 되는** 것은 불가피한 일이다.

turn into ~으로 변하다

▶ turn[뒤집다] + into[~으로] = ~으로 뒤집혀 변하다

It was so fascinating to see how ordinary clay could **turn into** a beautiful pot. (모평)

평범한 찰흙이 어떻게 아름다운 항아리**로 변하는지** 보는 것은 매우 흥미로웠다.

DAY 16

법·정치

MP3 바로 듣기

내가 어제 실수로 컴퓨터를 고장 냈는데, 오빠가 변호사* 선임하래..! 장난이겠지..?

* 변호사 **attorney**

0601 □□□ ★

attorney

[ətə́:rni]

명 변호사, 대리인

An **attorney** constructs an argument to persuade the judge that the accused is guilty. 모평

변호사는 피고가 유죄임을 판사에게 설득하기 위해 논거를 구성한다.

Tips

'변호사'와 관련된 단어들

defense attorney 피고 측 변호사　**prosecuting attorney** 원고 측 변호사, 검사

district attorney 지방 검사

0602 □□□ ★

administer

[ədmínistər]

동 관리하다, 집행하다

어원 ad[~에] + minister[장관, 각료] → 장관, 각료들에게 행정을 맡겨서 관리하다

New conquests were not **administered**. 모평

새로운 점령지들은 **관리되지** 않았다.

⊕ **administration** 명 관리, 행정

⊜ **control, handle, govern**

0603 □□□ ★★★

election

[ilékʃən]

명 선거, 당선

In 1889, Costa Rica held the first free election in Latin America. 모평

1889년에, 코스타리카는 라틴 아메리카에서의 첫 자유 **선거**를 실시했다.

⊕ **elect** 동 (선거로) 선출하다 **electorate** 명 유권자

Tips

'선거'와 관련된 단어들

candidate 후보자	**vote** 투표, 투표하다	**voter** 유권자
run for 출마하다	**poll** 투표, 여론 조사	**campaign promise** 선거 공약

0604 □□□ ★★★

describe

[diskráib]

동 묘사하다, 서술하다

어원 de[아래로] + scrib(e)[쓰다] → 어떤 것에 대해 아래로 써 내려가며 묘사하다 또는 서술하다

They are asked months later to describe a crime they witnessed. 학평

그들은 몇 달 후에 그들이 목격했던 범죄를 **묘사하도록** 요청받는다.

⊕ **description** 명 묘사, 서술

⊜ **depict, portray**

0605 □□□ ★★

proof

[pru:f]

명 증거, 증명 형 견디는

The proof cannot be denied. 학평

그 **증거**는 부정될 수 없다.

⊜ **evidence**

Tips

시험에는 이렇게 나온다

waterproof 방수의 **soundproof** 방음의 **shatterproof** 바스러지지 않는

0606 □□□ ★★★

legal

[lí:gəl]

형 법(률)의, 합법적인

어원 leg[법] + al[형·접] → 법(률)의, 법에 관련된

Free legal advice should be offered to more people. 학평

무료 **법률** 상담은 더 많은 사람들에게 제공되어야 한다.

⊕ **legalize** 동 합법화하다

⊖ **illegal** 형 불법적인

0607 □□□ ★★

excellence

명 뛰어남, 탁월함

[éksələns]

This government has emphasized **excellence** in business. (수능)

이 정부는 사업상의 **뛰어남**을 강조해왔다.

⊕ **excellent** 형 뛰어난, 탁월한 **excel** 동 뛰어나다, 탁월하다

⊜ **greatness, perfection**

0608 □□□ ★★

fellow

형 동료의, 친구의 명 동료, 친구

[félou]

They lobbied their **fellow** legislators as voting took place. (학평)

그들은 선거가 실시되면서 **동료** 의원들에게 정치적인 영향력을 행사했다.

⊕ **fellowship** 명 동료애, 유대감

⊜ **companion, mate**

0609 □□□ ★★

candidate

명 후보자, 지원자

[kǽndideit]

He has registered as a presidential **candidate**. (수능)

그는 대통령 **후보자**로 등록했다.

⊜ **applicant, nominee**

0610 □□□ ★★★

international

형 국제의, 국제적인

[ìntərnǽʃənəl]

어원 inter[사이에] + nation[국가] + al[형·접] → 국가와 국가 사이의, 즉 국제의 또는 국제적인

The UN introduced the concept of human rights into **international** law. (모평)

유엔은 **국제**법에 인권의 개념을 도입했다.

⊜ **global, universal**

0611 □□□ ★★★

consequence

명 결과, 결론

[kάːnsəkwens]

어원 con[함께] + sequ[따라가다] + ence[명·접] → 어떤 행위를 따라서 함께 나타나는 결과

They downplayed the **consequences** of their actions. (수능)

그들은 자신들의 행동의 **결과들**을 경시했다.

⊕ **consequent** 형 결과로서 일어나는 **in consequence** 그 결과로서

⊜ **result, conclusion, outcome**

LONDON

0612 □□□ ★★★

guilt

[gilt]

명 죄책감, 유죄

Those who cause harm tend to minimize the offense to protect themselves from **guilt**. (수능)

해를 끼치는 사람들은 **죄책감**으로부터 자신을 보호하기 위해 위법 행위를 축소하는 경향이 있다.

⊕ **guilty** 형 죄책감을 느끼는, 유죄의

0613 □□□ ★★

investigate

[invéstəgeit]

동 수사하다, 조사하다

어원 in[안에] + vestig[흔적을 쫓다] + ate[동·접] → 흔적을 쫓아 어떤 곳 안에 들어가서 수사하다

The police **investigated** the crime. (학평)

경찰은 범죄를 **수사했다**.

⊕ **investigation** 명 수사, 조사

⊟ **examine, inspect, look into**

0614 □□□ ★★★

political

[pəlítikəl]

형 정치적인, 정치의, 정당의

Confucius lived in a time of **political** disorder, and so wise leaders were removed from office. (교과서)

공자는 **정치적인** 혼란의 시기에 살았는데, 그 때문에 현명한 지도자들은 공직에서 쫓겨났다.

⊕ **politics** 명 정치(학) **politician** 명 정치인

0615 □□□ ★★★

central

[séntrəl]

형 중앙의, 중심의, 가장 중요한

A strong **central** government is key to a well-functioning society. (교과서)

강력한 **중앙** 정부는 제대로 기능하는 사회의 비결이다.

⊟ **main, primary**

0616 □□□ ★★★

routine

[ru:tí:n]

명 일과, 일상 형 일상적인

어원 rout(e)[길] + ine[명·접] → 길을 따라가듯 늘 하도록 정해져 있는 일, 즉 일과 또는 일상

Each country has a unique daily **routine**, and each member has to follow it. (학평)

각 나라는 고유한 매일의 **일과**가 있고, 각 구성원은 그것을 따라야 한다.

⊟ **custom, practice**

0617 □□□ ★

violate

동 위반하다, 어기다, 침해하다

[váiəleit]

A person will tend to feel guilty when his or her conduct **violates** that principle. (수능)

사람은 자신의 행동이 그 원칙을 **위반했을** 때 죄책감을 느끼는 경향이 있을 것이다.

⊕ **violation** 명 위반, 침해

0618 □□□ ★★

witness

명 목격자, 증인 동 목격하다

[wítnəs]

어원 wit[보다] + ness[명·접] → 사건을 본 사람인 목격자

Witnesses who exchange their experiences will make similar errors in their testimony. (학평)

자신들의 경험을 교환하는 **목격자들**은 증언에서 비슷한 오류를 범할 것이다.

⊜ **observer, viewer**

0619 □□□ ★★

dominate

동 지배하다, 우세하다

[dá:məneit]

어원 domin[다스리다] + ate[동·접] → 어떤 곳을 다스릴 수 있게 지배하다

The field of international politics is **dominated** by states and other powerful actors. (모평)

국제 정치 분야는 몇몇 국가들과 그 밖의 다른 권력자들에 의해 **지배된다**.

⊕ **domination** 명 지배, 우세 **dominant** 형 지배적인, 우세한

⊜ **govern, control, rule**

0620 □□□ ★★

civil

형 시민의, 민간의

[sívəl]

Shirley Chisholm spoke out for **civil** rights, women's rights, and poor people. (학평)

셜리 치숌은 **시민**권, 여성의 권리, 그리고 가난한 사람들을 위해 목소리를 냈다.

0621 □□□ ★★

hesitancy

명 망설임, 주저

[hézətənsi]

There were several reasons for France's **hesitancy**. (수능)

프랑스의 **망설임**에는 몇 가지 이유가 있었다.

⊕ **hesitate** 동 망설이다, 주저하다 **hesitant** 형 망설이는, 주저하는

⊜ **reluctance**

0622 □□□ ★★

democracy

명 민주 국가, 민주주의

[dimάːkrəsi]

We have the good fortune to live in a **democracy**. (수능)
우리는 **민주 국가**에 사는 행운을 가지고 있다.

⊕ **democratize** 동 민주화하다 **democratic** 형 민주주의의, 민주적인

Tips

'정치사상'과 관련된 단어들

socialism 사회주의 **capitalism** 자본주의
communism 공산주의 **nationalism** 민족주의

0623 □□□ ★★

institute

명 기관, 협회 동 제정하다, 도입하다

[ínstitjuːt]

어원 in[안에] + stit(ute)[세우다] ➜ 집단 안에 세워진 기관 또는 협회

Educational **institutes** are free from racism due to the government's efforts. (모평)
교육 **기관들**은 정부의 노력으로 인해 인종차별으로부터 자유롭다.

⊕ **institution** 명 기관, 제도, 설립 **institutional** 형 기관의
⊜ **association**

0624 □□□ ★

implement

명 시행하다, 이행하다 명 도구, 수단

동 [ímpləmènt]
명 [ímpləmənt]

어원 im[안에] + ple[채우다] + ment[명·접] ➜ 계획대로 안을 채우는 일을 시행하다

They **implemented** laws that kept black people separate from white people. (교과서)
그들은 흑인들을 백인들로부터 분리하는 법을 **시행했다**.

⊕ **implementation** 명 시행, 이행
⊜ **carry out, perform**

0625 □□□ ★★

legislation

명 법률 (제정), 입법

[lèdʒisléiʃən]

어원 leg(is)[법] + lat[제안하다] + ion[명·접] ➜ 제안되어 만들어진 법률

Some city planning experts called for **legislation** against texting while walking. (학평)
몇몇 도시 계획 전문가들이 보행 중 문자 메시지를 보내는 것을 금지하는 **법률 제정**을 요구했다.

⊕ **legislate** 동 법률을 제정하다 **legislative** 형 입법의, 입법부의
⊜ **law, act**

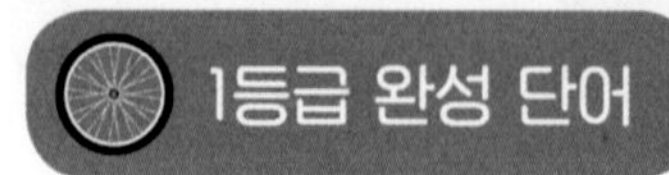

0626 □□□ ★★	**patent** [pǽtnt]	명 특허(권) 형 특허의 동 특허를 받다
0627 □□□ ★	**console** 동[kənsóul] 명[kánsoul]	동 위로하다 명 제어 장치
0628 □□□ ★	**adhere** [ædhíər]	동 (주의·신념을) 고수하다, 들러붙다, 부착하다
0629 □□□ ★	**consent** [kənsént]	동 동의하다 명 동의, 승낙
0630 □□□ ★★	**urge** [əːrdʒ]	동 촉구하다, 권고하다 명 욕구, 충동
0631 □□□ ★★	**criteria** [kraitíəriə]	명 기준 (criterion의 복수형)
0632 □□□ ★	**utilitarian** [júːtilətéəriən]	형 공리주의의, 실용적인
0633 □□□ ★	**legitimate** [lidʒítəmət]	형 합법적인, 정당한
0634 □□□ ★	**flush** [flʌʃ]	동 물을 내리다, (얼굴이) 붉어지다 명 홍조
0635 □□□ ★	**enact** [inǽkt]	동 (법을) 제정하다, (연극 등을) 상연하다
0636 □□□ ★	**dignity** [dígnəti]	명 존엄성, 위엄, 품위
0637 □□□ ★	**pitfall** [pítfɔːl]	명 위험, 곤란
0638 □□□ ★	**brutal** [brúːtl]	형 잔혹한, 잔인한, 야만적인
0639 □□□ ★★	**incorporate** [inkɔ́ːrpəreit]	동 통합하다, 포함하다, 설립하다
0640 □□□ ★	**revenge** [rivéndʒ]	명 복수, 보복 동 복수하다

He submitted his **patent** and began taking orders. (학평)
그는 **특허**를 제출하고 주문을 접수하기 시작했다.

You must try to **console** the victim's relatives. (모평)
당신은 희생자의 친척들을 **위로하기** 위해 노력해야 한다.

It is not at all rare for investigators to **adhere** to the rules. (학평)
수사관들이 원칙을 **고수하는** 것은 전혀 드문 일이 아니다.

They did not **consent** to what the doctor suggested. (학평)
그들은 의사가 제안한 것에 **동의하지** 않았다.

We **urge** you to design and implement very strict rules. (학평)
우리는 당신이 매우 엄격한 규칙을 고안하고 시행할 것을 **촉구합니다**.

The city has set detailed **criteria** for the installation of signs, plaques, and posters. (학평)
시는 표지판, 명판, 벽보 설치에 대해 상세한 **기준**을 세웠다.

Policy-making is seen to be more objective when **utilitarian** rationality is the dominant value. (수능)
정책 입안은 **공리주의의** 합리성이 지배적인 가치일 때 더 객관적으로 여겨진다.

These are **legitimate** concerns that many people share. (수능)
이것들은 많은 사람들이 공유하는 **합법적인** 관심사들이다.

In Singapore, there is a fine for not **flushing** the toilet. (학평)
싱가포르에서는, 변기의 **물을 내리지** 않는 것에 대한 벌금이 있다.

They **enacted** the law in response to complaints from residents. (학평)
그들은 주민들의 불평에 대응하여 그 법을 **제정했다**.

Human life has a special **dignity** that is worth preserving even at the expense of self-interest. (학평)
인간의 삶은 심지어 개인의 이익을 희생하더라도 보존할 가치가 있는 특별한 **존엄성**을 가지고 있다.

Scientific policy design does not necessarily escape the **pitfalls** of corrupt politics. (수능)
과학적인 정책 설계가 부패한 정치의 **위험**에서 반드시 벗어나는 것은 아니다.

A dictatorship can, in theory, be **brutal** or benevolent. (모평)
독재정권은 이론상으로는 **잔혹하거나** 자비로울 수 있다.

In 1994, they **incorporated** as NAATO and, the following year, changed its name to FTF. (학평)
1994년에, 그들은 NAATO로 **통합했고**, 그다음 해에 명칭을 FTF로 변경했다.

I think the law takes away the right of **revenge** from people and gives the right to the community. (학평)
나는 그 법이 사람들로부터 **복수**의 권리를 빼앗고 지역 사회에 그 권리를 준다고 생각한다.

Daily Quiz

영어는 우리말로, 우리말은 영어로 쓰세요.

01 dominate ____________

02 describe ____________

03 investigate ____________

04 incorporate ____________

05 proof ____________

06 excellence ____________

07 candidate ____________

08 routine ____________

09 legal ____________

10 criteria ____________

11 시민의, 민간의 ____________

12 민주 국가, 민주주의 ____________

13 죄책감, 유죄 ____________

14 특허(권), 특허를 받다 ____________

15 목격자, 증인, 목격하다 ____________

16 망설임, 주저 ____________

17 촉구하다, 욕구, 충동 ____________

18 중앙의, 가장 중요한 ____________

19 기관, 협회, 제정하다 ____________

20 결과, 결론 ____________

다음 빈칸에 들어갈 가장 알맞은 것을 박스 안에서 고르세요.

political	legislation	international	fellow	election

21 Some city planning experts called for ____________ against texting while walking.
몇몇 도시 계획 전문가들이 보행 중 문자 메시지를 보내는 것을 금지하는 법률 제정을 요구했다.

22 Confucius lived in a time of ____________ disorder, and so wise leaders were removed from office.
공자는 정치적인 혼란의 시기에 살았는데, 그 때문에 현명한 지도자들은 공직에서 쫓겨났다.

23 In 1889, Costa Rica held the first free ____________ in Latin America.
1889년에, 코스타리카는 라틴 아메리카에서의 첫 자유 선거를 실시했다.

24 The UN introduced the concept of human rights into ____________ law.
유엔은 국제법에 인권의 개념을 도입했다.

25 They lobbied their ____________ legislators as voting took place.
그들은 선거가 실시되면서 동료 의원들에게 정치적인 영향력을 행사했다.

정답

01 지배하다, 우세하다 02 묘사하다, 서술하다 03 수사하다, 조사하다 04 통합하다, 포함하다, 설립하다 05 증거, 증명, 견디는 06 뛰어남, 탁월함 07 후보자, 지원자 08 일과, 일상, 일상적인 09 법(률)의, 합법적인 10 기준 11 civil 12 democracy 13 guilt 14 patent 15 witness 16 hesitancy 17 urge 18 central 19 institute 20 consequence 21 legislation 22 political 23 election 24 international 25 fellow

동사로 정복하는 구동사 ⑥

break 부수다

break away from ~으로부터 벗어나다, 달아나다

▶ break[부수다] + away[다른 데로] + from[~으로부터] = 부수고 ~으로부터 다른 데로 벗어나다

One should **break away from** experience and let the mind wander freely. (모평)

사람은 경험**으로부터 벗어나** 마음이 자유롭게 배회하도록 해야 한다.

break into 침입하다, 잠입하다

▶ break[부수다] + into[~ 안으로] = 부수고 안으로 침입하다

Cookies offer hackers many ways to **break into** systems. (학평)

쿠키는 시스템으로 **침입하는** 여러 가지 방법을 해커들에게 제공한다.

break down 실패하다, 고장나다

▶ break[부수다] + down[아래로] = 아래로 부서져 고장나다 또는 실패하다

Human cooperation can **break down**, and so we should look to nature for inspiration. (교과서)

사람 간 협력은 **실패할** 수 있고, 그래서 우리는 영감을 위해 자연에 기대야 한다.

break out 발발하다, 일어나다

▶ break[부수다] + out[밖으로] = 밖으로 부수고 나와 일어나다 또는 발발하다

When my grandpa was my age, the Korean War **broke out**. (교과서)

할아버지가 내 나이였을 때, 한국 전쟁이 **발발했다**.

break up 해체하다, 끝나다, 파하다

▶ break[부수다] + up[완전히] = 완전히 부수어 해체하다

Elephant groups **break up** and reunite very frequently. (수능)

코끼리 무리는 매우 자주 **해체하고** 재결합한다.

DAY 17

시민의식

MP3 바로 듣기

우리 집 막내가
철이 없어서 걱정했는데,
알고 보니 자원* 봉사도
하더라고~

* 자원의 **volunteer**

0641 □□□ ★★★

volunteer

[vɑ̀:ləntíər]

형 자원의, 자발적인 명 자원봉사자 동 자원하다

She's not sure what kind of **volunteer** work she can do. 수능

그녀는 자신이 어떤 종류의 **자원**봉사를 할 수 있을지 확신이 없다.

⊕ **volunteer for** ~에 자원하다 **volunteer work** 자원 봉사

0642 □□□ ★★

custom

[kʌ́stəm]

명 관습, 풍습, 습관

Latinos are courteous by nature and by **custom**. 학평

라틴계 사람들은 천성적으로 그리고 **관습**에 의해 예의가 바르다.

⊕ **customary** 형 관습의, 습관적인

⊜ **tradition, practice**

Tips

시험에는 이렇게 나온다

custom의 복수형인 customs는 '세관, 관세'라는 뜻으로 사용되기도 해요.

0643 □□□ ★★★

donate

[dóuneit]

동 기부하다, 기증하다

어원 don[주다] + ate[동·접] → 대가 없이 주다, 즉 기부하다

You can **donate** any canned food such as corn or soup. (수능)

당신은 옥수수나 수프와 같은 어떤 통조림 식품이든 **기부할** 수 있다.

⊕ **donor** 명 기부자, 기증자 **donation** 명 기부(금), 기증(품)

⊟ **contribute**

0644 □□□ ★★★

pause

[pɔːz]

동 잠시 멈추다 명 (일시적인) 중단, 중지

Whenever you find yourself on the side of majority, it is time to **pause** and reflect. (교과서)

자신이 다수의 편에 치우친 것을 언제든 발견하게 되면, 그 때는 **잠시 멈추고** 반성해야 할 때이다.

⊟ **stop, halt**

0645 □□□ ★★

barrier

[bǽriər]

명 경계(선), 장벽, 장애물

어원 bar(r)[막대] + ier[명·접] → 막대를 쌓아 만든 장벽 또는 경계

Food etiquette had become a sign of social **barriers**. (모평)

식사 예절은 사회적 **경계**의 표시가 되었다.

⊟ **boundary**

0646 □□□ ★★★

support

[səpɔ́ːrt]

명 지원, 지지 동 지지하다, 지원하다

어원 sup[아래에] + port[운반하다] → 아래에서 떠받치고 운반하며 어떤 것을 지원하는 것

We will look forward to further **support**. (모평)

우리는 추가적인 **지원**을 기대할 것입니다.

⊕ **supportive** 형 지지하는, 지원하는

⊟ **help, aid, assist**

0647 □□□ ★★

chase

[tʃeis]

동 뒤쫓다, 추격하다, 추구하다

Children must be taught not to **chase** the wild birds and rabbits at the park. (학평)

아이들은 공원의 들새나 토끼들을 **뒤쫓지** 않도록 교육받아야 한다.

⊟ **run after, track**

0648 □□□ ★★★

charity

명 자선 (단체)

[tʃǽrəti]

All money raised will be donated to **charity**. (수능)
모인 돈은 모두 **자선 단체**에 기부될 것이다.

⊕ **charitable** 형 자선 (단체)의, 너그러운

0649 □□□ ★★★

method

명 방법, 방식

[méθəd]

어원 met(a)[바꾸다] + hod[길] → 목표를 향해 바꾸어 갈 수 있는 여러 길, 즉 여러 방법

You'll learn many upcycling **methods** from her. (수능)
당신은 그녀로부터 많은 업사이클링 **방법들**을 배울 것이다.

⊜ **process, approach**

0650 □□□ ★★

attain

동 이루다, 달성하다, 도달하다

[ətéin]

어원 at[~에] + tain[접촉하다] → 목표에 접촉하다, 즉 이루다 또는 달성하다

Attaining the life a person wants is simple. (학평)
개인이 원하는 삶을 **이루는** 것은 간단하다.

⊕ **attainable** 형 이룰 수 있는 **attainment** 명 성취, 달성, 도달
⊜ **obtain, reach, achieve, accomplish**

0651 □□□ ★★★

concept

명 개념, 관념

[kάːnsept]

어원 con[모두] + cept[잡다] → 여러 다른 설명을 모두 잡아서 일반화한 개념

The basic **concept** is simple: people sharing food. (교과서)
기본 **개념**은 단순한데, 그것은 사람들이 음식을 공유하는 것이다.

⊕ **conception** 명 개념, 이해 **conceive** 동 생각하다, 상상하다
⊜ **notion, idea**

0652 □□□ ★★★

recover

동 회복하다, 되찾다

[rikʌ́vər]

어원 re[다시] + cover[덮다] → 벌어졌던 상처가 다시 덮이다, 즉 회복하다

The fund will help the flood victims **recover** some of their losses. (수능)
기금은 홍수 피해자들이 일부 손실을 **회복하도록** 도울 것이다.

⊕ **recovered** 형 회복한 **recovery** 명 회복
⊜ **revive**

LONDON

0653 □□□ ★★

remote

[rimóut]

형 외진, 멀리 떨어진, 원격의

어원 re[뒤로] + mot(e)[움직이다] → 뒤로 움직여 멀리 떨어진 또는 외진

The organization brings health care to **remote**, isolated areas where resources are limited. (학평)

그 단체는 자원이 한정된 **외지고** 고립된 지역에 의료 복지를 제공해준다.

= **distant, far** ↔ **nearby** 형 가까운, 가까이의 부 근처에

0654 □□□ ★★★

forbid

[fərbíd]

동 금지하다, 못하게 하다

어원 for[떨어져] + bid[명령하다] → 떨어져 있도록 명령하여 접근을 금지하다

We strictly **forbid** cooking on this mountain. (학평)

우리는 이 산에서의 취사를 엄격하게 **금지합니다**.

+ **forbidden** 형 금지된

= **prohibit, ban** ↔ **permit** 동 허용하다 **allow** 동 허락하다

0655 □□□ ★★

sweep

[swiːp]

동 쓸다, 청소하다

One really cold day, Mrs. Smith saw Brian **sweeping** the snow in front of her house. (수능)

매우 추운 어느 날, Mrs. Smith는 Brian이 그녀의 집 앞에서 눈을 **쓸고** 있는 것을 보았다.

+ **sweep out** ~을 쓸어 내다

0656 □□□ ★★

thoughtful

[θɔ́ːtfəl]

형 사려 깊은, 친절한, 생각에 잠긴

Never doubt that a small group of **thoughtful** citizens can change the world. (학평)

소수의 **사려 깊은** 시민 집단들이 세상을 바꿀 수 있다는 것을 절대 의심하지 마세요.

+ **thoughtfully** 부 생각이 깊게, 사려 깊게

= **considerate, caring**

0657 □□□ ★★★

complain

[kəmpléin]

동 불평하다, 항의하다

Many of my apartment neighbors **complain** about this noise. (수능)

내 아파트의 많은 이웃들은 이 소음에 대해 **불평한다**.

+ **complaint** 명 불평, 항의

0658 □□□ ★★★

foundation

명 기반, 설립, 재단

[faundéiʃən]

Respect elders, for they are society's **foundation**. 교과서

연장자들은 사회의 **기반**이므로 존중해라.

⊕ **found** 동 설립하다, 세우다 **founder** 명 설립자

⊟ **basis, grounds**

0659 □□□ ★★★

encourage

동 장려하다, 격려하다, 용기를 주다

[inkə́ːridʒ]

어원 en[하게 만들다] + courage[용기] → 용기가 나게 만들다, 즉 장려하다

They're holding a video contest to **encourage** citizens to ride bicycles. 수능

그들은 시민들이 자전거를 타도록 **장려하기** 위해 영상 콘테스트를 개최하고 있다.

⊕ **encouragement** 명 격려

⊟ **inspire, cheer**

Tips

시험에는 이렇게 나온다

be encouraged to ~하도록 장려되다 **encourage A to** A가 ~하도록 장려하다

0660 □□□ ★★★

neglect

동 무시하다, 방치하다 명 태만, 소홀

[niglékt]

어원 neg[아닌] + lect[선택하다] → 어떤 것을 선택하지 않고 넘어가다, 즉 무시하다

Good citizens do not **neglect** but help their neighbors in need. 교과서

선량한 시민은 도움이 필요한 이웃들을 **무시하지** 않고 도와준다.

⊕ **negligence** 명 부주의, 과실 **negligible** 형 무시해도 될 정도의

⊟ **disregard, ignore**

0661 □□□ ★★★

mention

동 말하다, 언급하다 명 언급

[ménʃən]

Joan **mentioned** that she was looking for volunteers to work in a fair she was organizing. 수능

Joan은 그녀가 준비하고 있는 축제에서 일할 자원봉사자들을 구하고 있다고 **말했다**.

⊟ **refer to, state**

Tips

시험에는 이렇게 나온다

mention은 듣기 영역 대화에서 'Don't mention it.'이라는 표현으로 자주 쓰여요. 고맙다는 말에 대한 정중한 인사로, '천만에요'와 같이 해석할 수 있어요.

NEW YORK

0662 □□□ ★★★

alternative

[ɔ:ltə́:rnətiv]

형 대안적인, 대체 가능한 명 대안

Consider **alternative** courses of action before you go forward. (학평)

더 나아가기 전에 **대안적인** 행동 방침들을 고려해라.

⊕ **alternate** 형 교대의 동 번갈아 하다, 대체하다 **alternately** 부 번갈아, 교대로

Tips

시험에는 이렇게 나온다

alternative energy 대체 에너지 **alternative fuel** 대체 연료

0663 □□□ ★★★

purpose

[pə́:rpəs]

명 목적, 의도

어원 pur[앞에] + pos(e)[놓다] → 앞에 놓고 이루기 위해 노력하는 목적

I'm sure you'll find your **purpose** in life soon. (학평)

나는 당신이 곧 삶의 **목적**을 찾을 것이라고 확신한다.

⊕ **purposely** 부 고의로, 일부러 **purposeful** 형 목적이 있는, 결단력 있는
on purpose 고의로

⊜ **intention, aim, object**

0664 □□□ ★★★

courage

[kə́:ridʒ]

명 용기

어원 cour[심장] + age[명·접] → 심장에서 나오는 용기

A blood donation is one of the ways you can save lives with a little time and **courage**. (수능)

혈액 기증은 약간의 시간과 **용기**만으로 생명을 구할 수 있는 방법 중 하나이다.

⊕ **courageous** 형 용감한

⊜ **bravery**

0665 □□□ ★★★

responsible

[rispɑ́:nsəbəl]

형 책임이 있는, 책임져야 할

어원 re[다시] + spon(s)[약속하다] + ible[할 수 있는] → 받은 의무를 하겠다는 약속을 다시 돌려줄 수 있는, 즉 책임이 있는

Borrowers are **responsible** for returning items on time and in good condition. (수능)

빌린 사람들은 물건을 제시간에 온전한 상태로 돌려줄 **책임이 있다**.

⊕ **responsibly** 부 책임감 있게 **responsibility** 명 책임, 책무

Tips

시험에는 이렇게 나온다

responsible for ~에 책임이 있는, 원인이 있는 **responsible citizen** 책임감 있는 시민

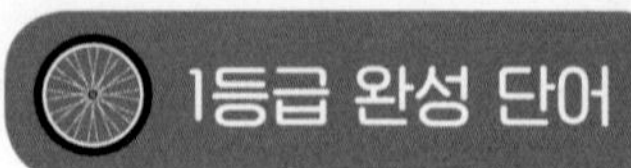

0666 □□□ ★	**choke** [tʃouk]	동 (통로 등을) 막다, 숨이 막히다, 질식시키다
0667 □□□ ★★	**dedicate** [dédikeit]	동 (노력·시간 등을) 바치다, 전념하다, 헌신하다
0668 □□□ ★	**outweigh** [àutwéi]	동 더 크다, 더 중대하다
0669 □□□ ★★	**behalf** [bihǽf]	명 측, 편, 이익
0670 □□□ ★★	**descendant** [diséndənt]	명 후손, 자손
0671 □□□ ★★	**deed** [di:d]	명 행동, 행위
0672 □□□ ★	**pledge** [pledʒ]	명 서약, 맹세 동 서약하다, 약속하다
0673 □□□ ★	**despise** [dispáiz]	동 경멸하다
0674 □□□ ★★★	**distinguish** [distíŋgwiʃ]	동 구별하다, 식별하다
0675 □□□ ★	**salient** [séiliənt]	형 두드러진, 중요한
0676 □□□ ★	**collaborate** [kəlǽbəreit]	동 협력하다, 협동하다
0677 □□□ ★	**contemplate** [kɑ́:ntəmpleit]	동 숙고하다, 생각하다, 고려하다
0678 □□□ ★	**endeavor** [indévər]	명 노력, 시도 동 노력하다, 시도하다
0679 □□□ ★★★	**immediate** [imí:diət]	형 즉각적인, 직접적인
0680 □□□ ★★	**intrinsic** [intrínsik]	형 본질적인, 고유한

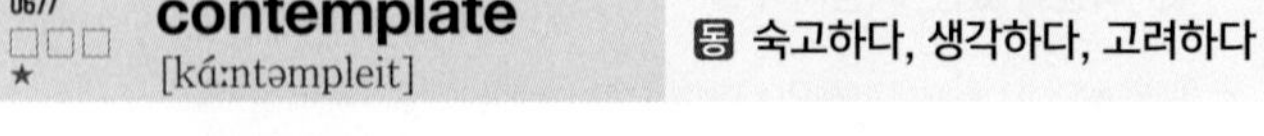

He wiped away the deposit that would otherwise have **choked** the fresh flow of water. (학평)
그는 신선한 물의 흐름을 **막았을** 퇴적물을 쓸어 냈다.

Brian **dedicates** his life to competing in triathlons and giving back to the donors. (학평)
Brian은 철인 3종 경기에 참가하는 것과 기부자들에게 신세를 갚는 것에 그의 삶을 **바친다**.

Apparently their sense of civic duty **outweighed** their concern about the risks. (학평)
보아 하니 그들의 시민의식은 위험에 대한 그들의 우려보다 **더 컸다**.

Again, on **behalf** of our museum, we appreciate your donation. (수능)
다시 한번, 박물관 **측**을 대표하여, 저희는 당신의 기부에 감사를 표합니다.

What we throw away now will harm ourselves and eventually our **descendants** as well. (수능)
우리가 지금 버리는 것은 우리 자신에게 해를 끼칠 것이고, 결국 우리의 **후손들**에게도 그럴 것이다.

Some heroes perform amazing **deeds** in difficult situations. (수능)
어떤 영웅들은 어려운 상황에서 놀라운 **행동들**을 한다.

New members of this donation club sign a **pledge** to donate the majority of their property. (교과서)
이 기부 동호회의 새 회원들은 그들 재산의 대부분을 기부하겠다는 **서약**에 서명한다.

He declared a powerful defense of the idea that views that you **despise** deserve to be heard. (학평)
그는 당신이 **경멸하는** 의견들을 들을 가치가 있다고 보는 견해에 대한 강력한 옹호를 표명했다.

We need to constantly **distinguish** right from wrong. (수능)
우리는 옳고 그름을 끊임없이 **구별할** 필요가 있다.

The most **salient** feature of moral agents is a capacity for rational thought. (모평)
도덕 행위자들의 가장 **두드러진** 특징은 이성적인 사고를 할 수 있는 능력이다.

Today, smart competitors **collaborate** whenever they can. (학평)
오늘날, 똑똑한 경쟁자들은 할 수 있을 때마다 **협력한다**.

We have to slow down a bit and take the time to **contemplate** and meditate. (모평)
우리는 속도를 좀 늦추어 **숙고하고** 명상하는 시간을 가져야 한다.

We encourage you to join us in our **endeavor** to reduce our impact on the environment. (학평)
우리는 환경에 미치는 영향을 줄이기 위한 우리의 **노력**에 당신도 참여하기를 권장한다.

I want **immediate** action to solve this urgent problem. (수능)
나는 이 시급한 문제를 해결하기 위한 **즉각적인** 조치를 원한다.

A person may derive **intrinsic** satisfaction from helping others. (학평)
사람은 다른 사람들을 돕는 것에서 **본질적인** 만족감을 얻을 수도 있다.

Daily Quiz

영어는 우리말로, 우리말은 영어로 쓰세요.

01 barrier ______
02 complain ______
03 distinguish ______
04 method ______
05 attain ______
06 pause ______
07 neglect ______
08 responsible ______
09 support ______
10 immediate ______
11 금지하다, 못하게 하다 ______
12 관습, 풍습, 습관 ______
13 용기 ______
14 회복하다, 되찾다 ______
15 기반, 설립, 재단 ______
16 자선 (단체) ______
17 목적, 의도 ______
18 개념, 관념 ______
19 장려하다, 용기를 주다 ______
20 말하다, 언급하다, 언급 ______

다음 빈칸에 들어갈 가장 알맞은 것을 박스 안에서 고르세요.

donate	volunteer	alternative	chase	remote

21 You can ______ any canned food such as corn or soup.
당신은 옥수수나 수프와 같은 어떤 통조림 식품이든 기부할 수 있다.

22 Children must be taught not to ______ the wild birds and rabbits at the park.
아이들은 공원의 들새나 토끼들을 뒤쫓지 않도록 교육받아야 한다.

23 The organization brings health care to ______, isolated areas where resources are limited.
그 단체는 자원이 한정된 외지고 고립된 지역에 의료 복지를 제공해준다.

24 She's not sure what kind of ______ work she can do.
그녀는 자신이 어떤 종류의 자원봉사를 할 수 있을지 확신이 없다.

25 Consider ______ courses of action before you go forward.
더 나아가기 전에 대안적인 행동 방침들을 고려해라.

정답

01 경계(선), 장벽, 장애물 02 불평하다, 항의하다 03 구별하다, 식별하다 04 방법, 방식 05 이루다, 달성하다, 도달하다 06 잠시 멈추다, (일시적인) 중단, 중지 07 무시하다, 방치하다, 태만, 소홀 08 책임이 있는, 책임져야 할 09 지원, 지지, 지지하다, 지원하다 10 즉각적인, 직접적인 11 forbid 12 custom 13 courage 14 recover 15 foundation 16 charity 17 purpose 18 concept 19 encourage 20 mention 21 donate 22 chase 23 remote 24 volunteer 25 alternative

동사로 정복하는 구동사 ⑦

fall 떨어지다

fall down 넘어지다

▶ **fall**[떨어지다] + **down**[밑으로] = 밑으로 떨어져 넘어지다

Just remember not to **fall down** on the ground. (모평)

바닥에 **넘어지지** 않아야 한다는 것만 기억하세요.

fall behind 뒤처지다, 뒤떨어지다, 늦어지다

▶ **fall**[떨어지다] + **behind**[뒤로] = (과정 등에서) 뒤로 떨어지다, 즉 뒤처지다

Why is it better to keep pace than **fall behind**? (모평)

왜 **뒤처지는** 것보다 보조를 맞추는 것이 더 나은가?

fall into ~에 빠져들다

▶ **fall**[떨어지다] + **into**[~으로] = ~으로 떨어져 빠져들다

It is easy to **fall into** the habit of criticizing others. (학평)

다른 사람들을 비난하는 습관**에 빠져드는** 것은 쉽다.

fall off 떨어지다

▶ **fall**[떨어지다] + **off**[~에서] = ~에서 떨어지다

High winds and heavy rain can make seeds go bad or **fall off** the tree too soon. (학평)

강한 바람과 폭우는 씨앗을 썩게 하거나 나무에서 너무 빨리 **떨어지게** 할 수 있다.

fall apart 무너져 내리다, 분해되다

▶ **fall**[떨어지다] + **apart**[따로] = ~에서 따로 떨어져 나와 무너져 내리다

The more territorial borders **fall apart**, the more people tend to cling to their markers of identity. (학평)

영토의 경계선이 더 **무너져 내릴수록**, 사람들은 자신의 정체성 표시에 더 집착하는 경향이 있다.

DAY 18

일상

MP3 바로 듣기

진짜 한 봉지만 끓인다?
한입 달라고 나 밥 먹는 거
방해하기* 없기야!

동생에게 라면 다 뺏기기 3분 전

* 방해하다 **disturb**

0681 □□□ ★★★

disturb

동 방해하다, 어지럽히다, 불안하게 하다

[distə́ːrb]

어원 dis[떨어져] + turb[어지럽게 하다] → 어지럽게 해서 하던 일에서 떨어지게 방해하다

Using the laundry machines late at night can **disturb** others' sleep. 학평

밤늦게 세탁기를 사용하는 것은 다른 사람들의 수면을 **방해할** 수 있다.

⊕ **disturbance** 명 방해, 소란 **disturbing** 형 방해가 되는, 불안하게 하는

⊜ **interrupt, bother**

0682 □□□ ★★

chore

명 집안일, 허드렛일

[tʃɔːr]

While children do **chores**, try to give them rewards. 학평

아이들이 **집안일**을 하는 동안, 그들에게 보상을 주려고 노력하라.

Tips

chore와 errand의 의미 구분

chore는 주로 청소, 빨래 등의 가정 내에서 하는 '집안일'을, errand는 슈퍼마켓 가기, 세탁소 가기 등 집 밖으로 나가는 '심부름'을 의미해요.

0683 □□□ ★★

refresh

[rifréʃ]

동 상쾌하게 하다, 새롭게 하다

Open the window to **refresh** the air, please. (모평)

공기를 **상쾌하게 하기** 위해 창문을 열어주세요.

⊕ **refreshment** 명 원기 회복, 다과 **refreshing** 형 신선한, 상쾌하게 하는

⊜ **revive**

0684 □□□ ★★★

beverage

[bévəridʒ]

명 음료

We're providing a free **beverage** to shoppers who spend over $50. (수능)

저희는 50달러 이상 소비하는 쇼핑객들에게 무료 **음료**를 제공하고 있습니다.

0685 □□□ ★★★

locate

[lóukeit]

동 위치하게 하다, 두다, (~의 위치를) 찾아내다

어원 loc[장소] + ate[동·접] → 어떤 장소에 두어 위치하게 하다

Our city has only one fire station **located** downtown. (수능)

우리 도시에는 시내에 **위치한** 소방서 한 곳만 있다.

⊕ **location** 명 위치, 장소 **be located at[in/on]** ~에 위치해 있다

⊜ **place, set**

0686 □□□ ★★

receipt

[risíːt]

명 영수증

Please bring the **receipt** to get a refund. (학평)

환불을 받으려면 **영수증**을 가져오세요.

0687 □□□ ★★★

request

[rikwést]

동 요청하다, 요구하다 명 요청, 요구

어원 re[다시] + quest[구하다] → 구하는 것을 얻기 위해 반복해서 다시 요청하다

We would like to **request** that you stop delivery to our home. (수능)

당신이 저희 집으로의 배달을 중단하기를 **요청하고자** 합니다.

⊜ **ask for**

Tips

시험에는 이렇게 나온다

make a request 요청하다	**upon request** 요청에 따라
request permission 허가를 요청하다	**request cooperation** 협조를 요청하다

0688 □□□ ★

stain

[stein]

명 얼룩, 때 동 얼룩지게 하다

The **stain** on my pants wasn't removed. 학평

내 바지의 **얼룩**은 제거되지 않았다.

≡ **mark, spot**

0689 □□□ ★★★

regret

[rigrét]

동 후회하다, 안타깝게 생각하다 명 후회, 유감

You'll **regret** the lack of sleep tomorrow. 수능

당신은 내일 수면 부족을 **후회할** 것이다.

⊕ **regrettable** 형 유감스러운 **regretful** 형 유감스러워 하는

0690 □□□ ★★★

refund

명 [ríːfʌnd]
동 [rifʌ́nd]

명 환불(액) 동 환불하다

어원 re[다시] + fund[붓다] → 샀던 것을 다시 부어 내 돌려줌, 즉 환불

I'll go to the store and ask for a **refund**. 수능

나는 가게에 가서 **환불**을 요청할 것이다.

⊕ **refundable** 형 환불 가능한

Tips

시험에는 이렇게 나온다

ask for a refund 환불을 요청하다
get a refund 환불받다
provide a refund 환불해 주다
a full refund 전액 환불

0691 □□□ ★★

household

[háushould]

형 가정의, 가족의 명 가정, 가족

The flea market is the best place to sell your secondhand **household** items, clothing, jewelry, and crafts. 수능

벼룩시장은 당신의 중고 **가정**용품, 옷, 보석, 그리고 공예품을 팔기에 최고의 장소이다.

0692 □□□ ★★★

particular

[pərtíkjələr]

형 특정한, 특별한

어원 part(i)[나누다] + cul[명·접] + ar[형·접] → 나눠진 것들 중 특정한

Do you have a **particular** model in mind? 수능

염두에 두고 있는 **특정한** 모델이 있나요?

⊕ **particularly** 부 특히, 특별히

≡ **specific**

NEW YORK

0693 □□□ ★★★

vacuum

[vǽkjuəm]

명 진공청소기, 진공 동 진공청소기로 청소하다

The robotic **vacuum** can operate for 40 minutes when fully charged. (학평)

로봇 **진공청소기**는 완전히 충전되었을 때 40분간 작동할 수 있다.

0694 □□□ ★★★

engage

[ingéidʒ]

동 참여하다, 종사하다, 약속하다, 사로잡다

어원 en[안에] + gage[서약] → 서약 안에 들어가 약속하다, 약속한 일에 참여하다

Every day, each of us **engages** in many types of complex activities. (수능)

매일, 우리는 각자 다양한 종류의 복합적인 활동에 **참여한다**.

⊕ **engagement** 명 참여, 약속, 약혼 **engaged** 형 바쁜, 약혼한

⊜ **participate, take part**

Tips

시험에는 이렇게 나온다

engage in ~에 참여하다 **engage with** ~와 관계를 맺다

be[get] engaged to ~와 약혼하다

0695 □□□ ★

sibling

[síbliŋ]

명 형제자매

Kids model their own behavior after their older **siblings**. (학평)

아이들은 나이 많은 **형제자매**를 자신들의 행동의 본보기로 삼는다.

0696 □□□ ★★

shorten

[ʃɔ́ːrtn]

동 (치수·기장 등을) 줄이다, 짧게 하다

How much is it to **shorten** a skirt? (수능)

치마 기장을 **줄이려면** 비용이 얼마인가요?

⊜ **reduce, cut** ⇔ **lengthen** 동 늘이다, 길게 하다

0697 □□□ ★★★

discount

명 [dískaunt]
동 [diskáunt]

명 할인 동 할인하다

어원 dis[떨어져] + count[계산하다] → 금액을 떨어뜨려 계산하는 할인

We can give you a 20 percent **discount** on it. (수능)

우리는 당신에게 그것에 대해 20퍼센트 **할인**을 해드릴 수 있어요.

⊕ **discountable** 형 할인할 수 있는

0698 □□□ ★★★

accompany

[əkʌ́mpəni]

동 동행하다, 동반하다

어원 ac[~에] + company[일행, 동반] → 어딘가에 일행으로 같이 동행하다

He asked Faraday to **accompany** him as his assistant. (학평)

그는 Faraday에게 자신의 조수로서 **동행해달라고** 부탁했다.

⊕ **be accompanied by[with]** ~을 동반하다

0699 □□□ ★★★

instruction

[instrʌ́kʃən]

명 설명, 지시

어원 in[안에] + struct[세우다] + ion[명·접] → 마음 안에 어떤 원칙이 세워지도록 가르치는 행위, 즉 설명

I got this present from my friend yesterday, but all the **instructions** are written in Chinese. (수능)

나는 어제 내 친구로부터 이 선물을 받았지만, 모든 **설명**이 중국어로 쓰여 있다.

⊕ **instruct** 동 지시하다, 가르치다 **instructive** 형 교훈적인, 유익한

0700 □□□ ★★

carton

[kɑ́:rtn]

명 통, 상자

Emily wanted him to open her milk **carton**. (모평)

Emily는 그가 그녀의 우유 **통**을 열어주기를 원했다.

0701 □□□ ★★★

exhausted

[igzɔ́:stid]

형 지친, 고갈된

On Thursday, people become **exhausted**. (학평)

목요일에, 사람들은 **지치게** 된다.

⊕ **exhaust** 동 지치게 하다 **exhaustion** 명 고갈, 탈진

⊜ **tired**

0702 □□□ ★★★

replace

[ripléis]

동 교체하다, 대체하다, 대신하다

어원 re[뒤로] + place[놓다] → 앞의 것을 뒤로 놓고, 뒤의 것으로 교체하다

I think it's time to **replace** the kids' beds. (수능)

나는 아이들의 침대를 **교체할** 때가 되었다고 생각한다.

⊕ **replacement** 명 교체, 대체 **replaceable** 형 대체할 수 있는

⊜ **exchange, change**

0703 □□□ ★★★

concern

명 관심(사), 걱정 동 걱정하다, 관계가 있다

[kənsə́:rn]

The safety of the audience is our first **concern**. (모평)

관객의 안전이 우리의 첫 번째 **관심사**이다.

⊕ **concerned** 형 걱정하는, 관련된 **concerning** 전 ~에 관한

⊟ **care, interest**

Tips

시험에는 이렇게 나온다

be concerned with ~과 관련되다, ~에 관심이 있다
be concerned about ~에 대해 걱정하다

0704 □□□ ★

merchandise

명 상품, 물품

[mə́:rtʃəndaiz]

The **merchandise** is delivered to his door. (학평)

상품은 그의 문 앞으로 배달되었다.

⊕ **merchandising** 명 판매, 판촉

⊟ **goods, product**

0705 □□□ ★

reside

동 거주하다, 살다

[rizáid]

어원 re[뒤에] + sid(e)[앉다] → 떠나지 않고 뒤에 남아 눌러앉다, 즉 그곳에 거주하다

If you **reside** in this area, you may get it free of charge. (수능)

만약 당신이 이 지역에 **거주한다면**, 그것을 무료로 받을 수 있습니다.

⊕ **residential** 형 거주의, 주택지의 **residence** 명 주택, 거주(지)

Tips

'거주하다, 살다'와 관련된 단어들

dwell 거주하다 **live** 살다, 지내다 **inhabit** 거주하다, 서식하다 **reside** 거주하다

0706 □□□ ★	**chatter** [tʃǽtər]	동 잡담하다, 재잘거리다 명 잡담, 수다
0707 □□□ ★★	**utility** [juːtíləti]	형 다용도의, 실용적인 명 유용(성), 공공시설
0708 □□□ ★★	**accommodate** [əkɑ́ːmədeit]	동 수용하다, 적응시키다, 조절하다
0709 □□□ ★	**gorgeous** [gɔ́ːrdʒəs]	형 아주 멋진, 화려한
0710 □□□ ★★	**sensory** [sénsəri]	형 감각의, 지각의
0711 □□□ ★★	**leak** [liːk]	동 새다, 누설하다 명 누출, 누설
0712 □□□ ★	**suspend** [səspénd]	동 (일시) 정지하다, 정학시키다, 매달다
0713 □□□ ★★	**alert** [ələ́ːrt]	명 알림, 경계 형 기민한 동 경고하다
0714 □□□ ★	**daydream** [déidriːm]	동 공상하다 명 공상
0715 □□□ ★	**furnish** [fə́ːrniʃ]	동 (가구를) 비치하다, 제공하다
0716 □□□ ★	**dash** [dæʃ]	동 서둘러 가다, 돌진하다 명 돌진
0717 □□□ ★★★	**entitle** [intáitl]	동 자격을 주다, 제목을 붙이다
0718 □□□ ★	**shrug** [ʃrʌg]	동 (어깨를) 으쓱하다
0719 □□□ ★	**overflow** [òuvərflóu]	동 넘치다, 범람하다
0720 □□□ ★	**tenant** [ténənt]	명 세입자

Office workers are regularly interrupted by ringing phones and chattering coworkers. (수능)
사무실 직원들은 울리는 전화벨과 **잡담하는** 동료들에 자주 방해받는다.

I saw an extra vacuum cleaner in the utility room this morning. (학평)
나는 오늘 아침에 **다용도**실에서 여분의 진공청소기를 봤다.

Once construction is complete, there will be parking spaces to accommodate 100 cars. (수능)
공사가 완료되면, 자동차 100대를 **수용할** 수 있는 주차 공간이 생길 것이다.

The living room is absolutely gorgeous. (모평)
거실이 정말로 **아주 멋지다**.

The color of plants can inject a bit of sensory variety into an artificial lifeless environment. (교과서)
식물의 색깔은 인공적이고 활기 없는 환경에 약간의 **감각의** 다양성을 더할 수 있다.

The sink is leaking. (수능)
싱크대가 **새고** 있다.

I want to know if I can suspend my membership. (학평)
제 회원권을 **정지할** 수 있을지 알고 싶습니다.

Smart washers can even send an alert when detergent is out of stock. (학평)
스마트 세탁기는 심지어 세제가 다 떨어졌을 때 **알림**을 보낼 수도 있다.

Nearly all of us daydream about important coming events. (수능)
우리 대부분은 다가오는 중요한 사건들에 대해 **공상한다**.

It will cost a lot to furnish an apartment. (학평)
아파트에 **가구를 비치하려면** 비용이 많이 들 것이다.

The young boy dashed inside the store. (교과서)
어린 소년은 가게 안으로 **서둘러 갔다**.

If a product has a problem, I am entitled to receive a full refund within 2 months. (학평)
만약 제품에 문제가 있다면, 나는 2개월 이내에 전액을 환불받을 수 있는 **자격이 있다**.

They just shrugged their shoulders. (학평)
그들은 그저 어깨를 **으쓱할** 뿐이었다.

The toilet overflowed when she flushed. (학평)
그녀가 물을 내리자 변기가 **넘쳤다**.

For apartment lessors, that means a loss of income from lack of rent-paying tenants. (학평)
아파트 임대인들에게, 그것은 임대료를 지불하는 **세입자들**의 부족으로 인한 소득의 손실을 의미한다.

01 02 03 04 05 06 07 08 09 10 11 12 13 14 15 16 17 18 DAY 19 20 21 22 23 24 25 26 27 28 29 30 31 32 33 34 35 36 37 38 39 40 41 42 43 44 45 46 47 48 49 50

Daily Quiz

영어는 우리말로, 우리말은 영어로 쓰세요.

01 carton ______
02 shorten ______
03 concern ______
04 receipt ______
05 instruction ______
06 particular ______
07 regret ______
08 refresh ______
09 request ______
10 utility ______
11 위치하게 하다, 두다 ______
12 할인, 할인하다 ______
13 지친, 고갈된 ______
14 환불(액), 환불하다 ______
15 방해하다, 어지럽히다 ______
16 동행하다, 동반하다 ______
17 감각의, 지각의 ______
18 진공청소기, 진공 ______
19 자격을 주다, 제목을 붙이다 ______
20 교체하다, 대신하다 ______

다음 빈칸에 들어갈 가장 알맞은 것을 박스 안에서 고르세요.

accommodate	engage	chore	household	beverage

21 Every day, each of us ______(e)s in many types of complex activities.
매일, 우리는 각자 다양한 종류의 복합적인 활동에 참여한다.

22 While children do ______(e)s, try to give them rewards.
아이들이 집안일을 하는 동안, 그들에게 보상을 주려고 노력하라.

23 Once construction is complete, there will be parking spaces to ______ 100 cars.
공사가 완료되면, 자동차 100대를 수용할 수 있는 주차 공간이 생길 것이다.

24 The flea market is the best place to sell your secondhand ______ items, clothing, jewelry, and crafts.
벼룩시장은 당신의 중고 가정용품, 옷, 보석, 그리고 공예품을 팔기에 최고의 장소이다.

25 We're providing a free ______ to shoppers who spend over $50.
저희는 50달러 이상 소비하는 쇼핑객들에게 무료 음료를 제공하고 있습니다.

정답

01 통, 상자 02 (치수·기장 등을) 줄이다, 짧게 하다 03 관심(사), 걱정, 걱정하다, 관계가 있다 04 영수증 05 설명, 지시 06 특정한, 특별한 07 후회하다, 안타깝게 생각하다, 후회, 유감 08 상쾌하게 하다, 새롭게 하다 09 요청하다, 요구하다, 요청, 요구 10 다용도의, 실용적인, 유용(성), 공공시설 11 locate 12 discount 13 exhausted 14 refund 15 disturb 16 accompany 17 sensory 18 vacuum 19 entitle 20 replace 21 engage 22 chore 23 accomodate 24 household 25 beverage

독해가 강해지는 형용사 표현 ①

be able to	~을 할 수 있다, ~이 가능하다

If you **are able to** donate blood, please fill out this form and hand it to one of the nurses. (학평)

만약 당신이 헌혈**할 수 있다면**, 이 양식을 작성해서 간호사들 중 한 명에게 건네주세요.

be likely to	~할 가능성이 있다, ~하기 쉽다

Many of our jobs **are likely to** be automated within the next 20 years. (학평)

우리 직업들 중 다수가 향후 20년 안에 자동화**될 가능성이 있다**.

be supposed to	~하기로 되어 있다, ~할 의무가 있다

Students **are supposed to** change their roommates every semester. (학평)

학생들은 매 학기마다 그들의 룸메이트를 바꾸**기로 되어 있다**.

be absorbed in	~에 몰두하다

They **were absorbed in** conversation. (학평)

그들은 대화**에 몰두했다**.

be bound to	반드시 ~하게 되어 있다

As people prefer increased animal protein in their meals, our land, rivers, and oceans **are bound to** suffer. (교과서)

사람들이 식사에서 늘어난 동물성 단백질을 선호하는 한, 우리의 땅, 강, 그리고 해양은 **반드시** 고통을 겪**게 되어 있다**.

DAY 19

경험

MP3 바로 듣기

* 잊지 못할 **unforgettable**

0721 □□□ ★★

unforgettable

[ʌ̀nfərgétəbəl]

형 잊지 못할, 기억에 남는

어원 un[아닌] + forget(t)[잊다] + able[할 수 있는] → 잊을 수 있는 것이 아닌, 즉 잊지 못할

Let's make this party an **unforgettable** memory for Matthew! (수능)

Matthew를 위해 이 파티를 **잊지 못할** 추억으로 만들자!

⊜ **memorable** ⟷ **forgettable** 형 잊기 쉬운

Tips

시험에는 이렇게 나온다

unforgettable moment 잊지 못할 순간
unforgettable memory 잊지 못할 추억
unforgettable experience 기억에 남는 경험
unforgettable event 잊지 못할 사건

0722 □□□ ★★★

risk

[risk]

명 위험, 모험

Life is filled with a lot of **risks** and challenges. (학평)

인생은 많은 **위험**과 도전으로 가득 차 있다.

⊕ **risky** 형 위험한 **at the risk of** ~의 위험을 무릅쓰고

⊜ **danger, threat**

0723 □□□ ★★★

necessity

[nəsésəti]

명 필수(품), 필요(성)

Shopping is no longer just a **necessity** and has become a leisure activity. 학평

쇼핑은 더 이상 단순히 **필수**가 아닌 여가 활동이 되었다.

⊕ **necessary** 형 필요한 **necessarily** 부 필연적으로, 반드시

⊜ **essential, requirement**

0724 □□□ ★★★

unexpected

[ʌnikspéktid]

형 예상치 못한, 뜻밖의, 갑작스러운

어원 un[아닌] + expect(ed)[예상하다] → 예상한 것이 아닌, 즉 예상치 못한

Due to an **unexpected** event, I suddenly had to change my return flight to a later one. 모평

예상치 못한 사건 때문에, 나는 돌아오는 항공편을 나중 것으로 급작스럽게 변경해야 했다.

⊕ **unexpectedly** 부 예상외로 **unexpectedness** 명 예기치 않음

⊜ **sudden, unintended, unlikely**

0725 □□□ ★★

worthwhile

[wə̀ːrθwáil]

형 가치 있는

The beautiful view made the hard climb **worthwhile**. 수능

아름다운 경치가 험난한 등산을 **가치 있게** 만들었다.

⊜ **valuable, worthy** ⇔ **worthless** 형 가치 없는

0726 □□□ ★★★

decorate

[dékəreit]

동 꾸미다, 장식하다

A blogger posted a picture after she **decorated** her room. 학평

한 블로거가 그녀의 방을 **꾸민** 후 사진을 게시했다.

⊕ **decoration** 명 장식 **decorative** 형 장식용의

0727 □□□ ★★★

invitation

[ìnvitéiʃən]

명 초대(장)

Every time I receive a wedding **invitation**, I buy an old-fashioned ice cream maker as a gift. 학평

나는 결혼 **초대**를 받을 때마다, 선물로 옛날식 아이스크림 제조기를 산다.

⊕ **invite** 동 초대하다, 청하다

0728 □□□ ★★★

deliberately

[dilíbərətli]

부 신중하게, 고의로

People do not think **deliberately** about how others are influencing them. (학평)

사람들은 다른 사람들이 어떻게 자신에게 영향을 주고 있는지 **신중하게** 생각해보지 않는다.

⊕ **deliberate** 형 신중한, 고의의 **deliberation** 명 숙고, 신중함

⊜ **carefully, cautiously**

0729 □□□ ★★★

urgent

[ə́ːrdʒənt]

형 긴급한, 시급한

Her desperate and **urgent** voice made Jacob decide to enter the building instantly. (학평)

그녀의 절박하고 **긴급한** 목소리는 Jacob을 즉시 건물 안으로 들어가기로 결심하게 했다.

⊕ **urgently** 부 긴급히 **urgency** 명 긴급, 급박

⊜ **critical, emergent**

Tips

urgently와 instantly의 의미 구분

urgent의 부사형인 urgently는 어떤 상황에 '긴급히' 대처해야 하는 경우에, instantly는 어떤 일이 '즉각적으로' 발생하는 경우에 사용돼요.

0730 □□□ ★★

celebration

[sèləbréiʃən]

명 축하 (행사), 기념

Flowers are often presented for a **celebration** such as birthdays. (학평)

꽃은 보통 생일과 같은 **축하 행사**를 위해 주어진다.

⊕ **celebrate** 동 축하하다

⊜ **party, festival**

0731 □□□ ★★

flatter

[flǽtər]

동 칭찬하다, 아첨하다

We sometimes **flatter** ourselves with others' accomplishments. (모평)

우리는 때때로 다른 사람의 업적과 연관 지어 스스로를 **칭찬한다**.

⊕ **flattery** 명 아첨

⊜ **praise, compliment**

Tips

시험에는 이렇게 나온다

flatter는 듣기 영역 대화에서 'I'm flattered.'라는 표현으로 자주 쓰여요. 칭찬의 말에 대한 정중한 대답으로, '과찬이십니다'라고 해석할 수 있어요.

0732 □□□ ★★

farewell

[fèərwél]

명 송별, 작별

어원 fare[가다] + well[잘] → 잘 가라고 인사하는 작별 또는 송별

We decided to have a surprise **farewell** party for him. 수능

우리는 그를 위해 깜짝 **송별** 파티를 하기로 결정했다.

0733 □□□ ★★

excessive

[iksésiv]

형 과도한, 지나친

We spend an **excessive** amount of time browsing the Web every day. 학평

우리는 매일 웹을 둘러보는 데 **과도한** 시간을 보낸다.

⊕ **excess** 명 지나침, 과잉 **exceed** 동 초과하다, 능가하다

⊟ **extreme, immoderate**

0734 □□□ ★★★

wander

[wɑ́ːndər]

동 거닐다, 헤매다

Now, you don't have to **wander** around in the street to shop. 학평

이제, 당신은 쇼핑하기 위해 거리를 이리저리 **거닐지** 않아도 된다.

⊕ **wandering** 형 돌아다니는, 방황하는

⊟ **roam, stroll**

0735 □□□ ★★★

bother

[bɑ́ːðər]

동 신경 쓰이게 하다, 괴롭히다

I kept coughing and didn't want to **bother** anyone. 학평

나는 계속하여 기침을 했고 어느 누구도 **신경 쓰이게 하고** 싶지 않았다.

⊕ **bothersome** 형 성가신, 귀찮은

⊟ **disturb, annoy**

0736 □□□ ★★★

comfort

[kʌ́mfərt]

명 편안함, 위로 동 위로하다

어원 com[모두] + fort[강한] → 주변 모두가 강해서 걱정 없이 편안함

Giving up old **comforts** and habits is very hard. 수능

오래된 **편안함**과 습관을 포기하는 것은 매우 어렵다.

⊕ **comfortable** 형 편안한 **comfortably** 부 편안하게

⊟ **ease, relief** ⇔ **discomfort** 명 불편

0737 □□□ ★★

adversity

명 역경, 고난

[ædvə́:rsəti]

Adversity makes a man wise. 학평

역경은 사람을 현명하게 만든다.

⊕ **adverse** 형 불리한, 부정적인 **adversary** 명 상대방, 적수

Tips

'역경'과 관련된 단어들

hardship 고난, 어려움 **suffering** 고통, 괴로움
difficulty 곤경, 어려움 **trouble** 곤경, 문제

0738 □□□ ★★

defeat

동 패배시키다, 물리치다 명 패배

[difí:t]

어원 de[아래로] + feat[만들다] → 상대방이 고개를 아래로 숙이게 만들다, 즉 패배시키다

If we have a positive attitude we will overcome; otherwise the negative will defeat us. 학평

우리가 긍정적인 태도를 가지면 극복할 것이고, 그렇지 않으면 부정적인 태도가 우리를 **패배시킬** 것이다.

⊕ **defeated** 형 패배한

⊜ **beat, conquer**

0739 □□□ ★★

vertical

형 세로의, 수직의

[və́:rtikəl]

어원 vert[돌리다] + ical[형·접] → 수평선을 돌려서 수직의 모양이 된, 즉 세로의

This shirt with yellow vertical stripes seems to suit me. 학평

노란 **세로** 줄무늬가 있는 이 셔츠가 나에게 잘 어울리는 것 같다.

⊕ **vertically** 부 수직으로

⇔ **horizontal** 형 가로의, 수평의

0740 □□□ ★★

dictate

동 지시하다, 명령하다, 받아쓰게 하다

[díkteit]

어원 dict[말하다] + ate[동·접] → 말한 것을 하도록 지시하다 또는 받아쓰게 하다

The key is to learn how to use your instincts to support, not dictate, your decisions. 수능

관건은 당신의 결정들을 **지시하기** 위해서가 아니라, 지지하기 위해서 본능을 사용하는 방법을 배우는 것이다.

⊕ **dictator** 명 독재자 **dictation** 명 받아쓰기 **dictatorial** 형 독재적인

⊜ **command, order**

TORONTO

0741 □□□ ★★

venture

[véntʃər]

동 위험을 무릅쓰다, 감행하다 명 모험, 사업

You have to **venture** beyond the boundaries of your current experience. (수능)

당신은 현재 경험의 한계를 넘는 **위험을 무릅써야** 한다.

0742 □□□ ★★

cherish

[tʃériʃ]

동 소중히 여기다, 간직하다

We all **cherish** certain memories of our childhoods, like birthday parties and bike rides. (학평)

우리는 모두 생일 파티와 자전거 타기 같은 어린 시절의 특정 기억들을 **소중히 여긴다**.

⊕ **cherished** 형 소중히 간직할 만한

⊜ **prize, treasure**

0743 □□□ ★★

unwanted

[ʌ̀nwɑ́:ntid]

형 원치 않는, 반갑지 않은, 불필요한

어원 un[아닌] + want(ed)[원하다] → 원치 않는

People are suffering from **unwanted** noise. (학평)

사람들은 **원치 않는** 소음으로 고통받고 있다.

⊜ **undesirable, unwelcome**

↔ **wanted** 형 ~을 모집하는, 지명수배의

0744 □□□ ★★★

aspect

[ǽspekt]

명 (측)면, 양상, 관점

어원 a[~쪽으로] + spect[보다] → 보이는 쪽으로 있는 한쪽 면, 즉 측면

The phenomenon can be observed in all **aspects** of our daily lives. (수능)

그 현상은 우리의 일상생활의 모든 **측면**에서 관찰될 수 있다.

⊜ **feature, view**

0745 □□□ ★★

anniversary

[æ̀nəvə́:rsəri]

명 기념일, 주기

어원 ann(i)[해마다] + vers[돌다] + ary[명·접] → 해마다 돌아오는 기념일

Today is Susan's 70th birthday and 30th wedding **anniversary** as well. (수능)

오늘은 Susan의 70세 생일이자 결혼**기념일** 30주년이기도 하다.

0746 □□□ ★★	**overwhelm** [òuvərhwélm]	동 압도하다, 사로잡다
0747 □□□ ★★	**withdraw** [wiðdrɔ́ː]	동 (예금 등을) 인출하다, 물러나다, 철수하다
0748 □□□ ★★	**realm** [relm]	명 영역, 범위, 왕국
0749 □□□ ★★	**hazard** [hǽzərd]	명 위험, 모험 동 위험을 무릅쓰고 하다
0750 □□□ ★★	**pat** [pæt]	동 쓰다듬다, 토닥거리다 명 쓰다듬기
0751 □□□ ★★★	**inquire** [inkwáiər]	동 문의하다, 알아보다
0752 □□□ ★	**plumber** [plʌ́mər]	명 배관공
0753 □□□ ★	**shovel** [ʃʌ́vəl]	명 삽 동 삽질하다
0754 □□□ ★★	**hands-on** [hændzɔ́ːn]	형 직접 해보는, 실천하는
0755 □□□ ★	**exaggerate** [igzǽdʒəreit]	동 과장하다
0756 □□□ ★	**render** [réndər]	동 제공하다, (어떤 상태가) 되게 하다, 표현하다
0757 □□□ ★	**insure** [inʃúər]	동 보험에 들다, 보증하다
0758 □□□ ★	**lease** [liːs]	명 임대차 (계약), 임대 동 임대하다, 임차하다
0759 □□□ ★★	**extraordinary** [ikstrɔ́ːrdənèri]	형 비범한, 놀라운
0760 □□□ ★★★	**evoke** [ivóuk]	동 환기하다, 일깨우다

He feels **overwhelmed** by the amount of work he needs to complete. (학평)
그는 완료해야 할 작업의 양에 **압도된** 기분을 느꼈다.

I'd like to **withdraw** money from my account. (모평)
저는 계좌에서 돈을 **인출하고** 싶습니다.

Today, the top rewards go to those who develop expertise in different **realms**. (수능)
오늘날, 최고의 보상은 다양한 **영역**에서 전문성을 발달시키는 이들에게 돌아간다.

Life is full of **hazards**. (모평)
삶은 **위험들**로 가득하다.

Visit a farm where your child can **pat** a cow and smell hay. (수능)
당신의 아이가 소를 **쓰다듬고** 건초 냄새를 맡을 수 있는 농장을 방문하라.

The customer came in to **inquire** about a loan. (모평)
그 고객은 대출에 대해 **문의하기** 위해 들어왔다.

The **plumber** was supposed to be here half an hour ago. (수능)
배관공은 30분 전에 여기 와 있어야 했다.

Snow **shovels** are ready at the management office. (학평)
눈**삽**들은 관리 사무실에 준비되어 있다.

The camp offers fun, **hands-on** activities. (수능)
그 캠프는 재미있고, **직접 해보는** 활동을 제공한다.

People usually **exaggerate** the time they waited. (학평)
사람들은 보통 그들이 기다린 시간을 **과장한다**.

They want to have the service **rendered** to them in a manner that pleases them. (모평)
그들은 자신들을 만족시키는 방식으로 서비스가 **제공되기를** 원한다.

Would you like to have it **insured**? (학평)
이것을 **보험에 들도록** 하시겠습니까?

We recently renewed our **lease** with plans to stay for another year. (학평)
우리는 1년 더 머물 계획으로 최근 **임대차 계약**을 갱신했다.

Heroes are selfless people who perform **extraordinary** acts. (수능)
영웅은 **비범한** 행동을 하는 이타적인 사람들이다.

Like fragments from old songs, clothes can **evoke** both cherished and painful memories. (수능)
옛날 노래의 구절처럼, 옷은 소중한 기억과 고통스러운 기억 모두를 **환기할** 수 있다.

Daily Quiz

영어는 우리말로, 우리말은 영어로 쓰세요.

01 cherish ________

02 unforgettable ________

03 celebration ________

04 venture ________

05 flatter ________

06 risk ________

07 comfort ________

08 dictate ________

09 aspect ________

10 urgent ________

11 신경 쓰이게 하다 ________

12 과도한, 지나친 ________

13 역경, 고난 ________

14 문의하다, 알아보다 ________

15 필수(품), 필요(성) ________

16 꾸미다, 장식하다 ________

17 예상치 못한, 뜻밖의 ________

18 송별, 작별 ________

19 초대(장) ________

20 패배시키다, 패배 ________

다음 빈칸에 들어갈 가장 알맞은 것을 박스 안에서 고르세요.

wander	worthwhile	deliberately	vertical	unwanted

21 The beautiful view made the hard climb ________.
아름다운 경치가 험난한 등산을 가치 있게 만들었다.

22 People do not think ________ about how others are influencing them.
사람들은 다른 사람들이 어떻게 자신에게 영향을 주고 있는지 신중하게 생각해보지 않는다.

23 This shirt with yellow ________ stripes seems to suit me.
노란 세로 줄무늬가 있는 이 셔츠가 나에게 잘 어울리는 것 같다.

24 Now, you don't have to ________ around in the street to shop.
이제, 당신은 쇼핑하기 위해 거리를 이리저리 거닐지 않아도 된다.

25 People are suffering from ________ noise.
사람들은 원치 않는 소음으로 고통받고 있다.

정답

01 소중히 여기다, 간직하다 02 잊지 못할, 기억에 남는 03 축하 (행사), 기념 04 위험을 무릅쓰다, 감행하다, 모험, 사업 05 칭찬하다, 아첨하다 06 위험, 모험 07 편안함, 위로, 위로하다 08 지시하다, 명령하다, 받아쓰게 하다 09 (측)면, 양상, 관점 10 긴급한, 시급한 11 bother 12 excessive 13 adversity 14 inquire 15 necessity 16 decorate 17 unexpected 18 farewell 19 invitation 20 defeat 21 worthwhile 22 deliberately 23 vertical 24 wander 25 unwanted

독해가 강해지는 형용사 표현 ②

be apt to	~하기 쉽다

We **are apt to** lose sight of the truth. (학평)
우리는 진실을 망각**하기 쉽다**.

be involved in	~에 합류하다, ~에 개입되다

More people can **be involved in** funding a business. (학평)
더 많은 사람들이 사업에 자금을 대는 것**에 합류할** 수 있다.

be content with	~에 만족하다

It is better to **be content with** half than to lose all. (학평)
모든 것을 잃는 것보다 절반**에 만족하는** 것이 더 낫다.

be willing to	흔쾌히 ~하다

Many consumers **are willing to** pay premium prices for organic foods. (모평)
많은 소비자들은 유기농 식품에 대해 높은 가격을 **흔쾌히** 지불**한다**.

be capable of	~할 수 있다

When threatened, short-horned lizards **are capable of** blowing up their bodies up to twice their normal size. (학평)
위협을 받으면, 짧은뿔도마뱀은 자신의 몸을 정상 크기의 두 배까지 부풀게 **할 수 있다**.

01 02 03 04 05 06 07 08 09 10 11 12 13 14 15 16 17 18 19 DAY 20 21 22 23 24 25 26 27 28 29 30 31 32 33 34 35 36 37 38 39 40 41 42 43 44 45 46 47 48 49 50

DAY 20

인물

MP3 바로 듣기

* 속이다 **deceive**

0761 □□□ ★

deceive

[disíːv]

동 속이다, 기만하다

어원 de[떨어져] + ceive[취하다] → 다른 이의 것을 몰래 취하여 도망쳐 떨어지다, 즉 속이다

We unknowingly **deceive** ourselves. (학평)

우리는 자신도 모르게 스스로를 **속인다**.

⊕ **deceptive** 형 속이는, 기만하는 **deceit** 명 속임(수), 기만

⊜ **trick, fool, cheat**

0762 □□□ ★

patron

[péitrən]

명 후원자, 단골 손님, 고객

Ehret's reputation for scientific accuracy gained him many commissions from wealthy **patrons**. (수능)

과학적 정확성에 대한 Ehret의 명성은 부유한 **후원자들**로부터 많은 의뢰를 받게 했다.

⊜ **supporter, sponsor**

Tips

시험에는 이렇게 나온다

wealthy patron 부유한 후원자 **generous patron** 관대한 후원자
royal patron 왕실 후원자

0763 □□□ ★★

pioneer

[pàiəníər]

명 선구자, 개척자 동 개척하다

William Hoy was one of the great **pioneers** of baseball. (학평)

William Hoy는 야구의 위대한 **선구자들** 중 한 명이었다.

⊜ leader

0764 □□□ ★★★

immigrant

[ímigrənt]

명 이민자, 이주민

어원 im[안으로] + migr[이동하다] + ant[명·접] → 나라 안으로 이동해서 들어와 사는 사람, 즉 이민자

My grandmother came to America as a poor uneducated Greek **immigrant** at eighteen. (수능)

우리 할머니는 18세에 가난하고 교육받지 못한 그리스 **이민자**로 미국에 왔다.

⊕ **immigrate** 동 이주해 오다 **immigration** 명 이민, 이주

⊜ settler, incomer

0765 □□□ ★★

celebrity

[səlébrəti]

명 유명 인사, 연예인, 명성

I saw a **celebrity** on TV one day. (학평)

나는 어느 날 TV에서 한 **유명 인사**를 보았다.

0766 □□□ ★★★

identity

[aidéntəti]

명 정체성, 신원

어원 ident[같은] + ity[명·접] → 신분증과 같은 사람임, 즉 신원 또는 정체성

You don't want to forget your **identity**. (학평)

당신은 **정체성**을 잊고 싶지 않을 것이다.

⊕ **identify** 동 식별하다 **identification** 명 식별, 신원 증명서 **identical** 형 동일한

⊜ personality

0767 □□□ ★★★

ordinary

[ɔ́:rdəneri]

형 평범한, 평상시의, 보통의

어원 ordin[순서] + ary[형·접] → 일이 순서대로 흘러가는, 즉 평범한

Can't **ordinary** people like you and me be creative? (교과서)

당신과 저 같은 **평범한** 사람들은 창의적일 수 없는 걸까요?

⊕ **ordinarily** 부 보통 때는, 정상적으로

⊜ normal, typical, common ⇔ **extraordinary** 형 비범한, 기이한

0768 □□□ ★★★

colleague

명 (직장) 동료

[káːliːg]

Those who listen well tend to have good relationships with **colleagues**. 학평

경청하는 사람들은 **동료들**과 좋은 관계를 가지는 경향이 있다.

Tips

'동료'와 관련된 단어들

coworker 동료 **companion** 동료, 동반자 **company** 동료, 친구

0769 □□□ ★★★

fame

명 명성

[feim]

His mathematical theory earned him lasting **fame**. 수능

그의 수학적 이론은 그에게 영속적인 **명성**을 가져다주었다.

⊕ **famous** 형 유명한

⊟ **reputation, popularity**

0770 □□□ ★★

donor

명 기부자, 기증자

[dóunər]

어원 don[주다] + or[사람] → 대가 없이 주는 사람, 즉 기부자 또는 기증자

Bill Gates is a great **donor**. 학평

빌 게이츠는 훌륭한 **기부자**이다.

⊟ **donator, contributor**

0771 □□□ ★★

dismiss

동 묵살하다, 해고하다, 해산시키다

[dismís]

어원 dis[떨어져] + miss[보내다] → 있던 자리에서 떨어뜨려 보내다, 즉 해고하다 또는 묵살하다

We cannot **dismiss** Mr. Smith's opinion completely. 수능

우리는 Mr. Smith의 의견을 완전히 **묵살할** 수는 없다.

⊕ **dismissive** 형 무시하는 **dismissal** 명 묵살, 해고, 해산

⊟ **reject, disregard**

0772 □□□ ★

servant

명 하인, 종

[sə́ːrvənt]

The master rushed to the well to rescue his **servant**. 학평

주인은 그의 **하인**을 구하기 위해 우물로 급히 뛰어갔다.

⊕ **serve** 동 섬기다, 공헌하다

0773 □□□ ★

navy

[néivi]

명 해군

어원 nav[배] + y[명·접] → 배를 타는 군대, 즉 해군

When Lucas joined the **Navy**, his duty station was near Panama City Beach. (학평)

Lucas가 **해군**에 입대했을 때, 그의 근무 기지는 패너마시티비치 근처였다.

⊕ **naval** 형 해군의

0774 □□□ ★★

military

[míliteri]

형 군(대)의 명 군대

During the Revolution, Larrey joined the Army of the North as a **military** surgeon. (수능)

혁명 기간 동안, Larrey는 북쪽 부대의 **군**의관으로 입대했다.

Tips

'군대'와 관련된 단어들

army 육군, 군대	**navy** 해군	**air force** 공군
battlefield 전장	**commander** 지휘관, 사령관	

0775 □□□ ★

beard

[biərd]

명 (턱)수염

The men have **beards** and mustaches. (학평)

남자에게는 **턱수염**과 콧수염이 있다.

0776 □□□ ★★★

prove

[pru:v]

동 증명하다, 판명되다

He **proved** mathematically the theory of Swiss philosopher Jean-Jacques Rousseau. (학평)

그는 스위스의 철학자인 장 자크 루소의 이론을 수학적으로 **증명했다**.

⊕ **proven** 형 증명된 **proof** 명 증명, 증거

⊜ **verify, establish**

0777 □□□ ★★

knowledgeable

[nά:lidʒəbl]

형 박식한, 아는 것이 많은

David is quite **knowledgeable** about art. (모평)

David는 예술에 관해 꽤 **박식하다**.

⊕ **knowledge** 명 지식

⊜ **informed, learned**

0778 □□□ ★★★

sort

명 부류, 종류 동 분류하다

[sɔːrt]

Peter Jenkins began teaching all **sorts** of people, including children. (수능)

Peter Jenkins는 아이들을 포함하여 모든 **부류**의 사람들을 가르치기 시작했다.

⊕ **sorted** 형 해결된, 정리된 **sort out** ~을 정리하다, 처리하다
sort of 어느 정도, 다소 **all sorts of** 모든 부류[종류]의

⊜ **kind, type**

0779 □□□ ★★

autograph

명 사인, 서명 동 사인을 해주다

[ɔ́ːtəgræ̀f]

어원 auto[스스로] + graph[쓰다] → 스스로 쓴 것, 즉 사인 또는 서명

You will have a chance to get an **autograph** from him in person. (학평)

당신은 직접 그에게서 **사인**을 받을 기회를 얻게 될 것이다.

Tips

autograph와 signature의 의미 구분

두 단어 모두 '사인, 서명'이라는 뜻이지만 autograph는 유명인에게 받는 사인을, signature는 서류나 편지 등에 하는 일반적인 서명을 의미해요.

0780 □□□ ★

astronaut

명 우주 비행사

[ǽstrənɔ̀ːt]

어원 astro[별] + naut[선원] → 별 사이를 항해하는 선원, 즉 우주 비행사

Mae C. Jemison was named the first black woman **astronaut** in 1987. (학평)

Mae C. Jemison은 1987년에 최초의 흑인 여성 **우주 비행사**로 임명되었다.

0781 □□□ ★

abnormal

형 비정상적인, 이상한

[æbnɔ́ːrməl]

어원 ab[떨어져] + normal[보통의] → 보통의 것과 동떨어져 비정상적인

He began to think of his **abnormal** son Harrison, who was now in jail. (교과서)

그는 자신의 **비정상적인** 아들 Harrison을 생각하기 시작했는데, 그 아들은 현재 감옥에 있었다.

⊕ **abnormality** 명 비정상, 이상

⊜ **unusual, odd, strange** ⊖ **normal** 형 정상인

0782 □□□ ★★

admire

[ədmáiər]

동 존경하다, 감탄하다, 칭찬하다

어원 ad[~에] + mir(e)[감탄하다] → ~에 감탄하여 존경하다

Great scientists that we **admire**, are not concerned with results but with the next questions. 수능

우리가 **존경하는** 위대한 과학자들은 결과가 아닌 그에 뒤따르는 질문들에 관심을 가진다.

⊕ **admiration** 명 존경, 감탄 **admirable** 형 감탄스러운, 칭찬할 만한

⊜ **respect, praise**

0783 □□□ ★★★

reputation

[rèpjutéiʃən]

명 명성, 평판

어원 re[다시] + put[생각하다] + ation[명·접] → 다시 생각이 날 만큼 대단한 명성

Edison regained his **reputation** as a great inventor. 학평

에디슨은 위대한 발명가로서의 **명성**을 되찾았다.

⊜ **fame, honor**

0784 □□□ ★★★

sacrifice

[sǽkrəfais]

명 희생(물), 제물 동 희생하다, 제물로 바치다

어원 sacr(i)[신성한] + fic(e)[만들다] → 신성하게 만들어 바치는 제물 또는 희생물

Heroes' glory lies not in their achievements but in their **sacrifices**. 수능

영웅들의 영광은 그들의 업적이 아니라 **희생**에 있다.

0785 □□□ ★★★

superior

[supíəriər]

형 우월한, 우수한, 상위의

어원 super[위에] + ior[더 ~한] → 더 위에 있는, 즉 우월한

Intellectually humble people are not interested in trying to appear **superior** to others. 학평

지적으로 겸손한 사람들은 다른 사람들보다 **우월하게** 보이려고 애쓰는 데 관심이 없다.

⊕ **superiority** 명 우월성

⊜ **better, higher** ⇔ **inferior** 형 열등한

Tips

superior + to

일반적으로 비교급을 표현할 때 비교 대상 앞에 than이 오지만, 라틴어에서 유래한 superior, inferior 등과 같은 단어는 비교 대상 앞에 전치사 to가 와요.

feel superior to those who do not know it 모평
그것에 대해 모르는 사람들보다 우월하다고 느끼다

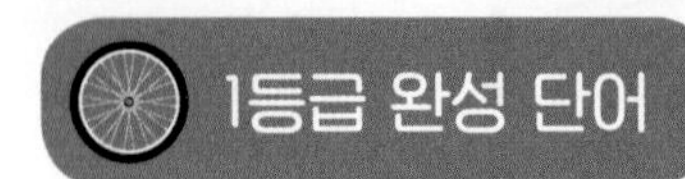

1등급 완성 단어

0786 □□□ ★★	**simultaneously** [sàiməltéiniəsli]	부 동시에
0787 □□□ ★★	**remarkable** [rimá:rkəbl]	형 놀랄 만한, 주목할 만한
0788 □□□ ★★	**prominent** [prá:minənt]	형 유명한, 현저한, 두드러진
0789 □□□ ★	**orphan** [ɔ́:rfən]	명 고아 동 고아로 만들다
0790 □□□ ★★	**republic** [ripʌ́blik]	명 공화국
0791 □□□ ★★	**tremendous** [triméndəs]	형 엄청난, 대단한
0792 □□□ ★★	**exception** [iksépʃən]	명 예외, 이례
0793 □□□ ★★	**reluctant** [rilʌ́ktənt]	형 주저하는, 내키지 않는
0794 □□□ ★	**anthropologist** [æ̀nθrəpá:lədʒist]	명 인류학자
0795 □□□ ★	**immoral** [imɔ́:rəl]	형 부도덕한, 비도덕적인
0796 □□□ ★★	**sigh** [sai]	명 한숨 동 한숨을 쉬다
0797 □□□ ★★	**advocate** 명[ǽdvəkət] 동[ǽdvəkeit]	명 옹호자, 지지자 동 옹호하다, 지지하다
0798 □□□ ★	**emigrate** [émigreit]	동 이민을 가다, 이주하다
0799 □□□ ★★	**credibility** [krèdəbíləti]	명 신뢰성, 진실성
0800 □□□ ★	**empirical** [impírikəl]	형 실증적인, 경험에 따른

Rawlings worked as a journalist while simultaneously establishing herself as a fiction writer. (수능)
Rawlings는 소설가로도 확고히 자리 잡는 **동시에** 기자로 일했다.

Einstein displayed no remarkable native intelligence as a child. (교과서)
아인슈타인은 어린 시절 **놀랄 만한** 천부적 지능을 보이지 않았다.

Sir Edward C. Burne-Jones was a prominent nineteenth-century English artist. (학평)
Edward C. Burne-Jones 경은 19세기 영국의 **유명한** 예술가였다.

His mother passed away, leaving him an orphan. (수능)
그의 어머니는 그를 **고아**로 남겨두고 세상을 떠났다.

Kurt Gödel was born in what is today Brno, the Czech Republic. (학평)
쿠르트 괴델은 오늘날 체코 **공화국**의 브르노로 알려진 곳에서 태어났다.

He put tremendous effort into achieving his goals. (학평)
그는 목표를 성취하는 데 **엄청난** 노력을 기울였다.

Without exception, all good presenters have one thing in common: enthusiasm. (학평)
예외 없이, 모든 훌륭한 발표자들은 한 가지 공통점을 가지고 있는데, 그것은 열정이다.

For almost a week, Carl has been reluctant to choose between the two. (학평)
거의 일주일 동안, Carl은 둘 중 하나를 선택하기를 **주저해왔다**.

An anthropologist studied the biological relationship between mothers and their children. (모평)
한 **인류학자**는 엄마와 자녀 사이의 생물학적 관계를 연구했다.

Even immoral rulers valued their honesty. (학평)
심지어 **부도덕한** 통치자들도 그들의 정직함을 중요시했다.

The guard breathed a sigh of relief. (학평)
보초는 안도의 **한숨**을 내쉬었다.

Born in 1917, Cleveland Amory was an author, an animal advocate, and an animal rescuer. (학평)
1917년에 태어난 Cleveland Amory는 작가이자 동물 **옹호자**, 그리고 동물 구조대원이었다.

James Francis was born in England and emigrated to the United States at age 18. (학평)
James Francis는 영국에서 태어났고 18세에 미국으로 **이민을 갔다**.

A mediator who 'takes sides' is likely to lose all credibility. (수능)
'편을 드는' 중재자는 모든 **신뢰성**을 잃기 쉽다.

Empirical study of human success and failure will tell us how we should live. (학평)
인간의 성공과 실패에 대한 **실증적인** 연구는 우리가 어떻게 살아야 하는지에 대해 말해줄 것이다.

Daily Quiz

영어는 우리말로, 우리말은 영어로 쓰세요.

01 exception ____________

02 superior ____________

03 fame ____________

04 autograph ____________

05 ordinary ____________

06 admire ____________

07 sacrifice ____________

08 reputation ____________

09 immigrant ____________

10 prominent ____________

11 유명 인사, 연예인, 명성 ____________

12 묵살하다, 해고하다 ____________

13 증명하다, 판명되다 ____________

14 부류, 종류, 분류하다 ____________

15 군(대)의, 군대 ____________

16 기부자, 기증자 ____________

17 주저하는, 내키지 않는 ____________

18 동시에 ____________

19 (직장) 동료 ____________

20 박식한, 아는 것이 많은 ____________

다음 빈칸에 들어갈 가장 알맞은 것을 박스 안에서 고르세요.

identity	republic	remarkable	pioneer	tremendous

21 He put ____________ effort into achieving his goals.
그는 목표를 성취하는 데 엄청난 노력을 기울였다.

22 William Hoy was one of the great ____________(e)s of baseball.
William Hoy는 야구의 위대한 선구자들 중 한 명이었다.

23 Kurt Gödel was born in what is today Brno, the Czech ____________.
쿠르트 괴델은 오늘날 체코 공화국의 브르노로 알려진 곳에서 태어났다.

24 Einstein displayed no ____________ native intelligence as a child.
아인슈타인은 어린 시절 놀랄 만한 천부적 지능을 보이지 않았다.

25 You don't want to forget your ____________.
당신은 정체성을 잊고 싶지 않을 것이다.

정답

01 예외, 이례 **02** 우월한, 우수한, 상위의 **03** 명성 **04** 사인, 서명, 사인을 해주다 **05** 평범한, 평상시의, 보통의 **06** 존경하다, 감탄하다, 칭찬하다 **07** 희생(물), 제물, 희생하다, 제물로 바치다 **08** 명성, 평판 **09** 이민자, 이주민 **10** 유명한, 현저한, 두드러진 **11** celebrity **12** dismiss **13** prove **14** sort **15** military **16** donor **17** reluctant **18** simultaneously **19** colleague **20** knowledgeable **21** tremendous **22** pioneer **23** Republic **24** remarkable **25** identity

독해가 강해지는 형용사 표현 ③

be known for ~으로 유명하다

Bob Dylan **is known for** his poetic lyrics and his unique singing voice. (교과서)
밥 딜런은 시적인 가사와 독특한 노래 목소리**로 유명하다**.

be committed to ~에 전념[헌신]하다

They **are committed to** playing football and improving their skills on the field. (모평)
그들은 축구를 하고 경기장에서 그들의 기술을 향상시키는 것**에 전념한다**.

be associated with ~과 관련되다

The names of pitches **are associated with** particular frequency values. (수능)
음높이의 명칭은 특정한 진동 값**과 관련된다**.

be accustomed to ~에 익숙하다

Biologists **are accustomed to** collecting, analyzing, and interpreting huge datasets. (교과서)
생물학자들은 거대한 데이터 세트를 수집하고, 분석하고, 해석하는 것**에 익숙하다**.

be consistent with ~과 일치하다, ~과 일관되다

Sociologists have a desire to **be consistent with** their words, beliefs, attitudes, and deeds. (모평)
사회학자들은 자신들의 말, 믿음, 태도, 그리고 행위들과 **일치하고자** 하는 욕구를 갖는다.

DAY 21

성격·기분

MP3 바로 듣기

오빠가 요즘 날 자꾸 짜증나게 해서*
잘 때 오빠 전기장판을 꺼버렸어.
감기 걸린 걸 보니 속이 다 시원하네~
콜록
콜록
제 4795차 남매 대전의 시작

* 짜증나게 하다 **irritate**

0801 □□□ ★★

irritate

[írəteit]

동 짜증나게 하다, 화나게 하다

Michael tries to focus on his studies, but the sound of the tapping continues to **irritate** him. 모평

Michael은 공부에 집중하려 하지만, 톡톡 두드리는 소리가 그를 계속해서 **짜증나게 한다**.

⊕ **irritation** 명 짜증나게 함, 자극(물) **irritable** 형 화를 잘 내는

⊜ **annoy, bother**

0802 □□□ ★★★

gloomy

[glú:mi]

형 우울한, 울적한

Andrew arrived at the nursing home in a **gloomy** mood. 모평

Andrew는 **우울한** 기분으로 양로원에 도착했다.

Tips

시험에는 이렇게 나온다

gloomy는 주로 화자의 심경이나 분위기 변화를 묻는 문제의 선택지로 출제돼요. 유의어로는 miserable, depressed, sad 등이 있으니 함께 알아두세요.

0803 □□□ ★★★

associate

동[əsóusieit]
명[əsóuʃiət]

동 관련짓다, 연상하다, 연합하다 명 동료

어원 as[~에] + soci[동료] + ate[동·접] → 동료와 관계를 맺듯이 다른 대상에 관련짓다 또는 연상하다

Some **associate** curiosity with being nosy. (학평)

어떤 사람들은 호기심을 참견하는 것과 **관련짓는다**.

⊕ **association** 명 연합, 협회 **associated** 형 연관된, 관련된
be associated with ~과 관련되다

⊜ **connect, link**

0804 □□□ ★★★

ashamed

[əʃéimd]

형 부끄러운, 창피한

I felt **ashamed** for not having visited uncle Joe for the last five years. (수능)

나는 지난 5년 동안 Joe 삼촌을 찾아가지 않았던 것이 **부끄러웠다**.

⊕ **shame** 명 수치심 동 창피하게 하다 **shameful** 형 수치스러운, 창피한

Tips

시험에는 이렇게 나온다

ashamed는 주로 화자의 심경을 묻는 문제의 선지로 출제돼요. 유의어로는 embarrassed, regretful 등이 있으니 함께 알아두세요.

0805 □□□ ★★★

grateful

[gréitfəl]

형 감사하는, 고마워하는

어원 grat(e)[감사하는] + ful[형·접] → 감사하는 또는 고마워하는

People who are more **grateful** for what they have are physically healthier. (학평)

자신이 가진 것에 더 **감사하는** 사람들은 신체적으로도 더 건강하다.

⊕ **gratefully** 부 감사하여, 기꺼이

⊜ **thankful** ⇄ **ungrateful** 형 감사할 줄 모르는, 배은망덕한

0806 □□□ ★★★

indifferent

[indífərənt]

형 무관심한

어원 in[아닌] + different[다른] → 다른 것과 다르지 않아서 관심을 주지 않는, 즉 무관심한

Being **indifferent** is not a bad act in itself. (교과서)

무관심한 것은 그 자체로 나쁜 행위는 아니다.

Tips

시험에는 이렇게 나온다

indifferent는 주로 화자의 심경이나 분위기 변화를 묻는 문제의 선택지로 출제돼요. '다른'이라는 의미의 different에 접두사 in이 붙어 '다르지 않은'으로 쓰일 것 같지만, 실제로는 '무관심한'이라는 뜻으로 쓰이니 주의하여 암기하세요.

0807 □□□ ★

fearful

형 두려워하는, 무시무시한

[fíərfəl]

They categorized the facial expressions as happy, sad, **fearful**, or angry. (학평)

그들은 행복한, 슬픈, **두려워하는**, 혹은 화난 것으로 표정을 분류했다.

⊕ **fearfully** 부 두려워하며 **fear** 명 두려움

⊜ **scared, afraid**

0808 □□□ ★★

temper

명 침착함, 성미, 기분 동 완화하다

[témpər]

It is a personal decision to stay in control and not to lose your **temper**. (학평)

자제력을 유지하고 **침착함**을 잃지 않는 것은 개인의 결심이다.

⊕ **temperate** 형 온화한, 차분한 **temperament** 명 기질, 성미

0809 □□□ ★★★

frustrate

동 불만스럽게 만들다, 좌절시키다

[frʌ́streit]

What **frustrates** employees most? (수능)

무엇이 직원들을 가장 **불만스럽게 만드나요**?

⊕ **frustration** 명 좌절, 실패 **frustrated** 형 좌절한

Tips

시험에는 이렇게 나온다

frustrate의 과거분사형인 frustrated는 주로 화자의 심경이나 분위기 변화를 묻는 문제의 선택지로 출제돼요. 유의어로는 discouraged, disappointed 등이 있으니 함께 알아두세요.

0810 □□□ ★★★

cure

명 치료(법) 동 치료하다, 고치다

[kjuər]

Action is the best **cure** for feeling helpless. (학평)

행동은 무력감을 느끼는 데 있어 최고의 **치료법**이다.

⊜ **remedy, treatment**

0811 □□□ ★★★

shadow

명 그림자 동 그늘지게 하다

[ʃǽdou]

Diego was a shy boy who seemed to be frightened of his own **shadow**. (교과서)

Diego는 자신의 **그림자**에도 놀라는 듯했던 수줍은 소년이었다.

LONDON

0812 □□□ ★★

embarrassed

형 당황한, 쑥스러운

[imbǽrəst]

어원 em[안에] + bar(rass)[장애] + ed[형·접] → 경로 안에 장애물이 있어 당황한

The **embarrassed** boy ran up to his room and slammed the door. (학평)

당황한 그 소년은 자신의 방으로 뛰어 올라가 문을 쾅 닫았다.

⊕ **embarrass** 동 당황하게 하다, 쑥스럽게 하다 **embarrassment** 명 당황, 곤란
embarrassing 형 당황하게 하는

⊜ **ashamed**

0813 □□□ ★

adventurous

형 모험심이 강한, 모험적인

[ædvéntʃərəs]

어원 ad[~쪽으로] + ventur(e)[모험] + ous[형·접] → 모험을 하는 쪽으로 가려는, 즉 모험심이 강한

She was not as **adventurous** as my brother and I. (모평)

그녀는 내 남동생과 나만큼 **모험심이 강하지** 않았다.

⊕ **adventure** 명 모험 **adventurer** 명 모험가, 승부사

⊜ **daring, bold**

0814 □□□ ★★

scent

명 향기, 냄새

[sent]

Scents have the power to stimulate states of well-being. (학평)

향기는 행복한 상태를 고무하는 힘이 있다.

⊕ **scented** 형 강한 향기가 나는

Tips

'냄새'와 관련된 단어들

smell 냄새 **perfume** 향기, 향수 **stink** 고약한 냄새 **reek** 악취 **odor** 악취

0815 □□□ ★

cynical

형 냉소적인, 비꼬는

[sínikəl]

"Our houses are basically garbage processing centers," said one **cynical** comedian. (학평)

"우리의 집들은 기본적으로 쓰레기 처리장이에요,"라고 한 **냉소적인** 코미디언이 말했다.

⊜ **skeptical, pessimistic**

Tips

cynical의 유래

'냉소적인'을 뜻하는 cynical은 Cynicism(견유학파)에서 비롯했어요. 견유학파는 자연스러운 삶을 추구하는 그리스의 학파로, 자연과 일치된 삶을 추구하며 속세를 비웃었다고 해요. 이런 견유학파의 냉소적인 자세에서 cynical이라는 단어가 유래했답니다.

0816 □□□ ★

arrogant

형 거만한, 오만한

[ǽrəgənt]

You were right about Phil. He's rude and **arrogant**. (학평)

Phil에 대해 당신이 옳았어요. 그는 무례하고 **거만해요**.

⊕ **arrogantly** 부 거만하게 **arrogance** 명 거만함, 오만함

0817 □□□ ★★

despair

명 절망, 낙담 동 절망하다, 체념하다

[dispέər]

어원 de[떨어져] + spair[희망] → 희망에서 떨어진 상태, 즉 절망

After the accident, he was filled with **despair**. (학평)

그 사고 이후, 그는 **절망**으로 가득 찼다.

⊕ **desperation** 명 절망, 자포자기 **desperate** 형 절망적인, 필사적인

0818 □□□ ★★

enthusiasm

명 열정, 열의

[inθú:ziæzəm]

어원 en[안에] + thus[신] + iasm[명·접] → 마음 안에 신이 불어 넣은 것, 즉 열정

I start my long journey with great **enthusiasm**. (모평)

나는 대단한 **열정**과 함께 나의 긴 여행을 시작한다.

⊕ **enthusiastic** 형 열광적인 **enthusiastically** 부 열광적으로

⊜ **passion**

0819 □□□ ★

diligent

형 부지런한, 근면한, 성실한

[dílədʒənt]

어원 di[떨어져] + lig[선택하다] + ent[형·접] → 일꾼으로 따로 떨어뜨려 선택할 만큼 부지런한

He's quite a **diligent** farmer. (수능)

그는 꽤 **부지런한** 농부이다.

⊕ **diligently** 부 부지런하게 **diligence** 명 부지런함, 근면

⊜ **hard-working, industrious**

0820 □□□ ★★

distress

명 고통, 괴로움 동 괴롭히다

[distrés]

어원 di[떨어져] + stress[팽팽히 당기다] → 팽팽히 당긴 것이 떨어지면서 생긴 고통

Certain personality characteristics make some people more resistant to **distress**. (학평)

특정한 성격적 특성들은 일부 사람들을 **고통**에 더 잘 견디게 한다.

⊕ **distressed** 형 고통스러워하는 **distressful** 형 고민이 많은, 괴로운

⊜ **suffering, pain**

LONDON

0821 □□□ ★★

frightened

[fráitnd]

형 겁에 질린, 무서워하는

He was pale and **frightened**, as if he had seen a ghost. 교과서

그는 유령이라도 본 것처럼 창백하고 **겁에 질려** 있었다.

⊕ **frighten** 동 겁먹게 하다, 무섭게 하다 **fright** 명 놀람, 두려움

⊟ **afraid, fearful**

0822 □□□ ★★

tremble

[trémbəl]

동 떨다, 흔들리다

She **trembled** uncontrollably for fear of being caught. 모평

그녀는 붙잡힐 것이라는 두려움에 건잡을 수 없이 **떨었다**.

⊕ **trembling** 명 떨림, 전율 형 떨리는, 전율하는

⊟ **shake, shiver**

0823 □□□ ★

punctual

[pʌ́ŋktʃuəl]

형 시간을 잘 지키는

어원 punct[점] + ual[형·접] → 작은 점까지 맞추는, 즉 시간을 잘 지키는

I was always **punctual** and polite. 학평

나는 항상 **시간을 잘 지키고** 예의 발랐다.

⊕ **punctually** 부 시간을 엄수하여

⊟ **prompt**

0824 □□□ ★

expel

[ikspél]

동 배출하다, 쫓아내다, 추방하다

어원 ex[밖으로] + pel[몰다] → 안에 있던 것을 밖으로 몰아서 배출하다

Loneliness can be **expelled** only when these barriers are lowered. 수능

외로움은 이러한 장벽들이 낮아져야만 **배출될** 수 있다.

0825 □□□ ★★

sincere

[sinsíər]

형 성실한, 진심 어린, 진실한

He is very diligent and **sincere** in everything. 학평

그는 모든 것에 매우 부지런하고 **성실하다**.

⊕ **sincerely** 부 진심으로 **sincerity** 명 성실, 정직

⊟ **faithful** ⇔ **insincere** 형 성의 없는, 진실되지 못한

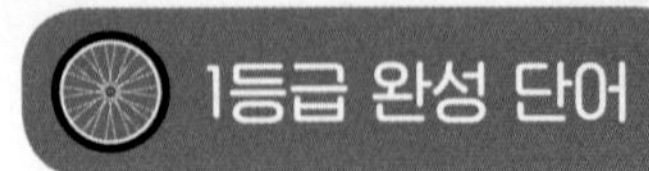

1등급 완성 단어

0826 □□□ ★	**longing** [lɔ́:ŋiŋ]	명 갈망, 열망 형 갈망하는
0827 □□□ ★★	**correlation** [kɔ̀:rəléiʃən]	명 상관관계, 연관성
0828 □□□ ★	**creep** [kri:p]	동 기다, 살금살금 걷다
0829 □□□ ★	**obsess** [əbsés]	동 사로잡히다, 집착하게 하다
0830 □□□ ★	**spontaneous** [spɑ:ntéiniəs]	형 즉흥적인, 자발적인
0831 □□□ ★	**incline** 동[inkláin] 명[ínklain]	동 (~ 쪽으로) 마음이 기울게 하다 명 경사
0832 □□□ ★★	**extrovert** [ékstrəvə:rt]	명 외향적인 사람
0833 □□□ ★★	**introvert** [íntrəvə:rt]	명 내향적인 사람
0834 □□□ ★	**blur** [blə:r]	동 흐리다, 흐릿해지다 명 흐릿함
0835 □□□ ★	**clumsy** [klʌ́mzi]	형 서투른, 덤벙대는
0836 □□□ ★	**conversely** [kənvə́:rsli]	부 역으로, 정반대로
0837 □□□ ★	**contagious** [kəntéidʒəs]	형 전염되는, 전염성의
0838 □□□ ★	**supreme** [su:prí:m]	형 최고의, 최상의
0839 □□□ ★	**resent** [rizént]	동 분개하다, 억울하게 여기다
0840 □□□ ★	**disobedient** [dìsəbí:diənt]	형 반항하는, 거역하는

My heart began to pound with anticipation and **longing**. (학평)
내 심장은 기대와 **갈망**으로 뛰기 시작했다.

There was no **correlation** between each partner's personalities. (학평)
각 배우자의 성격 사이에는 아무런 **상관관계**가 없었다.

Loneliness can **creep** into your life as you get older. (학평)
외로움은 당신이 나이 들어갈수록 당신의 삶 속으로 **기어**들어 올 수 있다.

When something goes wrong, people **obsess** about why it happened and ask, "why me?" (학평)
어떤 일이 잘못되면, 사람들은 그것이 왜 발생했는지에 대해 **사로잡혀** "왜 하필 나일까?"라고 묻는다.

Seventy-five percent of **spontaneous** food purchases can be traced to a nagging child. (학평)
즉흥적인 음식 구매의 75퍼센트는 조르는 아이 때문일 수 있다.

Grateful people are **inclined** to make healthy decisions. (학평)
감사할 줄 아는 사람들은 건전한 결정을 내리는 **쪽으로 마음이 기운다**.

Extroverts tend to do assignments quickly. (교과서)
외향적인 사람들은 과제를 빨리 하는 경향이 있다.

An **introvert** is far less likely to make a mistake in a social situation. (모평)
내향적인 사람은 사회적 상황에서 실수를 할 확률이 훨씬 더 낮다.

My vision was **blurred** by the tears in my eyes. (학평)
내 시야는 내 눈의 눈물로 **흐려졌다**.

There are some **clumsy** students in the lab. (학평)
실험실에는 몇 명의 **서투른** 학생들이 있다.

Conversely, people who like softer tones are more likely to exhibit a quieter, gentler nature. (학평)
역으로, 더 부드러운 어조를 선호하는 사람들은 더 조용하고 온화한 본성을 보일 가능성이 크다.

Some emotions such as enthusiasm can quickly become **contagious**. (모평)
열정과 같은 일부 감정들은 빠르게 **전염될** 수 있다.

You are in a state of **supreme** delight. (수능)
당신은 **최고의** 기쁨 상태에 있다.

He will **resent** your triumph. (학평)
그는 당신의 승리에 **분개할** 것이다.

He will become clingy, **disobedient**, or both. (수능)
그는 집착하게 되거나, **반항하게** 되거나, 아니면 둘 다일 것이다.

Daily Quiz

영어는 우리말로, 우리말은 영어로 쓰세요.

01 sincere ________________

02 temper ________________

03 tremble ________________

04 punctual ________________

05 introvert ________________

06 ashamed ________________

07 grateful ________________

08 enthusiasm ________________

09 diligent ________________

10 extrovert ________________

11 우울한, 울적한 ________________

12 고통, 괴로움, 괴롭히다 ________________

13 냉소적인, 비꼬는 ________________

14 짜증나게 하다 ________________

15 절망, 낙담, 체념하다 ________________

16 그림자, 그늘지게 하다 ________________

17 겁에 질린, 무서워하는 ________________

18 상관관계, 연관성 ________________

19 서투른, 덤벙대는 ________________

20 무관심한 ________________

다음 빈칸에 들어갈 가장 알맞은 것을 박스 안에서 고르세요.

scent	associate	frustrate	cure	embarrassed

21 What ________________(e)s employees most?
무엇이 직원들을 가장 불만스럽게 만드나요?

22 ________________(e)s have the power to stimulate states of well-being.
향기는 행복한 상태를 고무하는 힘이 있다.

23 Some ________________ curiosity with being nosy.
어떤 사람들은 호기심을 참견하는 것과 관련짓는다.

24 The ________________ boy ran up to his room and slammed the door.
당황한 그 소년은 자신의 방으로 뛰어 올라가 문을 쾅 닫았다.

25 Action is the best ________________ for feeling helpless.
행동은 무력감을 느끼는 데 있어 최고의 치료법이다.

정답

01 성실한, 진심 어린, 진실한 **02** 침착함, 성미, 기분, 완화하다 **03** 떨다, 흔들리다 **04** 시간을 잘 지키는 **05** 내향적인 사람 **06** 부끄러운, 창피한 **07** 감사하는, 고마워하는 **08** 열정, 열의 **09** 부지런한, 근면한, 성실한 **10** 외향적인 사람 **11** gloomy **12** distress **13** cynical **14** irritate **15** despair **16** shadow **17** frightened **18** correlation **19** clumsy **20** indifferent **21** frustrate **22** Scent **23** associate **24** embarrassed **25** cure

독해가 강해지는 형용사 표현 ④

be convinced of	~을 확신하다

I **was** not fully **convinced of** how the outcomes would be. (학평)
나는 결과가 어떻게 나올지**를** 완전히 **확신하지는** 못했다.

be tired of	~에 질리다, ~에 싫증나다

I **am tired of** my friends telling me to get a new car. (학평)
나는 내 친구들이 새 차를 사라고 말하는 것**에 질렸다**.

be entitled to	~할 권리가 있다, ~이 주어지다

These individuals **are entitled to** look wherever they want. (수능)
이 개인들은 그들이 원하는 곳을 어디든지 볼 **권리가 있다**.

be subject to	~의 대상이다

Cancellations will **be subject to** a $30 cancellation fee. (학평)
취소하는 것은 30달러의 취소 수수료**의 대상이 될 것이다**.

be free of	~이 없다

Roads made from logs **were free of** the dust. (학평)
통나무로 만든 길에는 먼지**가 없었다**.

DAY 22

여가

MP3 바로 듣기

방학 동안 유익한 경험*을 쌓겠다던 그녀…

이번 방학에 진짜 너~무 바빴잖아.
집에서 뒹구느라 바빴다!

* 경험 **experience**

0841 □□□ ★★★

experience

[ikspíəriəns]

명 경험, 체험 동 경험하다

어원 ex[밖으로] + per(i)[시도하다] + ence[명·접] → 밖으로 나와 어떤 일을 시도해보는 것, 즉 경험

Exploring caves can be a wonderful **experience**. 학평

동굴을 탐험하는 것은 아주 멋진 **경험**이 될 수 있다.

⊕ **experienced** 형 경험이 있는, 능숙한

0842 □□□ ★★★

leisure

[líːʒər]

명 여가, 한가함

Europeans hold **leisure** in high regard. 모평

유럽인들은 **여가**를 중요하게 생각한다.

⊕ **leisurely** 형 한가한, 여유로운

⊜ **recreation**

0843 □□□ ★★

overseas

[òuvərsíːz]

형 해외의, 국외의 부 해외로, 해외에

Paul is going on an **overseas** trip for his company. 학평

Paul은 그의 회사를 위해 **해외** 출장을 갈 것이다.

0844 □□□ ★★

recipe

[résəpi]

명 조리법, 요리(법)

I have just created a new **recipe**, and I believe people will love this. 수능

나는 방금 새로운 **조리법**을 만들었고, 사람들이 이것을 매우 좋아할 것이라고 믿는다.

0845 □□□ ★★

recreation

[rèkriéiʃən]

명 오락, 기분 전환

A certain amount of **recreation** reduces the chances of developing stress-related disorders. 수능

어느 정도의 **오락**은 스트레스 관련 질환의 발병률을 감소시킨다.

⊕ **recreational** 형 오락의, 휴양의

⊜ **play**

0846 □□□ ★

pastime

[pǽstaim]

명 취미, 오락, 여가 활동

어원 pas(s)[통과하다] + time[시간] → 시간을 통과해 가기 위해 하는 일, 즉 취미

Sitting in front of the television is one of the most popular **pastimes** in the world. 학평

텔레비전 앞에 앉아 시청하는 것은 세계에서 가장 인기 있는 **취미** 중 하나이다.

⊜ **hobby, amusement**

0847 □□□ ★★★

thrill

[θril]

동 황홀하게 하다, 열광시키다 명 전율, 떨림

The forest **thrilled** me as we entered its cool shade. 수능

그 숲은 우리가 서늘한 그늘에 들어섰을 때 나를 **황홀하게 했다**.

⊕ **thrilling** 형 황홀한, 흥분시키는 **thrilled** 형 황홀해하는

⊜ **excite, stir**

0848 □□□ ★★★

standard

명 기준, 표준 형 일반적인, 보통의

[stǽndərd]

어원 sta(nd)[서다] + ard[명·접] → 움직이지 않고 서 있는 기준

When it comes to hotels, we have different **standards**. 수능

호텔에 관해서라면, 우리는 다른 **기준들**을 가지고 있다.

⊕ **standardize** 동 표준화하다

⊜ **criterion, measure**

0849 □□□ ★★

aisle

명 통로, 복도

[ail]

We'll change your seat to the **aisle** side. 수능

저희가 당신의 좌석을 **통로** 쪽으로 변경해 드리겠습니다.

⊕ **aisle seat** 통로 쪽 좌석

0850 □□□ ★★★

facility

명 시설, 기관, 설비

[fəsíləti]

어원 fac[행하다] + il(e)[쉬운] + ity[명·접] → 어떤 일을 행하기 쉽게 하는 시설

A new **facility** is now available to make your visit to our concert hall more pleasant. 수능

우리 공연장 방문을 더욱 즐겁게 할 새로운 **시설**이 이제 이용 가능합니다.

⊕ **facilitate** 동 가능하게 하다, 용이하게 하다

0851 □□□ ★★★

gather

동 모이다, 모으다

[gǽðər]

We **gather** and discuss books at our members' homes twice a month. 수능

우리는 한 달에 두 번 회원들의 집에 **모이고** 책에 대해 토론한다.

⊕ **gathering** 명 모임, 수집

⊜ **assemble, meet** ⇔ **scatter** 동 흩어지다, 흩뿌리다

0852 □□□ ★★★

insurance

명 보험

[inʃúərəns]

All travellers should ensure they have adequate travel **insurance** before they depart. 수능

모든 여행자들은 출발하기 전에 적절한 여행 **보험**에 가입했는지를 확실히 해야 한다.

⊕ **insure** 동 보험에 가입하다 **insured** 형 보험에 가입된
insurance policy 보험 증서

0853 □□□ ★★

merit

명 장점, 가치

[mérit]

There are various **merits** of having hobbies. (수능)
취미를 가지는 것에는 다양한 **장점들**이 있다.

⊜ advantage, benefit

0854 □□□ ★★

fabric

명 천, 직물

[fǽbrik]

She collected scraps of **fabric** as she sewed. (학평)
그녀는 바느질을 하면서 **천** 조각을 모았다.

⊜ cloth, textile

0855 □□□ ★★★

renew

동 갱신하다, 재개하다, 연장하다

[rinjúː]

어원 re[다시] + new[새로운] → 다시 새롭게 하다, 즉 갱신하다

I've **renewed** my passport and booked the flight. (학평)
나는 여권을 **갱신하고** 항공편을 예약했다.

⊕ renewal 명 갱신, 재개, 연장

⊜ extend, resume ↔ terminate 동 종료하다, 끝나다

Tips

시험에는 이렇게 나온다

renew a license 면허증을 갱신하다	renew a book 책의 대출 기한을 연장하다
renew a credit card 신용 카드를 갱신하다	renew a contract 계약을 갱신하다

0856 □□□ ★★

magnet

명 자석

[mǽgnit]

Can you show me where the souvenir **magnets** are? (수능)
기념품 **자석**이 어디 있는지 보여주실 수 있나요?

⊕ magnetic 형 자석 같은, 자성의

0857 □□□ ★★

splash

동 첨벙거리다, 튀다

[splæʃ]

They could still hear the fish **splashing** in the water. (수능)
그들은 물고기들이 물속에서 **첨벙거리는** 소리를 여전히 들을 수 있었다.

0858 □□□ ★★

besides

전 ~ 외에, ~뿐만 아니라 부 그 외에, 게다가

[bisáidz]

Besides learning sewing, members can join social activities like bowling. (학평)

바느질을 배우는 것 **외에**, 회원들은 볼링과 같은 사교 활동들에 참여할 수 있다.

0859 □□□ ★★

abroad

부 해외로, 해외에

[əbrɔ́:d]

어원 a[~에] + broad[넓은] → 나라 밖의 더 넓은 지역인 해외로

These days, there are so many people going **abroad** for vacation. (학평)

요즘, **해외로** 휴가를 떠나는 사람들이 아주 많다.

= **overseas**

0860 □□□ ★★

upcoming

형 다가오는, 곧 있을

[ʌ́pkʌ̀miŋ]

어원 up[위로] + coming[오고 있는] → 시간상 순서가 위로 오고 있는, 즉 다가오는

I registered for the **upcoming** book-signing event. (학평)

나는 **다가오는** 책 사인회에 참여 신청을 했다.

= **approaching, oncoming**

0861 □□□ ★★

souvenir

명 기념품, 선물

[sù:vənír]

어원 sou[아래에] + ven(ir)[오다] → 의식 아래에 있던 옛 추억을 올라오게 하는 기념품

Where's the nearest **souvenir** shop? (수능)

가장 가까운 **기념품** 가게가 어디 있나요?

= **memento, present**

0862 □□□ ★★

undergo

동 겪다, 경험하다

[ʌ̀ndərgóu]

어원 under[아래에] + go[가다] → 어떤 것의 영향 아래에서 가다, 즉 그것을 겪다

Learning to ski is one of the most humbling experiences an adult can **undergo**. (수능)

스키를 배우는 것은 성인이 **겪을** 수 있는 가장 겸허해지는 경험 중 하나이다.

= **experience, go through**

0863 □□□ ★★

retailer

[ríːteilər]

명 소매상, 소매점

어원 re[다시] + tail[자르다] + er[명·접] → 도매로 산 것을 다시 작게 잘라서 파는 사람, 즉 소매상

Retailers encouraged shoppers to have their purchases gift-wrapped. (모평)

소매상들은 쇼핑객들이 구매한 상품을 선물 포장하도록 부추겼다.

⊕ **retail** 명 소매 형 소매의 **retail trade** 소매업

↔ **wholesaler** 명 도매상

0864 □□□ ★★

subscription

[səbskrípʃən]

명 구독, 가입

I renewed my **subscription** to your magazine through the Internet. (학평)

저는 인터넷으로 귀사의 잡지 **구독**을 갱신했습니다.

⊕ **subscribe** 동 구독하다 **subscriber** 명 구독자

Tips

시험에는 이렇게 나온다

renew a subscription 구독을 갱신하다 **magazine subscription** 잡지 구독

0865 □□□ ★★★

overlook

[òuvərlúk]

동 간과하다, 눈감아주다, 내려다보다

어원 over[넘어서] + look[보다] → 대강 보고 넘기다, 즉 간과하다

People who go fishing often **overlook** safety. (수능)

낚시하러 가는 사람들은 종종 안전을 **간과한다**.

⊕ **overlooked** 형 간과된 **overlooking** 형 내려다보는, 바라보는

= **miss, neglect, omit**

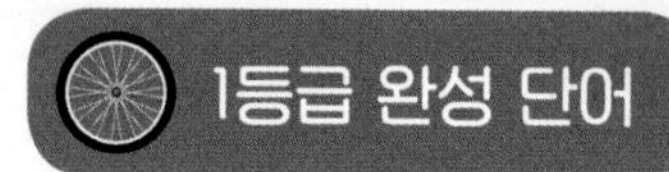

0866 □□□ ★	**embrace** [imbréis]	동 껴안다, 받아들이다
0867 □□□ ★★	**conquer** [kɑ́:ŋkər]	동 정복하다, 이기다, 극복하다
0868 □□□ ★★	**rod** [rɑ:d]	명 (막)대, 회초리
0869 □□□ ★	**compass** [kʌ́mpəs]	명 나침반, 컴퍼스
0870 □□□ ★★	**ruin** [rú:in]	동 망치다, 파멸시키다 명 파멸, 폐허
0871 □□□ ★★	**exotic** [igzɑ́:tik]	형 이국적인, 외국의
0872 □□□ ★★	**exclaim** [ikskléim]	동 외치다, 소리치다
0873 □□□ ★★	**overlap** 동[òuvərlǽp] 명[óuvərlæp]	동 겹치다, 중복되다 명 중복
0874 □□□ ★★	**expedition** [èkspədíʃən]	명 탐험, 원정
0875 □□□ ★	**memorable** [mémərəbl]	형 잊지 못할, 기억할 만한
0876 □□□ ★	**illuminate** [ilú:məneit]	동 비추다, 밝히다, 분명히 하다
0877 □□□ ★	**cottage** [kɑ́:tidʒ]	명 오두막집, 별장
0878 □□□ ★	**superb** [supə́:rb]	형 최고의, 뛰어난
0879 □□□ ★	**trim** [trim]	동 (깎아) 다듬다, 손질하다, 잘라 내다 명 손질
0880 □□□ ★	**breathtaking** [bréθtèikiŋ]	형 숨막히는, 놀라운

They **embraced** and danced around the room. (학평)
그들은 **껴안고** 방 안을 돌며 춤을 추었다.

The thought of **conquering** the mountain stirs me with anticipation. (모평)
그 산을 **정복한다는** 생각은 나를 기대에 차서 동요하게 한다.

He needed a nice fishing **rod**. (모평)
그는 좋은 낚싯**대**가 필요했다.

You may also want to carry emergency supplies such as a map and **compass**. (모평)
여러분은 지도와 **나침반**과 같은 비상 용품도 가지고 가는 게 좋을 거예요.

You don't want your trip to be **ruined** by unexpected emergency bills. (학평)
당신은 예상치 못한 돌발 상황에 대한 비용 때문에 여행을 **망치고** 싶지 않을 것이다.

The scenery is so **exotic**. (학평)
풍경이 정말 **이국적이다**.

"What a wonderful adventure!" I **exclaimed**. (수능)
"정말 신나는 모험이다!"라고 나는 **외쳤다**.

The camp won't **overlap** with our family trip. (수능)
그 캠프는 우리의 가족 여행과 **겹치지** 않을 것이다.

He joined an **expedition** exploring the Senegal River. (학평)
그는 세네갈 강을 탐사하는 **탐험**에 참가했다.

I hope we can make their trip **memorable**. (수능)
나는 우리가 그들의 여행을 **잊지 못하게** 만들어줄 수 있기를 바란다.

The gentle light of the moon **illuminates** the painting. (교과서)
달의 은은한 빛이 그 그림을 **비춘다**.

It took four years to build the small **cottage**. (수능)
그 작은 **오두막집**을 짓는 데 4년이 걸렸다.

Facilities include cable-car rides commanding a **superb** view of the zoo. (학평)
시설들은 동물원의 **최고의** 경치를 볼 수 있는 케이블카 놀이 기구를 포함하고 있다.

I'd like to get my hair **trimmed** a little and get a perm. (학평)
저는 제 머리를 조금 **다듬고** 파마를 하고 싶어요.

Hotel guests can experience **breathtaking** views of the deep blue sea. (수능)
호텔 투숙객들은 깊고 푸른 바다의 **숨막히는** 경관을 경험할 수 있다.

Daily Quiz

영어는 우리말로, 우리말은 영어로 쓰세요.

01 upcoming ______________

02 recipe ______________

03 souvenir ______________

04 abroad ______________

05 undergo ______________

06 subscription ______________

07 insurance ______________

08 retailer ______________

09 splash ______________

10 magnet ______________

11 시설, 기관, 설비 ______________

12 기준, 일반적인, 보통의 ______________

13 모이다, 모으다 ______________

14 오락, 기분 전환 ______________

15 천, 직물 ______________

16 경험, 체험, 경험하다 ______________

17 여가, 한가함 ______________

18 황홀하게 하다, 전율, 떨림 ______________

19 해외의, 해외로, 해외에 ______________

20 장점, 가치 ______________

다음 빈칸에 들어갈 가장 알맞은 것을 박스 안에서 고르세요.

aisle	besides	renew	overlook	conquer

21 We'll change your seat to the ______________ side.
저희가 당신의 좌석을 통로 쪽으로 변경해 드리겠습니다.

22 I've ______________(e)d my passport and booked the flight.
나는 여권을 갱신하고 항공편을 예약했다.

23 ______________ learning sewing, members can join social activities like bowling.
바느질을 배우는 것 외에, 회원들은 볼링과 같은 사교 활동들에 참여할 수 있다.

24 People who go fishing often ______________ safety.
낚시하러 가는 사람들은 종종 안전을 간과한다.

25 The thought of ______________ing the mountain stirs me with anticipation.
그 산을 정복한다는 생각은 나를 기대에 차서 동요하게 한다.

정답

01 다가오는, 곧 있을 02 조리법, 요리(법) 03 기념품, 선물 04 해외로, 해외에 05 겪다, 경험하다 06 구독, 가입 07 보험 08 소매상, 소매점 09 첨벙거리다, 튀다 10 자석 11 facility 12 standard 13 gather 14 recreation 15 fabric 16 experience 17 leisure 18 thrill 19 overseas 20 merit 21 aisle 22 renew 23 Besides 24 overlook 25 conquer

독해가 강해지는 형용사 표현 ⑤

be through with	~을 끝내다

By the time he **was through with** baseball, he had become a legend. (모평)
그가 야구**를 끝냈을** 무렵, 그는 전설이 되어 있었다.

be sure to	반드시 ~하다, 확실히 ~하다

If your symptoms persist, **be sure to** see a doctor. (모평)
증상이 지속되면, **반드시** 의사에게 진찰을 받도록 **하라**.

be packed with	~으로 꽉 차다

Their shop **is** constantly **packed with** customers. (수능)
그들의 가게는 끊임없이 손님들**로 꽉 차 있다**.

be blind to	~을 깨닫지 못하다

Men **are blind to** their own faults but never lose sight of their neighbor's. (수능)
인간은 자신의 잘못**은 깨닫지 못하지만** 자기 이웃의 잘못은 반드시 본다.

be devoted to	~에 전념[헌신]하다

UNESCO **is devoted to** preserving important intangible cultural traditions around the world. (교과서)
유네스코는 전 세계에 걸쳐 중요한 무형 문화 전통들을 보존하는 데**에 전념한다**.

DAY 23 스포츠

MP3 바로 듣기

어린이 수영장에서 얼른 나오세요!!

0881 □□□ ★★★

athlete

[ǽθliːt]

명 (운동)선수

Coaches analyze this data to improve their **athletes'** performance under different conditions. (모평)

코치들은 다양한 상황에서 **선수들**의 경기력을 향상시키기 위해 이 데이터를 분석한다.

⊕ **athletic** 형 몸이 탄탄한, 운동선수다운 **athletics** 명 운동 경기

⊜ **player, sportsperson**

0882 □□□ ★★★

equipment

[ikwípmənt]

명 용품, 장비

The first piece of sports **equipment** that man invented was the ball. (수능)

인간이 발명한 최초의 운동 **용품**은 공이었다.

⊕ **equip** 동 장비를 갖추다 **equipped with** ~을 갖춘

⊜ **gear, tool**

0883 □□□ ★★★

muscle

[mʌ́sl]

명 근육

Climbing rock walls helps strengthen **muscles**. 학평

암벽 등반은 **근육**을 강화하는 데 도움이 된다.

⊕ **muscular** 형 근육(질)의 **muscle strength** 근력

0884 □□□ ★

workout

[wə́ːrkaut]

명 운동

You shouldn't skip your **workouts** that often. 학평

당신은 그렇게 자주 **운동**을 거르면 안 된다.

⊜ **exercise, training**

0885 □□□ ★★

opponent

[əpóunənt]

명 상대, 적수

어원 op[맞서] + pon[놓다] + ent[명·접] → 맞서서 반대 수를 놓는 상대

She knocked down her **opponent** in the third round. 학평

그녀는 3회전에서 그녀의 **상대**를 쓰러뜨렸다.

⊕ **oppose** 동 반대하다 **opposite** 형 반대의, 다른 쪽의

⊜ **rival, enemy, competitor**

0886 □□□ ★★★

suffer

[sʌ́fər]

동 (부상·고통 등을) 입다, 겪다

어원 suf[아래에] + fer[나르다] → 고통을 아래에서 지고 나르다, 즉 고통을 겪다 또는 부상을 입다

The players **suffer** arm injuries as they swing harder. 수능

선수들은 더 세게 스윙하면서 팔 부상을 **입는다**.

⊕ **suffering** 명 고통, 괴로움 **suffer from** ~으로 고통받다

Tips

시험에는 이렇게 나온다

suffer from back pain 요통으로 고통받다 **suffer from depression** 우울증을 겪다

0887 □□□ ★★

gear

[giər]

명 장비, 기어, 톱니바퀴 동 맞게 조정하다

Children who wear protective **gear** during their games have a tendency to take more physical risks. 수능

경기 동안 보호 **장비**를 착용하는 아이들은 신체적인 위험을 더 많이 감수하는 경향이 있다.

⊜ **equipment, instrument**

0888 □□□ ★★★

cause

통 야기하다, ~의 원인이 되다 명 원인, 이유

[kɔːz]

A heavy racket might **cause** a shoulder injury. (학평)

무거운 라켓은 어깨 부상을 **야기할** 수도 있다.

⊕ **causative** 형 원인이 되는 **cause and effect** 원인과 결과

⊜ **create, lead to**

Tips

시험에는 이렇게 나온다

cause damage 피해를 야기하다 **cause a problem** 문제를 일으키다

0889 □□□ ★★★

complete

통 완료하다, 완성하다 형 완전한, 완벽한

[kəmplíːt]

어원 com[모두] + ple(te)[채우다] → 빈 곳 없이 모두 채워 완료하다

Participants who **completed** the hike received a medal. (수능)

하이킹을 **완료한** 참가자들은 메달을 받았다.

⊕ **completely** 부 완전히, 전적으로 **completion** 명 완료, 완성

⊜ **finish, conclude**

0890 □□□ ★★★

leap

통 뛰다, 급등하다 명 도약, 급등

[liːp]

Brave skydivers **leap** from airplanes at great heights. (학평)

용감한 스카이다이버들은 엄청난 높이에 있는 비행기에서 **뛴다**.

⊜ **jump, spring**

0891 □□□ ★★

flip

통 가볍게 던지다, 치다, 뒤집다

[flip]

She effortlessly **flipped** the ball up in the air. (수능)

그녀는 공을 쉽게 공중으로 **가볍게 던졌다**.

0892 □□□ ★★★

tempt

통 유혹하다, 유도하다

[tempt]

The problem is that each spectator may be **tempted** to get a better view by standing. (학평)

문제는 각 관중이 일어서서 더 잘 보이는 시야를 얻고 싶은 **유혹을 받을** 수 있다는 것이다.

⊕ **tempting** 형 솔깃한 **temptation** 명 유혹 **be tempted to** ~하고 싶다

⊜ **attract, lure**

0893 □□□ ★★★

current

[kə́:rənt]

형 현재의, 통용되는 명 흐름, 경향

어원 cur(r)[흐르다] + ent[형·접] → 지금 세상에 흐르고 있는, 즉 현재의 또는 통용되는

Are you bored with your **current** exercise routine? 학평

당신은 **현재의** 운동 일과가 지루한가요?

⊕ **currently** 부 현재, 지금 **currency** 명 통용, 통화

0894 □□□ ★★★

outcome

[áutkʌm]

명 결과, 성과

어원 out[밖으로] + come[오다] → 밖으로 나오는 노력의 결과

People are more overconfident when they feel like they have control of the **outcome**. 수능

사람들은 그들이 **결과**에 대해 통제력을 가지고 있다고 느낄 때 더 지나치게 자신만만하다.

Tips

'결과'와 관련된 단어들

result 결과, 성과 **conclusion** 결과, 결론 **consequence** 결과, 귀결

0895 □□□ ★

stretch

[stretʃ]

동 스트레칭을 하다, 늘이다, 당기다

The trip across the field warms them up like athletes **stretching** before a game. 학평

들판을 가로지르는 여정은 마치 운동선수들이 경기 전에 **스트레칭을 하듯이** 그들이 준비 운동을 하게 한다.

0896 □□□ ★★

spectator

[spékteitər]

명 관중, 관객

어원 spect[보다] + at(e)[동·접] + or[명·접] → 보는 사람, 즉 관중

All the **spectators** congratulated the winner. 학평

모든 **관중들**이 승자를 축하해주었다.

⊕ **spectate** 동 지켜보다, 구경하다

⊜ **audience, viewer**

0897 □□□ ★★

afterward

[ǽftərwərd]

부 나중에(는), 그 후에

She was so exhausted **afterward** that she was in last place toward the end of her next race. 학평

그녀는 **나중에는** 너무 지쳐서 그 다음 경기 막바지에는 꼴찌였다.

⊜ **later, after**

0898 □□□ ★★★

appropriate

형 적합한, 알맞은 동 도용하다

형 [əpróupriət]
동 [əpróuprièit]

어원 ap[~쪽으로] + propri[자기 자신의] + ate[형·접] → 자기 자신의 쪽으로 맞춰 놓아 적합한

Clothing that is **appropriate** for exercise can improve your exercise experience. (학평)

운동에 **적합한** 옷은 당신의 운동 경험을 향상시킬 수 있다.

⊕ **appropriately** 부 적합하게, 알맞게

⊟ **proper, suitable** ⇔ **inappropriate** 형 부적합한, 부적절한

0899 □□□ ★★★

violence

명 폭력, 격렬함

[váiələns]

There has been a general belief that sport is a way of reducing **violence**. (학평)

스포츠가 **폭력**을 줄이는 방법이라는 보편적인 믿음이 있었다.

⊕ **violent** 형 폭력적인, 격렬한 **violate** 동 어기다, 위반하다

Tips

시험에는 이렇게 나온다

crime and violence 범죄와 폭력
cause of violence 폭력의 원인
school violence 학교 폭력
acts of violence 폭력 행위

0900 □□□ ★★★

intense

형 격렬한, 강렬한, 극심한

[inténs]

어원 in[안에] + tens(e)[뻗다] → 안으로 신경이 완전히 뻗을 만큼 어떤 것이 격렬한

Intense evening exercise is not good for sleep. (학평)

격렬한 저녁 운동은 수면에 좋지 않다.

⊕ **intensely** 부 격렬하게 **intensify** 동 심해지다, 심화하다 **intensive** 형 집중적인

⊟ **extreme, severe**

0901 □□□ ★★★

beneficial

형 유익한, 이로운

[bènifíʃəl]

Any exercise is considered **beneficial**. (학평)

어떤 운동이든 **유익하다고** 여겨진다.

⊕ **beneficially** 부 유익하게 **beneficiary** 명 수혜자

Tips

'유익한'과 관련된 단어들

advantageous 유리한, 유익한
useful 유용한, 유익한
profitable 이익이 되는, 유익한
wholesome 건전한, 유익한

0902 □□□ ★

unbelievable

[ʌ̀nbəlíːvəbl]

형 믿을 수 없는, 믿기 힘든

He was a powerful player, and he played an **unbelievable** game. 학평

그는 강력한 선수였고, **믿을 수 없는** 경기를 펼쳤다.

⊕ **unbelievably** 부 믿을 수 없을 정도로

⊜ **incredible** ⇔ **believable** 형 그럴듯한, 믿을 수 있는

0903 □□□ ★★★

latter

[lǽtər]

형 후반의, 후자의 명 후자

In the **latter** part of the 19th century, women began to prove that they belong in sports. 학평

19세기 **후반**부에, 여성들은 그들도 스포츠에 어울린다는 것을 증명하기 시작했다.

Tips

시험에는 이렇게 나온다

the latter와 the former는 앞에서 언급된 두 가지 내용을 가리키는 대명사의 역할을 해요. the latter는 두 가지 중 '후자'를 뜻하고, the former는 '전자'를 뜻해요.

0904 □□□ ★★★

defend

[difénd]

동 방어하다, 변호하다, 수비하다

어원 de[떨어져] + fend[때리다] → 때리는 상대에게서 떨어져 방어하다

He wants to learn the martial arts so he can **defend** himself. 학평

그는 자신을 **방어할** 수 있도록 무술을 배우고 싶어 한다.

⊕ **defensive** 형 방어의, 방어적인 **defendant** 명 피고(인)

⊜ **protect, cover** ⇔ **attack** 동 공격하다

0905 □□□ ★★★

steady

[stédi]

형 꾸준한, 지속적인, 안정된

어원 st(ead)[서다] + y[형·접] → 한 자리에 변함없이 서서 꾸준한

Long-distance running requires slow, **steady** muscle activity. 수능

장거리 달리기는 완만하고 **꾸준한** 근육 활동을 필요로 한다.

⊕ **steadily** 부 끊임없이, 착실하게 **steadiness** 명 끈기, 불변

⊜ **continuous, constant**

1등급 완성 단어

0906 □□□ ★★
nonetheless [nʌ̀nðəlés]
부 그럼에도 불구하고, 그렇기는 하지만

0907 □□□ ★★
manipulate [mənípjuleit]
동 잘 다루다, 조종하다

0908 □□□ ★
ban [bæn]
동 금지하다 명 금지(령)

0909 □□□ ★★
paddle [pǽdl]
동 노를 젓다, 물장구치다 명 노

0910 □□□ ★★
resume 동[rizú:m] 명[rézumei]
동 재개되다, 다시 시작하다 명 이력서

0911 □□□ ★★
probe [proub]
동 조사하다, 탐색하다 명 조사, 탐사

0912 □□□ ★★
referee [rèfərí:]
명 심판 동 심판하다, 중재하다

0913 □□□ ★
sprint [sprint]
명 단거리 경주, 전력 질주 동 전력 질주하다

0914 □□□ ★
arbitrary [á:rbətreri]
형 제멋대로의, 임의의

0915 □□□ ★
supervise [sú:pərvaiz]
동 감독하다, 관리하다, 감시하다

0916 □□□ ★
sprain [sprein]
동 접질리다, 삐다

0917 □□□ ★
glimpse [glimps]
명 (깨달음을 주는) 짧은 경험, 언뜻 봄 동 언뜻 보다

0918 □□□ ★
steer [stiər]
동 조종하다, 몰다, 이끌다

0919 □□□ ★
negotiate [nigóuʃieit]
동 협상하다, 교섭하다

0920 □□□ ★★
straightforward [strèitfɔ́:rwərd]
형 수월한, 간단한, 솔직한

Non-exercise activities burn calories at a slow rate, but they burn calories nonetheless. (학평)
비운동적인 활동은 느린 속도로 칼로리를 소모하지만, **그럼에도 불구하고** 칼로리를 연소시킨다.

They are asking questions about how the body is trained and manipulated in sports. (수능)
그들은 스포츠에서 어떻게 신체가 훈련되고 **잘 다뤄지는지에** 관해 질문을 하고 있다.

We should ban all sports in which animals are treated cruelly. (학평)
우리는 동물들이 잔인하게 다뤄지는 모든 스포츠를 **금지해야** 한다.

I tried to paddle back to shore but my arms and legs were paralyzed. (수능)
나는 **노를 저어서** 해변으로 돌아가려 했지만 내 팔과 다리는 마비되었다.

Soon after the match resumed, his opponent made a critical mistake. (학평)
경기가 **재개되자마자**, 그의 상대는 결정적인 실수를 저질렀다.

Some sports scientists are using technology to probe and evaluate performance. (수능)
어떤 스포츠 과학자들은 수행 능력을 **조사하고** 평가하기 위해 과학 기술을 이용하고 있다.

The game is played without referees. (학평)
경기는 **심판** 없이 진행된다.

Usain Bolt broke the world record for the 100-meter sprint in 2009. (교과서)
우사인 볼트는 2009년에 100미터 **단거리 경주** 세계 기록을 깼다.

They believe that results are arbitrary. (학평)
그들은 결과가 **제멋대로라고** 생각한다.

The little bodybuilders are properly supervised to prevent overtraining and possible injury. (학평)
이 작은 보디빌더들은 과도한 훈련과 발생 가능한 부상을 막기 위해 제대로 **감독된다**.

It seems you sprained your ankle. (수능)
당신은 발목을 **접질린** 것 같군요.

We can get a glimpse of life in a marathon. (학평)
우리는 마라톤에서 인생에 대한 **짧은 경험**을 얻을 수 있다.

The rider steers by turning handlebars. (모평)
운전자는 핸들을 돌리며 **조종한다**.

Players can use those batting averages to negotiate their salaries. (학평)
선수들은 그들의 급여를 **협상하기** 위해 그 타율을 이용할 수 있다.

When properly organized, night diving is relatively straightforward. (수능)
제대로 준비되었을 때, 야간 다이빙은 상대적으로 **수월하다**.

01 02 03 04 05 06 07 08 09 10 11 12 13 14 15 16 17 18 19 20 21 22 23 DAY 24 25 26 27 28 29 30 31 32 33 34 35 36 37 38 39 40 41 42 43 44 45 46 47 48 49 50

Daily Quiz

영어는 우리말로, 우리말은 영어로 쓰세요.

01 afterward ______________

02 equipment ______________

03 leap ______________

04 defend ______________

05 referee ______________

06 nonetheless ______________

07 gear ______________

08 current ______________

09 appropriate ______________

10 violence ______________

11 (부상·고통 등을) 입다, 겪다 ______________

12 잘 다루다, 조종하다 ______________

13 (운동)선수 ______________

14 유익한, 이로운 ______________

15 결과, 성과 ______________

16 후반의, 후자의, 후자 ______________

17 가볍게 던지다, 치다, 뒤집다 ______________

18 야기하다, 원인, 이유 ______________

19 격렬한, 강렬한, 극심한 ______________

20 유혹하다, 유도하다 ______________

다음 빈칸에 들어갈 가장 알맞은 것을 박스 안에서 고르세요.

complete	muscle	opponent	steady	spectator

21 She knocked down her ______________ in the third round.
그녀는 3회전에서 그녀의 상대를 쓰러뜨렸다.

22 Participants who ______________(e)d the hike received a medal.
하이킹을 완료한 참가자들은 메달을 받았다.

23 Climbing rock walls helps strengthen ______________(e)s.
암벽 등반은 근육을 강화하는 데 도움이 된다.

24 Long-distance running requires slow, ______________ muscle activity.
장거리 달리기는 완만하고 꾸준한 근육 활동을 필요로 한다.

25 All the ______________(e)s congratulated the winner.
모든 관중들이 승자를 축하해주었다.

정답

01 나중에(는), 그 후에 02 용품, 장비 03 뛰다, 급등하다, 도약, 급등 04 방어하다, 변호하다, 수비하다 05 심판, 심판하다, 중재하다 06 그럼에도 불구하고, 그렇기는 하지만 07 장비, 기어, 톱니바퀴, 맞게 조정하다 08 현재의, 통용되는, 흐름, 경향 09 적합한, 알맞은, 도용하다 10 폭력, 격렬함 11 suffer 12 manipulate 13 athlete 14 beneficial 15 outcome 16 latter 17 flip 18 cause 19 intense 20 tempt 21 opponent 22 complete 23 muscle 24 steady 25 spectator

독해가 강해지는 형용사 표현 ⑥

be short of	~이 부족하다

Despite the success of the book, Johnson **was** continually **short of** money. (학평)
책의 성공에도 불구하고, Johnson은 끊임없이 돈**이 부족했다**.

be indicative of	~을 시사하다, 나타내다

The overall population of orangutans has fallen, which **is indicative of** the difficulty of orangutan research. (학평)
오랑우탄의 전체 개체 수가 감소했는데, 이는 오랑우탄 연구가 어렵다는 점**을 시사한다**.

be used to	~에 익숙하다

In this modern world, people **are** not **used to** living with discomfort. (수능)
현대 사회에서, 사람들은 불편함을 감수하고 사는 것**에 익숙하지** 않다.

be equipped with	~을 갖추고 있다

Every boat should **be equipped with** the required lighting to avoid collisions. (수능)
모든 보트는 충돌을 방지하기 위해 필요한 조명**을 갖추고 있어야** 한다.

be concerned about	~에 대해 걱정하다, ~에 관심을 가지다

I **am concerned about** the traffic problem in my neighborhood. (모평)
나는 우리 동네의 교통 문제에 대해 **걱정한다**.

DAY 24

교통

MP3 바로 듣기

아니 너 말고 내 차.. 소중한 내 부릉이..

교차로*에서
사고가 났다고? 괜찮아?
많이 다치진 않았지?

* 교차로 **intersection**

0921 □□□ ★★

intersection

명 교차(로), 교차 지점

[ìntərsékʃən]

어원 inter[사이에] + sect[자르다] + ion[명·접] → 하나의 길이 다른 길을 자르고 들어간 교차로

At the **intersection**, turn left and go straight two blocks until you get to Earl Street. (수능)

교차로에서, 좌회전하고 Earl 가에 도착할 때까지 두 블록 직진하세요.

⊕ **intersect** 동 교차하다, 가로지르다

0922 □□□ ★★★

transportation

명 교통(수단), 운송

[træ̀nspərtéiʃən]

어원 trans[가로질러] + port[운반하다] + (a)tion[명·접] → 가로질러 다른 지역으로 운반하는 교통수단

Lunch and **transportation** to and from school are provided by the school. (수능)

점심 식사와 학교로의 왕복 **교통수단**은 학교에서 제공된다.

⊕ **transport** 동 운송하다

0923 □□□ ★★★

vehicle

[víːikl]

명 차량, 탈것, 운송 수단

Do I need to fill the gas before I return the **vehicle**? 학평

차량을 반납하기 전에 제가 기름을 채워야 하나요?

0924 □□□ ★

vessel

[vésəl]

명 선박, 배

Seasickness can occur anytime you board a **vessel**. 학평

뱃멀미는 당신이 **선박**에 탑승하는 어느 때고 일어날 수 있다.

= ship, boat

0925 □□□ ★

shortcut

[ʃɔ́ːrtkʌ̀t]

명 지름길

He decided to take a **shortcut** to a friend's house. 학평

그는 친구 집까지 **지름길**로 가기로 결정했다.

0926 □□□ ★★

crosswalk

[krɔ́ːswɔ̀ːk]

명 횡단보도

There's no traffic light at the **crosswalk**. 모평

횡단보도에 신호등이 없다.

0927 □□□ ★★★

automobile

[ɔ́ːtəməbìːl]

명 자동차

어원 auto[스스로] + mobile[이동하는] → 소나 말이 끌지 않아도 스스로 이동하는 자동차

The new **automobile** can reach speeds of a hundred miles an hour. 학평

새로 나온 **자동차**는 시속 100마일의 속도에 이를 수 있다.

0928 □□□ ★★★

automatically

[ɔ̀ːtəmǽtikəli]

부 자동(적)으로, 무의식적으로

On subway trains, the doors open **automatically** at each station. 수능

지하철에서, 문은 각 역에서 **자동으로** 열린다.

+ automatic 형 자동의, 무의식의

↔ manually 부 수동으로

0929 □□□ ★★★

arise

통 생겨나다, 발생하다, 일어나다

[əráiz]

어원 a[정말] + rise[일어나다] → 어떤 일이 정말 일어나다 또는 생겨나다

Questions have **arisen** from victims about who is responsible for these avoidable accidents. (수능)

피할 수 있었던 이 사고들에 누가 책임이 있는지에 대한 의문이 피해자들로부터 **생겨났다**.

≡ **emerge, occur**

0930 □□□ ★★

avenue

명 거리, 대로

[ǽvənjuː]

어원 a[~쪽으로] + ven(ue)[오다] → 어떤 것 쪽으로 오는 길, 대로

Walk across the Riverway and follow Longwood **Avenue** four blocks to the hospital. (학평)

병원에 가려면 Riverway를 건너 Longwood **거리**를 따라 네 블록을 걸어가세요.

≡ **street, road**

0931 □□□ ★★

aircraft

명 항공기

[érkræ̀ft]

Researchers are developing a solar-powered, single-pilot **aircraft**. (수능)

연구원들은 태양열로 움직이는 단일 조종사 **항공기**를 개발하는 중이다.

≡ **airplane**

0932 □□□ ★★★

avoid

통 피하다, 방지하다

[əvɔ́id]

어원 a[밖으로] + void[빈] → 자리를 비우고 밖으로 나가 상대를 피하다

Traffic lights help drivers to **avoid** accidents. (학평)

신호등은 운전자들이 사고를 **피하도록** 돕는다.

⊕ **avoidable** 형 피할 수 있는 **avoidance** 명 회피, 방지

≡ **prevent, stop**

0933 □□□ ★★

pedestrian

명 보행자

[pədéstriən]

어원 ped(estr)[발] + ian[명·접] → 발로 걷는 사람, 즉 보행자

Traffic lights help **pedestrians** to cross the street safely. (학평)

신호등은 **보행자들**이 안전하게 길을 건너는 데 도움을 준다.

Washington DC

0934 □□□ ★★★

approach

[əpróutʃ]

동 접근하다, 다가가다[오다] 명 접근

어원 ap[~에] + proach[접근하다] → ~에 접근하다

As we **approached** an intersection, we stopped at a red light. (수능)

교차로에 **접근하면서**, 우리는 빨간 불에 정지했다.

⊕ **approachable** 형 가까이하기 쉬운

⊜ **reach**

Tips

타동사 approach

approach는 '접근하다', '다가가다[오다]'라는 뜻이기 때문에 뒤에 '~에'를 의미하는 전치사 to가 올 것이라고 생각할 수 있지만, 바로 뒤에 목적어를 취하는 타동사이기 때문에 전치사가 필요하지 않아요.

0935 □□□ ★★★

destination

[dèstənéiʃən]

명 목적지, 도착지

The prize is a round-trip airplane ticket to any **destination** in the world. (수능)

상품은 세계의 어느 **목적지**든 갈 수 있는 왕복 항공권이다.

⊕ **destined** 형 ~로 향하는, ~할 운명인

0936 □□□ ★★★

route

[ruːt]

명 경로, 길

You choose the best **route** based on what you know about the distance and the amount of traffic. (수능)

당신은 거리와 교통량에 대해 알고 있는 것을 토대로 최선의 **경로**를 선택한다.

⊜ **way, course**

0937 □□□ ★★

examine

[igzǽmin]

동 검사하다, 조사하다

어원 ex[밖으로] + amine[움직이게 하다] → 밖으로 움직여 나오게 해서 자세히 검사하다

To ensure safe driving, it is best to **examine** your car before starting. (학평)

안전한 운전을 보장하기 위해, 시동을 걸기 전에 차를 **검사해보는** 것이 최선이다.

⊕ **examination** 명 검사, 조사

⊜ **inspect, study**

0938 □□□ ★★★

depart

[dipɑ́:rt]

동 출발하다, 떠나다

어원 de[떨어져] + part[나누다] → 본래 있던 곳에서 떨어져 다른 곳으로 출발하다

How much time do we have before the train **departs**? (학평)

우리는 기차가 **출발하기** 전까지 시간이 얼마나 있지?

⊕ **departure** 명 출발

⊟ **leave** ⇔ **arrive** 동 도착하다

0939 □□□ ★★

distract

[distrǽkt]

동 (주의를) 산만하게 하다, 흐트러뜨리다

어원 dis[떨어져] + tract[끌다] → 어떤 것에서 주의가 떨어지도록 끌어 산만하게 하다

I was **distracted** by a cute puppy crossing the street. (수능)

나는 길을 건너는 귀여운 강아지로 인해 **주의가 산만해졌다**.

⊕ **distraction** 명 주의 산만, 기분 전환

⊟ **divert, disturb**

0940 □□□ ★

toll

[toul]

명 통행료, 요금, 사상자 수

To get there, she had to go over a bridge paying a **toll** of $2.50. (모평)

그곳에 가기 위해, 그녀는 **통행료**로 2.50달러를 내고 다리를 건너야 했다.

⊟ **charge, fee, payment**

Tips

toll과 fare의 의미 구분

두 단어 모두 '요금'을 뜻하지만, toll은 도로나 다리를 이용할 때 지불하는 요금을 의미하고 fare는 버스, 기차, 배 등의 교통수단을 이용할 때의 요금을 의미해요.

0941 □□□ ★★★

transport

동[trænspɔ́:rt]
명[trǽnspɔ:rt]

동 운송하다, 수송하다 명 운송, 수송

어원 trans[가로질러] + port[운반하다] → 바다 등을 가로질러 다른 지역으로 운반하다, 즉 운송하다

Buses, partly supported by the city, **transport** many people throughout the area. (수능)

부분적으로 시의 지원을 받는 버스는, 지역 도처로 많은 사람들을 **운송한다**.

⊕ **transportation** 명 수송, 교통(수단) **transportable** 형 수송 가능한
transportability 명 수송 가능함

⊟ **convey, carry**

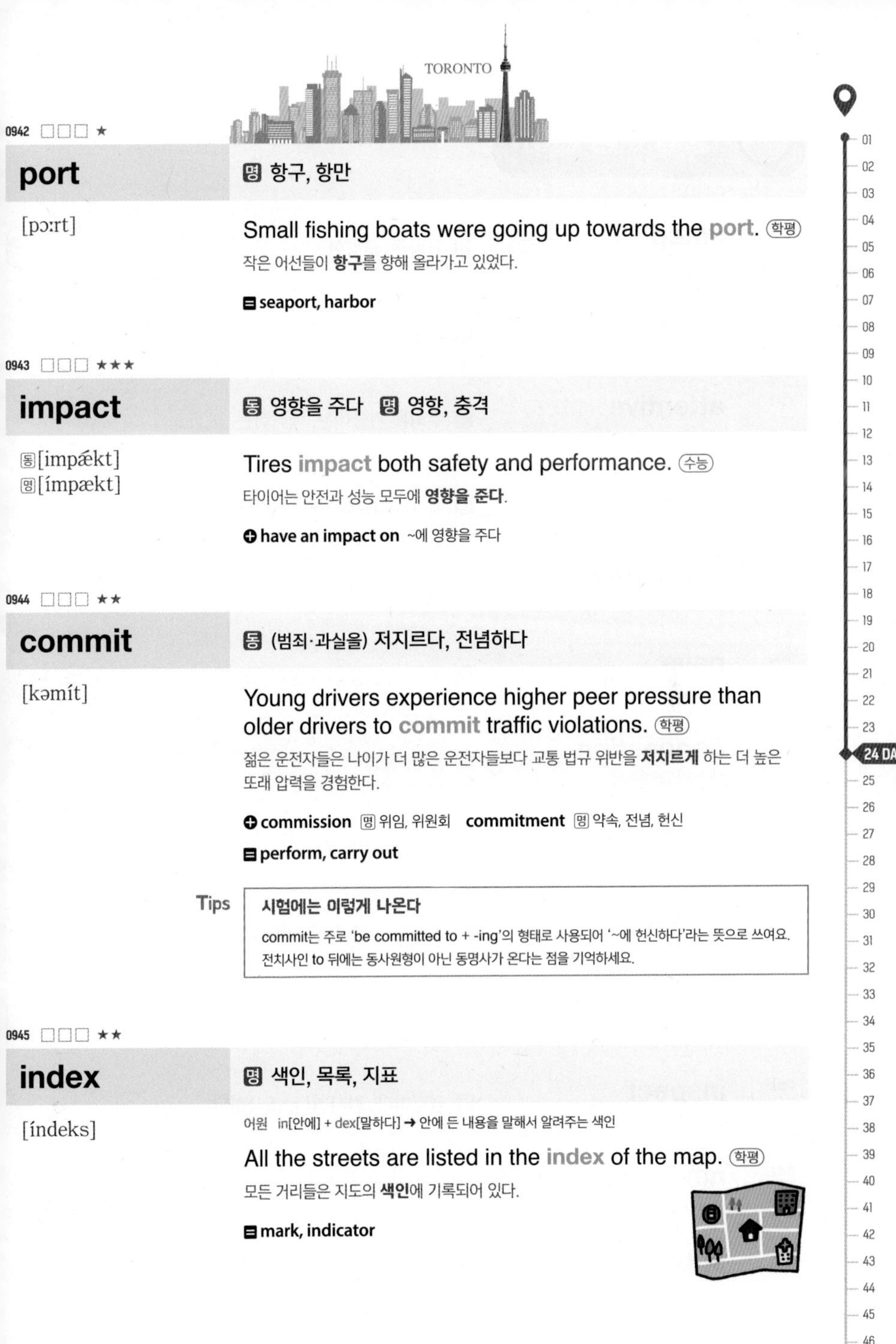

0942 □□□ ★

port

[pɔːrt]

명 항구, 항만

Small fishing boats were going up towards the **port**. 학평

작은 어선들이 **항구**를 향해 올라가고 있었다.

⊟ seaport, harbor

0943 □□□ ★★★

impact

동 [impǽkt]
명 [ímpækt]

동 영향을 주다 명 영향, 충격

Tires **impact** both safety and performance. 수능

타이어는 안전과 성능 모두에 **영향을 준다**.

⊕ have an impact on ~에 영향을 주다

0944 □□□ ★★

commit

[kəmít]

동 (범죄·과실을) 저지르다, 전념하다

Young drivers experience higher peer pressure than older drivers to **commit** traffic violations. 학평

젊은 운전자들은 나이가 더 많은 운전자들보다 교통 법규 위반을 **저지르게** 하는 더 높은 또래 압력을 경험한다.

⊕ commission 명 위임, 위원회 commitment 명 약속, 전념, 헌신

⊟ perform, carry out

Tips

시험에는 이렇게 나온다

commit는 주로 'be committed to + -ing'의 형태로 사용되어 '~에 헌신하다'라는 뜻으로 쓰여요. 전치사인 to 뒤에는 동사원형이 아닌 동명사가 온다는 점을 기억하세요.

0945 □□□ ★★

index

[índeks]

명 색인, 목록, 지표

어원 in[안에] + dex[말하다] → 안에 든 내용을 말해서 알려주는 색인

All the streets are listed in the **index** of the map. 학평

모든 거리들은 지도의 **색인**에 기록되어 있다.

⊟ mark, indicator

1등급 완성 단어

0946 ★★	**steep**	[stiːp]	형 가파른, 급격한
0947 ★★	**canal**	[kənǽl]	명 운하, 수로
0948 ★★	**attentive**	[əténtiv]	형 주의를 기울이는, 배려하는
0949 ★★	**fasten**	[fǽsən]	동 매다, 고정시키다
0950 ★★	**commute**	[kəmjúːt]	동 통근하다 명 통근 (거리)
0951 ★	**pave**	[peiv]	동 (도로·정원 등을) 포장하다, 깔다
0952 ★	**congestion**	[kəndʒéstʃən]	명 혼잡, 밀집
0953 ★	**parallel**	[pǽrəlel]	형 평행한, 아주 유사한
0954 ★	**loosen**	[lúːsn]	동 느슨하게 하다, 헐거워지다
0955 ★	**immense**	[iméns]	형 거대한, 엄청난
0956 ★	**inspect**	[inspékt]	동 점검하다, 검사하다, 조사하다
0957 ★	**navigate**	[nǽvigeit]	동 길을 찾다, 항해하다
0958 ★	**subsequent**	[sʌ́bsikwənt]	형 그 이후의, 다음의
0959 ★★	**collision**	[kəlíʒən]	명 충돌
0960 ★★	**disregard**	[dìsrigáːrd]	명 무시, 경시 동 무시하다

At the opposite side of the valley, a narrow, **steep** road led into the sloping hills. (학평)
계곡의 맞은편에서, 좁고 **가파른** 길이 경사진 언덕으로 이어졌다.

The advent of the railroad would assure the **canal**'s instant downfall. (수능)
철도의 출현은 **운하**의 즉각적인 몰락을 장담했을 것이다.

The more signs we have, the less **attentive** we will be to traffic conditions. (학평)
표지판이 더 많을수록, 우리는 교통 상황에 **주의를** 덜 **기울이게** 될 것이다.

Please don't forget to **fasten** your seat belt during the flight. (학평)
비행 중에는 안전벨트를 **매는** 것을 잊지 마세요.

I decided to **commute** by bike starting next month. (학평)
나는 다음 달부터 자전거로 **통근하기로** 결심했다.

The road is **paved** with grey stones. (학평)
그 길은 회색 돌로 **포장되어** 있다.

Dependence on automobile travel contributes to traffic **congestion**. (학평)
자동차로의 이동에 의존하는 것은 교통 **혼잡**에 기여한다.

Two toy cars were shown running synchronously on **parallel** tracks. (수능)
두 대의 장난감 자동차가 **평행한** 트랙에서 동시에 달리는 것이 보였다.

Why don't you **loosen** your seat belt for a while? (학평)
잠시 안전벨트를 **느슨하게 하는** 게 어때요?

No aircraft ever appeared in the **immense** sky. (학평)
그 **거대한** 하늘에는 어떤 항공기도 나타나지 않았다.

Its driver immediately got out to **inspect** the damage to his vehicle. (학평)
운전자는 자신의 차량 손상을 **점검하기** 위해 즉시 차에서 내렸다.

They are designed as autonomous underwater vehicles that **navigate** independently. (학평)
그것들은 독립적으로 **길을 찾는** 자율 수중 차량으로 설계되었다.

There is a risk of sudden sliding and **subsequent** accidents. (학평)
갑작스러운 미끄러짐과 **그 이후의** 사고 위험이 있다.

Collisions between aircraft usually occur in the surrounding area of airports. (학평)
항공기 간의 **충돌**은 보통 공항 주변 지역에서 발생한다.

The safety of children is at risk due to the **disregard** for speed limits by motorists. (학평)
운전자들의 제한 속도 **무시**로 인해 아이들의 안전이 위험에 처해 있다.

Daily Quiz

영어는 우리말로, 우리말은 영어로 쓰세요.

01 route ______________
02 automobile ______________
03 examine ______________
04 approach ______________
05 attentive ______________
06 canal ______________
07 impact ______________
08 aircraft ______________
09 arise ______________
10 automatically ______________
11 거리, 대로 ______________
12 매다, 고정시키다 ______________
13 목적지, 도착지 ______________
14 차량, 탈것, 운송 수단 ______________
15 가파른, 급격한 ______________
16 보행자 ______________
17 횡단보도 ______________
18 교통(수단), 운송 ______________
19 출발하다, 떠나다 ______________
20 색인, 목록, 지표 ______________

다음 빈칸에 들어갈 가장 알맞은 것을 박스 안에서 고르세요.

distract	transport	avoid	intersection	commit

21 Buses, partly supported by the city, ______________ many people throughout the area.
부분적으로 시의 지원을 받는 버스는, 지역 도처로 많은 사람들을 운송한다

22 Young drivers experience higher peer pressure than older drivers to ______________ traffic violations.
젊은 운전자들은 나이가 더 많은 운전자들보다 교통 법규 위반을 저지르게 하는 더 높은 또래 압력을 경험한다.

23 At the ______________, turn left and go straight two blocks until you get to Earl Street.
교차로에서, 좌회전하고 Earl 가에 도착할 때까지 두 블록 직진하세요.

24 Traffic lights help drivers to ______________ accidents.
신호등은 운전자들이 사고를 피하도록 돕는다.

25 I was ______________(e)d by a cute puppy crossing the street.
나는 길을 건너는 귀여운 강아지로 인해 주의가 산만해졌다.

정답

01 경로, 길 02 자동차 03 검사하다, 조사하다 04 접근하다, 다가가다[오다], 접근 05 주의를 기울이는, 배려하는 06 운하, 수로 07 영향을 주다, 영향, 충격 08 항공기 09 생겨나다, 발생하다, 일어나다 10 자동(적)으로, 무의식적으로 11 avenue 12 fasten 13 destination 14 vehicle 15 steep 16 pedestrian 17 crosswalk 18 transportation 19 depart 20 index 21 transport 22 commit 23 intersection 24 avoid 25 distract

독해가 강해지는 형용사 표현 ⑦

be engaged in	~에 종사하다

More and more women **are engaged in** economic activities. (학평)
점점 더 많은 여성들이 경제 활동**에 종사하고 있다**.

be endowed with	~을 부여받았다

It seems that you **are endowed with** special talents. (학평)
당신은 특별한 재능**을 부여받은** 것 같다.

be fond of	~을 좋아하다

Emma **was fond of** singing. (학평)
Emma는 노래 부르는 것**을 좋아했다**.

be full of life	번화하다, 원기 왕성하다

Although Earth's oceans **are full of life**, many sea creatures are in danger of disappearing. (학평)
비록 지구의 바다는 **번화하였지만**, 많은 해양 생물들은 사라질 위험에 처해 있다.

be sick of	~에 넌더리 나다, 질리다

I **am sick of** eating the same food every day. (학평)
나는 매일 똑같은 음식을 먹는 것**에 넌더리 난다**.

DAY 25 안내문

네가 어제 산 원피스
홈쇼핑에서 배송비 포함해서*
2만 원에 팔고 있어!!

넌 6만원으로
사지 않았어?

내가 산 물건은 꼭 다음 날에 세일하는 미스터리..

* 포함하다 include

0961 □□□ ★★★

include

[inklúːd]

동 포함하다

어원 in[안에] + clud(e)[닫다] → 어떤 것을 안에 집어넣고 닫아 그것을 포함하다

A free beverage is **included** in ticket price. 수능
무료 음료가 입장료에 **포함됩니다**.

⊕ **including** 전 ~을 포함하여 **included** 형 포함된
inclusion 명 포함 **inclusive** 형 포괄적인

⊟ **contain, involve** ⇔ **exclude** 동 제외하다

0962 □□□ ★★★

provide

[prəváid]

동 제공하다, 공급하다

어원 pro[앞으로] + vid(e)[보다] → 앞으로 필요할 것을 미리 보고 제공하다

We **provide** a 50 percent discount for children under 12 years old. 수능
저희는 12세 미만의 어린이들에게 50퍼센트 할인을 **제공합니다**.

⊕ **provision** 명 제공 **provided(= providing)** 접 만약 ~이라면
provide A with B(= provide B for A) A에게 B를 제공하다

⊟ **supply, give**

0963 □□□ ★★★

allow

[əláu]

동 허용하다, 허락하다, 인정하다

Taking photos is **allowed** inside the exhibition hall. (수능)

전시회장 내에서 사진을 찍는 것이 **허용됩니다**.

+ **allowance** 명 용돈, 허용량

Tips

'허용하다'와 관련된 단어들

permit 허락하다, 허용하다 **approve** 허가하다, 승인하다 **authorize** 인가하다, 허가하다

0964 □□□ ★★

loan

[loun]

명 대출(금), 대여 동 빌려주다

Books can be renewed once for the original **loan** period unless they are on reserve. (수능)

책들은 예약되어 있지 않은 한 원래의 **대출** 기간 동안 한 번 연장이 가능합니다.

0965 □□□ ★★★

fee

[fiː]

명 요금, 수수료

You need to pay a $5 **fee** to participate. (학평)

참여하려면 당신은 5달러의 **요금**을 지불해야 합니다.

= **charge, cost**

0966 □□□ ★★

fare

[feər]

명 요금, 운임

The standard **fare** is $100 per person. (수능)

표준 **요금**은 1인당 100달러입니다.

Tips

fee와 fare의 의미 구분

두 단어 모두 '요금'을 뜻하지만, fee는 서비스에 대한 대가로 내는 요금 및 수수료를, fare는 버스나 택시 등의 교통수단을 이용하고 내는 요금 및 운임을 의미해요.

0967 □□□ ★★★

entrance

[éntrəns]

명 입구, 입장

For your safety, the main **entrance** will be closed during construction. (모평)

안전을 위해, 정문 **입구**는 공사 기간 동안 폐쇄될 것입니다.

+ **enter** 동 들어가다

0968 □□□ ★★★

delay

명 지연, 연기 동 미루다, 연기하다

[diléi]

There will be a **delay** on your order. (수능)

귀하의 주문에 **지연**이 있을 것입니다.

= **postpone, put off**

Tips

delay와 postpone의 의미 구분

두 단어 모두 '미루다, 연기하다'를 뜻하지만, delay는 실패나 과실 등의 요인으로 어쩔 수 없이 일을 미룰 때, postpone은 일을 일정 시점까지 자의로 연기한다는 의미일 때 사용해요.

0969 □□□ ★★★

further

형 추가의, 더 먼 부 더 나아가서, 게다가

[fə́ːrðər]

No outgoing or incoming boats are allowed until **further** notice. (학평)

추가 공지가 있을 때까지 나가거나 들어오는 배는 허용되지 않습니다.

= **additional, extra**

0970 □□□ ★★★

theme

명 주제, 테마

[θiːm]

The **theme** for this contest is the environment. (학평)

이번 대회의 **주제**는 환경입니다.

= **subject, topic**

0971 □□□ ★★★

register

동 등록하다, 기재하다

[rédʒistər]

어원 re[다시] + gist(er)[나르다] → 다시 볼 수 있도록 날라온 정보를 등록하다

You can **register** for the field trip on the website. (수능)

당신은 웹 사이트에서 현장 학습을 **등록할** 수 있습니다.

+ **registration** 명 등록

= **enroll**

0972 □□□ ★★★

material

명 재료, 물질, 자료

[mətíəriəl]

All **materials** are provided, and there's no participation fee. (수능)

모든 **재료**가 제공되며, 참가비는 없습니다.

= **substance, matter**

SYDNEY

0973 □□□ ★★★

apologize

[əpɑ́:lədʒaiz]

동 사과하다

I **apologize** on behalf of our company. (수능)

저희 회사를 대표해 **사과드립니다**.

⊕ **apology** 명 사과, 사죄 **apologetic** 형 미안해하는, 사과하는

Tips

시험에는 이렇게 나온다

apologize는 뒤에 오는 전치사에 따라 의미가 달라져요. apologize 다음에 전치사 for가 오면 그 뒤에는 사과의 원인이 오고, 전치사 to가 오면 그 뒤에는 사과하는 대상이 와요.

0974 □□□ ★★★

detail

[ditéil]

명 세부 사항 동 상세히 알리다

어원 de[떨어져] + tail[자르다] → 여럿으로 잘라 떨어뜨려 나열한 세부 사항

Check every **detail** of the products. (학평)

제품들의 모든 **세부 사항**을 확인하세요.

⊕ **detailed** 형 상세한 **in detail** 상세하게

⊜ **particular**

0975 □□□ ★★

sponsor

[spɑ́:nsər]

명 후원자 동 후원하다

어원 spon(s)[약속하다] + or[사람] → 도움을 약속한 사람, 즉 후원자

The winner will be given an opportunity to visit the contest's **sponsor**. (수능)

우승자에게는 대회의 **후원자**를 방문할 수 있는 기회가 주어질 것입니다.

⊕ **sponsorship** 명 후원, 협찬 **sponsored** 형 ~이 후원하는

⊜ **patron**

0976 □□□ ★★★

exactly

[igzǽktli]

부 정확히

Please be sure to follow these guidelines **exactly**. (수능)

반드시 이 지침들을 **정확히** 지켜주세요.

⊕ **exact** 형 정확한, 정밀한 **exactness** 명 정확성

⊜ **accurately, precisely**

Tips

시험에는 이렇게 나온다

듣기 영역 대화에서 exactly는 '맞아!', '바로 그거야!'라는 뜻으로 주로 상대방의 말에 맞장구치는 표현으로 쓰여요.

0977 □□□ ★★★

explain

동 설명하다

[ikspléin]

어원 ex[밖으로] + plain[분명한] → 밖으로 분명히 보이게 내놓아 설명하다

I'm going to **explain** our school festival to you. 학평

저는 여러분에게 우리 학교의 축제에 대해 **설명할** 거예요.

⊕ **explanation** 명 설명

⊜ **describe, account for**

0978 □□□ ★★★

announce

동 발표하다, 알리다

[ənáuns]

어원 an[~에] + nounc(e)[알리다] → 누군가에게 알리다, 즉 발표하다

Winners will be **announced** on May 31. 학평

우승자는 5월 31일에 **발표될** 것입니다.

⊕ **announcement** 명 발표, 소식

⊜ **report, declare**

0979 □□□ ★

postpone

동 연기하다, 뒤로 미루다

[poustpóun]

어원 post[뒤에] + pon(e)[놓다] → 예정했던 시점보다 뒤에 놓다, 즉 연기하다

The test has been **postponed** until next week. 학평

시험이 다음 주까지로 **연기되었습니다**.

Tips

'연기하다'와 관련된 단어들

delay 늦추다, 지연시키다 **suspend** 잠시 중단하다, 연기하다 **defer** 미루다, 연기하다

0980 □□□ ★★★

resident

명 거주자, 주민

[rézidənt]

If you're a Florida **resident**, your family can get a 10 percent discount. 학평

만약 당신이 플로리다 **거주자**라면, 당신의 가족은 10퍼센트의 할인을 받을 수 있습니다.

⊕ **reside** 동 거주하다, 살다 **residence** 명 주택, 거주지

0981 □□□ ★★

entry

명 입장, 가입, 출입 (권한)

[éntri]

The **entry** fee is $5 for students. 학평

입장료는 학생의 경우 5달러입니다.

⊜ **entrance**

0982 □□□ ★★★

refer

[rifə́:r]

동 참고하다, 참조하다, 언급하다

어원 re[다시] + fer[나르다] → 예전 것을 다시 날라와 참고하다

Please **refer** to the notice on the bulletin board for more information. (수능)

더 많은 정보를 원하시면 게시판의 공고를 **참고해주세요**.

⊕ **reference** 명 참고, 언급, 추천서 **refer to** ~을 참고하다, 언급하다
be referred to as ~으로 불리다

⊜ **consult, look up**

0983 □□□ ★★★

permit

동 [pərmít]
명 [pə́:rmit]

동 허용하다, 허락하다 **명** 허가(증)

어원 per[통하여] + mit[보내다] → 어딘가를 통하여 갈 수 있도록 보내주다, 즉 허용하다

Dogs of any size are not **permitted** on the train. (학평)

어떤 크기의 개도 기차 탑승이 **허용되지** 않습니다.

⊕ **permission** 명 허락, 허가

⊜ **allow, let**

0984 □□□ ★★★

annual

[ǽnjuəl]

형 연례의, 연간의

어원 ann[해마다] + ual[형·접] → 해마다의, 즉 연례의

I want to notify you that it's time for your **annual** medical examination. (모평)

당신의 **연례** 건강 검진을 받을 때가 되었음을 알려드리고자 합니다.

⊕ **annually** 부 일 년에 한 번, 매년

Tips

'연도'와 관련된 단어들

biannual 연 2회의 **biennial** 2년마다의 **centennial** 100년마다의
centurial 100년의 **millennial** 천 년마다의

0985 □□□ ★

prohibit

[prouhíbit]

동 금지하다, 방해하다

어원 pro[앞에] + hib(it)[잡다] → 앞에서 잡아 더 진행하지 못하게 막다, 즉 금지하다

Food and pets are **prohibited** in the museum. (학평)

박물관에서는 음식과 반려동물 반입이 **금지됩니다**.

⊕ **prohibition** 명 금지 **prohibitive** 형 금지하는

⊜ **forbid, ban**

0986 □□□ ★★	**assemble** [əsémbəl]	동 조립하다, 모으다, 모이다
0987 □□□ ★★★	**toss** [tɔːs]	동 던지다
0988 □□□ ★★	**accommodation** [əkὰːmədéiʃən]	명 숙소, 거처, 협상
0989 □□□ ★★★	**inconvenience** [ìnkənvíːniəns]	명 불편
0990 □□□ ★★	**warranty** [wɔ́ːrənti]	명 보증(서)
0991 □□□ ★	**vacant** [véikənt]	형 비어 있는, 사람이 없는
0992 □□□ ★★	**questionnaire** [kwèstʃənéər]	명 설문지, 질문지
0993 □□□ ★★	**prior** [práiər]	형 먼저의, 이전의
0994 □□□ ★★	**restore** [ristɔ́ːr]	동 회복시키다, 복구하다
0995 □□□ ★★	**domestic** [dəméstik]	형 국내의, 국산의, 가정의
0996 □□□ ★	**via** [víːə]	전 ~을 통해, 경유하여
0997 □□□ ★★	**renovation** [rènəvéiʃən]	명 수리, 혁신
0998 □□□ ★	**nominate** [nάːməneit]	동 지명하다, 추천하다
0999 □□□ ★	**administration** [ədmìnistréiʃən]	명 행정, 관리, 집행
1000 □□□ ★	**privilege** [prívəlidʒ]	명 특권, 특혜 동 특권을 주다

The toy train is easily **assembled** and taken apart. (학평)
그 장난감 기차는 쉽게 **조립되고** 분해됩니다.

To easily return your books, just **toss** them into the book bins in front of the entrance. (학평)
책을 쉽게 반납하시려면, 출입구 앞에 있는 도서함에 그것들을 **던져** 넣으세요.

The registration fee is $150, which includes **accommodations** and meals. (수능)
등록비는 150달러이며, 이는 **숙소**와 식사를 포함합니다.

We apologize for the **inconvenience**. (수능)
불편에 대해 사과드립니다.

The product **warranty** says that you provide spare parts and materials for free. (수능)
제품 **보증서**에는 귀사에서 여분의 부품과 재료를 무료로 제공한다고 되어 있습니다.

"White space" is technical slang for television channels that were left **vacant** in one city. (학평)
"화이트 스페이스"는 한 도시에 **비어 있는** 채로 남겨졌던 텔레비전 채널에 대한 전문 용어입니다.

Please don't forget to fill out the **questionnaire**. (모평)
설문지를 작성하는 것을 잊지 마세요.

Ticket sales end one hour **prior** to closing time. (학평)
티켓 판매는 폐점 시간보다 한 시간 **먼저** 마감됩니다.

Paying promptly will **restore** your membership to good standing. (학평)
즉시 지불하는 것은 당신의 회원 자격을 정상으로 **회복시킬** 것입니다.

Both international and **domestic** calls can be easily made from your hotel room. (학평)
호텔 객실에서 국제 전화와 **국내** 전화 모두 쉽게 이용할 수 있습니다.

Further details will be sent **via** e-mail at a later date. (학평)
더 세부적인 내용은 나중에 이메일**을 통해** 전송될 것입니다.

Thank you for your patience during the **renovation** of our facilities. (수능)
저희 시설의 **수리** 기간 동안 기다려주셔서 감사합니다.

Each candidate must be **nominated** by his or her homeroom teacher. (학평)
각 후보자는 반드시 담임 선생님으로부터 **지명되어야** 합니다.

If you have any questions, please contact Ms. White in the school **administration** office. (학평)
질문이 있으시면, 학교 **행정**실에 있는 Ms. White에게 연락해 주세요.

Some users take advantage of this **privilege** by sending spam mail. (모평)
일부 사용자들은 스팸 메일을 발송함으로써 이 **특권**을 이용합니다.

Daily Quiz

영어는 우리말로, 우리말은 영어로 쓰세요.

01 refer ____________

02 provide ____________

03 sponsor ____________

04 apologize ____________

05 exactly ____________

06 permit ____________

07 resident ____________

08 further ____________

09 fare ____________

10 annual ____________

11 주제, 테마 ____________

12 등록하다, 기재하다 ____________

13 포함하다 ____________

14 재료, 물질, 자료 ____________

15 불편 ____________

16 세부 사항, 상세히 알리다 ____________

17 발표하다, 알리다 ____________

18 회복시키다, 복구하다 ____________

19 설명하다 ____________

20 대출(금), 대여 ____________

다음 빈칸에 들어갈 가장 알맞은 것을 박스 안에서 고르세요.

delay	allow	toss	fee	entrance

21 There will be a(n) ____________ on your order.
귀하의 주문에 지연이 있을 것입니다.

22 For your safety, the main ____________ will be closed during construction.
안전을 위해, 정문 입구는 공사 기간 동안 폐쇄될 것입니다.

23 Taking photos is ____________(e)d inside the exhibition hall.
전시회장 내에서 사진을 찍는 것이 허용됩니다.

24 To easily return your books, just ____________ them into the book bins in front of the entrance.
책을 쉽게 반납하시려면, 출입구 앞에 있는 도서함에 그것들을 던져 넣으세요.

25 You need to pay a $5 ____________ to participate.
참여하려면 당신은 5달러의 요금을 지불해야 합니다.

정답

01 참고하다, 참조하다, 언급하다 02 제공하다, 공급하다 03 후원자, 후원하다 04 사과하다 05 정확히 06 허용하다, 허락하다, 허가(증) 07 거주자, 주민 08 추가의, 더 먼, 더 나아가서, 게다가 09 요금, 운임 10 연례의, 연간의 11 theme 12 register 13 include 14 material 15 inconvenience 16 detail 17 announce 18 restore 19 explain 20 loan 21 delay 22 entrance 23 allow 24 toss 25 fee

독해가 강해지는 형용사 표현 ⑧

be rich in	~이 풍부하다

Tofu **is rich in** high quality protein, B-vitamins and calcium. (학평)
두부에는 양질의 단백질과 비타민B, 칼슘**이 풍부하다**.

be afflicted with	~에 시달리다

A person who **is afflicted with** loneliness will realize that only he can find his own cure. (수능)
외로움**에 시달리는** 사람은 자신만이 자신의 치료법을 찾을 수 있다는 것을 깨닫게 될 것이다.

be noted for	~으로 유명하다

You **are noted for** specializing in photos of celebrities. (학평)
당신은 연예인들의 사진을 전문으로 하는 것**으로 유명하다**.

be liable to	~하기 쉽다

The bird **is liable to** swallow poisonous oil and die since it preens its feathers using its beak. (학평)
그 새는 부리로 깃털을 다듬기 때문에 독 기름을 삼키고 죽**기 쉽다**.

be honored for	~에 대해 상을 받다

There are a number of people who could **be honored for** their good works. (학평)
자신의 훌륭한 업적**에 대해 상을 받을** 수 있는 많은 사람들이 있다.

DAY 26

문화·종교

MP3 바로 듣기

미국인들은 미신*을
잘 믿는다고 들었는데 사실이야??
그걸 왜
나한테 물어봐
the GREAT GATSBY
그의 이름 김서준. 토종 한국인이다.

* 미신 **superstition**

1001 □□□ ★

superstition

명 미신

[sù:pərstíʃən]

어원 super[넘어서] + stit[서다] + ion[명·접] → 상식 선을 넘어서 서 있는 미신

Jane's mother thinks **superstition** is just **superstition**, nothing more. (학평)

Jane의 어머니는 **미신**은 단지 **미신**일 뿐 그 이상은 아니라고 생각한다.

⊕ **superstitious** 형 미신적인

1002 □□□ ★

dwell

동 살다, 거주하다

[dwel]

More and more Maasai have given up the traditional life of herding and now **dwell** in permanent huts. (학평)

점점 더 많은 마사이족이 전통적인 유목 생활을 포기했고 이제는 영구적인 오두막에 **산다**.

⊕ **dweller** 명 거주자 **dwelling** 명 주거(지), 주택

⊜ **live, reside**

Tips

시험에는 이렇게 나온다

dwell은 '살다, 거주하다'라는 뜻의 동사이지만, 전치사 on과 함께 쓰이는 dwell on은 '~을 깊이 생각하다, 숙고하다'라는 뜻의 관용적 표현이에요.

1003 □□□ ★★★

traditional

[trədíʃənl]

형 전통의, 전통적인

어원 tra[가로질러] + dit[주다] + ion[명·접] + al[형·접] → 긴 시간을 가로질러 후세에 전달해 주는 전통의

You'll learn how to cook **traditional** food from local villagers. (모평)

당신은 지역 주민들로부터 **전통** 음식을 만드는 법을 배울 것이다.

⊕ **traditionally** 부 전통적으로 **tradition** 명 전통

⊜ **conventional**

Tips

시험에는 이렇게 나온다

traditional method[way] 전통 방식	**traditional market** 전통 시장
traditional costume 전통 의상	**traditional culture** 전통문화

1004 □□□ ★★

norm

[nɔːrm]

명 일반적인 것, 표준, 규범

Parent-infant co-sleeping is the **norm** for approximately 90 percent of the world's population. (수능)

부모와 유아가 함께 자는 것은 세계 인구의 약 90퍼센트에 해당하는 **일반적인 것**이다.

⊕ **normal** 형 보통의, 평범한 **normally** 부 보통, 정상적으로

⊜ **standard**

1005 □□□ ★

carve

[kɑːrv]

동 새기다, 조각하다

Some drawings by primitive men are **carved** on the walls. (학평)

원시인들의 몇몇 그림들이 벽에 **새겨져** 있다.

1006 □□□ ★

worship

[wə́ːrʃip]

동 숭배하다, 예배하다

They live in a culture that **worships** youth. (수능)

그들은 젊음을 **숭배하는** 문화 속에 살고 있다.

⊜ **praise, honor**

1007 □□□ ★★

mole

[moul]

명 (피부 위에 작게 돋은) 점, 두더지

According to ancient superstitions, **moles** reveal a person's character. (수능)

고대의 미신에 따르면, **점**은 사람의 성격을 드러낸다.

1008 □□□ ★★★

ritual

명 (종교적) 의식, 의례 형 의식의

[rítʃuəl]

The way the **ritual** is performed varies from place to place. (교과서)
의식이 행해지는 방법은 지역마다 다르다.

⊕ **ritualize** 동 의례화하다

⊜ **ceremony, rite**

1009 □□□ ★★★

complex

형 복잡한, 복합의 동 복잡하게 하다 명 복합 건물

형동[kəmpléks]
명[kά:mpleks]

어원 com[함께] + plex[꼬다] → 여럿이 함께 꼬여 복잡한

Creativity results from a **complex** interaction between a person and his culture. (모평)
창의성은 한 사람과 그의 문화 간의 **복잡한** 상호 작용에 기인한다.

⊕ **complexity** 명 복잡성

⊜ **complicated, intricate**

1010 □□□ ★★★

elderly

명 노인들 형 나이가 든

[éldərli]

The **elderly** think of themselves as being much younger than they actually are. (수능)
노인들은 자신을 실제 나이보다 훨씬 더 젊게 생각한다.

1011 □□□ ★

immigrate

동 이주해 오다, 와서 살다

[íməgreit]

어원 im[안으로] + migr[이동하다] + ate[동·접] → 나라 안으로 이동해서 들어와 살다, 즉 이주해 오다

When he was a child, his family **immigrated** to the United States. (학평)
그가 어렸을 때, 그의 가족은 미국으로 **이주해 왔다**.

⊕ **immigration** 명 이주 **immigrant** 명 이주민

⊜ **migrate** ⇔ **emigrate** 동 이민을 가다, 이주하다

1012 □□□ ★★★

archaeologist

명 고고학자

[ὰ:rkiά:lədʒist]

According to **archaeologists**, early humans used dice for fortunetelling, not for games. (수능)
고고학자들에 따르면, 초기 인류는 게임이 아니라 운세를 점치기 위해 주사위를 사용했다.

⊕ **archaeology** 명 고고학

LONDON

1013 □□□ ★★

innocent

형 순결한, 결백한

[ínəsənt]

어원 in[아닌] + nocent[해로운, 유죄의] → 유죄가 아닌, 즉 결백한 또는 순결한

White expresses the **innocent** spirit of Korean people. (교과서)

흰색은 한국인들의 **순결한** 정신을 나타낸다.

⊕ **innocently** 부 천진난만하게 **innocence** 명 순결, 결백, 무죄

⊜ **clean, honest**

1014 □□□ ★★★

demand

동 요구하다, 필요로 하다 명 요구, 수요

[dimǽnd]

어원 de[아래로] + mand[명령하다] → 어떤 것을 자신의 아래로 가져오라고 명령하다, 즉 요구하다

Westerners **demand** social equality; Asians aim for social harmony. (교과서)

서양인들은 사회적 평등을 **요구하고**, 아시아인들은 사회적 화합을 지향한다.

⊕ **demanding** 형 요구가 많은, 부담이 큰 **on demand** 요구가 있는 즉시

Tips

요구 동사 *demand*

demand와 같이 '요구'를 나타내는 동사는 흔히 that절(that + S + (should) + V)을 목적어로 취해요. 이때, that절의 동사는 주로 앞에 조동사 should가 생략되어 동사원형의 형태로 나타나요.

to demand that more security cameras (should) be installed (학평)

더 많은 보안 카메라를 설치할 것을 요구하다

1015 □□□ ★★

minimize

동 최소화하다, 축소하다

[mínəmaiz]

He believed that Confucianism would **minimize** social conflict and maximize harmony. (교과서)

그는 유교가 사회적 갈등을 **최소화하고** 화합을 극대화할 것이라고 믿었다.

⊕ **minimum** 명 최저, 최소한도 **minimal** 형 아주 적은, 최소의

⊖ **maximize** 동 극대화하다, 최대화하다

1016 □□□ ★

textile

명 직물, 옷감

[tékstail]

어원 text[짜다] + ile[명·접] → 실을 짜서 만든 직물

Textiles and clothing have functions that go beyond just protecting the body. (모평)

직물과 의류는 단지 몸을 보호하는 것 이상의 기능을 가진다.

Tips

'봉제'와 관련된 단어들

textile 직물, 옷감	**fabric** 직물, 천	**thread** 실
needle 바늘	**sewing** 바느질, 재봉	**stitch** 바늘땀

1017 □□□ ★★

priest

명 사제, 성직자

[priːst]

A **priest** was sharing a story about newborn twins. (학평)

사제는 갓 태어난 쌍둥이에 대한 이야기를 나누고 있었다.

⊕ **priesthood** 명 사제직, 사제들

⊟ **minister, pastor**

1018 □□□ ★★★

indicate

동 나타내다, 가리키다

[índikeit]

어원 in[안에] + dic[말하다] + ate[동·접] ➜ 안에 가진 생각을 말로 하여 보여주다, 즉 나타내다

In many cultures, a ring **indicates** marital status. (학평)

많은 문화권에서, 반지는 혼인 여부를 **나타낸다**.

⊕ **indicator** 명 지표　**indicative** 형 나타내는, 시사하는

⊟ **show, suggest**

1019 □□□ ★★

foretell

동 예언하다, 예지하다

[fɔːrtél]

어원 fore[미리] + tell[말하다] ➜ 사건 발생 전에 미리 말하다, 즉 예언하다

We desperately need people who can **foretell** the future. (수능)

우리는 미래를 **예언할** 수 있는 사람들이 절실히 필요하다.

⊟ **predict, forecast**

1020 □□□ ★

sacred

형 신성한, 종교적인

[séikrid]

She was examining a **sacred** location. (학평)

그녀는 **신성한** 장소를 조사하고 있었다.

⊟ **holy, heavenly**

1021 □□□ ★★★

spirit

명 영혼, 정신

[spírit]

Local people use the fruit to keep evil **spirits** away and to cure skin problems. (수능)

지역 주민들은 악한 **영혼들**을 멀리하고 피부 질환을 치유하기 위해 그 열매를 사용한다.

⊕ **spiritual** 형 영혼의, 정신의

⊟ **soul**

1022 □□□ ★★

rectangular

[rektǽŋgjulər]

형 직사각형의, 직각의

어원 rect[바르게 이끌다] + angul[각도] + ar[형·접] → 각도를 바르게 이끌어 직각인 또는 직사각형의

One particular Korean kite is the **rectangular** "shield kite," which has a unique hole at its center. 수능

한 특정한 한국의 연은 **직사각형의** "방패연"인데, 그것은 가운데에 독특한 구멍이 있다.

⊕ **rectangle** 명 직사각형

1023 □□□ ★★

abundant

[əbʌ́ndənt]

형 풍부한, 풍족한

어원 ab[~로부터] + und[물결치다] + ant[형·접] → 무언가로부터 물결쳐 흘러나올 정도로 풍부한

The rituals in Asia are mostly held by rice farmers, who wish for **abundant** harvests. 교과서

아시아의 의례들은 대부분 쌀 농부들에 의해 열리는데, 그들은 **풍부한** 수확을 기원한다.

⊕ **abundance** 명 풍부, 풍족

⊜ **plentiful, rich**

Tips

abundant와 ample의 의미 구분

두 단어 모두 '풍부한'을 뜻하지만 abundant는 주로 어떤 것이 넘쳐흐를 만큼 풍족하게 많을 때, ample은 주로 어떤 것이 부족함 없이 적당히 넉넉한 정도일 때 사용돼요.

1024 □□□ ★

medieval

[mediíːvəl]

형 중세의

어원 medi[중간] + ev[시대] + al[형·접] → 역사적으로 중간 시대인 중세의

Medieval civilization produced great achievements in government, religion, and art. 학평

중세의 문명은 통치, 종교, 그리고 예술에서 위대한 업적을 만들어냈다.

Tips

'시대'와 관련된 단어들

era 연대, 시대	**primitive** 원시의	**ancient** 고대의
prehistoric 선사 시대의	**medieval** 중세의	**modern** 근대의, 현대의

1025 □□□ ★★★

minority

[minɔ́ːrəti]

명 소수 (집단)

The Maasai are a small **minority**, and their lands have often been taken by outsiders. 학평

마사이족은 작은 **소수 집단**이며, 그들의 토지는 종종 외부인들에게 빼앗기곤 했다.

⊕ **minor** 형 소수의

↔ **majority** 명 (대)다수

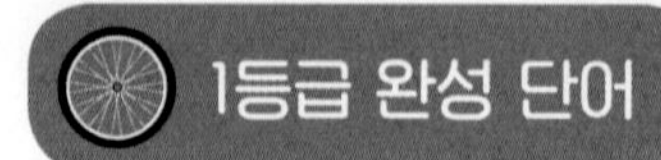

번호	체크	중요도	단어	발음	뜻
1026	□□□	★	**clan**	[klæn]	명 집안, 일가
1027	□□□	★	**merge**	[məːrdʒ]	동 어우러지다, 합치다, 합병하다
1028	□□□	★★	**diffusion**	[difjúːʒən]	명 전파, 확산
1029	□□□	★★	**subordinate**	명형 [səbɔ́ːrdənət] 동 [səbɔ́ːrdənèit]	명 하급자 형 하급의 동 경시하다
1030	□□□	★★★	**regardless**	[rigάːrdlis]	부 상관없이, 관계없이
1031	□□□	★	**offspring**	[ɔ́ːfspriŋ]	명 자손, 자식, 새끼
1032	□□□	★★	**grasp**	[græsp]	동 파악하다, 꽉 잡다 명 파악, 꽉 쥐기
1033	□□□	★	**aboriginal**	[æ̀bərídʒənəl]	명 원주민
1034	□□□	★	**abolish**	[əbάːliʃ]	동 폐지하다
1035	□□□	★	**perish**	[périʃ]	동 죽다, 소멸하다
1036	□□□	★	**prevail**	[privéil]	동 우세하다, 만연하다, 이기다
1037	□□□	★	**prophecy**	[prάːfəsi]	명 예언, 예언 능력
1038	□□□	★	**slaughter**	[slɔ́ːtər]	동 도살하다, 학살하다 명 도살, 학살
1039	□□□	★	**peasant**	[pézənt]	명 소작농, 농부
1040	□□□	★	**spear**	[spiər]	명 창, 작살 동 (창 등으로) 찌르다

Culturally important ritual knowledge is kept within the clan. (모평)
문화적으로 중요한 의례 지식은 그 **집안** 내에 보관되어 있다.

I've seen couples from different ethnic groups merge into harmonious relationships. (수능)
나는 다른 민족 집단에서 온 커플들이 조화로운 관계로 **어우러지는** 것을 본 적이 있다.

Diffusion is a process by which one culture borrows from another. (수능)
전파는 한 문화가 다른 문화에서 차용해오는 과정이다.

Subordinates are more restricted in where they can look. (수능)
하급자들이 바라볼 수 있는 곳은 더 한정되어 있다.

The hole in the center of Korean kites helps the kite fly fast regardless of the wind speed. (수능)
한국 연의 가운데 있는 구멍은 풍속과 **상관없이** 연이 빠르게 날 수 있게 해준다.

The contemporary child must travel much further than the offspring of primitive man. (수능)
현대의 아이는 원시인의 **자손**보다 훨씬 더 멀리 이동해야 한다.

To understand human behavior, it is essential to grasp the ideas of inferiority. (학평)
인간의 행동을 이해하기 위해서는, 열등감의 개념을 **파악하는** 것이 필수적이다.

Some aboriginals are still living in Kakadu. (교과서)
몇몇 **원주민들**은 여전히 Kakadu에 살고 있다.

Coming to London, he became involved in the movement to abolish slavery. (학평)
런던에 와서, 그는 노예 제도를 **폐지하기** 위한 운동에 참여하게 되었다.

He thinks that the gods should have tried not to let so many innocent people perish. (학평)
그는 신들이 그렇게 많은 무고한 사람들이 **죽게** 놔두지 않도록 노력했어야 했다고 생각한다.

In Greek tragedies where fate embodied in the oracles prevails, there is no free will. (모평)
신탁에 담긴 운명이 **우세한** 그리스 비극에서 자유 의지란 없다.

This happiness seemed to last forever, making them completely forget about the prophecy. (교과서)
이 행복은 영원히 지속되는 것처럼 보였고, 그들이 **예언**에 대해 완전히 잊어버리게 만들었다.

They don't slaughter their cattle for food. (학평)
그들은 식량을 위해 자신들의 소를 **도살하지** 않는다.

The typical peasant in traditional China ate rice for breakfast, lunch, and dinner. (학평)
전통적인 중국의 평범한 **소작농**은 아침, 점심, 저녁으로 쌀밥을 먹었다.

Even under ideal circumstances, hunting these fast animals with a spear is an uncertain task. (수능)
이상적인 환경에서조차도, 이 빠른 동물들을 **창**으로 사냥하는 것은 불확실한 일이다.

01 02 03 04 05 06 07 08 09 10 11 12 13 14 15 16 17 18 19 20 21 22 23 24 25 26 DAY 27 28 29 30 31 32 33 34 35 36 37 38 39 40 41 42 43 44 45 46 47 48 49 50

Daily Quiz

영어는 우리말로, 우리말은 영어로 쓰세요.

01 regardless ____________
02 mole ____________
03 innocent ____________
04 superstition ____________
05 priest ____________
06 archaeologist ____________
07 foretell ____________
08 minority ____________
09 complex ____________
10 abundant ____________
11 전파, 확산 ____________
12 소작농, 농부 ____________
13 요구하다, 필요로 하다 ____________
14 일반적인 것, 표준, 규범 ____________
15 살다, 거주하다 ____________
16 예언, 예언 능력 ____________
17 나타내다, 가리키다 ____________
18 전통의, 전통적인 ____________
19 최소화하다, 축소하다 ____________
20 (종교적) 의식, 의식의 ____________

다음 빈칸에 들어갈 가장 알맞은 것을 박스 안에서 고르세요.

grasp	spirit	elderly	rectangular	subordinate

21 Local people use the fruit to keep evil ____________(e)s away and to cure skin problems.
지역 주민들은 악한 영혼들을 멀리하고 피부 질환을 치유하기 위해 그 열매를 사용한다.

22 ____________(e)s are more restricted in where they can look.
하급자들이 바라볼 수 있는 곳은 더 한정되어 있다.

23 The ____________ think of themselves as being much younger than they actually are.
노인들은 자신을 실제 나이보다 훨씬 더 젊게 생각한다.

24 To understand human behavior, it is essential to ____________ the ideas of inferiority.
인간의 행동을 이해하기 위해서는, 열등감의 개념을 파악하는 것이 필수적이다.

25 One particular Korean kite is the ____________ "shield kite," which has a unique hole at its center.
한 특정한 한국의 연은 직사각형의 "방패연"인데, 그것은 가운데에 독특한 구멍이 있다.

정답

01 상관없이, 관계없이 **02** (피부 위에 작게 돋은) 점, 두더지 **03** 순결한, 결백한 **04** 미신 **05** 사제, 성직자 **06** 고고학자 **07** 예언하다, 예지하다 **08** 소수 (집단) **09** 복잡한, 복합의, 복잡하게 하다, 복합 건물 **10** 풍부한, 풍족한 **11** diffusion **12** peasant **13** demand **14** norm **15** dwell **16** prophecy **17** indicate **18** traditional **19** minimize **20** ritual **21** spirit **22** Subordinate **23** elderly **24** grasp **25** rectangular

점수 잡는 수능 고빈출 숙어 ①

in fact	사실상, 실제로

Every age is **in fact** an age of information. (수능)
모든 시대는 **사실상** 정보의 시대이다.

according to	~에 따르면, ~에 의하면

According to Erikson, basic trust of the infants involves having the courage to let go of the familiar. (학평)
Erikson**에 따르면**, 유아들의 기본적인 신뢰감은 익숙한 것들을 놓아주는 용기를 가지는 것을 수반한다.

tend to	~하는 경향이 있다

We **tend to** assume that the way to get more time is to speed up. (모평)
우리는 더 많은 시간을 얻는 방법은 속도를 내는 것이라고 추정**하는 경향이 있다**.

based on	~을 바탕으로, ~에 근거를 두고

We should plan the future **based on** what we expect to happen. (모평)
우리는 일어날 것이라고 예상하는 일**을 바탕으로** 미래를 계획해야 한다.

at least	적어도, 최소한

Most of my friends get **at least** $40 a week. (모평)
내 친구들 대부분은 일주일에 **적어도** 40달러를 받는다.

DAY 27 역사

MP3 바로 듣기

예로부터 인류*를 움직이는
원동력은 식욕이었지.
나는 먹는다.
고로 존재한다.
- 데카르통통

* 인류 **humanity**

1041 □□□ ★★★

humanity

[hjuːmǽnəti]

명 인류, 인간(애)

어원 hum[땅] + an[형·접] + ity[명·접] → 땅에 사는 사람들, 즉 인류

War seems to be part of the history of **humanity**. 수능

전쟁은 **인류** 역사의 일부인 것으로 보인다.

➕ **humanitarian** 형 인도주의적인

⊟ **mankind**

1042 □□□ ★★

territory

[térətɔːri]

명 영토, 영역

어원 terr(it)[땅] + ory[장소] → 일정한 범위의 땅, 즉 영토 또는 영역

Augustus was not interested in gaining new **territory** for Rome. 학평

아우구스투스는 로마 제국의 새로운 **영토** 획득에는 관심이 없었다.

➕ **territorial** 형 영토의

⊟ **district, region**

1043 □□□ ★★

historic

[histɔ́:rik]

형 역사적으로 중요한, 역사에 남을 만한

Understanding why **historic** events took place is important. (수능)

역사적으로 중요한 사건들이 왜 발생했는지 이해하는 것은 중요하다.

⊕ **history** 명 역사 **historical** 형 역사적인, 역사와 관련된 **historically** 부 역사상, 역사적으로

1044 □□□ ★★★

origin

[ɔ́:rədʒin]

명 기원, 유래, 출신

The **origin** of Hwaseong Fortress goes back to the late Joseon period. (교과서)

수원 화성의 **기원**은 조선 후기로 거슬러 올라간다.

⊕ **original** 형 원래의, 독창적인 **originally** 부 원래 **originality** 명 독창성 **originate** 동 시작되다, 유래하다

⊟ **root, base**

Tips

시험에는 이렇게 나온다

country of origin 출생지, 원산지 **origin of language** 언어의 기원
Spanish origin 스페인 출신 **Origin of Species** 종의 기원

1045 □□□ ★★

ancestor

[ǽnsestər]

명 조상, 선조

어원 anc[앞에] + (c)est[가다] + or[사람] → 앞에 간 사람, 즉 조상

Six million years ago, humans shared a common **ancestor** with the chimpanzee. (학평)

6백만 년 전, 인류는 침팬지와 공동의 **조상**을 공유했다.

⊕ **ancestral** 형 조상의 **ancestry** 명 가계, 혈통

⊟ **forefather, antecedent**

1046 □□□ ★

infer

[infə́:r]

동 추론하다, 추측하다

어원 in[안에] + fer[나르다] → 머리 안에서 어떤 일을 끝으로 날라서 결론을 내다, 즉 추론하다

We can **infer** that there was prosperity in ancient Athens. (모평)

우리는 고대 아테네가 번성했음을 **추론할** 수 있다.

⊟ **deduce, reason**

1047 □□□ ★★★

civilization

명 문명

[sìvəlәzéiʃən]

Geography is the key to explaining the success of the ancient Egyptian **civilization**. (수능)

지리는 고대 이집트 **문명**의 성공을 설명하는 핵심이다.

⊕ **civilize** 동 문명화하다, 개화하다 **civilized** 형 문명화된, 개화된

1048 □□□ ★★

mankind

명 인류, 인간

[mæ̀nkáind]

Money is one of **mankind**'s greatest tools. (학평)

돈은 **인류**의 가장 위대한 도구 중 하나이다.

⊟ **humanity, humankind**

1049 □□□ ★★

empire

명 제국

[émpaiər]

The Roman **Empire** had an incredible variety of trademarks. (모평)

로마 **제국**은 믿을 수 없을 정도로 다양한 상표들을 가지고 있었다.

⊟ **kingdom**

1050 □□□ ★★★

solution

명 해결(책), 용액

[səlúːʃən]

It took him four years to develop the right **solution**. (학평)

그가 올바른 **해결책**을 개발하는 데 4년이 걸렸다.

⊕ **solve** 동 해결하다 **soluble** 형 해결 가능한, 녹는

⊟ **answer, resolution, key**

1051 □□□ ★★★

reveal

동 드러내다, 알리다, 폭로하다

[rivíːl]

Historical artifacts can **reveal** much about the past. (수능)

역사적 유물들은 과거에 대해 많은 것을 **드러낼** 수 있다.

⊕ **revelation** 명 폭로

⊟ **disclose, announce** ⇔ **conceal** 동 숨기다, 감추다

Tips

reveal과 announce의 차이

두 단어 모두 '알리다'를 뜻하지만 약간의 차이가 있어요. reveal 뒤에는 잘 알려져 있지 않던 사실이나 비밀 등의 내용이, announce 뒤에는 공지나 발표 등 여러 사람에게 널리 알리는 내용이 와요.

LONDON

1052 □□□ ★★

tragic

형 비극적인, 비극의

[trǽdʒik]

The **tragic** accident shouldn't happen again. (학평)

그 **비극적인** 사고는 다시 일어나서는 안 된다.

⊕ **tragedy** 명 비극

⊜ **miserable, unfortunate**

1053 □□□ ★

troop

명 군대, 무리 동 무리를 짓다

[truːp]

During the war with Russia, Napoleon's **troops** were battling in the middle of a small town. (학평)

러시아와의 전쟁 동안, 나폴레옹의 **군대**는 작은 마을의 한가운데에서 싸우고 있었다.

Tips

'군대'와 관련된 단어들

troop 군대	battle 전투	corps 군대, 부대
general 장군	invade 침략하다	conquer 정복하다

1054 □□□ ★★★

spread

동 퍼지다, 펼치다 명 전파, 확산

[spred]

By AD 500, chopstick use had **spread** to other countries. (수능)

서기 500년 즈음에, 젓가락의 사용은 다른 나라들로 **퍼졌다**.

⊜ **extend, expand**

1055 □□□ ★★

era

명 시대

[érə]

Leadership is becoming more important in this **era** of change. (학평)

이런 변화의 **시대**에서는 리더십이 더욱 중요해지고 있다.

⊜ **period, generation**

1056 □□□ ★★★

ancient

형 고대의, 옛날의

[éinʃənt]

In **ancient** Egypt, many people lived around the Nile. (학평)

고대 이집트에서는, 많은 사람들이 나일강 주변에 살았다.

1057 □□□ ★★

artifact

명 유물, 공예품, 인공물

[á:rtəfækt]

They accumulated valuable historical **artifacts**. (수능)

그들은 귀중한 역사적 **유물들**을 모았다.

1058 □□□ ★★

sector

명 분야, 부문

[séktər]

어원 sect[자르다] + or[명·접] → 어떤 영역을 일정 기준으로 잘라서 나눈 분야

The dairy **sectors** in the Balkan countries have failed to develop. (학평)

발칸 국가들의 낙농업 **분야**는 성장하는 데 실패했다.

= **area, division**

1059 □□□ ★

combat

명 전투, 싸움 동 싸우다, 투쟁하다

명[ká:mbæt]
동[kəmbǽt]

어원 com[함께] + bat[치다] → 상대와 함께 치고받는 전투 또는 싸움

He flew many successful **combat** missions. (학평)

그는 많은 성공적인 **전투** 비행 임무를 수행했다.

+ **combative** 형 전투적인

= **war, battle**

1060 □□□ ★★

impractical

형 비현실적인, 비실용적인

[impræ̀ktikəl]

어원 im[아닌] + practical[현실적인, 실용적인] → 현실적이지 않은, 즉 비현실적인

Early in the war, inventors came to the army leaders with the idea, but the army rejected it as **impractical**. (학평)

전쟁 초기에, 발명가들은 군 지도자들에게 아이디어를 제안했으나, 군은 **비현실적이라며** 그것을 거절했다.

= **unrealistic** ↔ **practical** 형 현실적인, 실용적인

1061 □□□ ★

tomb

명 무덤

[tu:m]

In 1898, a peculiar six-inch wooden object was found in a **tomb** in Egypt. (학평)

1898년에, 나무로 된 6인치 크기의 기묘한 물체가 이집트의 한 **무덤**에서 발견되었다.

= **grave**

NEW YORK

1062 □□□ ★★

colony

[ká:ləni]

명 식민지, 집단

어원 colon[경작하다] + y[명·접] → 점령하여 경작한 결과물을 빼앗는 지역인 식민지

England's plan to establish **colonies** in North America was founded on a false idea. 모평

북미에 **식민지**를 건설하고자 했던 영국의 계획은 잘못된 사상에 기반한 것이었다.

⊕ **colonial** 형 식민지의 **colonize** 동 식민지로 만들다

Tips

'식민지'와 관련된 단어들

settlement 식민(지)	**invade** 침략하다	**conquer** 정복하다
struggle 투쟁하다	**liberation** 해방	**independence** 독립

1063 □□□ ★★

invade

[invéid]

동 침략하다, 침입하다

어원 in[안에] + vad(e)[가다] → 안으로 쳐들어가다, 즉 침략하다

When Czechoslovakia was **invaded** by the Nazis, he was forced to flee to Scandinavia. 학평

체코슬로바키아가 나치에 의해 **침략당했을** 때, 그는 스칸디나비아로 피신할 수밖에 없었다.

⊕ **invasion** 명 침략, 침입

⊜ **attack, assault**

1064 □□□ ★★★

independent

[ìndipéndənt]

형 독립적인, 독자적인

어원 in[아닌] + dependent[의존적인] → 의존적이지 않은, 즉 독립적인

Countries, regions, and even villages were economically **independent** of one another in the past. 수능

과거에는 국가, 지역, 심지어 마을까지 서로 경제적으로 **독립적이었다**.

⊕ **independently** 부 독립하여 **independence** 명 독립

⊜ **autonomous** ⇔ **dependent** 형 의존적인, 의지하는

1065 □□□ ★★★

evidence

[évidəns]

명 증거, 흔적

Some historical **evidence** indicates that coffee did originate in the Ethiopian highlands. 학평

몇몇 역사적 **증거**는 커피가 에티오피아의 고지에서 유래했음을 나타낸다.

⊕ **evident** 형 분명한, 눈에 띄는 **evidently** 부 분명히, 눈에 띄게

⊜ **proof**

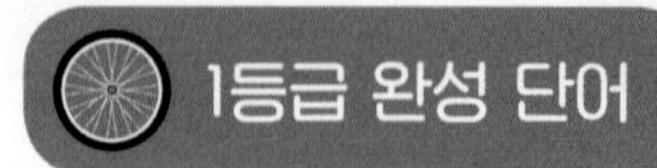

1등급 완성 단어

1066 □□□ ★★	**historian** [histɔ́:riən]	명 역사학자
1067 □□□ ★★	**incentive** [inséntiv]	명 장려(금), 동기
1068 □□□ ★★★	**objective** [əbdʒéktiv]	형 객관적인 명 목적, 목표
1069 □□□ ★★	**inherit** [inhérit]	동 물려받다, 상속받다
1070 □□□ ★★	**retreat** [ritrí:t]	동 후퇴하다, 물러나다 명 후퇴
1071 □□□ ★★★	**primitive** [prímətiv]	형 원시의, 초기의
1072 □□□ ★★	**emperor** [émpərər]	명 황제
1073 □□□ ★	**tame** [teim]	동 길들이다 형 길든, 온순한
1074 □□□ ★	**surrender** [səréndər]	동 항복하다, 포기하다 명 항복, 포기
1075 □□□ ★	**rigid** [rídʒid]	형 엄격한, 경직된
1076 □□□ ★★	**undoubtedly** [ʌndáutidli]	부 의심의 여지 없이, 틀림없이
1077 □□□ ★	**retrospect** [rétrəspèkt]	명 회상, 추억
1078 □□□ ★	**imprison** [imprízən]	동 수감하다, 감금하다
1079 □□□ ★	**keen** [ki:n]	형 예리한, 날카로운, 열정적인
1080 □□□ ★	**oppressive** [əprésiv]	형 억압적인, 억압하는

A **historian** will guide the tour and offer in-depth explanations of each location. (모평)
역사학자가 투어를 진행하면서 각 장소에 대한 깊이 있는 설명을 해줄 것이다.

In China in the 19th century, an **incentive** was offered for finding dinosaur bones. (학평)
19세기 중국에서는, 공룡 뼈를 찾는 것에 대한 **장려금**이 제공되었다.

The Sillok is considered more **objective** than any other historical records. (교과서)
조선왕조실록은 다른 어떤 역사적 기록보다도 더 **객관적인** 것으로 여겨진다.

He **inherited** the throne at age nineteen. (학평)
그는 19세에 왕위를 **물려받았다**.

Sun Pin's troops **retreated**, luring Wei's army into a narrow pass. (학평)
손빈의 군대는 **후퇴하면서**, 위나라의 군대를 좁은 통로로 유인했다.

Disease was a vital concern to the whole **primitive** community. (수능)
질병은 전체 **원시** 사회에 극히 중대한 관심사였다.

People believe the Caesar salad is named after a Roman **emperor**. (수능)
사람들은 시저 샐러드가 한 로마 **황제**의 이름을 따서 명명되었다고 생각한다.

Around 10,000 years ago, humans learned to cultivate plants and **tame** animals. (학평)
약 10,000년 전에, 인간은 식물을 기르고 동물을 **길들이는** 법을 배웠다.

Keep on with the war a little while longer, and they shall **surrender**. (학평)
전쟁에서 조금만 더 버티면, 그들은 **항복할** 것이다.

The **rigid** social control required to hold an empire together was not beneficial to science. (수능)
제국을 단결시키는 데 필요했던 **엄격한** 사회적 통제는 과학에 이롭지 않았다.

The earliest footwear was **undoubtedly** born of the necessity to provide some protection. (수능)
초기의 신발은 **의심의 여지 없이** 어떤 보호를 제공하기 위한 필요성에 의해 탄생했다.

In **retrospect**, they probably made a poor choice. (수능)
회상해보면, 그들은 아마 잘못된 선택을 했을 것이다.

He was **imprisoned** in England during World War I because of his German citizenship. (학평)
그는 독일 시민권 때문에 제1차 세계 대전 동안 영국에 **수감되었다**.

In fact, ancient Chinese astronomers were **keen** observers of the skies. (학평)
사실, 고대 중국 천문학자들은 하늘의 **예리한** 관찰자였다.

In the **oppressive** decades of the Industrial Revolution, people didn't give up their free will. (학평)
억압적이었던 수십 년의 산업 혁명 동안에, 사람들은 그들의 자유 의지를 포기하지 않았다.

01 02 03 04 05 06 07 08 09 10 11 12 13 14 15 16 17 18 19 20 21 22 23 24 25 26 27 DAY 28 29 30 31 32 33 34 35 36 37 38 39 40 41 42 43 44 45 46 47 48 49 50

Daily Quiz

영어는 우리말로, 우리말은 영어로 쓰세요.

01 colony	________	**11** 시대	________
02 impractical	________	**12** 유물, 공예품, 인공물	________
03 territory	________	**13** 해결(책), 용액	________
04 historic	________	**14** 추론하다, 추측하다	________
05 sector	________	**15** 드러내다, 폭로하다	________
06 mankind	________	**16** 비극적인, 비극의	________
07 empire	________	**17** 문명	________
08 primitive	________	**18** 침략하다, 침입하다	________
09 ancient	________	**19** 역사학자	________
10 origin	________	**20** 증거, 흔적	________

다음 빈칸에 들어갈 가장 알맞은 것을 박스 안에서 고르세요.

objective	independent	spread	humanity	ancestor

21 Six million years ago, humans shared a common ________ with the chimpanzee.
6백만 년 전, 인류는 침팬지와 공동의 조상을 공유했다.

22 War seems to be part of the history of ________.
전쟁은 인류 역사의 일부인 것으로 보인다.

23 By AD 500, chopstick use had ________ to other countries.
서기 500년 즈음에, 젓가락의 사용은 다른 나라들로 퍼졌다.

24 The Sillok is considered more ________ than any other historical records.
조선왕조실록은 다른 어떤 역사적 기록보다도 더 객관적인 것으로 여겨진다.

25 Countries, regions, and even villages were economically ________ of one another in the past.
과거에는 국가, 지역, 심지어 마을까지 서로 경제적으로 독립적이었다.

정답

01 식민지, 집단 **02** 비현실적인, 비실용적인 **03** 영토, 영역 **04** 역사적으로 중요한, 역사에 남을 만한 **05** 분야, 부문 **06** 인류, 인간 **07** 제국 **08** 원시의, 초기의 **09** 고대의, 옛날의 **10** 기원, 유래, 출신 **11** era **12** artifact **13** solution **14** infer **15** reveal **16** tragic **17** civilization **18** invade **19** historian **20** evidence **21** ancestor **22** humanity **23** spread **24** objective **25** independent

점수 잡는 수능 고빈출 숙어 ②

rather than	~보다는, ~ 대신에

Rather than complaining about your salary, be grateful that you have a job. (학평)
봉급에 대해 불평하기**보다는**, 당신이 직업을 가지고 있다는 것에 감사해라.

in order to	~하기 위해서

In order to become a writer or anything else, the first step is to silence your greatest critic — you. (학평)
작가나 다른 어떤 것이 되**기 위해서**, 첫 번째 단계는 여러분에게 가장 영향력이 큰 비평가인 여러분 자신을 침묵하게 하는 것입니다.

instead of	~ 대신

Use public transport or a bicycle **instead of** your own car. (학평)
자가용 **대신** 대중교통이나 자전거를 이용해라.

due to	~으로 인해, ~ 때문에

Your flight is canceled **due to** bad weather. (모평)
당신의 항공편은 악천후**로 인해** 취소되었습니다.

for sure	(의심할 여지 없이) 확실히

It's impossible to know **for sure** if cats dream just like we do. (모평)
고양이가 우리처럼 꿈을 꾸는지 **확실히** 아는 것은 불가능하다.

DAY 28

문학

MP3 바로 듣기

너도 게임만
하지 말고 시*를
읽어보는 게 어때?
..라고 드라마 결말이 마음에
안 든다며 TV를 부순 누나가 말했다.

* 시 **poetry**

1081 □□□ ★★★

poetry

[póuətri]

명 시, 운문

I'd like to give a signed copy of my latest **poetry** book to each of your students. 모평

서명이 있는 제 최신 **시**집을 당신의 각 학생들에게 드리고 싶어요.

⊕ **poet** 명 시인

1082 □□□ ★★★

literature

[lítərətʃər]

명 문학, 문헌

어원 liter[글자] + at(e)[형·접] + ure[명·접] → 여러 형태의 예술 중 글자로 된 것, 즉 문학

They've been in the library over the weekend reading for their **literature** class. 수능

그들은 **문학** 수업을 위해 주말에 책을 읽으며 도서관에 있었다.

⊕ **literary** 형 문학의, 문학적인

Tips

'문학'과 관련된 단어들

poetry 시	**prose** 산문	**fairy tale** 동화	**biography** 전기
essay 수필	**epic** 서사시	**fiction** 소설	**mythology** 신화

1083 □□□ ★★★

author

명 작가, 저자

[ɔ́:θər]

When an **author** finishes writing an article, he or she submits it to the editors. 학평

작가가 글 쓰는 것을 마치면, 그것을 편집자들에게 제출한다.

⊕ **authority** 명 권한 **authorize** 동 권한을 부여하다

⊟ **writer, novelist**

1084 □□□ ★★

script

명 대본, 원고

[skript]

When preparing for a **script**, it's important to make an appealing opening. 학평

대본을 준비할 때는, 매력적인 서두를 작성하는 것이 중요하다.

1085 □□□ ★★★

contemporary

형 현대의, 동시대의 명 동년배

[kəntémpəreri]

어원 con[함께] + tempo(r)[시대] + ary[형·접] → 함께 하는 시대의, 즉 현대의 또는 동시대의

Marilynne Robinson is one of **contemporary** America's promising new writers. 학평

Marilynne Robinson은 **현대** 미국의 유망한 신인 작가들 중 한 명이다.

⊕ **contemporarily** 부 동시대에, 당대에서

⊟ **present, current, modern**

1086 □□□ ★★★

genre

명 장르, 양식, 유형

[ʒɑ́:nrə]

One may wonder if literary fiction is destined to become an old-fashioned **genre**. 수능

누군가는 문학 소설이 구식의 **장르**가 될 운명인지에 대해 궁금해할 수 있다.

⊟ **type, class**

1087 □□□ ★★

narrative

명 설화, 담화, 서술

[nǽrətiv]

A **narrative** is not a myth the first time it is told, but only a story or an account. 모평

설화는 처음 전해질 때는 신화가 아니라, 단지 이야기나 설명에 불과하다.

⊕ **narrate** 동 이야기하다 **narration** 명 이야기, 서술 **narrator** 명 서술자

⊟ **tale**

1088 □□□ ★

encyclopedia

명 백과사전

[insàikləpíːdiə]

Why don't you find some information from the **encyclopedia** over there? (수능)

저기 있는 **백과사전**에서 정보를 찾아보는 게 어때요?

1089 □□□ ★★★

length

명 길이, 거리, 기간

[leŋθ]

어원 leng[긴] + th[명·접] → 사물, 시간 등 어떤 것의 길이

The **length** of a diary does not matter as long as it is honest. (학평)

솔직한 내용이기만 하면 일기의 **길이**는 중요하지 않다.

⊕ **lengthy** 형 너무 긴, 장황한 **lengthen** 동 길어지다, 늘이다

1090 □□□ ★★★

myth

명 신화, 전설

[miθ]

An old Greek **myth** tells the story of a farmer who Zeus turned into an ant. (수능)

한 고대 그리스 **신화**는 제우스가 개미로 변하게 한 농부에 대한 이야기를 한다.

⊕ **mythology** 명 신화(학) **mythical** 형 신화의

⊜ **folk tale, legend**

1091 □□□ ★★

legend

명 전설, 신화, (지도·도표 등의) 범례

[lédʒənd]

Many **legends** and fairy tales say that wolves are bad. (학평)

많은 **전설**과 동화에서는 늑대가 나쁘다고 말한다.

⊕ **legendary** 형 전설적인

⊜ **fable**

1092 □□□ ★★★

direct

형 직접적인 동 감독하다, 안내하다, ~로 향하다

[dirékt]

It's well written, but it's a bit too strong and **direct**. (수능)

그것은 잘 쓰였으나, 조금 많이 격하고 **직접적이다**.

⊕ **directly** 부 곧장, 똑바로 **director** 명 감독, 관리자 **direction** 명 방향, 지시

⊜ **frank, straightforward** ⇔ **indirect** 형 간접적인

1093 □□□ ★★★

identify

[aidéntəfai]

동 확인하다, 식별하다, 동일시하다

어원 ident[같은] + ify[동·접] ➜ 신분증과 주인이 같은지 확인하다

We can never **identify** any individual creator of a myth. (모평)

우리는 각각의 신화 창시자 누구도 결코 **확인할** 수 없다.

⊕ **identification** 명 식별, 신원 증명(서) **identify A with B** A를 B와 동일시하다

⊜ **recognize, determine**

1094 □□□ ★★★

imagination

[imæ̀dʒənéiʃən]

명 상상(력), 창의력

You can use your **imagination** to write books or invent something. (학평)

당신은 당신의 **상상력**을 책을 쓰거나 무언가를 발명하는 데 이용할 수 있다.

⊕ **imaginative** 형 상상력이 풍부한, 창의적인
imaginary 형 상상의, 가상의 **imagine** 동 상상하다

⊜ **creativity**

1095 □□□ ★★★

discussion

[diskʌ́ʃən]

명 토론, 논의

어원 dis[떨어져] + cuss[흔들다] + ion[명·접] ➜ 현재 생각에서 떨어지도록 상대의 마음을 흔드는 토론

We invite famous authors to join our **discussions**. (수능)

우리는 유명한 작가들을 우리 **토론**에 참여하도록 초대한다.

⊕ **discuss** 동 논의하다

⊜ **debate**

Tips

타동사 discuss

discussion의 동사형인 discuss는 주로 '~에 대해 논의하다'라는 뜻으로 쓰여 '~에 대해'를 의미하는 about과 함께 쓴다고 생각하기 쉽지만, 타동사이므로 뒤에 전치사 없이 바로 목적어가 와요.

discuss environmental issues 환경 문제에 대해 논의하다 (학평)

1096 □□□ ★★★

struggle

[strʌ́gl]

동 분투하다, 애쓰다, 투쟁하다 명 노력, 투쟁

The people of Wales **struggle** to keep their language and literature alive. (수능)

웨일스 사람들은 그들의 언어와 문학이 살아있도록 하기 위해 **분투한다**.

⊕ **struggling** 형 분투하는 **struggle with** ~하느라 애쓰다

⊜ **strive, strain**

1097 □□□ ★★★

section

[sékʃən]

명 부분, 구역

어원 sect[자르다] + ion[명·접] → 잘라서 나눠진 부분

Many books begin with a short **section** called the preface. (학평)

많은 책들이 서문이라고 불리는 짧은 **부분**으로 시작한다.

= part, piece

1098 □□□ ★★★

criticism

[krítisizm]

명 비판, 비평

I thought honest **criticism** could be helpful. (모평)

나는 솔직한 **비판**이 도움이 될 수 있다고 생각했다.

+ criticize 동 비판하다 critic 명 비평가

= review

1099 □□□ ★★★

meaningful

[mí:niŋfəl]

형 의미 있는, 중요한

Some old books may be **meaningful** and valuable. (학평)

몇몇 고서들은 **의미 있고** 귀중할 수 있다.

+ mean 동 의미하다 meaning 명 의미, 뜻

= important, significant

↔ meaningless 형 의미 없는, 중요하지 않은

1100 □□□ ★★

maximum

[mǽksəməm]

명 최대, 최고 형 최대의, 최고의

The essay must be a minimum of 5 pages and a **maximum** of 10. (수능)

에세이는 최소 5페이지에서 **최대** 10페이지여야 한다.

+ maximize 동 극대화하다

↔ minimum 명 최저, 최소

1101 □□□ ★

manuscript

[mǽnjuskript]

명 원고, 필사본

어원 manu[손] + script[쓰다] → 손으로 쓴 원고

The competition to sell **manuscripts** to publishers is fierce. (학평)

출판사에 **원고들**을 팔기 위한 경쟁이 치열하다.

1102 □□□ ★

humble

[hʌ́mbl]

형 겸손한, 초라한

어원 hum(b)[땅] + le[형·접] → 몸을 땅 쪽으로 낮게 숙이는, 즉 겸손한

He chose to live as a **humble** writer among very poor people. (학평)

그는 매우 가난한 사람들 사이에서 **겸손한** 작가로 살기로 결심했다.

⊕ **humbly** 부 겸손하게, 초라하게

⊜ **modest**

1103 □□□ ★★

simplicity

[simplísəti]

명 단순함, 간단함

어원 sim[같은] + plic[꼬다] + ity[명·접] → 같은 방향으로 꼬아 단순함

The preference for apparent **simplicity** in the modernist movement in prose and poetry was echoed in the International Style of architecture. (학평)

산문과 시 모더니즘 운동에서의 명백한 **단순함**에 대한 선호는 국제 건축 양식에 반영되었다.

⊕ **simple** 형 단순한 **simplify** 동 간소화하다, 간단하게 하다

⊜ **clarity**

1104 □□□ ★★

mislead

[mìslíːd]

동 오해하게 하다, 잘못 인도하다

어원 mis[잘못된] + lead[이끌다] → 잘못된 방향으로 이끌다, 즉 오해하게 하다

An insufficient explanation can **mislead** the readers. (학평)

불충분한 설명은 독자들을 **오해하게 할** 수 있다.

⊕ **misleading** 형 오해의 소지가 있는

⊜ **deceive** ↔ **lead** 동 인도하다, 이끌다

1105 □□□ ★★★

devote

[divóut]

동 헌신하다, 전념하다, (노력·시간 등을) 바치다

어원 de[아래로] + vot(e)[서약하다] → 몸과 마음을 상대의 아래에 바친다고 서약하다, 즉 헌신하다

Gonzales has **devoted** himself to providing people with more access to literature. (수능)

Gonzales는 사람들이 문학을 더 많이 접할 수 있도록 하는 데 **헌신했다**.

⊕ **devotion** 명 헌신 **be devoted to** ~에 헌신하다

devote oneself to ~에 헌신하다, 전념하다

⊜ **commit, dedicate**

1106 □□□ ★★★	**absolute** [ǽbsəlùːt]	형 절대적인, 완전한, 확고한
1107 □□□ ★★★	**instance** [ínstəns]	명 경우, 사례
1108 □□□ ★★	**dilemma** [dilémə]	명 딜레마, 궁지
1109 □□□ ★★	**specialized** [spéʃəlaizd]	형 전문적인, 전문화된
1110 □□□ ★★	**diminish** [dimíniʃ]	동 감소시키다, 줄어들다
1111 □□□ ★★	**imaginative** [imǽdʒənətiv]	형 상상력이 풍부한, 창의적인
1112 □□□ ★★	**vague** [veig]	형 모호한, 막연한
1113 □□□ ★	**profound** [prəfáund]	형 심오한, 깊은
1114 □□□ ★	**outdated** [àutdéitid]	형 구식의, 시대에 뒤떨어진
1115 □□□ ★	**suspicion** [səspíʃən]	명 의심, 혐의
1116 □□□ ★	**protagonist** [proutǽgənist]	명 주인공, 주역
1117 □□□ ★	**doom** [duːm]	동 운명을 정하다, 선고하다 명 비운, 파멸
1118 □□□ ★★	**hostile** [hάːstl]	형 적대적인
1119 □□□ ★	**embed** [imbéd]	동 (마음에 깊이) 새기다, 끼우다, 박다
1120 □□□ ★	**recite** [risáit]	동 암송하다, 나열하다

Pen names are an absolute necessity for authors who work in more than one genre. (학평)
필명은 하나 이상의 장르를 작업하는 작가들에게 **절대적인** 필수품이다.

In almost every instance, the book as originally written is the best. (학평)
거의 모든 **경우**에, 원작의 책이 최고이다.

Sometimes, the best way to resolve a dilemma is simply to start writing. (수능)
때때로, **딜레마**를 해결하는 가장 좋은 방법은 단순히 글을 쓰기 시작하는 것이다.

Trade magazines are specialized magazines. (수능)
무역 잡지는 **전문적인** 잡지이다.

Clichés in writing ultimately diminish the effectiveness of your message. (학평)
글쓰기에서의 상투적인 문구는 결국 당신의 메시지의 유효성을 **감소시킨다**.

Being imaginative gives us feelings of happiness and adds excitement to our lives. (학평)
상상력이 풍부한 것은 우리에게 기쁨의 감정을 주고 우리의 삶에 흥분을 더해준다.

Many writers make the common mistake of being too vague when picturing a reader. (학평)
많은 작가들이 독자를 상상할 때 너무 **모호해지는** 흔한 실수를 저지른다.

That humorous story has a profound message. (학평)
그 재미있는 이야기에는 **심오한** 메시지가 있다.

Outdated books can give the students wrong information. (학평)
구식 도서들은 학생들에게 잘못된 정보를 줄 수 있다.

Creative ideas are usually viewed with suspicion and distrust. (모평)
창의적인 아이디어는 보통 **의심**과 불신을 가지고 보아진다.

The typical plot of the novel is the protagonist's quest for authority. (모평)
소설의 전형적인 줄거리는 권력을 찾아 떠나는 **주인공**의 모험 여행이다.

Indeed, print-oriented novelists seem doomed to disappear. (수능)
사실, 인쇄 지향적인 소설가들은 사라질 **운명이 정해진** 것 같다.

The book received a hostile reaction in Russia. (학평)
그 책은 러시아에서 **적대적인** 반응을 받았다.

Memories associated with important emotions tend to be deeply embedded in our memory. (학평)
중요한 감정과 연관된 기억은 우리 기억 속에 더 깊이 **새겨지는** 경향이 있다.

Participants should memorize and recite one of the poems. (학평)
참가자들은 그 시들 중 하나를 외우고 **암송해야** 한다.

Daily Quiz

영어는 우리말로, 우리말은 영어로 쓰세요.

01 discussion ____________
02 genre ____________
03 instance ____________
04 direct ____________
05 literature ____________
06 absolute ____________
07 section ____________
08 legend ____________
09 struggle ____________
10 author ____________
11 딜레마, 궁지 ____________
12 상상(력), 창의력 ____________
13 길이, 거리, 기간 ____________
14 확인하다, 동일시하다 ____________
15 대본, 원고 ____________
16 현대의, 동시대의, 동년배 ____________
17 시, 운문 ____________
18 오해하게 하다 ____________
19 최대, 최고, 최대의 ____________
20 설화, 담화, 서술 ____________

다음 빈칸에 들어갈 가장 알맞은 것을 박스 안에서 고르세요.

criticism	simplicity	myth	meaningful	devote

21 Gonzales has ____________(e)d himself to providing people with more access to literature.
Gonzales는 사람들이 문학을 더 많이 접할 수 있도록 하는 데 헌신했다.

22 The preference for apparent ____________ in the modernist movement in prose and poetry was echoed in the International Style of architecture.
산문과 시 모더니즘 운동에서의 명백한 단순함에 대한 선호는 국제 건축 양식에 반영되었다.

23 An old Greek ____________ tells the story of a farmer who Zeus turned into an ant.
한 고대 그리스 신화는 제우스가 개미로 변하게 한 농부에 대한 이야기를 한다.

24 Some old books may be ____________ and valuable.
몇몇 고서들은 의미 있고 귀중할 수 있다.

25 I thought honest ____________ could be helpful.
나는 솔직한 비판이 도움이 될 수 있다고 생각했다.

정답

01 토론, 논의 **02** 장르, 양식, 유형 **03** 경우, 사례 **04** 직접적인, 감독하다, 안내하다, ~로 향하다 **05** 문학, 문헌 **06** 절대적인, 완전한, 확고한 **07** 부분, 구역 **08** 전설, 신화, (지도·도표 등의) 범례 **09** 분투하다, 애쓰다, 투쟁하다, 노력, 투쟁 **10** 작가, 저자 **11** dilemma **12** imagination **13** length **14** identify **15** script **16** contemporary **17** poetry **18** mislead **19** maximum **20** narrative **21** devote **22** simplicity **23** myth **24** meaningful **25** criticism

점수 잡는 수능 고빈출 숙어 ③

out of order	고장난, 정리가 안 된

The machine is **out of order**. (학평)
그 기계는 **고장났다**.

in terms of	~의 관점에서, ~에 관하여

We naturally think **in terms of** cause and effect. (학평)
우리는 자연스럽게 원인과 결과**의 관점에서** 생각한다.

stand for	~을 상징하다, 대표하다, 지지하다

The heart-shaped symbol **stands for** the word "love." (학평)
하트 모양의 기호는 "사랑"이라는 단어를 **상징한다**.

by oneself	스스로, 다른 사람 없이

My family moved into a new house last week, and I decorated the room **by myself**. (학평)
우리 가족은 지난주에 새 집으로 이사했고, 나는 **스스로** 방을 꾸몄다.

ask for	~을 요청하다, 요구하다, 청구하다

Please don't hesitate to **ask for** counseling service. (학평)
상담 서비스**를 요청하는** 것을 주저하지 마세요.

DAY 29 언어

로또 당첨됐다고?
누나랑 하와이 가자!
LOTTO
하나만 명백히 할게*…
…
로또 당첨된 게 아니라 사 오기만 했다고…

* 명백히 하다 **clarify**

1121 □□□ ★

clarify

[klǽrəfai]

동 명백히 하다, 맑아지다, 정화하다

어원 clar[명백한] + ify[동·접] → 명백히 하다

Big words are very often used to confuse and impress rather than to **clarify**. (수능)

허풍은 **명백히 하기보다는** 혼란을 주고 깊은 인상을 주기 위해 매우 흔히 사용된다.

⊕ **clarification** 명 정화, 해명

⊜ **explain, define**

1122 □□□ ★★

translate

[trænsléit]

동 번역하다, 통역하다

어원 trans[가로질러] + lat(e)[나르다] → 바다를 가로질러 나르기 위해 다른 언어로 번역하다

The book was **translated** from Arabic into Latin. (학평)

그 책은 아랍어에서 라틴어로 **번역되었다**.

⊕ **translation** 명 번역, 통역 **translator** 명 번역가, 통역사
translate into ~으로 번역하다

⊜ **interpret**

1123 □□□ ★★★

communicate

㊍ 의사소통하다, 전하다

[kəmjúːnəkeit]

어원 com[함께] + mun[의무] + (ic)ate[동·접] → 의무를 함께 하기 위해 서로 의사소통하다

Animals **communicate** with each other in different ways. (학평)

동물들은 여러 가지 방식들로 서로 **의사소통한다**.

⊕ **communication** ㊎ 의사소통, 연락

⊜ **contact, talk**

1124 □□□ ★★★

sentence

㊎ 문장, 선고 ㊍ (형을) 선고하다

[séntəns]

어원 sent[느끼다] + ence[명·접] → 느낌을 말이나 글로 표현한 문장, 죄에 대해 문장으로 내려진 선고

The meaning of a **sentence** is not often fully contained in its words. (학평)

문장의 의미는 종종 그 안의 단어들에 완전히 담겨 있지는 않다.

⊕ **be sentenced to** 형을 선고받다

1125 □□□ ★★★

tone

㊎ 어조, 음색

[toun]

You might get a clue from the **tone** of voice. (학평)

당신은 목소리의 **어조**에서 단서를 얻을지도 모른다.

⊜ **pitch, intonation**

1126 □□□ ★

dialect

㊎ 사투리, 방언

[dáiəlekt]

어원 dia[가로질러] + lect[읽다] → 먼 거리를 가로질러 가면 다르게 읽는 것, 즉 사투리

The development of **dialects** mainly results from limited communication between parts of community. (모평)

사투리의 발달은 주로 지역 사회 내 지역들 간의 제한적인 의사소통에서 기인한다.

1127 □□□ ★★★

verbal

㊑ 언어적인, 말의

[və́ːrbəl]

There are few studies on the relationships between **verbal** and nonverbal communication. (학평)

언어적, 비언어적 의사소통 간의 관계에 대한 연구는 거의 없다.

⊕ **verbalize** ㊍ 말로 나타내다 **verbally** ㊌ 말로, 구두로

⊜ **oral, spoken** ⇔ **nonverbal** ㊑ 비언어적인

1128 □□□ ★

bilingual

[bailíŋgwəl]

형 이중 언어의, 두 언어를 쓰는 명 이중 언어 사용자

어원 bi[둘] + lingu[언어] + al[형·접] → 두 언어를 쓰는, 즉 이중 언어의

They consider **bilingual** speech communities inefficient. 수능

그들은 **이중 언어** 구사 공동체가 비효율적이라고 여긴다.

1129 □□□ ★★★

claim

[kleim]

동 주장하다, 고소하다 명 주장, 단언

Scientists **claim** that they can find out many things about a person from his or her writing. 학평

과학자들은 필체로부터 그 사람에 대한 많은 것들을 알아낼 수 있다고 **주장한다**.

≡ insist, assert

1130 □□□ ★★★

represent

[rèprizént]

동 나타내다, 대표하다

어원 re[다시] + pre[앞에] + sent[존재하다] → 다른 것 앞에 존재하며 그 뜻을 다시 나타내다

Two vowels used together can **represent** different sounds. 학평

함께 사용된 두 모음은 다른 소리를 **나타낼** 수 있다.

⊕ representative 명 대표자 형 대표하는 representation 명 묘사, 표현

≡ express, mean

1131 □□□ ★★★

definitely

[définətli]

부 확실히, 분명히

Speaking is **definitely** faster than writing. 학평

말하는 것은 쓰는 것보다 **확실히** 빠르다.

⊕ definite 형 확실한, 뚜렷한

≡ certainly, absolutely

1132 □□□ ★★

pronunciation

[prənʌ̀nsiéiʃən]

명 발음

I'd like someone to check my **pronunciation**. 수능

누군가 내 **발음**을 확인해주면 좋겠다.

⊕ pronounce 동 발음하다 pronounced 형 확연한, 단호한

Washington DC

1133 □□□ ★

fluent

[flúːənt]

형 유창한, 능숙한

어원 flu[흐르다] + ent[형·접] → 술술 흐르듯 말하는, 즉 유창한

You have to be **fluent** in French to be a head chef. (수능)

당신은 주방장이 되려면 프랑스어에 **유창해야** 한다.

⊕ **fluently** 부 유창하게 **fluency** 명 유창성

⊜ **smooth, effortless**

1134 □□□ ★★★

extreme

[ikstríːm]

형 극단적인, 극심한 명 극단, 극도

어원 extr[밖에] + eme[가장 ~한] → 가장 바깥쪽에, 극단에 있는, 즉 극단적인

At first I thought his response was **extreme**. (학평)

처음에 나는 그의 대답이 **극단적이라고** 생각했다.

⊕ **extremely** 부 극도로, 극히

⊜ **drastic**

1135 □□□ ★

joint

[dʒɔint]

형 공동의, 합동의 명 관절, 연합

The act of communicating is always a **joint**, creative effort. (수능)

의사소통의 행위는 항상 **공동의** 창조적인 노력이다.

Tips

'공동의'와 관련된 단어들

shared 공유의, 공동의 **common** 공통의, 보통의 **mutual** 상호 간의, 공동의

1136 □□□ ★★★

mere

[miər]

형 단순한, 단지 ~에 불과한

Language offers something more valuable than **mere** information exchange. (수능)

언어는 **단순한** 정보의 교환보다 더 가치 있는 것을 제공한다.

⊕ **merely** 부 단지, 한낱

1137 □□□ ★

tribe

[traib]

명 부족, 종족

어원 tri[셋] + be[있다] → 고대 로마를 이루고 있었던 세 개의 부족

Most **tribes** spoke their own language. (학평)

대부분의 **부족들**은 그들 고유의 언어를 사용했다.

⊕ **tribal** 형 부족의, 종족의

1138 □□□ ★★

convey

통 전하다, 운반하다

[kənvéi]

어원 con[함께] + vey[길] → 함께 길을 가며 전하다

Humans **convey** messages using spoken or written language to fulfill everyday needs. (교과서)

인간은 일상의 욕구를 만족시키기 위해 음성 또는 문자 언어를 사용해 메시지를 **전한다**.

⊕ **conveyor** 명 전달자, 운반하는 것 **conveyance** 명 수송, 운송

⊟ **carry, transfer**

1139 □□□ ★★

voluntary

형 자발적인, 자원봉사의

[vɑ́:lənteri]

Listening is a **voluntary** act that includes attending to, understanding, and evaluating the words or sounds you hear. (학평)

경청은 들리는 말이나 소리에 귀를 기울이고, 이해하고, 검토하는 것을 포함하는 **자발적인** 행위이다.

⊕ **voluntarily** 부 자발적으로

⊟ **willing**

1140 □□□ ★★

misunderstanding

명 오해, 착오

[mìsʌndərstǽndiŋ]

어원 mis[잘못된] + understand[이해하다] + ing[명·접] → 잘못된 내용으로 이해함, 즉 오해

I think there was some kind of **misunderstanding**. (수능)

제 생각엔 일종의 **오해**가 있었던 것 같습니다.

⊕ **misunderstand** 동 오해하다

⊟ **mistake**

1141 □□□ ★★★

humorous

형 재미있는, 유머러스한

[hjú:mərəs]

Fred began his presentation with a few **humorous** jokes to set a relaxed atmosphere. (학평)

Fred는 편안한 분위기를 조성하기 위해 약간의 **재미있는** 농담으로 발표를 시작했다.

⊕ **humor** 명 유머, 익살

Tips

시험에는 이렇게 나온다

humorous는 주로 화자의 심경이나 분위기 변화를 묻는 문제의 선택지로 출제돼요. 유의어로는 funny, comical, entertaining 등이 있으니 함께 알아두세요.

1142 □□□ ★★★

audience

[ɔ́ːdiəns]

명 독자, 청중, 관객

어원 audi[듣다] + ence[명·접] → 듣는 사람들의 무리, 즉 청중 또는 독자

Before sending an e-mail, you must carefully consider your **audience** and the tone you will use. 학평

이메일을 보내기 전에, 당신은 **독자**와 당신이 사용할 어조를 신중하게 고려해야 한다.

= crowd, viewer, spectator

1143 □□□ ★

coherent

[kouhíərənt]

형 논리 정연한, 일관성 있는

He presented them with a list of words and asked them to create a **coherent** sentence from it. 학평

그는 그들에게 단어 목록을 제시했고 그것으로부터 **논리 정연한** 문장을 만들 것을 요청했다.

+ coherence 명 일관성

= consistent, reasonable

1144 □□□ ★★★

related

[riléit]

형 관련된, 관계가 있는, 친족의

어원 re[다시] + lat(e)[나르다] + ed[형·접] → 어딘가에 뒀던 것을 다시 날라와 다른 것에 연결해 관련된

They have various terms **related** to cattle and can distinguish between many types of cows. 수능

그들은 소와 **관련된** 다양한 용어를 가지고 있고 많은 유형의 젖소를 구별할 수 있다.

+ relation 명 관계 relative 명 친척, 동족 형 관련있는, 상대적인
relate 동 관련이 있다 be related to ~과 관련있다

= associated

1145 □□□ ★★

bunch

[bʌntʃ]

명 많음, 묶음, 다발

You must have a **bunch** of things to prepare for a speech contest. 학평

당신은 웅변대회를 위해 **많은** 것들을 준비해야 할 것이다.

+ a bunch of 많은, 다수의

= set, cluster

01 02 03 04 05 06 07 08 09 10 11 12 13 14 15 16 17 18 19 20 21 22 23 24 25 26 27 28 29 DAY 30 31 32 33 34 35 36 37 38 39 40 41 42 43 44 45 46 47 48 49 50

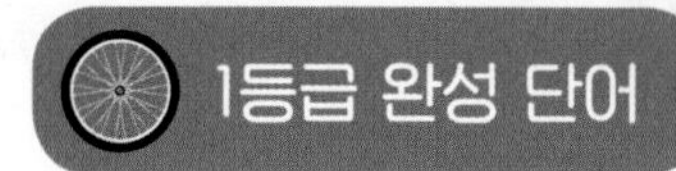

1146 □□□ ★★★	**enormous** [inɔ́:rməs]	형 막대한, 거대한
1147 □□□ ★★★	**imply** [implái]	동 암시하다, 함축하다
1148 □□□ ★	**linguistic** [liŋgwístik]	형 언어(학)의
1149 □□□ ★★	**subtle** [sʌ́tl]	형 섬세한, 미묘한, 교묘한
1150 □□□ ★★	**chronological** [krɑ̀:nəlɑ́:dʒikəl]	형 시간 순서의, 연대순의
1151 □□□ ★	**elevate** [éliveit]	동 승격시키다, 올리다
1152 □□□ ★★	**proportion** [prəpɔ́:rʃən]	명 비율, 부분, 균형
1153 □□□ ★★	**clarity** [klǽrəti]	명 명료성, 깨끗함
1154 □□□ ★★	**metaphor** [métəfɔ:r]	명 비유, 은유
1155 □□□ ★★	**paradox** [pǽrədɑ:ks]	명 역설, 모순
1156 □□□ ★★	**sympathy** [símpəθi]	명 연민, 동조
1157 □□□ ★	**ambiguity** [æ̀mbigjú:əti]	명 모호함, 불명확함
1158 □□□ ★★	**analogy** [ənǽlədʒi]	명 비유, 유추
1159 □□□ ★	**equivalent** [ikwívələnt]	명 상응하는 것, 등가물 형 상응하는, 동등한
1160 □□□ ★★	**sophisticated** [səfístikeitid]	형 정교한, 세련된

The tone of another's voice gives us an enormous amount of information about that person. (수능)
다른 사람의 목소리의 어조는 우리에게 그 사람에 대한 **막대한** 양의 정보를 준다.

The word "flattering" could imply something negative. (수능)
"아첨"이라는 단어는 어떠한 부정적인 것을 **암시할** 수 있다.

Linguistic knowledge does not guarantee that you can produce socially appropriate speech. (학평)
언어 지식은 당신이 사회적으로 적절한 말을 할 수 있다는 것을 보장하지 않는다.

Our voice is a very subtle instrument and can convey every nuance. (학평)
우리의 목소리는 매우 **섬세한** 도구이며 모든 뉘앙스를 전달할 수 있다.

Too many writers interpret the term "logical" to mean chronological. (수능)
너무 많은 작가들이 "논리적"이라는 용어를 **시간 순서의** 의미로 해석한다.

It's the inspiring expressions that elevate the food into a more exciting experience. (모평)
그것은 먹을 것을 더 신나는 경험으로 **승격시키는** 고무적인 표현이다.

From 1900 to 1950, the proportion of spending on health care remained the same. (학평)
1900년부터 1950년까지, 건강 관리에 쓴 지출의 **비율**은 변하지 않았다.

A fire chief needs to issue his orders with absolute clarity. (수능)
소방서장은 완벽한 **명료성**을 가지고 지시를 내릴 필요가 있다.

We use metaphor almost every time we write or speak, often without realizing it. (교과서)
우리는 쓰거나 말할 때 흔히 자각하지 못한 채로 거의 매번 **비유**를 사용한다.

Paradoxes are statements that seem contradictory but are actually true. (학평)
역설은 모순되는 것처럼 보이지만 실제로는 사실인 진술이다.

You may show sympathy by expressing your concern in words. (학평)
당신은 말로 걱정을 표현함으로써 **연민**을 보여줄 수 있다.

The only way to avoid ambiguity is to spell things out as explicitly as possible. (학평)
모호함을 방지하기 위한 유일한 방법은 모든 것을 가능한 한 명확하게 설명하는 것이다.

An analogy is a comparison between two things and a convenient way to create new meanings. (교과서)
비유는 두 가지 사이의 비교이고 새로운 의미를 창조하는 편리한 방법이다.

She could do the equivalent of a full day's work by seven o'clock. (학평)
그녀는 하루 전체의 업무에 **상응하는 것**을 7시 정각까지는 해낼 수 있었다.

Our ancestors 400,000 years ago may have already been using pretty sophisticated language. (수능)
40만 년 전 우리 조상들은 이미 꽤 **정교한** 언어를 사용해오고 있었을지도 모른다.

Daily Quiz

영어는 우리말로, 우리말은 영어로 쓰세요.

01 verbal ______________

02 represent ______________

03 clarity ______________

04 claim ______________

05 definitely ______________

06 fluent ______________

07 imply ______________

08 translate ______________

09 extreme ______________

10 proportion ______________

11 발음 ______________

12 시간 순서의, 연대순의 ______________

13 많음, 묶음, 다발 ______________

14 섬세한, 미묘한, 교묘한 ______________

15 막대한, 거대한 ______________

16 관련된, 관계가 있는 ______________

17 재미있는, 유머러스한 ______________

18 전하다, 운반하다 ______________

19 비유, 은유 ______________

20 자발적인, 자원봉사의 ______________

다음 빈칸에 들어갈 가장 알맞은 것을 박스 안에서 고르세요.

mere	sentence	tone	communicate	clarify

21 Animals ______________ with each other in different ways.
동물들은 여러 가지 방식들로 서로 의사소통한다.

22 The meaning of a ______________ is not often fully contained in its words.
문장의 의미는 종종 그 안의 단어들에 완전히 담겨 있지는 않다.

23 Language offers something more valuable than ______________ information exchange.
언어는 단순한 정보의 교환보다 더 가치 있는 것을 제공한다.

24 You might get a clue from the ______________ of voice.
당신은 목소리의 어조에서 단서를 얻을지도 모른다.

25 Big words are very often used to confuse and impress rather than to ______________.
허풍은 명백히 하기보다는 혼란을 주고 깊은 인상을 주기 위해 매우 흔히 사용된다.

정답

01 언어적인, 말의 **02** 나타내다, 대표하다 **03** 명료성, 깨끗함 **04** 주장하다, 고소하다, 주장, 단언 **05** 확실히, 분명히 **06** 유창한, 능숙한 **07** 암시하다, 함축하다 **08** 번역하다, 통역하다 **09** 극단적인, 극심한, 극단, 극도 **10** 비율, 부분, 균형 **11** pronunciation **12** chronological **13** bunch **14** subtle **15** enormous **16** related **17** humorous **18** convey **19** metaphor **20** voluntary **21** communicate **22** sentence **23** mere **24** tone **25** clarify

점수 잡는 수능 고빈출 숙어 ④

contribute to	~에 기여하다

Each individual has the potential to **contribute to** making the world a better place. (교과서)

각 개인은 세상을 더 나은 곳으로 만드는 데**에 기여할** 수 있는 잠재력을 가지고 있다.

depend on	~에 의존하다, ~에 달려 있다

Most consumer magazines **depend on** subscriptions and advertising. (수능)

대부분의 상업 잡지는 구독과 광고**에 의존한다**.

lead to	~으로 이어지다

Without cleaning, dust in the computer can **lead to** component failure. (수능)

청소하지 않으면, 컴퓨터 속의 먼지가 기기 고장**으로 이어질** 수 있다.

after all	결국, 어쨌든

The best way of eating is, **after all**, eating what one likes, for then one is sure of his digestion. (학평)

결국, 음식을 먹는 가장 좋은 방법은 자신이 좋아하는 음식을 먹는 것인데, 이는 그럴 경우 확실히 소화할 것이기 때문이다.

make sense	앞뒤가 맞다, 이해가 되다

The story needs to **make sense** in relation to what came before and what is likely to follow. (학평)

이야기는 앞에 무엇이 왔고 다음에 무엇이 뒤따를 것 같은지와 관련하여 **앞뒤가 맞아야** 한다.

DAY 30

예술

MP3 바로 듣기

내 춤 동작 하나하나가 다
역사에 남을 걸작*이지~
전각증인가..?
저게 뭐야..
되게 이상해..

* 걸작 **masterpiece**

1161 □□□ ★★

masterpiece

명 걸작, 명작

[mǽstərpiːs]

어원 master[큰] + piece[작품] → 큰 찬사를 받는 작품, 즉 걸작

Apelles concealed himself to hear the public's opinions of his **masterpieces**. (수능)

아펠레스는 그의 **걸작**에 대한 대중의 의견을 듣기 위해 몸을 숨겼다.

1162 □□□ ★★

revise

동 수정하다, 변경하다

[riváiz]

어원 re[다시] + vis(e)[보다] → 마친 일을 다시 보고 수정하다

I'll show you a **revised** drawing before sending it out. (모평)

보내기 전에 제가 **수정된** 그림을 보여드리겠습니다.

⊕ **revision** 명 수정, 변경

⊜ **edit, correct**

Tips

시험에는 이렇게 나온다

revise는 essay, script 등 작문과 관련된 명사와도 자주 함께 사용돼요.

revise an essay 에세이를 수정하다 **revise a script** 대본을 수정하다

1163 □□□ ★★★

feature

명 특징, 특색 동 특징으로 삼다

[fíːtʃər]

어원 feat[만들다] + ure[명·접] → 어떤 것을 눈에 띄게 만드는 특징

The most impressive **feature** of the Sagrada Familia is the ceiling. (교과서)

사그라다 파밀리아 성당의 가장 인상적인 **특징**은 천장이다.

⊟ characteristic, aspect

1164 □□□ ★★★

exhibit

동 전시하다, 나타내다 명 전시품

[igzíbit]

어원 ex[밖으로] + hib(it)[가지다] → 가진 것을 밖으로 내놓아 보여주다, 즉 전시하다

The museum **exhibits** collections of artistic ceramic works. (수능)

그 박물관은 예술적인 도예품의 모음을 **전시한다**.

⊕ exhibition 명 전시(회), 표출

⊟ display, show

1165 □□□ ★★★

architecture

명 건축(물), 건축 양식

[ɑ́ːrkitektʃər]

I'm fascinated by traditional Korean **architecture**. (교과서)

나는 한국의 전통 **건축물**에 매료되었다.

⊕ architect 명 건축가

⊟ construction, structure

1166 □□□ ★★★

display

동 전시하다, 보여주다 명 전시, 진열

[displéi]

어원 dis[떨어져] + play[접다] → 접혔던 것을 떨어뜨려서 보이게 드러내다, 즉 전시하다

The works made by 100 designers will be **displayed** at the conference. (수능)

100명의 디자이너가 만든 작품들이 그 콘퍼런스에서 **전시될** 것이다.

⊟ show, present, exhibit

1167 □□□ ★★

carving

명 조각품, 새긴 무늬

[kɑ́ːrviŋ]

The seller was asking 500 pesos for the **carving**. (수능)

판매자는 **조각품**의 가격으로 500페소를 요구하고 있었다.

⊕ carve 동 조각하다

1168 □□□ ★★

lively

형 활기찬, 활발한

[láivli]

The wall painting makes the neighborhood more **lively** and vivid. (학평)

벽화는 지역을 더 **활기차고** 생생하게 만든다.

⊜ **active, dynamic**

1169 □□□ ★★★

creation

명 창작(품), 창조

[kriéiʃən]

All art is **creation**, regardless of how closely the imitation approximates the original. (모평)

모조품이 원작과 얼마나 비슷한지에 관계없이, 모든 예술은 **창작**이다.

⊕ **create** 동 창조하다 **creative** 형 창조적인, 창의적인 **creativity** 명 창조성

⊜ **invention, production**

1170 □□□ ★★

sculpture

명 조각(품)

[skʌ́lptʃər]

Allan Houser created works in a variety of styles and mastered metal and stone **sculpture**. (학평)

Allan Houser는 다양한 종류의 작품을 만들었고 금속과 석조 **조각**에 정통했다.

⊕ **sculpt** 동 조각하다 **sculptor** 명 조각가

⊜ **statue**

1171 □□□ ★★★

blank

형 (텅) 빈, 공백의 명 빈칸, 공백

[blæŋk]

Leonardo da Vinci advised artists to discover their motifs by staring at patches on a **blank** wall. (학평)

레오나르도 다빈치는 예술가들에게 **빈** 벽의 부분들을 응시함으로써 그들의 작품 주제를 찾으라고 조언했다.

⊜ **empty, vacant**

1172 □□□ ★★★

structure

명 건축물, 구조 동 조직하다, 구조화하다

[strʌ́ktʃər]

어원 struct[세우다] + ure[명·접] → 어떤 것을 세우기 위한 구조, 세워진 건축물

The Eiffel Tower is a metal **structure**. (학평)

에펠 탑은 금속 **건축물**이다.

⊜ **building, construction**

1173 □□□ ★★

snap

[snæp]

동 사진을 찍다, 부러뜨리다, 덥석 물다

When you **snap** a picture, most of the time you get blurry images. 학평

당신이 **사진을 찍을** 때, 대부분의 경우에는 흐릿한 이미지를 찍게 된다.

1174 □□□ ★★

illustrate

[íləstreit]

동 설명하다, 보여주다, 삽화를 넣다

어원 il[안에] + lustr[빛] + ate[동·접] → 안에 빛을 밝힌 듯 잘 이해되게 설명하다

I'll show you some pictures that **illustrate** my point. 학평

제 요점을 **설명하는** 몇 장의 사진을 보여드릴게요.

⊕ **illustration** 명 설명, 삽화

⊜ **explain, demonstrate, depict**

1175 □□□ ★★

glow

[glou]

동 빛나다, 타다 명 불빛

The star-shaped light hanging from the ceiling **glows** beautifully. 모평

천장에 매달려 있는 별 모양의 조명이 아름답게 **빛난다**.

⊕ **glowing** 형 빛나는, 극찬하는

⊜ **shine, light**

1176 □□□ ★★★

conference

[kάːnfərəns]

명 학회, 회의, 회담

어원 con[함께] + fer[나르다] + ence[명·접] → 여럿이 함께 안건을 날라와서 하는 학회 또는 회의

One of the world's largest design **conferences** is coming soon. 수능

세계에서 가장 큰 디자인 **학회** 중 하나가 곧 열린다.

⊕ **confer** 동 상의하다, 수여하다

⊜ **meeting, forum**

1177 □□□ ★★★

pottery

[pάːtəri]

명 도자기, 도예

Our art class is selling some **pottery** to buy new materials. 수능

우리 미술 교실에서는 새 재료를 사기 위해 몇몇 **도자기**를 팔고 있다.

⊜ **ceramic, porcelain**

01 02 03 04 05 06 07 08 09 10 11 12 13 14 15 16 17 18 19 20 21 22 23 24 25 26 27 28 29 30 DAY 31 32 33 34 35 36 37 38 39 40 41 42 43 44 45 46 47 48 49 50

1178 □□□ ★★★

collection

[kəlékʃən]

명 수집(품), 모음

어원 col[함께] + lect[모으다] + ion[명·접] → 함께 모은 것, 즉 수집품

The antique items you donated have really improved our **collection**. (수능)

당신이 기부한 골동품들로 저희의 **수집품**이 정말 좋아졌습니다.

⊕ **collect** 동 수집하다 **collective** 형 집단의

⊟ **accumulation, set**

Tips

collection과 accumulation의 의미 구분

두 단어 모두 '수집, 누적'이라는 뜻이 있지만 collection은 주로 그림, 동전 등을 선택적, 체계적으로 수집한 것을, accumulation은 계속적으로 꾸준히 오랫동안 쌓이거나 모인 것을 말할 때 사용돼요.

1179 □□□ ★★

portrait

[pɔ́ːrtrit]

명 초상화, 인물 사진

Rembrandt's **portraits** reveal a psychological insight into man's inner nature. (학평)

렘브란트의 **초상화**는 인간의 타고난 본성에 대한 심리적인 통찰을 드러낸다.

⊕ **portray** 동 그리다, 묘사하다

1180 □□□ ★★★

gradually

[grǽdʒuəli]

부 서서히, 차츰

어원 grad[단계] + ual[형·접] + ly[부·접] → 단계적으로, 즉 서서히

Gradually, people lost interest in my paintings. (수능)

서서히, 사람들이 내 그림에 흥미를 잃었다.

⊕ **gradual** 형 점진적인

⊟ **steadily, slowly**

1181 □□□ ★★

dramatic

[drəmǽtik]

형 극적인, 급격한, 인상적인

That's the most **dramatic** part of my cartoon. (학평)

그것이 내 만화의 가장 **극적인** 부분이다.

⊕ **dramatically** 부 극적으로 **dramatize** 동 각색하다, 과장하다

Tips

시험에는 이렇게 나온다

dramatic이 '급격한'이라는 의미일 때는 주로 상태나 수치의 변화를 표현하는 change, decline 등의 명사와 함께 사용돼요.

dramatic changes in the weather 날씨의 급격한 변화 (수능)
a dramatic decline in criminal activity 범죄 활동의 급격한 감소 (학평)

1182 □□□ ★★

abstract

형동[æbstrǽkt]
명[ǽbstrækt]

형 추상적인, 관념적인 동 추출하다 명 개요

어원 abs[떨어져] + tract[끌다] ➜ 구체적인 것에서 개념만 떨어지도록 끌어내서 추상적인

The finished paintings were more **abstract** than realistic. (학평)

완성된 그림들은 현실적이기보다는 **추상적이었다**.

⊕ **abstractly** 부 추상적으로 **abstraction** 명 추상, 관념

↔ **concrete** 형 구체적인

Tips

시험에는 이렇게 나온다

abstract painting 추상화 **abstract concept** 추상적 개념
abstract theory 관념적인 이론 **abstract word** 추상적인 단어

1183 □□□ ★

dwelling

[dwéliŋ]

명 주거지, 주택

They construct **dwellings** and create new environments. (학평)

그들은 **주거지**를 건설하고 새로운 환경을 만든다.

⊕ **dwell** 동 살다, 거주하다

⊜ **home, residence**

1184 □□□ ★★★

combine

[kəmbáin]

동 결합하다, 겸비하다

어원 com[함께] + bin(e)[둘] ➜ 함께하도록 둘을 결합하다

The design of Blue Mansion **combined** Chinese and European architecture. (교과서)

Blue Mansion의 디자인은 중국과 유럽의 건축 양식을 **결합했다**.

⊕ **combination** 명 결합, 조합

⊜ **integrate, merge**

1185 □□□ ★★

ceramic

[sərǽmik]

명 도자기, 도예품

Ceramic looks fine, but it can break easily. (학평)

도자기는 아름다워 보이지만, 쉽게 깨질 수 있다.

⊕ **ceramics** 명 도예, 도자기류

⊜ **pottery**

01 02 03 04 05 06 07 08 09 10 11 12 13 14 15 16 17 18 19 20 21 22 23 24 25 26 27 28 29 30 DAY 31 32 33 34 35 36 37 38 39 40 41 42 43 44 45 46 47 48 49 50

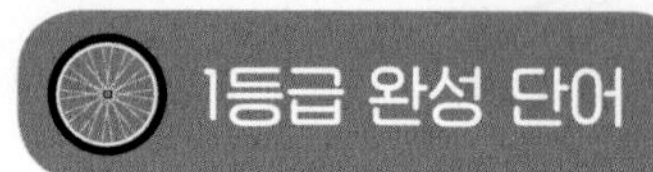

1등급 완성 단어

1186 □□□ ★★★	**harsh**	[hɑːrʃ]	형 혹독한, 가혹한
1187 □□□ ★★	**aside**	[əsáid]	부 따로, 옆에
1188 □□□ ★★	**symbolic**	[simbɑ́ːlik]	형 상징적인, 상징하는
1189 □□□ ★★	**respectively**	[rispéktivli]	부 각각, 각자
1190 □□□ ★★	**reform**	[rifɔ́ːrm]	동 개혁하다, 개선하다 명 개혁, 개선
1191 □□□ ★	**disgust**	[disgʌ́st]	명 혐오감, 역겨움 동 혐오감을 주다
1192 □□□ ★	**renowned**	[rináund]	형 유명한, 명성 있는
1193 □□□ ★	**hue**	[hjuː]	명 색조, 경향
1194 □□□ ★	**collaboration**	[kəlæ̀bəréiʃən]	명 협업, 협력, 공동 작업
1195 □□□ ★	**abrupt**	[əbrʌ́pt]	형 갑작스러운, 퉁명스러운
1196 □□□ ★★	**striking**	[stráikiŋ]	형 눈에 띄는, 현저한
1197 □□□ ★	**designate**	[dézigneit]	동 지정하다, 지명하다 형 지정된, 지명된
1198 □□□ ★	**geometry**	[dʒiɑ́ːmətri]	명 기하학
1199 □□□ ★	**authenticity**	[ɔ̀ːθentísəti]	명 진위성, 진짜임
1200 □□□ ★	**discern**	[disə́ːrn]	동 분간하다, 알아차리다

In spite of **harsh** criticism, Rousseau never gave up his style. (교과서)
혹독한 비평에도 불구하고, 루소는 그의 화풍을 절대 포기하지 않았다.

Some cities have set **aside** particular community walls or areas to do legal graffiti. (학평)
일부 도시들은 합법적인 그라피티를 하기 위한 특정 지역 사회의 벽이나 구역을 **따로** 떼어 놓았다.

The trophy looks simple but **symbolic**. (모평)
그 트로피는 소박하지만 **상징적으로** 보인다.

Black and white have a brightness of 0 percent and 100 percent, **respectively**. (학평)
검은색과 흰색은 **각각** 0퍼센트와 100퍼센트의 명도를 가진다.

Artists during the Renaissance **reformed** painting. (수능)
르네상스 시대의 예술가들은 회화를 **개혁했다**.

Artists may evoke puzzlement, shock, and even **disgust**. (모평)
예술가들은 당황스러움, 충격, 심지어 **혐오감**도 유발할 수 있다.

One of the world's most **renowned** castles is Neuschwanstein Castle. (학평)
세계에서 가장 **유명한** 성 중 하나는 노이슈반슈타인 성이다.

The psychological effects of warm and cool **hues** seem to be used effectively. (수능)
따뜻하고 차가운 **색조들**의 심리적 영향력은 효과적으로 사용되는 것으로 보인다.

Collaboration is the basis for most of the foundational arts and sciences. (학평)
협업은 대부분의 기초 예술과 과학의 기반이다.

My dream of becoming a photographer came to an **abrupt** halt in a photography class. (모평)
사진사가 되려던 나의 꿈은 한 사진 수업에서 **갑작스럽게** 중단되었다.

They create **striking** pictures and tasteful designs. (수능)
그들은 **눈에 띄는** 그림과 고상한 디자인을 만든다.

Her house in Jackson has been **designated** as a National Historic Landmark. (학평)
잭슨에 있는 그녀의 집은 국립 역사 유적으로 **지정되었다**.

Renaissance artists achieved perspective using **geometry**. (수능)
르네상스 예술가들은 **기하학**을 이용하여 원근법을 이루었다.

The essential qualities of an artist are originality and **authenticity**. (모평)
예술가의 본질적인 자질은 독창성과 **진위성**이다.

We can **discern** different colors. (수능)
우리는 다른 색깔들을 **분간할** 수 있다.

Daily Quiz

영어는 우리말로, 우리말은 영어로 쓰세요.

01 exhibit ______________

02 illustrate ______________

03 lively ______________

04 ceramic ______________

05 architecture ______________

06 revise ______________

07 glow ______________

08 portrait ______________

09 harsh ______________

10 conference ______________

11 (텅) 빈, 공백의, 빈칸 ______________

12 걸작, 명작 ______________

13 특징, 특색, 특징으로 삼다 ______________

14 서서히, 차츰 ______________

15 극적인, 급격한, 인상적인 ______________

16 추상적인, 추출하다, 개요 ______________

17 도자기, 도예 ______________

18 전시하다, 보여주다, 전시 ______________

19 건축물, 구조, 조직하다 ______________

20 조각품, 새긴 무늬 ______________

다음 빈칸에 들어갈 가장 알맞은 것을 박스 안에서 고르세요.

collection	snap	sculpture	creation	combine

21 When you ______________ a picture, most of the time you get blurry images.
당신이 사진을 찍을 때, 대부분의 경우에는 흐릿한 이미지를 찍게 된다.

22 Allan Houser created works in a variety of styles and mastered metal and stone ______________.
Allan Houser는 다양한 종류의 작품을 만들었고 금속과 석조 조각에 정통했다.

23 The design of Blue Mansion ______________(e)d Chinese and European architecture.
Blue Mansion의 디자인은 중국과 유럽의 건축 양식을 결합했다.

24 The antique items you donated have really improved our ______________.
당신이 기부한 골동품들로 저희의 수집품이 정말 좋아졌습니다.

25 All art is ______________, regardless of how closely the imitation approximates the original.
모조품이 원작과 얼마나 비슷한지에 관계없이, 모든 예술은 창작이다.

정답

01 전시하다, 나타내다, 전시품 02 설명하다, 보여주다, 삽화를 넣다 03 활기찬, 활발한 04 도자기, 도예품 05 건축(물), 건축 양식 06 수정하다, 변경하다 07 빛나다, 타다, 불빛 08 초상화, 인물 사진 09 혹독한, 가혹한 10 학회, 회의, 회담 11 blank 12 masterpiece 13 feature 14 gradually 15 dramatic 16 abstract 17 pottery 18 display 19 structure 20 carving 21 snap 22 sculpture 23 combine 24 collection 25 creation

점수 잡는 수능 고빈출 숙어 ⑤

participate in	~에 참여[참가]하다

Sometimes, students **participate in** extracurricular activities because it looks good on a college application. (학평)

때때로, 학생들은 방과 후 활동**에 참여하는데** 이는 그것이 대학 지원서에서 좋아 보이기 때문이다.

keep in mind	명심하다

Keep in mind that you can learn something from almost everyone. (학평)

당신은 거의 모든 사람들로부터 무언가를 배울 수 있다는 것을 **명심하라**.

be sold out	매진되다, 품절되다

Let's go online and get tickets before they **are sold out**. (학평)

온라인에 접속해서 **매진되기** 전에 표를 구하자.

be on time	시간을 잘 지키다, 때를 맞추다

Choosing to **be on time** will make your life enormously easier. (모평)

시간을 잘 지키기로 결심하는 것은 당신의 생활을 대단히 더 수월하게 만들 것이다.

take care of	~을 돌보다, 처리하다

It takes a lot of time and effort to **take care of** a pet. (학평)

반려동물**을 돌보는** 것은 많은 시간과 노력이 든다.

01 02 03 04 05 06 07 08 09 10 11 12 13 14 15 16 17 18 19 20 21 22 23 24 25 26 27 28 29 30 DAY 31 32 33 34 35 36 37 38 39 40 41 42 43 44 45 46 47 48 49 50

DAY 31 미디어·음악

MP3 바로 듣기

이 곡은 멜로디도
가사*도 완벽해~
모두 좋아할 게 분명해!
가장 중요한 목소리가 완벽하지 않잖아..

* 가사 **lyric**

1201 □□□ ★

lyric

[lírik]

명 가사, 서정시 형 서정시의, 서정적인

I love his music and **lyrics**. (학평)

나는 그의 음악과 **가사**를 사랑한다.

⊕ **lyrical** 형 서정적인

1202 □□□ ★★★

crucial

[krú:ʃəl]

형 중요한, 결정적인

Structure and texture are **crucial** aspects of music. (모평)

구조와 조화는 음악의 **중요한** 측면들이다.

⊕ **crucially** 부 결정적으로

Tips

'중요한'과 관련된 단어들

important 중요한 **critical** 중요한 **essential** 필수적인, 중요한 **vital** 필수적인

1203 □□□ ★★★

instrument

[ínstrəmənt]

명 악기, 도구, 수단

어원 instru(ct)[가르치다] + ment[명·접] → 음악을 가르치기 위해 쓰는 도구인 악기

I need a musical **instrument** for our performance. (수능)

나는 우리의 공연을 위해 **악기**가 필요하다.

⊕ **instrumental** 형 악기의, 수단이 되는

1204 □□□ ★★

entertain

[èntərtéin]

동 즐겁게 하다, 대접하다

어원 enter[사이에] + tain[잡다] → 사람들 사이의 관심을 사로잡고 그들을 즐겁게 하다

Some of the most talented performers and singers will **entertain** you. (수능)

몇몇의 가장 재능 있는 공연자들과 가수들이 여러분을 **즐겁게 할** 것입니다.

⊕ **entertainment** 명 연예, 오락 **entertaining** 형 재미있는

⊜ **amuse, please**

1205 □□□ ★

acoustic

[əkúːstik]

형 음향의, 청각의

Television is fundamentally an **acoustic** medium. (수능)

텔레비전은 기본적으로 **음향** 매체이다.

⊕ **acoustically** 부 청각적으로

⊜ **auditory**

1206 □□□ ★★

broadcasting

[brɔ́ːdkæstiŋ]

명 방송, 방송업(계)

어원 broad[넓은] + cast[던지다] + ing[명·접] → 음성이나 영상 전파를 널리 던지는 것, 즉 방송

The first experiments in television **broadcasting** began in France in the 1930s. (수능)

최초의 텔레비전 **방송** 실험은 1930년대 프랑스에서 시작되었다.

⊕ **broadcast** 동 방송하다, 널리 알리다

1207 □□□ ★★

symphony

[símfəni]

명 교향곡

어원 sym[함께] + phon[소리] + y[명·접] → 관악기와 현악기가 함께 소리를 내는 음악인 교향곡

Beethoven's most celebrated work is the Fifth **Symphony**. (학평)

베토벤의 가장 유명한 작품은 제5번 **교향곡**이다.

1208 □□□ ★★★

medium

명 매체, 수단 형 중간의

[mí:diəm]

어원 medi[중간] + (i)um[명·접] → 중간에서 전달하는 매체 또는 수단

The advertising **medium** that is the newest and fastest growing is the Internet. (모평)

가장 최신이자 가장 빠르게 성장하고 있는 광고 **매체**는 인터넷이다.

⊜ **means**

1209 □□□ ★★★

perform

동 공연하다, 수행하다

[pərfɔ́:rm]

어원 per[완전히] + form[제공하다] → 연주, 연기 등을 완전히 다듬어 제공하다, 즉 공연하다

The class will **perform** a musical in front of people. (모평)

그 학급은 사람들 앞에서 뮤지컬을 **공연할** 것이다.

⊕ **performer** 명 공연자, 수행자 **performance** 명 공연, 수행

1210 □□□ ★★★

challenge

명 난제, 도전 동 도전하다

[tʃǽlindʒ]

One of the biggest **challenges** in the Internet world is security, or safety. (수능)

인터넷 세상의 최대 **난제** 중 하나는 보안, 즉 안전이다.

⊕ **challenging** 형 도전적인 **challenger** 명 도전자

⊜ **problem, trial**

1211 □□□ ★★★

define

동 정의하다, 규정하다

[difáin]

There were many attempts to **define** what music is. (수능)

음악이 무엇인지 **정의하려는** 많은 시도들이 있었다.

⊕ **definition** 명 정의, 의미 **definite** 형 확실한, 분명한

⊜ **explain, specify**

1212 □□□ ★★★

string

명 (악기의) 현, 줄, 끈 동 묶다

[striŋ]

A violin creates tension in its **strings**. (수능)

바이올린은 **현**에 장력을 준다.

1213 □□□ ★★★

diverse

[divə́ːrs]

형 다양한, 다른

어원 di[떨어져] + vers(e)[돌리다] → 떨어뜨려 돌려서 방향이 다양한

The power of music is **diverse**, and people respond in different ways. 수능

음악의 힘은 **다양하며**, 사람들은 각기 다른 방식으로 반응한다.

⊕ **diversely** 부 다양하게, 다르게 **diversity** 명 다양성 **diversify** 동 다양화하다

⊟ **various, different**

1214 □□□ ★★★

festive

[féstiv]

형 축제의

Live music performances will be held every night, creating a **festive** atmosphere. 학평

매일 밤 라이브 음악 공연이 열려 **축제** 분위기를 조성할 것이다.

⊕ **festival** 명 축제

1215 □□□ ★★★

motion

[móuʃən]

명 움직임, 운동

어원 mot[움직이다] + ion[명·접] → 움직임

The art of giving **motion** to objects is “animation”. 학평

사물에 **움직임**을 부여하는 예술은 “애니메이션”이다.

⊕ **motional** 형 운동의 **move** 동 움직이다

⊟ **movement, mobility**

1216 □□□ ★★★

visual

[víʒuəl]

형 시각적인, 눈에 보이는

Music can inspire a painter to create a **visual** representation of something he or she has heard. 교과서

음악은 화가가 자신이 들은 것에 대한 **시각적인** 묘사를 하도록 영감을 줄 수 있다.

⊕ **visually** 부 시각적으로 **visualize** 동 시각화하다

1217 □□□ ★

rhyme

[raim]

명 운(율), 운문 동 운을 맞추다

Creative advertisements use **rhymes** and humor to make us think more about the product. 교과서

창의적인 광고는 우리가 제품에 대해 더 많이 생각하게 만들기 위해 **운율**과 유머를 이용한다.

⊟ **poem, verse**

01 02 03 04 05 06 07 08 09 10 11 12 13 14 15 16 17 18 19 20 21 22 23 24 25 26 27 28 29 30 31 DAY 32 33 34 35 36 37 38 39 40 41 42 43 44 45 46 47 48 49 50

1218 □□□ ★★

compose

동 작곡하다, 만들다, 구성하다

[kəmpóuz]

어원 com[함께] + pos(e)[놓다] → 여러 음악적 요소를 함께 놓고 작곡하다

It is known that Mozart started to **compose** music at the age of four. (교과서)

모차르트는 네 살부터 음악을 **작곡하기** 시작했다고 알려져 있다.

⊕ **composition** 명 작곡, 구성, 작품 **composer** 명 작곡가

⊟ **create, produce**

Tips

시험에는 이렇게 나온다

be composed of ~으로 구성되어 있다 **compose an opera** 오페라를 작곡하다

1219 □□□ ★★

launch

동 출시하다, 시작하다, 발사하다 명 출시, 개업

[lɔːntʃ]

Once upon a time, there was only one way to **launch** a hit album: radio. (수능)

옛날에는, 인기 앨범을 **출시할** 방법이 오직 한 가지뿐이었는데, 그것은 라디오였다.

⊟ **release, initiate**

Tips

시험에는 이렇게 나온다

launch an album 앨범을 출시하다 **launch a new product** 새로운 제품을 출시하다
launched Challenger 챌린저호를 발사했다

1220 □□□ ★★

widespread

형 광범위한, 널리 퍼진

[wáidspred]

Apocalypse Now, a film produced by Coppola, gained **widespread** popularity. (수능)

코폴라가 제작한 영화 「Apocalypse Now」는 **광범위한** 인기를 얻었다.

⊟ **extensive**

1221 □□□ ★★

genuine

형 진정한, 진짜의, 진실한

[dʒénjuin]

어원 gen(u)[태생] + ine[형·접] → 꾸며서 만들어 내지 않고 태생 그대로 진짜의, 즉 진정한

Composers are the **genuine** creators of music. (모평)

작곡가들은 음악의 **진정한** 창조자이다.

⊕ **genuinely** 부 진정으로

⊟ **true, authentic**

LONDON

1222 □□□ ★★★

advertise

[ǽdvərtaiz]

동 광고하다, 홍보하다

어원 ad[~쪽으로] + vert[돌리다] + ise[동·접] → 상품 쪽으로 고개를 돌려 보게 하다, 즉 광고하다

Companies sometimes **advertise** a picture of a product without providing any specific features. 학평

회사들은 때때로 어떠한 구체적인 특징도 제공하지 않고 제품의 사진을 **광고한다**.

⊕ **advertisement** 명 광고

⊜ **promote**

1223 □□□ ★★

transform

[trænsfɔ́ːrm]

동 변형하다, 바꾸다

어원 trans[가로질러] + form[형태] → 먼 거리를 가로지른 듯 완전히 다른 형태로 변형하다

Each listener could **transform** the music depending upon his or her own personal tastes. 수능

각 청자는 자신만의 개인적인 취향에 따라 그 음악을 **변형할** 수 있다.

⊕ **transformation** 명 변형, 변신

⊜ **alter, convert**

1224 □□□ ★

potent

[póutənt]

형 강력한, 센

어원 pot[힘]+ ent[형·접] → 힘 있는, 즉 강력한

These fierce oxygen free radicals are **potent** agents of aging. 수능

이런 맹렬한 활성 산소는 노화의 **강력한** 요인이다.

⊕ **potency** 명 효능, 힘

Tips

'강력한'과 관련된 단어들

dominant 지배적인, 우세한 **influential** 영향력이 있는 **powerful** 강력한, 유력한

1225 □□□ ★

detach

[ditǽtʃ]

동 분리하다, 파견하다

어원 de[떨어져] + tach[들러붙게 하다] → 들러붙어 있던 것을 떨어뜨려 분리하다

Looking through the camera lens made him **detached** from the scene. 수능

카메라 렌즈를 통해 보는 것은 그를 그 현장에서 **분리되게** 했다.

⊕ **detachment** 명 분리, 파견 **detach from** ~에서 분리하다

⊜ **separate, disconnect** ⊖ **attach** 동 붙이다, 첨부하다

1등급 완성 단어

1226 ★★★	**modify**	[mɑ́:dəfai]	동 수정하다, 변경하다
1227 ★★	**summarize**	[sʌ́mərɑiz]	동 요약하다
1228 ★★	**pitch**	[pitʃ]	명 음의 높이, 정점
1229 ★	**subscribe**	[səbskráib]	동 구독하다, 가입하다
1230 ★	**originate**	[ərídʒəneit]	동 시작되다, 유래하다, 비롯하다
1231 ★★	**auditory**	[ɔ́:dətɔ:ri]	형 청각의, 귀의
1232 ★	**intricate**	[íntrikət]	형 복잡한, 난해한
1233 ★	**liberal**	[líbərəl]	형 진보적인, 자유주의의
1234 ★	**notation**	[noutéiʃən]	명 표기법, 표시법
1235 ★	**unavoidable**	[ʌ̀nəvɔ́idəbəl]	형 불가피한, 피할 수 없는
1236 ★	**improvise**	[ímprəvaiz]	동 (연주 등을) 즉흥적으로 하다
1237 ★	**aural**	[ɔ́:rəl]	형 청각의
1238 ★	**duplicate**	동 [djú:pləkeit] 형명 [djú:plikət]	동 복제하다, 중복해서 하다 형 사본의 명 사본
1239 ★	**stance**	[stæns]	명 입장, 태도, 자세
1240 ★	**counterpart**	[káuntərpɑ:rt]	명 상응하는 것, 상대

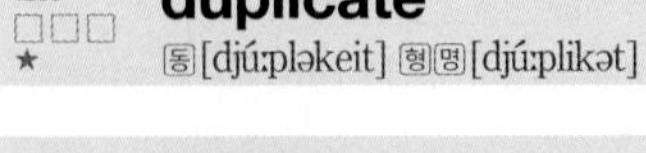

A traditional filmmaker has limited means of **modifying** images once they are recorded on film. (모평)
전통적인 영화사들은 일단 영상이 필름에 기록되고 나면 영상을 **수정할** 수 있는 제한적인 수단만 가지고 있다.

News magazines **summarize** the major world and national news stories. (수능)
시사 잡지는 세계와 국내의 주요 보도 기사들을 **요약한다**.

The best professional singers require humid settings to help them achieve the right **pitch**. (학평)
최고의 전문 가수들은 정확한 **음의 높이**를 낼 수 있게 돕는 습한 환경을 요구한다.

Subscription offers are included in magazines to encourage you to **subscribe**. (수능)
당신이 **구독하도록** 장려하기 위해 잡지에 구독 할인이 포함되어 있다.

Funk is a music style that **originated** in the mid-1960s. (학평)
펑크는 1960년대 중반에 **시작된** 음악 스타일이다.

Lines from a novel can inspire musicians to create **auditory** art that gives life to a story. (교과서)
소설의 구절은 음악가들이 이야기에 생동감을 부여하는 **청각** 예술을 창조하도록 영감을 줄 수 있다.

The best moment for a violinist could be mastering an **intricate** musical passage. (수능)
바이올린 연주자에게 최고의 순간은 **복잡한** 악절을 완벽하게 익히는 것일 수 있다.

One newspaper is generally **liberal**, and the second is conservative. (학평)
한 신문은 전반적으로 **진보적이고**, 다른 하나는 보수적이다.

Before **notation** arrived, in all history, music was largely carried on as an aural tradition. (모평)
표기법이 등장하기 전에, 역사를 통틀어, 음악은 대체로 청각 전승 방식으로 지속되었다.

There is a cast change because of an **unavoidable** situation. (학평)
불가피한 상황으로 인해 배역 변경이 있다.

In jazz, the performers often **improvise** their own melodies. (수능)
재즈에서, 연주자들은 종종 자신만의 멜로디를 **즉흥적으로 연주한다**.

Modern classical performance lacks the depth of nuance that is part of **aural** tradition. (모평)
현대 클래식 연주는 **청각** 전승 방식의 일부인 뉘앙스의 깊이가 부족하다.

None of the tuba's sounds are **duplicated** by the violin. (학평)
튜바의 소리 중 어떤 것도 바이올린에 의해 **복제되지** 않는다.

This is the **stance** of many producer groups in the South. (학평)
이것은 남부에 있는 많은 제작자 단체들의 **입장**이다.

An "art song" is a direct **counterpart** to pop music in the classical song. (모평)
"예술 가곡"은 클래식 곡 중에서 대중음악과 직접적으로 **상응하는 것**이다.

01 02 03 04 05 06 07 08 09 10 11 12 13 14 15 16 17 18 19 20 21 22 23 24 25 26 27 28 29 30 31 DAY 32 33 34 35 36 37 38 39 40 41 42 43 44 45 46 47 48 49 50

Daily Quiz

영어는 우리말로, 우리말은 영어로 쓰세요.

01 entertain ______________

02 motion ______________

03 advertise ______________

04 symphony ______________

05 modify ______________

06 auditory ______________

07 visual ______________

08 compose ______________

09 diverse ______________

10 pitch ______________

11 축제의 ______________

12 진정한, 진짜의, 진실한 ______________

13 요약하다 ______________

14 악기, 도구, 수단 ______________

15 매체, 수단, 중간의 ______________

16 방송, 방송업(계) ______________

17 구독하다, 가입하다 ______________

18 변형하다, 바꾸다 ______________

19 정의하다, 규정하다 ______________

20 출시하다, 발사하다, 출시 ______________

다음 빈칸에 들어갈 가장 알맞은 것을 박스 안에서 고르세요.

crucial	perform	widespread	challenge	string

21 One of the biggest ______________(e)s in the Internet world is security, or safety.
인터넷 세상의 최대 난제 중 하나는 보안, 즉 안전이다.

22 The class will ______________ a musical in front of people.
그 학급은 사람들 앞에서 뮤지컬을 공연할 것이다.

23 *Apocalypse Now*, a film produced by Coppola, gained ______________ popularity.
코폴라가 제작한 영화 「Apocalypse Now」는 광범위한 인기를 얻었다.

24 A violin creates tension in its ______________(e)s.
바이올린은 현에 장력을 준다.

25 Structure and texture are ______________ aspects of music.
구조와 조화는 음악의 중요한 측면들이다.

정답

01 즐겁게 하다, 대접하다 02 움직임, 운동 03 광고하다, 홍보하다 04 교향곡 05 수정하다, 변경하다 06 청각의, 귀의 07 시각적인, 눈에 보이는 08 작곡하다, 만들다, 구성하다 09 다양한, 다른 10 음의 높이, 정점 11 festive 12 genuine 13 summarize 14 instrument 15 medium 16 broadcasting 17 subscribe 18 transform 19 define 20 launch 21 challenge 22 perform 23 widespread 24 string 25 crucial

점수 잡는 수능 고빈출 숙어 ⑥

get rid of	~을 없애다, 처리하다

We need more places for teens to **get rid of** stress. (학평)
우리는 십 대들이 스트레스**를 없앨** 수 있는 더 많은 장소가 필요하다.

in spite of	~에도 불구하고, ~에 비해서

The result could be a determination to hold onto a belief **in spite of** all evidence. (학평)
그 결과는 모든 증거**에도 불구하고** 믿음을 고수하려는 결심이 될 수 있다.

regardless of	~에 상관없이, 구애받지 않고

All readers want to buy best sellers **regardless of** their tastes. (학평)
모든 독자들은 자신의 취향**에 상관없이** 베스트셀러를 사고 싶어 한다.

rely on	~에 의존하다, 기대다

Most of us learn not to **rely on** giving information orally because of all the mistakes that occur. (학평)
일어나는 모든 실수 때문에 우리 대부분은 구두로 정보를 주는 것**에 의존하지** 말라고 배운다.

other than	~ 외에, ~과 다른

You can't be anybody **other than** yourself. (학평)
당신은 자신 **외에** 다른 어떤 사람도 될 수 없다.

DAY 32

환경·자원

MP3 바로 듣기

60
넌 원래부터 몸속에 열이 부족하기라도* 하냐? 대체 어떻게 버티는 거야!
그들은 매일 지구 온난화를 대비해서 훈련 중이다

* 부족하다 **lack**

1241 □□□ ★★★

lack

[læk]

동 부족하다 명 부족, 결핍

Some people live in unhealthy environments because they **lack** the water they need for cleaning. (교과서)

어떤 사람들은 청소하는 데 필요한 물이 **부족해서** 건강하지 못한 환경에 산다.

⊕ **lacking** 형 결핍된, 빠져 있는 **lack of** ~의 부족

⊜ **shortage**

1242 □□□ ★★★

pollution

[pəlúːʃən]

명 공해, 오염

A strong influence on traffic jams and **pollution** can be felt from Toronto to New York. (학평)

교통 체증과 **공해**에 대한 강한 영향은 토론토에서 뉴욕까지 느껴질 수 있다.

⊕ **pollute** 동 오염시키다 **pollutant** 명 오염 물질

Tips

'공해, 오염'의 종류

air pollution 대기 오염 **water pollution** 수질 오염

noise pollution 소음 공해 **light pollution** 빛 공해

1243 □□□ ★★★

source

[sɔːrs]

명 원천, 근원, (정보 등의) 출처

Solar energy can be a practical alternative energy **source** for us. (수능)

태양 에너지는 우리에게 실용적인 대체 에너지 **원천**이 될 수 있다.

⊟ **origin**

1244 □□□ ★★★

remove

[rimúːv]

동 제거하다, 없애다

어원 re[뒤로] + move[움직이다] → 뒤로 움직여 안 보이게 제거하다

They are washed many times to **remove** any impure materials. (수능)

그것들은 모든 불순물을 **제거하기** 위해 여러 번 세척되었다.

⊕ **removed** 형 제거된, 떨어진 **removal** 명 제거

⊟ **take out, erase**

1245 □□□ ★★★

resource

[ríːsɔːrs]

명 자원, 원천

They convert free natural **resources** like the sun and wind into the power that fuels our lives. (수능)

그것들은 태양과 바람처럼 비용이 들지 않는 천연**자원**을 우리의 삶에 연료를 공급하는 동력으로 전환한다.

1246 □□□ ★★★

fuel

[fjúːəl]

명 연료 동 연료를 공급하다, 자극하다

About 75 percent of the energy we use comes from fossil **fuels**. (학평)

우리가 사용하는 에너지의 약 75퍼센트는 화석 **연료**에서 생산된다.

⊕ **fuel-efficient** 형 연료 효율이 좋은, 저연비의

1247 □□□ ★★★

environment

[inváiərənmənt]

명 환경

Buying a bottle of water every day is harmful to the **environment**. (학평)

매일 생수 한 병을 사는 것은 **환경**에 해롭다.

⊕ **environmental** 형 환경적인 **environmentally** 부 환경적으로

⊟ **surroundings**

01 02 03 04 05 06 07 08 09 10 11 12 13 14 15 16 17 18 19 20 21 22 23 24 25 26 27 28 29 30 31 32 DAY 33 34 35 36 37 38 39 40 41 42 43 44 45 46 47 48 49 50

1248 □□□ ★★★

unfortunately

[ʌnfɔ́:rtʃənətli]

부 불행하게도, 유감스럽게도

어원 un[아닌] + fortun(e)[운] + ate[형·접] + ly[부·접] → 운이 있지 않은, 즉 불행하게도

Unfortunately, deforestation left the soil exposed to harsh weather. (수능)

불행하게도, 삼림 파괴는 토양을 혹독한 날씨에 노출시켰다.

⊕ **unfortunate** 형 불행한, 유감스러운

⊜ **unluckily, regrettably** ⇔ **fortunately** 부 운 좋게도, 다행히도

1249 □□□ ★★★

majority

[mədʒɔ́:rəti]

명 대부분, (대)다수 형 다수의, 과반수의

The **majority** of salt in the Great Salt Lake is a remnant of dissolved salts that are present in all fresh water. (수능)

그레이트솔트 호에 있는 소금의 **대부분**은 모든 민물에 존재하는 용해된 소금의 잔여물이다.

⊕ **major** 형 주요한, 중대한

⊜ **most** ⇔ **minority** 명 소수, 미성년자 형 소수의, 소수 민족의

Tips

시험에는 이렇게 나온다

a[the] majority of ~의 대부분, 대다수 **majority rule** 다수결 원칙

1250 □□□ ★★★

constant

[kɑ́:nstənt]

형 끊임없는, 지속적인

어원 con[모두] + sta[서다] + (a)nt[형·접] → 모든 시간에 계속 그대로 서 있는, 즉 끊임없는

There is a **constant** tension between change and balance in nature. (수능)

자연에는 변화와 균형 간의 **끊임없는** 긴장이 존재한다.

⊕ **constantly** 부 끊임없이

⊜ **continuous, consistent**

1251 □□□ ★★★

convenient

[kənví:njənt]

형 편리한, 간편한

어원 con[함께] + ven(i)[오다] + ent[형·접] → 도움이 함께 와서 편리한

Disposable cups may be **convenient**, but they are not eco-friendly. (교과서)

일회용 컵은 **편리할지** 모르지만, 환경친화적이지는 않다.

⊕ **conveniently** 부 편리하게 **convenience** 명 편리, 편의

⊜ **handy, useful** ⇔ **inconvenient** 형 불편한

1252 □□□ ★★★

electricity

[ilèktrísəti]

명 전력, 전기

The chart shows the **electricity** consumption in 1999. (수능)

그 도표는 1999년의 **전력** 소비량을 보여준다.

⊕ **electric** 형 전기의

1253 □□□ ★★★

carbon

[kɑ́ːrbən]

명 탄소

Think of the **carbon** emissions caused by driving. (모평)

차를 운전하는 것에서 발생되는 **탄소** 배출을 생각해보라.

Tips

원소의 종류

carbon 탄소 **oxygen** 산소 **hydrogen** 수소 **nitrogen** 질소

1254 □□□ ★★★

destruction

[distrʌ́kʃən]

명 파괴, 파멸

어원 de[아래로] + struct[세우다] + ion[명·접] → 세운 것을 아래로 무너뜨리는 행위, 즉 파괴

A tsunami can cause terrible **destruction**. (학평)

쓰나미는 엄청난 **파괴**를 일으킬 수 있다.

⊕ **destructive** 형 파괴적인

↔ **construction** 명 건설, 건축

1255 □□□ ★★★

output

[áutput]

명 생산(량), 산출(량)

어원 out[밖으로] + put[놓다] → 만들어서 밖으로 내어놓음, 즉 생산

The timing of inputs and **outputs** varies greatly depending on the type of energy. (수능)

투입과 **생산**의 시기는 에너지의 유형에 따라 크게 다르다.

= **production, yield** ↔ **input** 명 투입, 입력

1256 □□□ ★★★

organic

[ɔːrgǽnik]

형 유기농의, 유기체의

Many retail clothing chains are increasing their use of **organic** cotton. (교과서)

많은 소매 의류 체인점들은 **유기농** 면의 사용을 늘리고 있다.

Tips

시험에는 이렇게 나온다

organic food 유기농 음식 **organic farming** 유기 농업 **organic material** 유기 물질

01 02 03 04 05 06 07 08 09 10 11 12 13 14 15 16 17 18 19 20 21 22 23 24 25 26 27 28 29 30 31 32 DAY 33 34 35 36 37 38 39 40 41 42 43 44 45 46 47 48 49 50

1257 □□□ ★★★

primary

[práimeri]

형 주요한, 기본적인, 최초의

The **primary** source of electricity generation in 2007 was coal. (수능)

2007년 전력 생산의 **주요한** 공급원은 석탄이었다.

= main, principal

1258 □□□ ★★★

grand

[grænd]

형 웅장한, 굉장한

When we observe nature, we can be amazed by its beauty and its **grand** scale. (교과서)

자연을 관찰할 때, 우리는 그것의 아름다움과 **웅장한** 규모에 놀랄 수 있다.

= magnificent

1259 □□□ ★★

eco-friendly

[í:kəufrèndli]

형 친환경적인

어원 eco[환경] + friendly[우호적인, 친절한] → 자연환경에 우호적인, 즉 친환경적인

We appreciate your cooperation on our **eco-friendly** policy. (학평)

저희의 **친환경적인** 정책에 대한 당신의 협조에 감사드립니다.

Tips

'친환경적인'과 관련된 단어들

green 친환경적인 **pro-environmental** 친환경적인 **ecological** 환경 보호의

1260 □□□ ★★★

solar

[sóulər]

형 태양의

We shall solve our dependence on fossil fuels by developing new technologies for **solar** energy. (수능)

우리는 새로운 **태양** 에너지 기술을 개발함으로써 화석 연료에 대한 의존을 해결할 것이다.

+ solar system 태양계

1261 □□□ ★★

possess

[pəzés]

동 보유하다, 소유하다

어원 pos[힘] + sess[앉다] → 왕좌에 앉을 힘이 있어서 그것을 보유하다

Not every Arab country **possesses** oil. (학평)

모든 아랍 국가가 석유를 **보유하고** 있지는 않다.

+ **possessive** 형 소유의, 소유욕이 강한 **possession** 명 소유(물)

1262 □□□ ★★

fossil

명 화석

[fá:səl]

Fossil fuels, one of the main sources of electric power, are nonrenewable energy sources. (학평)

전력의 주요 원천 중 하나인 **화석** 연료는 재생 불가능한 에너지원이다.

Tips

시험에는 이렇게 나온다

fossil fuel 화석 연료 **fossil record** 화석 기록 **fossil evidence** 화석 증거

1263 □□□ ★★

minimal

형 아주 적은, 최소의

[mínəməl]

We have a lot of eco-friendly furniture to create a stylish room with a **minimal** impact on the environment. (학평)

우리는 환경에 **아주 적은** 영향을 미치면서도 멋진 방을 만들 수 있는 환경친화적인 가구를 많이 보유하고 있다.

⊕ **minimally** 부 최소한으로

⊜ **least** ⊖ **maximal** 형 최대의

1264 □□□ ★★

refine

동 정제하다, 개선하다

[rifáin]

어원 re[다시] + fin(e)[끝] → 끝났던 일을 다시 해서 질을 높이다, 즉 정제하다

Each day, nearly a billion gallons of crude oil are **refined** and used in the US. (수능)

매일, 거의 십억 갤런의 원유가 **정제되어** 미국에서 사용된다.

⊕ **refinement** 명 정제, 개선, 개량

⊜ **purify**

1265 □□□ ★

drawback

명 결점, 장애

[drɔ́:bæk]

Some experts say that organic farming has **drawbacks**. (모평)

일부 전문가들은 유기 농업에 **결점**이 있다고 말한다.

Tips

'결점'과 관련된 단어들

disadvantage 불리한 점, 약점 **problem** 문제, 난제 **defect** 결함, 결점
shortcoming 결점, 단점 **fault** 단점, 잘못 **flaw** 결점, 흠

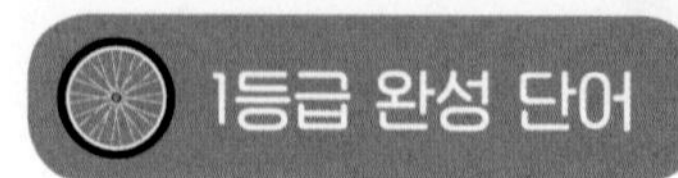

1등급 완성 단어

1266 ★★	**explosion** [iksplóuʒən]	명 폭발, 폭파
1267 ★★	**extract** 동[ikstrǽkt] 명[ékstrækt]	동 추출하다, 끌어내다 명 추출물
1268 ★	**detergent** [ditə́ːrdʒənt]	명 세제
1269 ★	**panel** [pǽnl]	명 (납작한 사각형의) 판, (토론·재판 등의) 위원단
1270 ★	**dump** [dʌmp]	동 버리다 명 폐기장
1271 ★	**deforestation** [diːfɔ̀ːristéiʃən]	명 삼림 파괴
1272 ★	**irrigation** [ìrəgéiʃən]	명 관개, 물을 끌어들임
1273 ★★	**shortage** [ʃɔ́ːrtidʒ]	명 부족, 결핍
1274 ★	**degrade** [digréid]	동 분해되다, 비하하다, 강등시키다
1275 ★	**devastate** [dévəsteit]	동 완전히 파괴하다, 황폐화하다
1276 ★	**landfill** [lǽndfil]	명 쓰레기 매립지
1277 ★	**reservoir** [rézərvwɑːr]	명 저수지, 저장
1278 ★	**staple** [stéipl]	형 주요한, 주된 명 주요 산물
1279 ★	**collapse** [kəlǽps]	명 붕괴, 실패 동 붕괴하다, 쓰러지다
1280 ★	**proclaim** [proukléim]	동 분명히 나타내다, 선언하다

There was a massive **explosion** that trapped 33 miners in the refuge. (교과서)
33명의 광부들을 피난처에 갇히게 했던 거대한 **폭발**이 있었다.

Recycling makes more new jobs than **extracting** raw materials. (학평)
재활용은 원자재를 **추출하는** 것보다 새로운 일자리를 더 많이 창출한다.

The use of **detergent** can cause additional water pollution. (수능)
세제 사용은 추가적인 수질 오염을 유발할 수 있다.

The space station will use solar energy collected from eight huge solar **panels**. (학평)
그 우주 정거장은 여덟 개의 거대한 태양 전지**판**으로부터 모아진 태양 에너지를 사용할 것이다.

There isn't enough space to **dump** all of the waste. (모평)
모든 쓰레기를 **버릴** 충분한 공간이 없다.

Deforestation has reduced the habitat of the orangutans. (교과서)
삼림 파괴는 오랑우탄의 서식지를 감소시켰다.

Agricultural **irrigation** consumes enormous quantities of water. (교과서)
농업 **관개**는 엄청난 양의 물을 소비한다.

We recently experienced a sudden blackout due to a serious **shortage** of electricity. (학평)
우리는 최근에 심각한 전력 **부족**으로 급작스러운 정전을 경험했다.

Plastic is extremely slow to **degrade** and tends to float. (학평)
플라스틱은 **분해되는** 속도가 극도로 느리고 물에 뜨는 경향이 있다.

The quake **devastated** 24,000 square miles of wilderness. (모평)
지진이 24,000제곱 마일의 황야를 **완전히 파괴했다**.

A plan was announced to install a new 400-acre **landfill** at Corcolle. (학평)
Corcolle에 400에이커 규모의 새로운 **쓰레기 매립지**를 설치하려는 계획이 발표되었다.

Currently, 88 huge **reservoirs** hold some 10 trillion tons of water. (학평)
현재, 88개의 거대한 **저수지들**이 약 10조 톤의 물을 저장하고 있다.

A **staple** crop, such as maize, is not being produced in a sufficient amount. (수능)
옥수수 같은 **주요한** 작물이 충분한 양으로 생산되지 않고 있다.

Soft ground caused a sudden **collapse** that killed six workers in early 1905. (학평)
연약한 지반이 갑작스러운 **붕괴**를 일으켜 1905년 초에 여섯 명의 노동자가 사망했다.

This move has **proclaimed** forests maintain their own right to flourish. (학평)
이 조치는 숲이 그 자체의 번성할 권리를 유지한다는 것을 **분명히 나타냈다**.

Daily Quiz

영어는 우리말로, 우리말은 영어로 쓰세요.

01 shortage ____________

02 possess ____________

03 resource ____________

04 remove ____________

05 environment ____________

06 pollution ____________

07 fossil ____________

08 lack ____________

09 carbon ____________

10 primary ____________

11 유기농의, 유기체의 ____________

12 웅장한, 굉장한 ____________

13 정제하다, 개선하다 ____________

14 추출하다, 추출물 ____________

15 전력, 전기 ____________

16 생산(량), 산출(량) ____________

17 폭발, 폭파 ____________

18 대부분, 대다수, 다수의 ____________

19 태양의 ____________

20 원천, (정보 등의) 출처 ____________

다음 빈칸에 들어갈 가장 알맞은 것을 박스 안에서 고르세요.

unfortunately	destruction	constant	convenient	fuel

21 About 75 percent of the energy we use comes from fossil ____________(e)s.
우리가 사용하는 에너지의 약 75퍼센트는 화석 연료에서 생산된다.

22 ____________, deforestation left the soil exposed to harsh weather.
불행하게도, 삼림 파괴는 토양을 혹독한 날씨에 노출시켰다.

23 A tsunami can cause terrible ____________.
쓰나미는 엄청난 파괴를 일으킬 수 있다.

24 There is a(n) ____________ tension between change and balance in nature.
자연에는 변화와 균형 간의 끊임없는 긴장이 존재한다.

25 Disposable cups may be ____________, but they are not eco-friendly.
일회용 컵은 편리할지 모르지만, 환경 친화적이지는 않다.

정답

01 부족, 결핍 02 보유하다, 소유하다 03 자원, 원천 04 제거하다, 없애다 05 환경 06 공해, 오염 07 화석 08 부족하다, 부족, 결핍 09 탄소 10 주요한, 기본적인, 최초의 11 organic 12 grand 13 refine 14 extract 15 electricity 16 output 17 explosion 18 majority 19 solar 20 source 21 fuel 22 Unfortunately 23 destruction 24 constant 25 convenient

점수 잡는 수능 고빈출 숙어 ⑦

figure out	알아내다, 계산하다, 이해하다

Scientists are trying to **figure out** why the Arctic is melting faster than computer models predict. (학평)

과학자들은 왜 북극이 컴퓨터 모델들이 예측한 것보다 더 빨리 녹고 있는지 **알아내려고** 노력하고 있다.

deal with	~을 다루다, 처리하다

Music calms me down, helping me **deal with** the stress. (학평)

음악은 나를 진정시키고, 스트레스**를 다루는** 것을 도와준다.

account for	~을 차지하다, 설명하다

Subscriptions **account for** almost 90 percent of total magazine circulation. (수능)

구독이 전체 잡지 판매 부수의 거의 90퍼센트**를 차지한다**.

be the case	사실이다, 사실이 그러하다

What was true over two hundred years ago **is** certainly no longer **the case**. (수능)

200년도 더 전에 사실이었던 것은 더 이상 확실히 **사실이** 아니**다**.

first of all	우선, 가장 먼저

First of all, smelling is one of the best-developed abilities of fish. (학평)

우선, 냄새를 맡는 것은 물고기의 가장 발달된 능력 중 하나이다.

DAY 33 동물

MP3 바로 듣기

우리 집에서 언제부터
가축을* 키웠지?
네가 돼지야?
방 꼴이 왜 이래!
꿀- 꿀-
네, 저는 이 집에 새로 들어온 반려 돼지입니다!

* 가축 **livestock**

1281 □□□ ★★

livestock 명 가축

[láivstɑːk]

Overgrazing of **livestock** resulted in further deterioration of the soil. (수능)

가축의 지나친 방목이 더 심한 토양의 악화로 이어졌다.

1282 □□□ ★★

cattle 명 소 (떼)

[kǽtl]

The villagers no longer allowed their **cattle** to wander far. (수능)

마을 사람들은 자신들의 **소**가 멀리까지 돌아다니는 것을 더 이상 허용하지 않았다.

1283 □□□ ★★

hatch 동 부화하다, (알을) 깨다

[hætʃ]

After **hatching**, chickens peck busily for their food. (학평)

부화한 후에, 닭들은 자신의 먹이를 분주하게 쪼아 먹는다.

1284 □□□ ★★★

behavior

[bihéivjər]

명 행동, 태도

Much of the **behavior** of animals is instinctive. 학평

동물들의 **행동**의 대부분은 본능적이다.

⊕ **behavioral** 형 행동의

1285 □□□ ★★

mammal

[mǽməl]

명 포유동물

Polar bears are powerful marine **mammals**. 모평

북극곰은 강인한 해양 **포유동물**이다.

Tips

동물의 분류

mammals 포유류 **amphibians** 양서류 **reptiles** 파충류
birds 조류 **fish** 어류

1286 □□□ ★★★

exchange

[ikstʃéindʒ]

동 교환하다 명 교환, 환전

어원 ex[밖으로] + change[바꾸다] → 가진 것을 밖으로 내어 서로 바꾸다, 즉 교환하다

Many mammals such as elephants and whales **exchange** information by sound. 학평

코끼리와 고래 같은 많은 포유동물들은 소리를 통해 정보를 **교환한다**.

⊟ **interchange, trade**

1287 □□□ ★★★

weigh

[wei]

동 무게가 ~이다, 무게를 달다

Chuckwallas **weigh** about 1.5 kg when mature. 학평

척왈라(도마뱀과)는 다 자랐을 때 **무게가** 약 1.5킬로그램**이다**.

⊕ **weight** 명 무게, 체중

1288 □□□ ★★★

overcome

[òuvərkʌ́m]

동 극복하다, 이기다

어원 over[넘어서] + come[오다] → 난관을 넘어서 오다, 즉 극복하다

Some animals **overcome** harsh winters through sleeping. 학평

몇몇 동물들은 수면을 통해 혹독한 겨울을 **극복한다**.

Tips

'극복하다, 이기다'와 관련된 단어들

conquer 정복하다, 이기다 **defeat** 패배시키다, 이기다 **overwhelm** 압도하다, 제압하다

1289 □□□ ★★

helpless

형 무력한, 속수무책인

[hélplis]

Many animals are nearly **helpless** when young. 학평

많은 동물들은 어릴 때 거의 **무력하다**.

⊕ **helplessness** 명 무력함

⊖ **powerless, weak**

1290 □□□ ★★★

interaction

명 상호 작용

[ìntərǽkʃən]

어원 inter[서로] + act[행동하다] + ion[명·접] → 서로에게 영향을 미치는 행동을 하는 것, 즉 상호 작용

Different animals have different methods of **interaction**. 교과서

서로 다른 동물들은 서로 다른 **상호 작용** 방식을 가지고 있다.

⊕ **interact** 동 상호 작용하다 **interactive** 형 상호 작용하는

1291 □□□ ★★

liquid

명 액체 형 액체의

[líkwid]

Some grasshoppers spray out a dark brown **liquid** known as "tobacco juice." 수능

몇몇 메뚜기들은 "담배즙"으로 알려진 어두운 갈색 **액체**를 내뿜는다.

Tips

물질의 종류

solid 고체 **liquid** 액체 **fluid** 유(동)체 **gas** 기체

1292 □□□ ★★

polar

형 북[남]극의, 극지의

[póulər]

The number of **polar** bears is rapidly decreasing. 수능

북극곰의 수는 급격하게 감소하고 있다.

⊕ **polarize** 동 양극화되다 **pole** 명 (지구 등의) 극

⊖ **arctic, antarctic**

1293 □□□ ★★★

component

명 (구성) 요소, 성분 형 구성하는

[kəmpóunənt]

어원 com[함께] + pon[놓다] + ent[명·접] → 어떤 것을 이루기 위해 함께 놓인 구성 요소

A key **component** of bee interaction is movement. 교과서

벌의 상호 작용의 핵심 **요소**는 몸짓이다.

⊖ **part, element**

1294 □□□ ★★

cope

[koup]

동 대처하다, 처리하다

Tardigrades' ability to **cope** with extreme heat and cold, radiation, and pressure is still under investigation. (교과서)

극한의 열과 추위, 방사선, 그리고 압력에 **대처하는** 완보동물의 능력은 여전히 연구되고 있다.

⊕ **cope with** ~에 대처하다

⊜ **manage**

1295 □□□ ★★★

incredible

[inkrédəbəl]

형 놀라운, 믿을 수 없는

어원 in[아닌] + cred[믿다] + ible[할 수 있는] → 믿을 수 없을 정도로 놀라운

Soaring eagles have the **incredible** ability to see a mouse in the grass from a mile away. (모평)

날아오르는 독수리들은 1마일 떨어진 풀밭에 있는 쥐를 볼 수 있는 **놀라운** 능력을 갖고 있다.

⊕ **incredibly** 부 믿을 수 없을 정도로

⊜ **unbelievable, amazing** ↔ **credible** 형 믿을 수 있는

1296 □□□ ★★★

native

[néitiv]

명 토착종, 토착민, 원주민 형 토종의, 타고난

The smallmouth bass is a **native** of the Mississippi drainage. (수능)

작은입우럭은 미시시피강 배수 유역의 **토착종**이다.

⊜ **indigenous**

1297 □□□ ★

migrate

[máigreit]

동 이동하다, 이주하다

Bats **migrate** to the South in the fall. (학평)

박쥐들은 가을에 남쪽으로 **이동한다**.

⊕ **migration** 명 이동, 이주 **migratory** 형 이동하는, 이주하는

⊜ **move, travel**

Tips

migrate와 immigrate의 의미 구분

두 단어 모두 '이주하다'를 뜻하지만 migrate는 방향성의 구분 없이 한 지역에서 다른 지역으로 이동하는 것을 말할 때, immigrate는 외국 등 외부로부터 이주해 들어오는 것을 말할 때 사용돼요. migrate는 특히 철새들의 이동을 말할 때 자주 쓰여요.

1298 □□□ ★★★

separate

동 분리하다, 떼어놓다 형 분리된, 별개의

동[sépəreit]
형[sépərət]

어원 se[떨어져] + par[준비하다] + ate[동·접] → 따로 준비하도록 떨어뜨리다, 즉 분리하다

Baby monkeys were **separated** from their mothers at birth. (수능)

새끼 원숭이들이 태어났을 때 그들의 어미로부터 **분리되었다**.

⊕ **separately** 부 각기, 따로 **separation** 명 분리, 구분

⊜ **divide, detach** ⇔ **unite** 동 통합하다

1299 □□□ ★★

cooperate

동 협력하다, 협동하다

[kouάːpəreit]

어원 co[함께] + oper[일] + ate[동·접] → 함께 일하기 위해 협력하다

Sperm whales travel in social groups that **cooperate** to defend and protect each other. (수능)

향유고래는 서로를 지켜주고 보호하기 위해 **협력하는** 사회적 집단을 이루어 이동한다.

⊕ **cooperative** 형 협력하는 **cooperation** 명 협력

⊜ **collaborate**

1300 □□□ ★★★

enable

동 할 수 있게 하다, 가능하게 하다

[inéibl]

어원 en[하게 만들다] + able[할 수 있는] → 할 수 있게 만들다, 즉 가능하게 하다

The small bodies of ants **enable** them to quickly disappear by running into the small holes. (수능)

개미의 작은 몸체는 그들이 작은 구멍 안으로 뛰어들어 빠르게 사라질 **수 있게 한다**.

⊜ **allow** ⇔ **disable** 동 무력하게 하다

1301 □□□ ★

prolong

동 연장하다, 늘이다

[prəlɔ́ːŋ]

어원 pro[앞으로] + long[긴] → 앞으로 길게 늘여 연장하다

By keeping livestock in windowless sheds, growing seasons could be **prolonged**. (학평)

가축을 창문이 없는 헛간에 가두어두면, 성장기가 **연장될** 수 있다.

⊕ **prolongation** 명 연장 **prolonged** 형 오래 지속되는, 장기적인

Tips

'연장하다'와 관련된 단어들

extend 연장하다, 확장하다 **lengthen** 길게 하다, 늘이다 **elongate** 늘이다
continue 계속하다, 이어지다 **stretch** 늘이다, 늘어나다

Washington DC

1302 □□□ ★★★

distance

[dístəns]

명 거리, 간격

어원 di[떨어져] + st[서다] + ance[명·접] ➜ 떨어져 서 있는 거리

Pigeons can see a very long **distance**. 학평

비둘기는 아주 먼 **거리**를 볼 수 있다.

⊕ **distant** 형 먼, 떨어져 있는

⊜ **length, extent**

1303 □□□ ★★★

escape

[iskéip]

동 피하다, 탈출하다, 벗어나다 명 탈출, 도망

어원 es[밖으로] + cap(e)[머리] ➜ 머리부터 밖으로 빠져나와 탈출하다, 즉 피하다

To **escape** an enemy, the lizard can move very fast. 학평

적을 **피하기** 위해, 도마뱀은 매우 빨리 움직일 수 있다.

⊕ **escape from** ~에(게)서 탈출하다

⊜ **flee, run away**

1304 □□□ ★

isolate

[áisəleit]

동 고립시키다, 격리하다

어원 isol[섬] + ate[동·접] ➜ 섬에 고립시키다

Birds of species that flock together have comparatively larger brains than those that are **isolated**. 학평

함께 모여 사는 종의 새들은 **고립된** 새들보다 상대적으로 더 큰 뇌를 가지고 있다.

⊕ **isolated** 형 외떨어진, 외딴 **isolation** 명 고립, 격리

⊜ **separate, detach**

1305 □□□ ★★

injure

[índʒər]

동 상처를 입히다, 다치게 하다

어원 in[아닌] + jur(e)[올바른] ➜ 상대에게 올바르지 않은 일을 해서 상처를 입히다

The lion was **injured**, and one of his legs was bleeding. 학평

사자는 **상처를 입었고**, 한쪽 다리에서 피를 흘리고 있었다.

⊕ **injured** 형 다친 **injury** 명 상처, 부상

⊜ **hurt, wound**

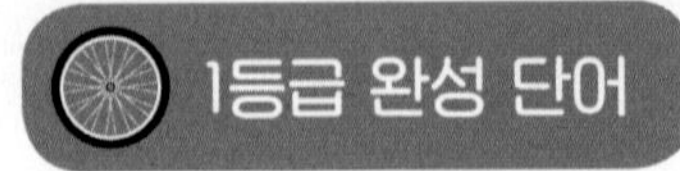

1306 □□□ ★★	**conceal** [kənsí:l]	동 숨기다, 감추다
1307 □□□ ★	**innate** [inéit]	형 선천적인, 타고난, 고유의
1308 □□□ ★★	**paw** [pɔ:]	명 (발톱이 있는 동물의) 발
1309 □□□ ★★	**horn** [hɔ:rn]	명 뿔, 경적
1310 □□□ ★★	**breed** [bri:d]	동 번식하다, 기르다 명 품종, 종류
1311 □□□ ★★	**solitary** [sá:ləteri]	형 (동물이) 단독 생활을 하는, 고독한
1312 □□□ ★★	**flap** [flæp]	동 퍼덕이다 명 날개 치는 소리, 펄럭임
1313 □□□ ★★	**coordinate** [kouɔ́:rdənèit]	동 조직화하다, 조정하다, 조화되다
1314 □□□ ★★	**sociable** [sóuʃəbl]	형 사교적인
1315 □□□ ★★	**sting** [stiŋ]	동 쏘다, 찌르다
1316 □□□ ★★	**burrow** [bə́:rou]	동 파고들다, 굴을 파다 명 (토끼 등의) 굴
1317 □□□ ★	**natal** [néitl]	형 출생의
1318 □□□ ★	**weave** [wi:v]	동 엮다, 짜다
1319 □□□ ★	**lure** [luər]	명 미끼, 유혹 동 유인하다, 유혹하다
1320 □□□ ★	**shed** [ʃed]	동 발산하다, 없애다, (눈물·액체 등을) 흘리다 명 헛간

Polar bears evolved white fur because it better **conceals** them in the Arctic. (학평)
북극곰은 북극에서 자신을 더 잘 **숨길** 수 있기 때문에 흰 털을 진화시켰다.

An animal's hunting behavior is **innate** and further refined through learning. (학평)
동물의 사냥 행동은 **선천적이고** 습득을 통해 더욱 다듬어진다.

Dogs aren't afraid to get their **paws** dirty. (수능)
개들은 자신의 **발**이 더럽혀지는 것을 두려워하지 않는다.

Some people kill black rhinos to get **horns** to sell as medicine. (학평)
어떤 사람들은 약재로 팔기 위한 **뿔**을 얻기 위해 검은 코뿔소를 죽인다.

The toothfish does not **breed** until it is at least 10 years old. (학평)
메로는 적어도 10살이 되어서야 **번식한다**.

Locusts are normally **solitary** and avoid each other. (학평)
메뚜기는 보통 **단독 생활을 하며** 서로를 피한다.

Hummingbirds **flap** their wings so fast that they make a humming noise. (교과서)
벌새는 날개를 너무 빨리 **퍼덕여서** 윙윙거리는 소리를 낸다.

Wolves **coordinate** their hunting through body movements, ear positioning, and vocalization. (학평)
늑대는 몸의 움직임, 귀의 위치, 그리고 발성을 통해 사냥을 **조직화한다**.

Okapis are not **sociable** and prefer to live alone in large areas. (학평)
오카피는 **사교적이지** 않으며 넓은 지역에서 혼자 생활하는 것을 선호한다.

Most bees **sting** when they feel threatened. (수능)
대부분의 벌은 자신이 위협받는다고 느낄 때 **쏜다**.

Short-horned lizards can quickly **burrow** into loose soil to hide. (학평)
짧은뿔도마뱀은 은신하기 위해 푸석한 흙 속으로 재빨리 **파고들** 수 있다.

In Belding's ground squirrels, males leave home, and females mature in their **natal** area. (수능)
벨딩에 있는 얼룩다람쥐의 경우, 수컷은 서식지를 떠나고 암컷은 그들의 **출생** 지역에서 성장한다.

Some kinds of spiders **weave** thick white bands of silk across the centers of their webs. (학평)
어떤 거미 종들은 거미줄의 한가운데를 가로질러 굵은 흰 명주실을 **엮는다**.

Crayfish began to probe the floating **lure**. (학평)
가재는 떠다니는 **미끼**를 탐색하기 시작했다.

Chimps are much better at **shedding** body heat. (학평)
침팬지는 체열을 **발산하는** 데 훨씬 더 능숙하다.

Daily Quiz

영어는 우리말로, 우리말은 영어로 쓰세요.

01 distance ____________

02 native ____________

03 component ____________

04 horn ____________

05 exchange ____________

06 liquid ____________

07 polar ____________

08 weigh ____________

09 conceal ____________

10 overcome ____________

11 가축 ____________

12 놀라운, 믿을 수 없는 ____________

13 대처하다, 처리하다 ____________

14 행동, 태도 ____________

15 (발톱이 있는 동물의) 발 ____________

16 소 (떼) ____________

17 부화하다, (알을) 깨다 ____________

18 상호 작용 ____________

19 상처를 입히다 ____________

20 포유동물 ____________

다음 빈칸에 들어갈 가장 알맞은 것을 박스 안에서 고르세요.

helpless	separate	enable	escape	cooperate

21 To ____________ an enemy, the lizard can move very fast.
적을 피하기 위해, 도마뱀은 매우 빨리 움직일 수 있다.

22 The small bodies of ants ____________ them to quickly disappear by running into the small holes.
개미의 작은 몸체는 그들이 작은 구멍 안으로 뛰어들어 빠르게 사라질 수 있게 한다.

23 Baby monkeys were ____________(e)d from their mothers at birth.
새끼 원숭이들이 태어났을 때 그들의 어미로부터 분리되었다.

24 Many animals are nearly ____________ when young.
많은 동물들은 어릴 때 거의 무력하다.

25 Sperm whales travel in social groups that ____________ to defend and protect each other.
향유고래는 서로를 지켜주고 보호하기 위해 협력하는 사회적 집단을 이루어 이동한다.

정답

01 거리, 간격 **02** 토착종, 토착민, 원주민, 토종의, 타고난 **03** (구성) 요소, 성분, 구성하는 **04** 뿔, 경적 **05** 교환하다, 교환, 환전 **06** 액체, 액체의 **07** 북[남]극의, 극지의 **08** 무게가 ~이다, 무게를 달다 **09** 숨기다, 감추다 **10** 극복하다, 이기다 **11** livestock **12** incredible **13** cope **14** behavior **15** paw **16** cattle **17** hatch **18** interaction **19** injure **20** mammal **21** escape **22** enable **23** separate **24** helpless **25** cooperate

점수 잡는 수능 고빈출 숙어 ⑧

in the end	결국, 마침내

In the end, there is no one ideal condition for creativity. (학평)
결국, 창의성을 위한 하나의 이상적인 조건이란 없다.

remind A of B	A에게 B를 생각나게 하다

Lemons **remind** people **of** things that are fresh and clean. (학평)
레몬은 사람들**에게** 신선하고 깨끗한 것들**을 생각나게 한다**.

plenty of	충분한, 많은, 풍부한

You have **plenty of** time before the deadline. (학평)
당신은 마감 기한 전까지 **충분한** 시간이 있다.

no more than	단지 ~에 지나지 않는, ~일 뿐

Interviewing is **no more than** expressing yourself. (수능)
인터뷰는 **단지** 자신을 표현하는 것**에 지나지 않는다**.

in search of	~을 찾아서, 추구하여

Many people moved into California **in search of** gold. (학평)
많은 사람들이 금**을 찾아서** 캘리포니아로 이동했다.

DAY 34

식물

햇볕을 쬐어 줘야
비타민 D 같은 좋은 물질을
생성할* 수 있대~
그래서 나 지금
썬텐 중이잖아
#베란다에서 #광합성 중
#마음만은 하와이

* 생성하다 **generate**

1321 □□□ ★★★

generate

[dʒénəreit]

동 생성하다, 야기하다, 발생시키다

어원 gener[발생] + ate[동·접] → 발생시키다 또는 생성하다

There are plants that **generate** a poison to protect themselves. 모평

자신을 보호하기 위해 독을 **생성하는** 식물들이 있다.

⊕ **generation** 명 발생, 세대 **generator** 명 발전기

⊜ **produce, create**

1322 □□□ ★★★

root

[ru:t]

명 뿌리, 근원

You need well-drained soil in order to make the vine's **roots** dig deep into the soil. 수능

덩굴의 **뿌리**가 토양에 깊이 파고들게 하려면 배수가 잘되는 흙이 필요하다.

⊕ **rooted** 형 ~에 뿌리[근원]를 둔

⊜ **base, foundation**

1323 □□□ ★★★

soil

[sɔil]

명 토양, 흙

The rich **soil** could help farmers grow enough crops to feed the people in the cities. 수능

비옥한 **토양**은 농부들이 도시에 사는 사람들을 먹여 살리기에 충분한 양의 농작물을 재배할 수 있게 했다.

⊟ earth

1324 □□□ ★★★

weed

[wiːd]

명 잡초 동 잡초를 제거하다

In fact, goats prefer **weeds** to grass. 수능

사실, 염소는 잔디보다 **잡초**를 더 좋아한다.

⊕ **weed out** (불필요한 것을) 제거하다

1325 □□□ ★★

endangered

[indéindʒərd]

형 멸종 위기에 처한

어원 en[하게 만들다] + danger[위험] + ed[형·접] → 동식물을 위험하게 만들어서 멸종 위기에 처한

Many species of tree are now **endangered**, including mahogany. 모평

마호가니를 포함한 많은 수목 종들은 현재 **멸종 위기에 처해** 있다.

⊕ **endanger** 동 위험하게 하다

1326 □□□ ★★

pest

[pest]

명 해충, 성가신 것

The potatoes that they planted were extremely vulnerable to the **pest**. 교과서

그들이 심은 감자는 **해충**에 극도로 취약했다.

⊕ **pesticide** 명 살충제

1327 □□□ ★★★

survive

[sərváiv]

동 살아남다, 생존하다, 견뎌 내다

어원 sur[넘어서] + viv(e)[살다] → 어려움, 위기 등을 넘어서 살아남다

Think about ways they **survive** in the wild. 수능

그들이 야생에서 **살아남는** 방법에 대해 생각해보세요.

⊕ **survival** 명 생존 **survivor** 명 생존자

⊟ **last, endure**

1328 □□□ ★★★

caterpillar

[kǽtərpilər]

명 애벌레

Caterpillars won't eat the bad-tasting leaves. (학평)

애벌레들은 맛없는 잎을 먹지 않을 것이다.

1329 □□□ ★★★

reduce

[ridjú:s]

동 줄이다, 감소시키다

어원 re[뒤로] + duc(e)[끌다] → 일부를 뒤로 끌어내 수량을 줄이다

Some types of plants can **reduce** air pollutants. (학평)

어떤 종류의 식물들은 대기 오염 물질을 **줄일** 수 있다.

⊕ **reduction** 명 감소

⊜ **lessen, lower, diminish**

Tips

시험에는 이렇게 나온다

reduce pollution 오염을 줄이다　　**reduce waste** 낭비를 줄이다
reduce stress 스트레스를 줄이다　　**reduce crime** 범죄를 줄이다

1330 □□□ ★★

substance

[sʌ́bstəns]

명 물질, 실체

어원 sub[아래에] + sta[서다] + (a)nce[명·접] → 하늘 아래 실체를 가지고 서 있는 것, 즉 물질

Aloe contains soothing **substances** that can help with burns. (학평)

알로에는 화상에 도움을 줄 수 있는 진정 **물질**을 함유하고 있다.

⊕ **substantial** 형 실체의, 상당한　**substantially** 부 대체로, 상당히

⊜ **material**

1331 □□□ ★★

nectar

[néktər]

명 꿀, 과즙

Hummingbirds use their long narrow beaks to get the flower's **nectar**. (수능)

벌새는 꽃의 **꿀**을 얻기 위해 그들의 길고 가느다란 부리를 사용한다.

1332 □□□ ★

pollen

[pá:lən]

명 꽃가루, 화분

The butterflies carry **pollen** from flower to flower. (수능)

나비들은 꽃에서 꽃으로 **꽃가루**를 옮긴다.

1333 □□□ ★★

stable

[stéibəl]

형 안정적인, 차분한

어원 sta[서다] + (a)ble[할 수 있는] → 서 있을 수 있게 상태가 안정적인

Orchids are sensitive and require a **stable** environment to survive. 학평

난초는 민감하여 살아남기 위해서는 **안정적인** 환경이 필요하다.

⊕ **stabilize** 동 안정시키다 **stability** 명 안정(성)

⊜ **steady, secure** ⇔ **unstable** 형 불안정한

1334 □□□ ★★

ripen

[ráipən]

동 익다, 숙성하다

I could see crops **ripening** in the fields and trees turning red and yellow. 수능

나는 들판의 곡식이 **익어가고** 나무가 단풍이 드는 모습을 볼 수 있었다.

⊕ **ripe** 형 익은, 숙성한

⊜ **mature**

1335 □□□ ★★★

preserve

[prizə́:rv]

동 보존하다, 보호하다

어원 pre[전에] + serv(e)[지키다] → 어떤 것이 손상되기 전에 지키다, 즉 보존하다

They have launched efforts to **preserve** wild plants for generations to come. 수능

그들은 다음 세대를 위해 야생 식물을 **보존하기** 위한 노력을 시작했다.

⊕ **preservation** 명 보존, 보호

⊜ **maintain, sustain**

Tips

preserve와 conserve의 의미 구분

두 단어 모두 '보존하다'를 뜻하지만, preserve는 오염이나 파괴를 막아 현 상태가 손상되지 않게 유지하는 것을, conserve는 자원 등을 조심히 사용하여 보존하는 것을 의미해요.

1336 □□□ ★★

glance

[glæns]

명 흘끗 봄 동 흘끗 보다, 훑어보다

At a **glance**, corn appears to be more efficient than sugarcane as an energy crop. 학평

흘끗 보기에, 옥수수는 사탕수수보다 더 효율적인 에너지 작물인 것으로 보인다.

⊜ **glimpse**

1337 □□□ ★

reed

명 갈대

[ri:d]

The local population was cutting down the **reed** beds at a furious rate. (수능)

지역 주민들이 맹렬한 속도로 **갈대**밭을 베어 내고 있었다.

1338 □□□ ★★

pesticide

명 농약, 살충제

[péstisaid]

어원 pest(i)[해충] + cide[죽이다] → 해충을 죽이는 농약 또는 살충제

In the past 50 years, **pesticide** use has increased 10 times, while crop losses from pest damage have doubled. (학평)

지난 50년간, 해충 피해로 인한 작물 손실은 2배가 된 반면 **농약**의 사용은 10배 증가했다.

⊕ **pesticidal** 형 농약의, 살충제의 **pest** 명 해충

1339 □□□ ★

bloom

명 꽃 동 꽃을 피우다

[blu:m]

Sometimes several colors of **bloom** are found on the same plant. (학평)

때때로 같은 식물에서 여러 색깔의 **꽃**이 발견되기도 한다.

⊟ **blossom**

1340 □□□ ★

coexist

동 공존하다

[kòuigzíst]

어원 co[함께] + exist[존재하다] → 여럿이 함께 존재하다, 즉 공존하다

In savannas, grasses and trees **coexist**. (모평)

사바나에는, 풀과 나무가 **공존한다**.

⊕ **exist** 동 존재하다 **coexistence** 명 공존 **coexistent** 형 공존하는

1341 □□□ ★★

hybrid

형 혼성의, 잡종의 명 교배종, 혼합물

[háibrid]

This process gained pace after the invention of **hybrid** breeding of maize. (수능)

이 과정은 옥수수의 **혼성** 품종 개량의 발명 이후 속도가 붙었다.

⊕ **hybrid car** 하이브리드[휘발유·전기 병용] 승용차

TORONTO

1342 □□□ ★★

convert

[kənvə́ːrt]

동 바꾸다, 전환하다

어원 con[모두] + vert[돌리다] → 모든 것을 다 돌려서 바꾸다

Some types of plants can **convert** carbon dioxide back into oxygen. (학평)

어떤 종류의 식물들은 이산화탄소를 다시 산소로 **바꿀** 수 있다.

⊕ **conversion** 명 전환, 개조 **convertible** 형 전환 가능한

⊟ **turn, alter**

1343 □□□ ★

evergreen

[évərgriːn]

명 상록수 형 상록의

These **evergreens** often live for thousands of years. (수능)

이 **상록수들**은 보통 수천 년 동안 생존한다.

Tips

'나무'와 관련된 단어들

evergreen tree 상록수	**conifer tree** 침엽수	**bark** 나무껍질
stump 그루터기	**growth ring** 나이테	**resin** 송진

1344 □□□ ★★

mixture

[míkstʃər]

명 혼합(물)

The caterpillar makes a special honey **mixture** which the ants eat. (수능)

애벌레는 개미들이 먹는 특별한 꿀 **혼합물**을 만들어낸다.

⊕ **mix** 동 섞다, 혼합하다 **mixed** 형 섞인, 혼합된

⊟ **blend**

1345 □□□ ★

sturdy

[stə́ːrdi]

형 튼튼한, 견고한

The harshness of their surroundings is a vital factor in making them strong and **sturdy**. (수능)

주변 환경의 가혹함은 그것들을 강하고 **튼튼하게** 만드는 중요한 요소이다.

Tips

'튼튼한'과 관련된 단어들

strong 튼튼한	**durable** 오래가는, 튼튼한	**solid** 단단한, 견고한
robust 건장한, 튼튼한	**hardy** 단련된, 강건한	

01 02 03 04 05 06 07 08 09 10 11 12 13 14 15 16 17 18 19 20 21 22 23 24 25 26 27 28 29 30 31 32 33 34 DAY 35 36 37 38 39 40 41 42 43 44 45 46 47 48 49 50

1등급 완성 단어

1346 □□□ ★★★	**meanwhile** [mí:nwàil]	부 한편, 그 사이에
1347 □□□ ★★	**blossom** [blɑ́:səm]	동 꽃을 피우다 명 꽃
1348 □□□ ★★	**vegetation** [vedʒətéiʃən]	명 초목, 식물
1349 □□□ ★	**subsequently** [sʌ́bsikwəntli]	부 뒤이어, 이후에
1350 □□□ ★★	**fascinate** [fǽsəneit]	동 매혹하다, 마음을 사로잡다
1351 □□□ ★★	**cultivate** [kʌ́ltiveit]	동 재배하다, 경작하다, 양성하다
1352 □□□ ★	**botanical** [bətǽnikəl]	형 식물의
1353 □□□ ★★	**confine** [kənfáin]	동 한정하다, 제한하다, 가두다
1354 □□□ ★	**devour** [diváuər]	동 게걸스레 먹다
1355 □□□ ★	**peculiar** [pikjú:ljər]	형 독특한, 이상한
1356 □□□ ★	**nasty** [nǽsti]	형 역겨운, 지저분한, 심술궂은
1357 □□□ ★	**thrive** [θraiv]	동 잘 자라다, 번성하다, 번영하다
1358 □□□ ★	**tactics** [tǽktiks]	명 전략, 방책
1359 □□□ ★	**penetrate** [pénətreit]	동 관통하다, 통과하다, 꿰뚫다
1360 □□□ ★	**discriminate** [diskríməneit]	동 구별하다, 차별하다

Meanwhile, Alaska has short, cool summers and very long, cold winters. (학평)
한편, 알래스카에는 짧고 시원한 여름과 매우 길고 추운 겨울이 있다.

Kurinji blossoms only once in 12 years. (학평)
쿠린지는 12년에 한 번만 **꽃을 피운다**.

Vegetation has a big influence in determining weather patterns. (학평)
초목은 기후 양상을 결정하는 데 큰 영향을 끼친다.

Animals thrived and, subsequently, destroyed vegetation. (학평)
동물들이 번성했고, **뒤이어** 초목을 파괴했다.

I was fascinated by the beautiful leaves and flowers. (수능)
나는 아름다운 나뭇잎과 꽃들에 **매혹되었다**.

Korowai families have their own gardens, in which they cultivate vegetables. (학평)
Korowai 가족은 정원을 가지고 있는데, 그들은 그곳에서 채소를 **재배한다**.

His knowledge of tropical plants came mainly from the botanical gardens. (교과서)
열대 식물에 대한 그의 지식은 주로 **식물**원에서 얻은 것이었다.

Their job was confined to collecting seaweed in shallow water. (교과서)
그들의 업무는 얕은 물에서 해초를 채취하는 것으로 **한정되었다**.

This plant is so large that it can swallow and devour rats whole. (학평)
이 식물은 매우 커서 쥐를 통째로 삼키고 **게걸스레 먹어** 치울 수 있다.

Living rock cactus is one of the most peculiar plants found in the desert. (모평)
Living rock 선인장은 사막에서 발견되는 가장 **독특한** 식물 중 하나이다.

Its leaves are rough, sharp, and extremely nasty to eat. (학평)
그것의 잎들은 먹기에 거칠고, 날카롭고, 매우 **역겹다**.

Dandelions can thrive anywhere. (학평)
민들레는 어디에서나 **잘 자랄** 수 있다.

Many things are still unknown about their survival tactics. (교과서)
그것들의 생존 **전략**에 관해서는 여전히 많은 것들이 알려져 있지 않다.

Trees have a few small roots which penetrate to great depth. (모평)
나무는 아주 깊이 **관통하는** 몇 개의 작은 뿌리를 가지고 있다.

Insects generally do not discriminate between organic and conventional crops. (모평)
곤충은 일반적으로 유기농 작물과 재래식 작물을 **구별하지** 않는다.

01 02 03 04 05 06 07 08 09 10 11 12 13 14 15 16 17 18 19 20 21 22 23 24 25 26 27 28 29 30 31 32 33 34 DAY 35 36 37 38 39 40 41 42 43 44 45 46 47 48 49 50

Daily Quiz

영어는 우리말로, 우리말은 영어로 쓰세요.

01 substance ____________

02 stable ____________

03 generate ____________

04 pest ____________

05 meanwhile ____________

06 ripen ____________

07 survive ____________

08 hybrid ____________

09 vegetation ____________

10 pesticide ____________

11 잡초, 잡초를 제거하다 ____________

12 한정하다, 가두다 ____________

13 혼합(물) ____________

14 줄이다, 감소시키다 ____________

15 뿌리, 근원 ____________

16 토양, 흙 ____________

17 보존하다, 보호하다 ____________

18 바꾸다, 전환하다 ____________

19 매혹하다 ____________

20 멸종 위기에 처한 ____________

다음 빈칸에 들어갈 가장 알맞은 것을 박스 안에서 고르세요.

nectar	glance	blossom	caterpillar	cultivate

21 Korowai families have their own gardens, in which they ____________ vegetables.
Korowai 가족은 정원을 가지고 있는데, 그들은 그곳에서 채소를 재배한다.

22 Kurinji ____________(e)s only once in 12 years.
쿠린지는 12년에 한 번만 꽃을 피운다.

23 At a ____________, corn appears to be more efficient than sugarcane as an energy crop.
흘끗 보기에, 옥수수는 사탕수수보다 더 효율적인 에너지 작물인 것으로 보인다.

24 Hummingbirds use their long narrow beaks to get the flower's ____________.
벌새는 꽃의 꿀을 얻기 위해 그들의 길고 가느다란 부리를 사용한다.

25 ____________(e)s won't eat the bad-tasting leaves.
애벌레들은 맛없는 잎을 먹지 않을 것이다.

정답

01 물질, 실체 02 안정적인, 차분한 03 생성하다, 야기하다, 발생시키다 04 해충, 성가신 것 05 한편, 그 사이에 06 익다, 숙성하다 07 살아남다, 생존하다, 견뎌 내다 08 혼성의, 잡종의, 교배종, 혼합물 09 초목, 식물 10 농약, 살충제 11 weed 12 confine 13 mixture 14 reduce 15 root 16 soil 17 preserve 18 convert 19 fascinate 20 endangered 21 cultivate 22 blossom 23 glance 24 nectar 25 Caterpillar

점수 잡는 수능 고빈출 숙어 ⑨

in response to	~에 반응하여, ~에 답하여

Individuals who struggle with obesity tend to eat **in response to** emotions. (모평)

비만과 씨름하는 사람들은 감정**에 반응하여** 먹는 경향이 있다.

take a break	휴식을 취하다

I think you need to **take a break** for a while. (수능)

제 생각에는 당신이 잠시 **휴식을 취해야** 할 것 같아요.

on behalf of	~을 대신하여, ~을 위해서

I am writing to you **on behalf of** Ashley Hale. (학평)

저는 Ashley Hale**을 대신하여** 당신에게 이 글을 씁니다.

in advance	사전에, 미리

Free parking permits will be provided only to those who have registered **in advance**. (학평)

무료 주차 허가증은 **사전에** 등록한 사람에게만 제공될 것입니다.

as long as	~하는 한, ~하는 동안은

As long as it doesn't directly affect them, people will rarely try to stop a crime. (학평)

그것이 그들에게 직접적으로 영향을 미치지 않**는 한**, 사람들은 범죄를 저지하려는 노력을 거의 하지 않을 것이다.

DAY 35

생태계

MP3 바로 듣기

쟤네는 대체 무슨 종*이길래
안 자고 매일 저렇게
떠들어대는 거지?

일단 호모 사피엔스는 아닌 듯.

* 종 **species**

1361 □□□ ★★★

species

[spíːʃiːz]

명 (동식물의) 종, 종류

The populations of many **species** are declining rapidly because habitats are being destroyed. (학평)

많은 **종**의 개체 수가 급격하게 감소하고 있는데 이는 서식지가 파괴되고 있기 때문이다.

⊜ class, category

1362 □□□ ★★★

creature

[kríːtʃər]

명 생물, 창조물

Although Earth's oceans are full of life, many sea **creatures** are in danger of disappearing. (학평)

지구의 대양이 생명력이 넘치는데도 불구하고, 많은 해양 **생물들**은 사라질 위험에 처해 있다.

⊕ **creative** 형 창조적인, 창의적인 **creativity** 명 창조성 **creation** 명 창조, 창작

⊜ living thing

1363 □□□ ★★★

ecosystem

명 생태계

[ì:kousístəm]

어원 eco[환경] + system[체계, 시스템] ➜ 자연환경의 체계, 즉 생태계

The role of humans in today's **ecosystems** differs from that of early human settlements. 학평

오늘날의 **생태계**에서 인간의 역할은 초기 인간 정착의 것과는 다르다.

Tips

시험에는 이렇게 나온다

marine ecosystem 해양 생태계 **tropical rainforest ecosystem** 열대 우림 생태계
entire ecosystem 전체 생태계 **grassland ecosystem** 초원 생태계

1364 □□□ ★★★

alarm

명 경보, 불안 동 놀라게 하다

[əlά:rm]

Some species use **alarm** calls to share information about potential predators. 학평

어떤 종들은 잠재적 포식자에 대한 정보를 공유하기 위해 **경보** 신호를 사용한다.

⊕ **alarming** 형 우려할 만한, 겁을 주는 **alarmed** 형 놀란, 겁먹은

⊜ **alert**

1365 □□□ ★★★

influence

명 영향(력) 동 영향을 미치다

[ínfluəns]

어원 in[안에] + flu[흐르다] + ence[명·접] ➜ 안으로 흘러들어와 어떤 효과를 내는 힘, 즉 영향

The **influence** of humans has led to many species becoming extinct. 학평

인간의 **영향**은 많은 종들이 멸종되는 것으로 이어졌다.

⊕ **influential** 형 영향력 있는

⊜ **effect, impact**

Tips

시험에는 이렇게 나온다

have an influence on ~에 영향을 끼치다 **influenced by** ~에 영향을 받은
under the influence of ~의 영향 아래

1366 □□□ ★★★

discover

동 발견하다, 알아내다

[diskʌ́vər]

어원 dis[떨어져] + cover[덮다] ➜ 덮었던 것을 떨어뜨려 가려져 있던 것을 발견하다

We continue to **discover** a lot about dinosaurs from fossils. 학평

우리는 화석에서 공룡에 관한 많은 것을 계속해서 **발견한다**.

⊕ **discovery** 명 발견

⊜ **find out, learn**

1367 □□□ ★★

marine

형 해양의, 바다의

[mərí:n]

A powerful flashlight will reveal **marine** life in its true colors. 수능

강한 손전등은 **해양** 생물의 실제 색깔을 보여줄 것이다.

⊕ **submarine** 명 잠수함

1368 □□□ ★★★

organism

명 생물, 유기체

[ɔ́:rgənizəm]

어원 organ[기관] + ism[명·접] → 내부에 여러 기관이 모여 이뤄진 생물

Not all **organisms** are able to find sufficient food to survive. 모평

모든 **생물**이 생존하기에 충분한 먹이를 찾을 수 있는 것은 아니다.

1369 □□□ ★★★

movement

명 움직임, (정치·사회적) 운동

[mú:vmənt]

Marie pointed to **movement** in the water. 수능

Marie는 물속의 **움직임**을 가리켰다.

⊜ **action, motion**

1370 □□□ ★★★

habitat

명 서식지, 거주지

[hǽbitæt]

어원 hab(it)[가지다] + at[명·접] → 생물들이 자신의 영역으로 가지고 살아가는 서식지

An entire **habitat** does not completely disappear but, instead, is reduced gradually. 수능

전체 **서식지**가 완전히 사라지지는 않지만, 대신 점진적으로 줄어든다.

⊕ **habitation** 명 거주, 주거

Tips

시험에는 이렇게 나온다

preserve the natural habitat 자연 서식지를 보존하다
protect the habitat 서식지를 보호하다

1371 □□□ ★

coral

명 산호

[kɔ́:rəl]

We should preserve fragile **coral** reefs around the world. 모평

우리는 전 세계의 연약한 **산호**초를 보호해야 한다.

SYDNEY

1372 □□□ ★★★

predator

[prédətər]

명 포식자, 약탈자

It's so bitter that **predators** avoid eating them. (수능)

그것은 너무 써서 **포식자들**도 그것을 먹기를 피한다.

↔ **prey** 명 먹이, 희생자

1373 □□□ ★

fragile

[frǽdʒəl]

형 연약한, 부서지기 쉬운

어원 frag[부수다] + ile[형·접] → 부서지기 쉬운 또는 연약한

We are **fragile** creatures in an environment full of danger. (모평)

우리는 위험으로 가득 찬 환경에 있는 **연약한** 생명체이다.

= **weak, vulnerable** ↔ **durable** 형 튼튼한, 내구성이 좋은 **sturdy** 형 견고한

1374 □□□ ★★★

harm

[hɑːrm]

동 해치다, 손상시키다 명 (손)해

They can **harm** the native species already living there. (학평)

그들은 이미 그곳에 살고 있는 토착종들을 **해칠** 수 있다.

+ **harmful** 형 해로운 **harmless** 형 무해한

= **damage, hurt**

1375 □□□ ★★

discharge

명 [dístʃɑːrdʒ]
동 [distʃɑ́ːrdʒ]

명 배출(물), 방출 동 방출하다

어원 dis[떨어져] + char(ge)[마차] → 마차에서 떨어뜨리듯 밖으로 떨어져 나온 배출물

The **discharge** from fish farms can pollute nearby natural aquatic ecosystems. (학평)

양어장의 **배출물**은 근처의 자연 수산 생태계를 오염시킬 수 있다.

1376 □□□ ★★★

abandon

[əbǽndən]

동 (버리고) 떠나다, 포기하다

어원 a[~쪽으로] + bandon[지배 범위] → 다른 사람의 지배 범위 쪽으로 넘겨주다, 즉 버리고 떠나다

The presence of too many people can cause birds to **abandon** a nest and the eggs in it. (학평)

너무 많은 사람들의 존재는 새들이 둥지와 그 안의 알을 **버리고 떠나게** 만들 수 있다.

+ **abandonment** 명 버림, 포기

= **give up, surrender**

1377 □□□ ★★

glacier

명 빙하

[gléiʃər]

The melting **glaciers** would drive the rise of the sea level. (모평)

녹고 있는 **빙하들**은 해수면을 상승하게 만들 것이다.

⊕ **glacial** 형 빙하기의

1378 □□□ ★

ecology

명 생태(계), 생태학

[ikɑ́:lədʒi]

어원 eco[환경] + log[말] + y[명·접] → 환경에 대해 말하는 것, 즉 환경에 대한 학문인 생태학 또는 생태계

Projects like road-building may destroy Everest's extremely fragile **ecology**. (학평)

도로 건설과 같은 프로젝트는 에베레스트의 극도로 취약한 **생태**를 파괴할 수도 있다.

⊕ **ecological** 형 생태계의, 생태학의 **ecologist** 명 생태학자

⊜ **ecosystem**

1379 □□□ ★★★

victim

명 피해자, 희생자

[víktim]

Plants are **victims** of light pollution. (교과서)

식물들은 빛 공해의 **피해자들**이다.

⊜ **sufferer**

1380 □□□ ★★

biodiversity

명 생물 다양성

[bàioudaivə́:rsəti]

The loss of **biodiversity** has generated concern over the consequences for ecosystem functioning. (수능)

생물 다양성의 상실은 생태계 기능의 영향에 대한 염려를 불러일으켰다.

1381 □□□ ★

blend

동 조화되다, 섞다, 혼합하다 명 혼합

[blend]

Some insects use their ability to **blend** into surroundings. (학평)

어떤 곤충들은 주변 환경에 **조화되는** 자신들의 능력을 사용한다.

⊜ **mix, combine**

SYDNEY

1382 □□□ ★

arctic

형 북극의

[ɑ́ːrktik]

There are many common **arctic** plants with wintergreen leaves. 모평

겨울푸른잎을 가진 평범한 **북극** 식물들이 많이 있다.

↔ **antarctic** 형 남극의

Tips

오대양

오대양을 규모가 큰 순서대로 나열하면 다음과 같아요.

Pacific Ocean (태평양) > **Atlantic Ocean** (대서양) > **Indian Ocean** (인도양) > **Southern Ocean** (남극해) > **Arctic Ocean** (북극해)

1383 □□□ ★★★

exceed

동 초과하다, 넘다

[iksíːd]

어원 ex[밖으로] + ceed[가다] → 정해진 범위 밖으로 가서 그것을 넘다, 즉 초과하다

The demand for resources will eventually **exceed** an ecosystem's ability to provide it. 모평

자원에 대한 수요는 결국 그것을 제공해주는 생태계의 능력을 **초과할** 것이다.

+ **excessive** 형 지나친, 과도한 **excess** 명 지나침, 과잉

1384 □□□ ★★★

essential

형 필수적인, 중요한, 본질적인

[isénʃəl]

Water, which is **essential** for life, costs nothing. 수능

생명에 **필수적인** 물은 아무런 비용도 들지 않는다.

+ **essentially** 부 본질적으로 **essence** 명 본질

= **vital, fundamental**

Tips

시험에는 이렇게 나온다

be essential to[for] ~에 필수적이다

play an essential role in ~에 중요한 역할을 하다

essential element 필수 요소

essential nutrients 필수 영양소

1385 □□□ ★★

disastrous

형 피해가 막심한, 처참한, 비참한

[dizǽstrəs]

어원 dis[떨어져] + astro[별] + (o)us[형·접] → 별이 떨어져서 재난이 일어나 피해가 막심한

Any contact between humans and rare plants can be **disastrous** for the plants. 수능

인간과 희귀 식물 간의 어떤 접촉도 그 식물들에게 **피해가 막심할** 수 있다.

+ **disaster** 명 재난, 참사

= **catastrophic, destructive**

01 02 03 04 05 06 07 08 09 10 11 12 13 14 15 16 17 18 19 20 21 22 23 24 25 26 27 28 29 30 31 32 33 34 35 DAY 36 37 38 39 40 41 42 43 44 45 46 47 48 49 50

1등급 완성 단어

1386 □□□ ★★	**wetland**	[wétlənd]	명 습지
1387 □□□ ★★	**continually**	[kəntínjuəli]	부 계속해서, 끊임없이
1388 □□□ ★★	**alter**	[ɔ́:ltər]	동 바꾸다, 변경하다
1389 □□□ ★★★	**tide**	[taid]	명 조수(潮水), 흐름, 경향
1390 □□□ ★★	**rainforest**	[réinfɑ:rist]	명 열대 우림
1391 □□□ ★★	**substantial**	[səbstǽnʃəl]	형 상당한, 실질적인
1392 □□□ ★★	**ecological**	[ì:kəlɑ́:dʒikəl]	형 생태 상의, 생태학(계)의
1393 □□□ ★★	**strive**	[straiv]	동 애쓰다, 노력하다
1394 □□□ ★★★	**accord**	[əkɔ́:rd]	명 조화, 일치 동 일치하다, 부합하다
1395 □□□ ★	**contradiction**	[kɑ̀:ntrədíkʃən]	명 모순, 반박
1396 □□□ ★	**ornament**	[ɔ́:rnəmənt]	명 장식(품), 꾸밈
1397 □□□ ★	**evaporate**	[ivǽpəreit]	동 증발하다, 사라지다
1398 □□□ ★	**intact**	[intǽkt]	형 손상되지 않은, 온전한
1399 □□□ ★	**plague**	[pleig]	명 전염병 동 괴롭히다
1400 □□□ ★	**vanish**	[vǽniʃ]	동 사라지다, 소멸하다

We should know the importance of forests and **wetlands**. 수능
우리는 삼림과 **습지**의 중요성을 알아야 한다.

The elements of nature are **continually** changing, but nature itself remains constant. 수능
자연의 요소들은 **계속해서** 변화하고 있지만, 자연 그 자체는 변함없이 남아 있다.

Increases in insect populations could even **alter** entire ecosystems. 학평
곤충 개체 수의 증가는 심지어 전체 생태계를 **바꿀** 수도 있다.

Turbulent waves and high **tides** had washed lots of poor sea creatures ashore. 학평
험한 파도와 높은 **조수**는 다수의 가엾은 해양 생물들을 물가로 떠밀어 냈다.

The **rainforests** are full of plants and animals that need each other and help each other. 수능
열대 우림은 서로를 필요로 하며 서로 도와주는 동식물들로 가득하다.

The cleared soil was rich in minerals and nutrients and provided **substantial** production yields. 수능
개간된 토양은 미네랄과 영양분이 풍부했고 **상당한** 작물 생산량을 공급했다.

The Great Auk is a large seabird that in northern oceans took the **ecological** place of a penguin. 모평
큰바다오리는 북부 대양에서 펭귄의 **생태 상의** 위치를 차지한 대형 바닷새이다.

People have **striven** to conserve the wild plants growing in Korea. 수능
사람들은 한국에서 자라는 야생 식물을 보존하기 위해 **애써왔다**.

Aquatic animals change their physiology in **accord** with their surroundings. 모평
수중 동물들은 환경과 **조화**를 이루어 그들의 생리 기능을 변화시킨다.

The unexpected complexities and apparent **contradictions** make ecology so interesting. 모평
예상치 못한 복잡함과 분명한 **모순들**은 생태계를 매우 흥미롭게 만든다.

The Tahina palm has become a highly prized **ornament** plant. 학평
타히나 야자나무는 매우 귀중한 **장식** 식물이 되었다.

As the water **evaporated**, the traces of dissolved salts were gradually concentrated. 수능
물이 **증발하면서**, 미량의 용해된 소금이 서서히 농축되었다.

Establishing protected areas with **intact** ecosystems is essential for species conservation. 학평
손상되지 않은 생태계가 있는 보호 구역을 설립하는 것은 종 보존을 위해 필수적이다.

During the **plague** that claimed Mel's mother, Spindle's mother also died. 모평
Mel의 어머니의 목숨을 앗아간 **전염병** 기간 동안, Spindle의 어머니도 돌아가셨다.

This year, somewhere between three and a hundred species will **vanish**. 모평
올해, 셋에서 백여 종 정도가 **사라질** 것이다.

Daily Quiz

영어는 우리말로, 우리말은 영어로 쓰세요.

01 marine ____________

02 harm ____________

03 predator ____________

04 species ____________

05 tide ____________

06 continually ____________

07 alarm ____________

08 disastrous ____________

09 exceed ____________

10 victim ____________

11 영향(력), 영향을 미치다 ____________

12 생태계 ____________

13 필수적인, 본질적인 ____________

14 발견하다, 알아내다 ____________

15 (버리고) 떠나다 ____________

16 배출(물), 방출, 방출하다 ____________

17 움직임 ____________

18 빙하 ____________

19 바꾸다, 변경하다 ____________

20 생물 다양성 ____________

다음 빈칸에 들어갈 가장 알맞은 것을 박스 안에서 고르세요.

organism	wetland	creature	accord	habitat

21 Aquatic animals change their physiology in ____________ with their surroundings.
수중 동물들은 환경과 조화를 이루어 그들의 생리 기능을 변화시킨다.

22 Not all ____________(e)s are able to find sufficient food to survive.
모든 생물이 생존하기에 충분한 먹이를 찾을 수 있는 것은 아니다.

23 We should know the importance of forests and ____________(e)s.
우리는 삼림과 습지의 중요성을 알아야 한다.

24 An entire ____________ does not completely disappear but, instead, is reduced gradually.
전체 서식지가 완전히 사라지지는 않지만, 대신 점진적으로 줄어든다.

25 Although Earth's oceans are full of life, many sea ____________(e)s are in danger of disappearing.
지구의 대양이 생명력이 넘치는데도 불구하고, 많은 해양 생물들은 사라질 위험에 처해 있다.

정답

01 해양의, 바다의 02 해치다, 손상시키다, (손)해 03 포식자, 약탈자 04 (동식물의) 종, 종류 05 조수, 흐름, 경향 06 계속해서, 끊임없이 07 경보, 불안, 놀라게 하다 08 피해가 막심한, 처참한, 비참한 09 초과하다, 넘다 10 피해자, 희생자 11 influence 12 ecosystem 13 essential 14 discover 15 abandon 16 discharge 17 movement 18 glacier 19 alter 20 biodiversity 21 accord 22 organism 23 wetland 24 habitat 25 creature

점수 잡는 수능 고빈출 숙어 ⑩

refer to ~을 가리키다, 참고하다, 언급하다

Obesity **refers to** having too much fat in our body. (학평)
비만은 우리 몸에 지방이 너무 많이 있는 것**을 가리킨다**.

result from ~에서 비롯되다, ~이 원인이다

The doctor said her headaches **resulted from** the eyesight. (학평)
의사는 그녀의 두통이 시력**에서 비롯됐다고** 말했다.

drop by (잠깐) 들르다, 불시에 찾아가다

Please make sure to **drop by** the student council office and submit your application. (학평)
반드시 학생 자치회 사무실에 **들러** 신청서를 제출해주세요.

when it comes to ~에 대해서는, 관한 한

You can never be too careful **when it comes to** safety. (학평)
안전**에 대해서는** 아무리 조심해도 지나치지 않다.

pay attention to ~에 주의를 기울이다, 유의하다

People **pay attention to** information that supports their viewpoints, while ignoring evidence to the contrary. (학평)
사람들은 반대되는 증거는 무시하면서, 그들의 관점을 뒷받침하는 정보**에 주의를 기울인다**.

DAY 36

지리·기후

MP3 바로 듣기

부산 지리*는 내 손바닥 안이지~ 너는 나만 믿고 따라오면 돼!
이사 온 지 2주째
부산싸나이

* 지리 **geography**

1401 □□□ ★★★

geography

[dʒiάːgrəfi]

명 지리(학), 지형

어원 geo[땅] + graph[쓰다, 그리다] + y[명·접] → 땅의 모양에 대해 쓰거나 그리는 지리학

China's tea industry has great advantages in **geography** and varieties of tea. 학평

중국의 차 산업은 **지리**와 차의 다양성에서 큰 이점들을 가진다.

⊕ **geographical** 형 지리(학)의 **geographer** 명 지리학자

1402 □□□ ★★★

forecast

[fɔ́ːrkæst]

명 예보, 예측 동 예보하다, 예측하다

어원 fore[미리] + cast[던지다] → 날씨 등 미래의 정보를 미리 던지는 것, 즉 예보 또는 예측

According to the weather **forecast**, it's going to be fine and sunny. 학평

일기 **예보**에 따르면, 맑고 화창한 날씨가 될 것이다.

⊕ **forecaster** 명 (일기) 예보자

⊜ **prediction**

1403 □□□ ★★★

surface

명 표면, 지면, 수면 동 (수면으로) 떠오르다

[sə́:rfis]

어원 sur[위에] + face[표면] → 가장 위에 보이는 표면

A landform is a shape on the earth's **surface**. (학평)

지형은 땅 **표면**의 형태이다.

1404 □□□ ★★★

coast

명 해안, 바닷가

[koust]

He was born in Caunus, on the **coast** of Caria, but lived most of his life in Rhodes. (수능)

그는 카리아 **해안**에 있는 카우노스에서 태어났지만, 대부분의 삶을 로도스 섬에서 보냈다.

➕ **coastal** 형 해안의

⊟ **shore, seaside**

1405 □□□ ★★★

landscape

명 풍경, 경치

[lǽndskeip]

The **landscape** looked fascinating as the bus headed to Alsace. (수능)

버스가 알자스로 향할 때 그 **풍경**은 황홀해 보였다.

⊟ **scenery, view**

1406 □□□ ★★★

boundary

명 경계, 한계

[báundəri]

Following flooding, a river's course may shift, altering the **boundary** between states. (학평)

홍수 이후, 강의 흐름이 바뀌어 두 주 사이의 **경계**를 변화시킬 수도 있다.

➕ **boundless** 형 끝이 없는, 무한한

⊟ **border, barrier**

1407 □□□ ★

humid

형 습한, 눅눅한

[hjú:mid]

어원 hum[땅] + id[형·접] → 땅에서 물기가 올라와 습한

It was so hot and **humid** that I could not enjoy the tour fully. (수능)

너무 덥고 **습해서** 나는 관광을 제대로 즐길 수 없었다.

➕ **humidity** 명 습도, 습함

⊟ **damp, wet, moist**

1408 □□□ ★★★

tropical

[trάːpikəl]

형 열대의, 열대 지방의

Guyana has a **tropical** climate and unique surroundings. 학평

가이아나는 **열대** 기후와 독특한 환경을 가지고 있다.

⊕ **tropic** 명 열대 지방

1409 □□□ ★

fertile

[fə́ːrtl]

형 비옥한, 다산의, 번식력이 있는

어원 fer(t)[나르다] + ile[형·접] → 날라야 할 생산물이 많이 나오는, 즉 비옥한

Deserts were spreading over regions where there had been once green, **fertile** land. 학평

한때 푸르고 **비옥한** 땅이 있었던 지역에 사막이 퍼지고 있었다.

⊕ **fertilize** 동 비옥하게 하다 **fertilizer** 명 비료

⊜ **productive, prolific** ⇔ **barren** 형 불모의, 메마른

Tips

시험에는 이렇게 나온다		
fertile soil 비옥한 토양	**fertile land** 비옥한 토지	**fertile area** 비옥한 지역

1410 □□□ ★★

slope

[sloup]

명 경사면, 비탈

Nepenthes can only be found high up on the windswept **slopes** of Mount Victoria in the Philippines. 학평

네펜테스는 필리핀 빅토리아 산의 바람이 불어치는 높은 **경사면**에서만 발견될 수 있다.

⊜ **hillside**

1411 □□□ ★

bay

[bei]

명 (바다·호수의) 만

The **bay** had ice all around it. 학평

만 주변에 온통 얼음이 얼었다.

1412 □□□ ★★★

stream

[striːm]

명 개울, 시내, 흐름 동 흐르다

Some boys were playing in the little **stream** that the rain had made by the roadside. 학평

몇몇 소년들이 비로 인해 길가에 생긴 작은 **개울**에서 놀고 있었다.

LONDON

1413 □□□ ★★

continent

[kɑ́:ntinənt]

명 대륙, 육지

어원 con[함께] + tin[잡다] + ent[명·접] → 여러 나라가 함께 손을 잡아 이룬 큰 땅덩어리인 대륙

Kenya is one of the most scenically diverse and beautiful countries on the **continent**. 학평

케냐는 **대륙**에서 가장 경치가 다양하고 아름다운 나라 중 하나이다.

⊕ **continental** 형 대륙의

1414 □□□ ★

conceive

[kənsí:v]

동 구상하다, 생각하다, 임신하다

Ancient maps were not **conceived** through the same processes as modern maps. 학평

고대 지도는 현대 지도와 동일한 과정을 통해 **구상되지** 않았다.

⊕ **conception** 명 구상, 개념

⊜ **imagine, devise**

Tips

시험에는 이렇게 나온다

conceive A as B A를 B라고 생각하다 **conceive of** ~을 생각해내다

1415 □□□ ★★★

plenty

[plénti]

명 풍부한 양, 많음

어원 plen[채우다] + ty[명·접] → 꽉 채울 정도로 많음, 즉 풍부한 양

A vineyard needs **plenty** of exposure to the sun in cool climate areas. 수능

포도밭은 서늘한 기후 지대에서 **풍부한 양**의 햇볕에 노출되어야 한다.

⊕ **plentiful** 형 풍부한 **plenty of** 풍부한 (양의), 많은

⊜ **abundance**

1416 □□□ ★★

earthquake

[ə́:rθkweik]

명 지진

The new technologies make it possible to warn of **earthquakes**. 수능

신기술은 **지진**을 경고하는 것이 가능하게 해준다.

Tips

자연재해의 종류

earthquake 지진	**landslide** 산사태	**drought** 가뭄
flood 홍수	**hail** 우박	**volcanic eruption** 화산 폭발

1417 □□□ ★★

spectacular

형 장관을 이루는, 극적인

[spektǽkjulər]

어원 spect(a)[보다] + cul[명·접] + ar[형·접] → 볼 만한, 즉 장관을 이루는

Niagara Falls is one of the most **spectacular** sights I have ever seen. 학평

나이아가라 폭포는 내가 보았던 가장 **장관을 이루는** 풍경들 중 하나이다.

⊕ **spectacle** 명 장관, 광경

⊜ **impressive, dramatic**

1418 □□□ ★★

fade

동 사라지다, 희미해지다

[feid]

The concept of seasonal fruit is starting to **fade** away. 학평

제철 과일의 개념이 **사라지기** 시작하고 있다.

⊜ **vanish**

1419 □□□ ★★

harvest

명 수확, 추수 동 수확하다

[ha:rvist]

Global climate change impacts and damages regular fruit **harvests**. 학평

세계적인 기후 변화는 정상적인 과일 **수확**에 영향을 미치고 피해를 입힌다.

⊜ **crop, yield**

1420 □□□ ★★

slight

형 약간의, 조금의

[slait]

There's a **slight** chance of rain. 학평

비가 내릴 **약간의** 가능성이 있다.

⊕ **slightly** 부 약간, 조금

⊜ **small, minor**

1421 □□□ ★★

bury

동 묻다, 매장하다

[béri]

Pompeii was destroyed and **buried** during a long eruption of the volcano Mount Vesuvius in AD 79. 학평

폼페이는 서기 79년 베수비오 화산의 긴 분출 동안 파괴되고 **묻혔다**.

⊕ **burial** 명 매장, 장례식

LONDON

1422 □□□ ★

meadow

명 목초지, 초원

[médou]

Forests were turned into **meadows**. (학평)

숲들이 **목초지**로 변했다.

⊟ **pasture, grassland**

Tips

meadow와 pasture의 의미 구분

meadow는 주로 나무가 아닌 풀이나 꽃 등이 자라는 목초지를, pasture는 주로 소나 양 등의 동물의 먹이로 사용되는 풀이 자라는 초원을 의미해요.

1423 □□□ ★★

heritage

명 유산, 재산

[héritidʒ]

어원 herit[상속인] + age[명·접] → 상속인이 받는 유산

Registered as a World Natural **Heritage** site, Patagonia's blue glaciers are melting due to global warming. (학평)

세계 자연 **유산** 지구로 등록된 파타고니아의 푸른 빙하는 지구온난화로 인해 녹고 있다.

⊕ **World Cultural Heritage** 세계 문화유산

⊟ **legacy, inheritance**

1424 □□□ ★

erupt

동 폭발하다, 분출하다

[irʌ́pt]

어원 e[밖으로] + rupt[깨다] → 막았던 것을 깨고 밖으로 쏟아져 나오다, 즉 폭발하다

The volcano in Iceland **erupted** for the first time in over 200 years. (학평)

아이슬란드의 화산은 200년여 만에 처음으로 **폭발했다**.

⊕ **eruption** 명 폭발, 분출

⊟ **explode, blow up**

1425 □□□ ★★

infinite

형 무한한

[ínfənət]

어원 in[아닌] + fin[끝] + ite[형·접] → 끝나지 않는, 즉 무한한

In the desert, you feel that an **infinite** number of stars are falling. (교과서)

사막에서는, **무한한** 수의 별들이 떨어지고 있다는 느낌을 받는다.

⊕ **infinity** 명 무한(성)

⊟ **countless, limitless** ⟷ **finite** 형 유한한

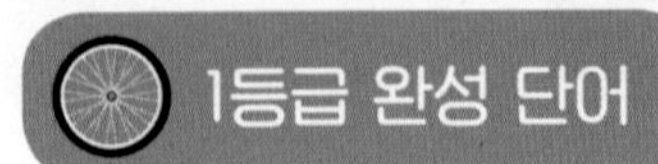

1426 □□□ ★★	**horizon** [həráizn]	명 수평선, 지평선, 시야
1427 □□□ ★★	**humidity** [hju:mídəti]	명 습도, 습기
1428 □□□ ★	**vapor** [véipər]	명 증기, 기체 동 증발하다, 발산시키다
1429 □□□ ★★	**moisture** [mɔ́istʃər]	명 습기, 수분
1430 □□□ ★	**loom** [lu:m]	동 어렴풋이 나타나다, 희미하게 보이다
1431 □□□ ★	**contour** [kɑ́:ntuər]	명 등고선, 윤곽
1432 □□□ ★	**creek** [kri:k]	명 시냇물, 개울
1433 □□□ ★	**latitude** [lǽtətju:d]	명 위도
1434 □□□ ★	**unpredictable** [ʌ̀npridíktəbl]	형 예측할 수 없는, 종잡을 수 없는
1435 □□□ ★	**hemisphere** [hémisfiər]	명 반구(체)
1436 □□□ ★	**oval** [óuvəl]	형 타원형의 명 타원
1437 □□□ ★	**orchard** [ɔ́:rtʃərd]	명 과수원
1438 □□□ ★	**misery** [mízəri]	명 고통, 빈곤
1439 □□□ ★	**barren** [bǽrən]	형 황량한, 불모의
1440 □□□ ★	**condense** [kəndéns]	동 응축되다, 압축하다, 요약하다

The island over the horizon must be the famous Garden Island. 학평
수평선 너머의 섬이 그 유명한 가든 섬인 것이 틀림없다.

This humidity can cause the coffee to quickly spoil. 수능
이런 **습도**는 커피를 빨리 상하게 할 수 있다.

If the air cools, vapor particles join up as water droplets that form clouds. 학평
공기가 차가워지면, **증기** 입자는 구름을 형성하는 물방울로 결합한다.

Too much moisture can encourage the growth of molds. 학평
지나친 **습기**는 곰팡이의 증식을 촉진할 수 있다.

Everest looms as a three-sided pyramid of gleaming ice and dark rock. 수능
에베레스트는 반짝이는 얼음과 어두운 암석으로 이루어진 삼면의 피라미드 형태로 **어렴풋이 나타난다**.

A contour line connects all points that lie at the same elevation. 수능
등고선은 같은 고도에 위치한 모든 지점을 연결한다.

Before he could react, the strong current swept him out to the center of the creek. 학평
그가 미처 반응하기도 전에, 거센 물살이 그를 **시냇물** 한가운데로 휩쓸었다.

New York and Madrid are at almost the same latitude. 학평
뉴욕과 마드리드는 거의 같은 **위도**에 있다.

The weather here is very unpredictable. 학평
여기 날씨는 도무지 **예측할 수 없다**.

It is the largest salt lake in the Western Hemisphere. 수능
이것은 서**반구**에서 가장 큰 소금 호수이다.

The breadfruit is a round or oval fruit that grows on the tropical islands in the Pacific Ocean. 수능
빵나무 열매는 태평양의 열대 섬들에서 자라는 원형 또는 **타원형의** 열매이다.

You can smell orange orchards and pine forests. 모평
당신은 오렌지 **과수원들**과 소나무 숲의 냄새를 맡을 수 있다.

A stinging cold wind completes your misery. 수능
살을 에는 듯한 찬 바람이 당신의 **고통**을 완성한다.

Wind blew across the barren landscapes. 수능
황량한 경관 위로 바람이 불었다.

First, the water vapor in the clouds condenses on dust particles in the form of water drops. 교과서
먼저, 구름 속의 수증기는 물방울의 형태로 먼지 입자에 **응축된다**.

Daily Quiz

영어는 우리말로, 우리말은 영어로 쓰세요.

01 slight ________

02 tropical ________

03 bury ________

04 horizon ________

05 humid ________

06 surface ________

07 humidity ________

08 moisture ________

09 heritage ________

10 earthquake ________

11 경계, 한계 ________

12 장관을 이루는, 극적인 ________

13 예보, 예측, 예측하다 ________

14 지리(학), 지형 ________

15 풍부한 양, 많음 ________

16 무한한 ________

17 비옥한, 번식력이 있는 ________

18 대륙, 육지 ________

19 사라지다, 희미해지다 ________

20 해안, 바닷가 ________

다음 빈칸에 들어갈 가장 알맞은 것을 박스 안에서 고르세요.

landscape	harvest	stream	condense	slope

21 Nepenthes can only be found high up on the windswept ________(e)s of Mount Victoria in the Philippines.
네펜테스는 필리핀 빅토리아 산의 바람이 불어치는 높은 경사면에서만 발견될 수 있다.

22 Some boys were playing in the little ________ that the rain had made by the roadside.
몇몇 소년들이 비로 인해 길가에 생긴 작은 개울에서 놀고 있었다.

23 The ________ looked fascinating as the bus headed to Alsace.
버스가 알자스로 향할 때 그 풍경은 황홀해 보였다.

24 First, the water vapor in the clouds ________(e)s on dust particles in the form of water drops.
먼저, 구름 속의 수증기는 물방울의 형태로 먼지 입자에 응축된다.

25 Global climate change impacts and damages regular fruit ________(e)s.
세계적인 기후 변화는 정상적인 과일 수확에 영향을 미치고 피해를 입힌다.

정답

01 약간의, 조금의 02 열대의, 열대 지방의 03 묻다, 매장하다 04 수평선, 지평선, 시야 05 습한, 눅눅한 06 표면, 지면, 수면, (수면으로) 떠오르다 07 습도, 습기 08 습기, 수분 09 유산, 재산 10 지진 11 boundary 12 spectacular 13 forecast 14 geography 15 plenty 16 infinite 17 fertile 18 continent 19 fade 20 coast 21 slope 22 stream 23 landscape 24 condense 25 harvest

점수 잡는 수능 고빈출 숙어 ⑪

keep track of	~을 계속 파악하고 있다, 추적하다

You need a map to **keep track of** where you are on the mountain. (학평)
산에서 당신이 어디에 있는지**를 계속 파악하고 있기** 위해서는 지도가 필요하다.

prior to	~ 전에, 먼저, 앞서

Cancellations received at least 1 day **prior to** the departure date can be fully refunded. (학평)
출발일 최소 1일 **전에** 접수된 취소 건은 전액 환불될 수 있습니다.

result in	(결과적으로) ~하게 되다, ~을 초래하다

Not enough competitive pressure may **result in** students becoming lazy. (학평)
충분한 경쟁 압력이 가해지지 않으면 학생들이 게으르**게 될** 수 있다.

keep up with	(시류·유행 등)을 따라가다, ~에 뒤떨어지지 않다

Birds cannot **keep up with** climate change. (학평)
새들은 기후 변화**를 따라가지** 못한다.

distinguish A from B	A와 B를 구별하다

How can you **distinguish** stars **from** planets? (학평)
어떻게 별**과** 행성**을 구별할** 수 있나요?

건강

MP3 바로 듣기

DAY 37

권장 섭취량에 맞춰서
필수적인* 양만 먹고 있는데
왜 살이 안 빠지나 몰라~
하루 권장 섭취량 (O) 한 끼 권장 섭취량 (X)

* 필수적인 **vital**

1441 □□□ ★★★

vital

[váitl]

형 필수적인, 생명의, 활기찬

A regular checkup is **vital** for good health. (학평)

정기 검진은 건강을 위해 **필수적이다**.

⊕ **vitally** 부 필수적으로, 지극히 **vitality** 명 생명력, 활기

⊜ **essential, necessary**

1442 □□□ ★★

consult

[kənsʌ́lt]

동 상담하다, 상의하다

어원 con[함께] + sult[뛰어오르다] → 문제 해결을 위해 논의의 장으로 함께 뛰어올라 상담하다

If your feet often become painful, don't hesitate to **consult** with your physician. (학평)

만약 당신의 발이 자주 아프다면, 주저하지 말고 의사와 **상담하세요**.

⊕ **consultation** 명 상담, 상의 **consultant** 명 상담가

⊜ **ask, talk**

1443 □□□ ★★

heal

[hiːl]

동 치유되다, 치료하다

Your body needs the right balance of key macronutrients to **heal** and grow stronger. 학평

신체는 **치유되고** 더 강해지기 위해 핵심 다량 영양소의 적절한 균형이 필요하다.

= **cure, remedy**

1444 □□□ ★★★

lower

[lóuər]

동 낮추다, 줄이다

Just walking through a garden can **lower** blood pressure. 수능

단지 정원을 걷는 것만으로도 혈압을 **낮출** 수 있다.

= **reduce, lessen** ↔ **raise** 동 높이다, 올리다

1445 □□□ ★★★

improve

[imprúːv]

동 증진하다, 향상하다

The researchers say napping may **improve** heart health by reducing stress. 학평

연구원들은 낮잠을 자는 것이 스트레스를 줄임으로써 심장 건강을 **증진할** 수 있다고 말한다.

+ **improvement** 명 향상, 개선

= **enhance, upgrade** ↔ **worsen** 동 악화하다, 악화되다

1446 □□□ ★★★

damage

[dǽmidʒ]

동 손상을 주다, 피해를 입히다 명 손상, 피해

Always staring at computer screens is likely to **damage** our eyes. 수능

컴퓨터 화면을 줄곧 응시하는 것은 우리 눈에 **손상을 줄** 가능성이 있다.

= **injure, harm**

1447 □□□ ★★★

strengthen

[stréŋθən]

동 강화하다, 강화되다

Getting enough sleep helps **strengthen** your memory. 모평

충분한 수면을 취하는 것은 기억력을 **강화하는** 데 도움을 준다.

= **reinforce** ↔ **weaken** 동 약화시키다

1448 □□□ ★★★

pressure

[préʃər]

명 압박, 압력 동 압력을 가하다

Keep your knees at a right angle to reduce the **pressure** on your back. (수능)

등에 가해지는 **압박**을 줄이기 위해 무릎을 직각으로 유지해라.

⊕ **press** 동 누르다, 압박하다

⊜ **force, weight**

1449 □□□ ★★

badly

[bǽdli]

부 심하게, 매우

Billy's high school classmate was **badly** hurt in an accident. (학평)

Billy의 고등학교 친구는 사고로 **심하게** 다쳤다.

1450 □□□ ★

weird

[wiərd]

형 이상한, 기묘한

Although it sounds **weird** to bathe in something you eat, oatmeal baths can help moisturize your skin. (학평)

무언가 먹는 것으로 목욕을 하는 것이 **이상하게** 들리기는 하지만, 오트밀 목욕은 피부에 수분을 공급하는 데 도움을 줄 수 있다.

⊜ **strange, odd**

1451 □□□ ★★★

demonstrate

[démənstrèit]

동 입증하다, 설명하다, 시위하다

Researchers **demonstrated** how laughing affects our bodies. (수능)

연구자들은 웃음이 우리 몸에 어떻게 영향을 미치는지 **입증했다**.

⊕ **demonstration** 명 입증, 설명, 시위

⊜ **prove, indicate**

1452 □□□ ★

disrupt

[disrʌ́pt]

동 방해하다, 붕괴시키다

어원 dis[떨어져] + rupt[깨다] → 서로 떨어지도록 사이를 깨뜨려 방해하다

Lights can **disrupt** a good night's sleep. (학평)

불빛은 숙면을 **방해할** 수 있다.

⊕ **disruption** 명 붕괴, 중단

⊜ **interrupt, disturb**

LONDON

1453 □□□ ★★

wrist

[rist]

명 손목

My right **wrist** feels sore. 학평

내 오른쪽 **손목**이 아프다.

1454 □□□ ★★★

sufficient

[səfíʃənt]

형 충분한

어원 suf[아래로] + fic(i)[만들다] + ent[형·접] → 아래로 흘러넘칠 정도로 만들어서 충분한

You are more likely to have health problems if you don't get a **sufficient** amount of sleep. 학평

충분한 수면을 취하지 않는다면 당신은 건강상의 문제를 갖게 될 가능성이 더 크다.

⊕ **sufficiently** 부 충분하게 **sufficiency** 명 충분한 양

⊜ **enough, adequate** ⇔ **insufficient** 형 불충분한

1455 □□□ ★★

starve

[stɑːrv]

동 굶주리다, 굶기다

On my way home, I was so **starved** that I collapsed. 학평

집에 가는 길에, 나는 너무 **굶주려서** 쓰러졌다.

⊕ **starvation** 명 굶주림, 기아

Tips

'굶주리다'와 관련된 단어들

famine 기근 **hunger** 배고픔, 굶주림 **hungry** 배고픈 **beg** 구걸하다

1456 □□□ ★

moderate

형 [mɑ́ːdərət]
동 [mɑ́ːdəreit]

형 적당한, 보통의 동 완화하다

어원 mod(er)[기준] + ate[형·접] → 중간 정도에 있어 기준이 되는, 즉 적당한

Research shows that **moderate** exercise has no effect on the duration of the common cold. 학평

연구는 **적당한** 운동이 일반 감기의 지속 기간에 영향을 미치지 않는다는 것을 보여준다.

⊕ **moderately** 부 적당히, 알맞게 **moderation** 명 적당함, 온건

1457 □□□ ★★

fatigue

[fətíːg]

명 피로, 피곤

Fatigue and pain are your body's ways of saying that it is in danger. 학평

피로와 통증은 당신의 신체가 위험에 처했다는 것을 알리는 방식들이다.

⊜ **tiredness**

1458 □□□ ★★★

regular

[régjulər]

형 정기적인, 규칙적인, 일정한

어원 reg(ul)[바르게 이끌다] + ar[형·접] → 바르게 이끌어져 규칙적인, 즉 정기적인

The time spent on **regular** examinations is a sensible investment in good health. (수능)

정기적인 검진에 쓰이는 시간은 건강을 위한 현명한 투자이다.

⊕ **regularly** 부 정기적으로, 규칙적으로 **regularity** 명 규칙적임
at regular intervals 일정한 간격을 두고

⊜ **routine, steady** ⇔ **irregular** 형 불규칙한

1459 □□□ ★★

disorder

[disɔ́:rdər]

명 장애, 질환, 무질서

Recently, several models have died as a result of eating **disorders**. (학평)

최근에, 몇 명의 모델들이 섭식 **장애**로 인해 사망했다.

⊜ **illness, disease**

Tips

장애의 종류

mental disorder 정신 장애 **panic disorder** 공황 장애 **sleep disorder** 수면 장애
learning disorder 학습 장애 **personality disorder** 인격 장애

1460 □□□ ★★

diabetes

[dàiəbí:tis]

명 당뇨병

어원 dia[가로질러] + betes[가다] → 당이 몸을 가로질러 가서 소변으로 배출되는 당뇨병

You can prevent **diabetes** by changing your lifestyle. (학평)

당신은 생활 방식을 바꿈으로써 **당뇨병**을 예방할 수 있다.

⊕ **diabetic** 형 당뇨병의, 당뇨병이 있는

1461 □□□ ★

meditation

[mèditéiʃən]

명 명상, 묵상

어원 medi[중간] + (i)t[가다] + ation[명·접] → 깊은 생각의 중간으로 들어가는 것, 즉 명상

You can relieve your stress by **meditation**. (학평)

여러분은 **명상**을 통해 스트레스를 완화할 수 있습니다.

⊕ **meditate** 동 명상하다

⊜ **reflection, contemplation**

462 □□□ ★★

immune

[imjúːn]

형 면역의, 면제된

어원 im[아닌] + mun(e)[의무] → 의무가 아닌, 즉 면제된 또는 면역의

Sleep deprivation has a great influence on the **immune** system. (학평)

수면 부족은 **면역** 체계에 지대한 영향을 미친다.

⊕ **immunity** 명 면역력 **immunize** 동 면역성을 주다

463 □□□ ★★

deadly

[dédli]

형 치명적인, 극도의

The failure to detect toxic food can have **deadly** consequences. (수능)

독성이 있는 음식을 감지하지 못하는 것은 **치명적인** 결과를 가져올 수 있다.

⊟ **fatal**

464 □□□ ★★

posture

[pάːstʃər]

명 자세, 태도

어원 pos(t)[놓다] + ure[명·접] → 어떤 것 또는 누군가가 놓여 있는 자세

If you change your **posture** and the expression on your face, you begin to change the way you feel. (교과서)

당신이 **자세**와 얼굴 표정을 바꾸면, 당신이 느끼는 방식도 바뀌기 시작한다.

⊟ **attitude, stance**

465 □□□ ★★

relaxation

[rìːlækséiʃən]

명 휴식, 완화

어원 re[다시] + lax[느슨하게 하다] + (a)tion[명·접] → 긴장했던 것을 다시 느슨하게 풀고 쉬는 휴식

Lavender tea is definitely good for **relaxation**. (학평)

라벤더 차는 확실히 **휴식**에 좋다.

⊕ **relax** 동 쉬다, 완화하다 **relaxing** 형 마음을 느긋하게 해주는

⊟ **rest**

1466 □□□ ★★	**altogether** [ɔ̀:ltəgéðər]	부 완전히, 전부
1467 □□□ ★★	**induce** [indjú:s]	동 유도하다, 유발하다
1468 □□□ ★★	**acid** [ǽsid]	명 산 형 산성의, (맛이) 신
1469 □□□ ★	**stride** [straid]	명 보폭, 걸음 동 성큼성큼 걷다
1470 □□□ ★★	**inactive** [inǽktiv]	형 비활동적인, 활발하지 않은
1471 □□□ ★	**hygiene** [háidʒi:n]	명 위생, 청결
1472 □□□ ★★	**retain** [ritéin]	동 유지하다, 보유하다
1473 □□□ ★★★	**asthma** [ǽzmə]	명 천식
1474 □□□ ★	**chronically** [krɑ́:nikli]	부 만성적으로
1475 □□□ ★	**vomit** [vɑ́:mit]	동 구토하다, 게우다 명 구토
1476 □□□ ★	**persist** [pərsíst]	동 지속되다, 고집하다
1477 □□□ ★	**rage** [reidʒ]	명 분노, 격노 동 격노하다
1478 □□□ ★	**torturous** [tɔ́:rtʃərəs]	형 고문과 같은, 괴로운, 고통을 주는
1479 □□□ ★	**plunge** [plʌndʒ]	동 뛰어들다, 급락하다 명 급락, 낙하
1480 □□□ ★★	**equilibrium** [ì:kwəlíbriəm]	명 평형, 균형

f quitting sodas altogether sounds too difficult, cut down gradually. 교과서
탄산음료를 **완전히** 끊는 것이 너무 어렵게 느껴진다면, 서서히 줄여보세요.

Certain aromas can help lower anxiety and induce sleep. 모평
특정 향들은 불안감을 낮추고 수면을 **유도하는** 데 도움을 줄 수 있다.

The problem of amino acid deficiency is not unique to the modern world. 학평
아미노**산** 결핍 문제는 현대 사회에는 특이한 것이 아니다.

The increased flexibility from yoga will lengthen your running stride. 학평
요가로 향상된 유연성은 당신의 달리기 **보폭**을 늘여줄 것이다.

You get more and more inactive as you get older. 학평
당신은 나이가 들면서 점점 더 **비활동적이게** 된다.

The Indian government started this plan to promote hygiene. 학평
인도 정부는 **위생**을 증진하기 위해 이 계획을 시작했다.

It is difficult to retain optimism when all the patients are declining in health. 수능
모든 환자들의 건강이 악화될 때 낙관을 **유지하는** 것은 어려운 일이다.

Indoor air pollution is directly linked to asthma. 모평
실내 공기 오염은 **천식**과 직접적으로 연관된다.

Pets are important in the treatment of depressed or chronically ill patients. 수능
반려동물은 우울하거나 **만성적으로** 아픈 환자들을 치료하는 데 중요하다.

Vomiting and diarrhea are two of the most common symptoms of food poisoning. 학평
구토하는 것과 설사는 식중독의 가장 흔한 증상들 중 두 가지이다.

If your symptoms persist, be sure to see a doctor. 모평
만약 당신의 증상이 **지속된다면**, 반드시 의사의 진찰을 받으세요.

Headaches often follow the buildup of rage. 학평
두통은 흔히 **분노** 축적의 결과로서 일어난다.

The pain is torturous. 교과서
그 고통은 **고문과 같다**.

If you plunge into an activity without warming up, your cold muscles will be short of oxygen. 학평
만약 당신이 준비 운동을 하지 않고 활동에 **뛰어들면**, 당신의 저온 근육은 산소가 부족해질 것이다.

Physical balance is needed for mental equilibrium. 수능
신체적 균형은 정신적 **평형**을 위해 필요하다.

Daily Quiz

영어는 우리말로, 우리말은 영어로 쓰세요.

01 acid ______________

02 demonstrate ______________

03 strengthen ______________

04 immune ______________

05 deadly ______________

06 lower ______________

07 disorder ______________

08 regular ______________

09 badly ______________

10 consult ______________

11 치유되다, 치료하다 ______________

12 완전히, 전부 ______________

13 증진하다, 향상하다 ______________

14 필수적인, 생명의, 활기찬 ______________

15 당뇨병 ______________

16 손목 ______________

17 압박, 압력, 압력을 가하다 ______________

18 자세, 태도 ______________

19 유도하다, 유발하다 ______________

20 천식 ______________

다음 빈칸에 들어갈 가장 알맞은 것을 박스 안에서 고르세요.

sufficient	damage	fatigue	relaxation	starve

21 Lavender tea is definitely good for ______________.
라벤더 차는 확실히 휴식에 좋다.

22 ______________ and pain are your body's ways of saying that it is in danger.
피로와 통증은 당신의 신체가 위험에 처했다는 것을 알리는 방식들이다.

23 Always staring at computer screens is likely to ______________ our eyes.
컴퓨터 화면을 줄곧 응시하는 것은 우리 눈에 손상을 줄 가능성이 있다.

24 On my way home, I was so ______________(e)d that I collapsed.
집에 가는 길에, 나는 너무 굶주려서 쓰러졌다.

25 You are more likely to have health problems if you don't get a ______________ amount of sleep.
충분한 수면을 취하지 않는다면 당신은 건강상의 문제를 갖게 될 가능성이 더 크다.

정답

01 산, 산성의, (맛이) 신 02 입증하다, 설명하다, 시위하다 03 강화하다, 강화되다 04 면역의, 면제된 05 치명적인, 극도의 06 낮추다, 줄이다 07 장애, 질환, 무질서 08 정기적인, 규칙적인, 일정한 09 심하게, 매우 10 상담하다, 상의하다 11 heal 12 altogether 13 improve 14 vital 15 diabetes 16 wrist 17 pressure 18 posture 19 induce 20 asthma 21 relaxation 22 Fatigue 23 damage 24 starve 25 sufficient

점수 잡는 수능 고빈출 숙어 ⑫

point out 언급하다, 지적하다, 가리키다

Newton was the first to **point out** that light is colorless, and that consequently color has to occur inside our brains. (수능)
뉴턴은 빛은 색깔이 없으므로 따라서 색깔이 우리 뇌의 내부에서 생겨나야 한다는 것을 **언급한** 최초의 사람이다.

belong to ~의 것[소유]이다, ~에 속하다

The benches in this park **belong to** everyone. (모평)
이 공원의 벤치들은 모든 사람**의 것이다**.

benefit from ~으로부터 이익을 얻다

Someone who is lonely might **benefit from** helping others. (학평)
외로운 누군가는 다른 사람을 돕는 것**으로부터 이익을 얻을** 수 있다.

be better off ~이 더 낫다, (~보다) 더 좋은 상태이다

I think you'd **be better off** getting a professional opinion. (수능)
저는 당신이 전문적인 의견을 듣는 것**이 더 낫다고** 생각합니다.

be engaged in ~을 하고 있다, ~에 종사하고 있다, ~으로 바쁘다

More and more women **are engaged in** economic activities. (학평)
점점 더 많은 여성들이 경제 활동**을 하고 있다**.

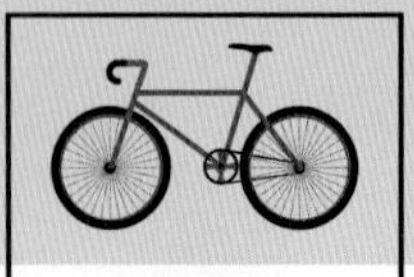

DAY 38

의학

MP3 바로 듣기

* 환자 **patient**

1481 □□□ ★★★

patient

[péiʃənt]

명 환자 형 인내심이 있는

어원 pat(i)[고통을 겪다] + ent[명·접] → 고통을 겪는 환자

Dr. Ross left to take care of other **patients**. (학평)

Dr. Ross는 다른 **환자들**을 돌보러 떠났다.

⊕ **patience** 명 인내(심)

↔ **impatient** 형 참을성 없는, 조급한

1482 □□□ ★

physician

[fizíʃən]

명 (내과) 의사

Only 50 percent of the **physicians** recommended surgery. (학평)

의사들의 50퍼센트만이 수술을 추천했다.

⊕ **physical** 형 육체의, 물질의 **physicist** 명 물리학자

Tips

의사의 종류

physician 내과 의사 **surgeon** 외과 의사 **dentist** 치과 의사
veterinarian 수의사 **pediatrician** 소아과 의사

1483 □□□ ★★

drug

[drʌg]

명 약(물), 의약품, 마약

Today, there are many **drugs** and tools that doctors and nurses can use to fight disease. 학평

오늘날, 의사와 간호사가 질병과 싸우는 데 쓸 수 있는 많은 **약물**과 도구들이 있다.

⊕ **drugstore** 명 약국

1484 □□□ ★★

wound

[wuːnd]

명 상처, 부상 동 상처를 입히다

Healthy skin and healed **wounds** usually show a pH value of below 5. 학평

건강한 피부와 치유된 **상처들**은 보통 5 미만의 pH 값을 보인다.

⊕ **wounded** 형 부상을 입은

⊜ **injury**

1485 □□□ ★

dental

[déntl]

형 치과의, 치아의

He has a **dental** appointment at 3 p.m. 학평

그는 오후 3시에 **치과** 진료가 있다.

⊕ **dentist** 명 치과 의사, 치과

1486 □□□ ★

depict

[dipíkt]

동 묘사하다, 그리다

어원 de[아래로] + pict[그리다] → 고개를 아래로 숙여 대상을 그리다 또는 묘사하다

Media often **depicts** amnesia as a failure to retrieve past memories. 모평

언론은 종종 기억 상실증을 과거의 기억을 상기하지 못하는 것으로 **묘사한다**.

⊕ **depiction** 명 묘사, 서술

⊜ **illustrate, portray**

1487 □□□ ★★★

medical

[médikəl]

형 의학적인, 의료의

어원 medic[병을 고치다] + al[형·접] → 병을 고치기 위한, 즉 의학적인

They provide free **medical** treatment for disabled children of poor families. 수능

그들은 빈곤 가정의 장애 아동에게 무료 **의학적** 치료를 제공한다.

⊕ **medication** 명 약, 약물 **medicine** 명 의학, 약

1488 □□□ ★★

surgery

[sə́ːrdʒəri]

명 수술

He has dental **surgery** scheduled in the morning. (수능)

그는 아침에 치과 **수술**이 예정되어 있다.

⊕ **surgical** 형 외과의, 수술의 **surgeon** 명 외과 의사

1489 □□□ ★

toxic

[tάːksik]

형 유독한, 독성이 있는

Particular drugs are **toxic** to the liver. (교과서)

특정 약물은 간에 **유독하다**.

⊜ **poisonous**

1490 □□□ ★★

unlikely

[ʌnláikli]

형 ~할 가능성이 낮은, ~할 것 같지 않은

어원 un[아닌] + likely[~할 것 같은] → ~할 것 같지 않은, 즉 ~할 가능성이 낮은

Once you have had a disease like the chicken pox, you're **unlikely** to get it again. (학평)

이전에 수두 같은 병을 앓은 적이 있다면, 당신은 다시 그것에 걸릴 **가능성이 낮다**.

⊜ **improbable** ⇔ **likely** 형 ~할 것 같은

1491 □□□ ★

therapy

[θérəpi]

명 치료, 요법

He underwent intensive physical **therapy**. (학평)

그는 집중적인 물리 **치료**를 받았다.

⊕ **therapeutic** 형 치료상의, 치료법의 **therapist** 명 치료사

1492 □□□ ★★★

genetic

[dʒənétik]

형 유전(학)의, 유전적인

어원 gene[유전자] + tic[형·접] → 유전의

Some **genetic** diseases can now be treated by replacing damaged genes with healthy ones. (학평)

몇몇 **유전**병은 이제 손상된 유전자를 건강한 것으로 대체함으로써 치료될 수 있다.

⊕ **genetically** 부 유전적으로 **gene** 명 유전자

Tips

시험에는 이렇게 나온다

genetic factor 유전적 요인
genetic engineering 유전 공학
genetic variation 유전 변이
genetic mutation 유전적 돌연변이

1493 □□□ ★

pharmacy

[fá:rməsi]

명 약국, 약(제)학

There's a pharmacy near my house. 학평

우리 집 근처에 **약국**이 있어요.

Tips

'약국'과 관련된 단어들

drugstore 약국	**prescription** 처방(전)	**pharmacist** 약사
medicine 약	**pill** 알약	**tablet** 알약

1494 □□□ ★★★

rare

[réər]

형 희귀한, 드문

Monica was diagnosed with a rare disease. 학평

Monica는 **희귀**병 진단을 받았다.

⊕ **rarely** 부 드물게

⊜ **uncommon, unusual**

1495 □□□ ★★★

duration

[djuréiʃən]

명 (지속) 기간, 지속

어원 dur[지속적인] + ation[명·접] → 지속 또는 지속하는 기간

Taking appropriate medicine will reduce the duration of your cold. 학평

적절한 약을 복용하는 것은 감기의 **지속 기간**을 줄여줄 것이다.

⊕ **durable** 형 오래가는, 내구성이 있는

1496 □□□ ★★★

internal

[intə́:rnl]

형 내부의, 내면의

The skin is the essential barrier between our internal organs and the outside world. 학평

피부는 우리의 **내부** 장기와 외부 세계 사이의 필수 장벽이다.

⊜ **inner, interior** ⇔ **external** 형 외부의, 바깥의

1497 □□□ ★★★

symptom

[símptəm]

명 증상, 징후

A stuffy nose is a typical symptom of a cold. 학평

코 막힘은 감기의 전형적인 **증상**이다.

⊜ **sign, indication**

1498 □□□ ★

remedy

[rémədi]

명 치료(법), 해결책 동 개선하다, 바로잡다

어원 re[뒤로] + med(y)[병을 고치다] ➜ 병을 고쳐서 상태를 뒤로 돌림, 즉 치료

You can use herbal **remedies** to relieve seasickness. (학평)

뱃멀미를 완화하기 위해 한방 **치료법**을 사용할 수 있다.

⊟ **cure, treatment**

1499 □□□ ★

prescribe

[priskráib]

동 처방하다, 규정하다

어원 pre[전에] + scrib(e)[쓰다] ➜ 환자가 약을 사기 전에 의사가 약을 정해서 써주다, 즉 처방하다

Take the medicine I **prescribe** and take a rest. (학평)

제가 **처방한** 약을 복용하고 휴식을 취하세요.

⊕ **prescribed** 형 규정된, 미리 정해진 **prescription** 명 처방(전), 규정

1500 □□□ ★★★

phenomenon

[finá:mənən]

명 현상, 사건, 비범한 인물

The reason for this universal **phenomenon** of contagious yawning has long been investigated by many scientists. (교과서)

전염되는 하품의 이 보편적인 **현상**에 대한 이유는 많은 과학자들에 의해 오랫동안 연구되어 왔다.

⊕ **phenomenal** 형 경이적인, 감탄스러운

1501 □□□ ★

chronic

[krá:nik]

형 만성적인, 고질의

어원 chron(o)[시간] + ic[형·접] ➜ 시간적으로 오래 가는, 즉 만성적인

All sorts of trouble with digestive organs can arise from **chronic** anger. (학평)

소화 기관에 대한 모든 종류의 문제는 **만성적인** 분노로부터 발생할 수 있다.

⊕ **chronically** 부 만성적으로

⊟ **persistent** ⇔ **acute** 형 급성의

Tips

chronic의 유래

chronic은 그리스, 로마 신화의 신들 중 한 명인 Cronos(크로노스)의 이름에서 유래했어요. 제우스의 아버지인 크로노스는 시간을 관장하는 신이었어요. 따라서 Cronos에서 '시간'을 나타내는 어근 chron이 생겨났고, chronic은 '시간이 오래된', 즉 '만성적인'이라는 뜻을 갖게 되었답니다.

1502 □□□ ★★

temporary

[témpəreri]

형 일시적인, 임시의

어원 tempo(r)[시간] + ary[형·접] ➜ 잠시의 시간 동안의, 즉 일시적인

Bandaging an injured ankle is just a **temporary** fix. 수능

다친 발목을 붕대로 감는 것은 **일시적인** 해결책일 뿐이다.

➕ **temporarily** 부 일시적으로, 임시로

↔ **permanent** 형 영구적인

1503 □□□ ★

digest

동[daidʒést]
명[dáidʒest]

동 소화하다, 소화되다 명 요약(문), 개요

어원 di[떨어져] + gest[나르다] ➜ 음식을 작게 떨어뜨려 신체 여기저기로 날라 소화하다

Some plants taste good and are easy to **digest**. 학평

어떤 식물들은 맛이 좋고 **소화하기** 쉽다.

➕ **digestive** 형 소화의 **digestion** 명 소화(력)

Tips

'소화 기관'과 관련된 단어들

mouth 입	**stomach** 위	**throat** 목구멍, 식도	**duodenum** 십이지장
liver 간	**gall bladder** 쓸개	**small intestine** 소장	**large intestine** 대장

1504 □□□ ★

ineffective

[ìniféktiv]

형 효과가 없는, 효과적이지 못한

Many drugs will become **ineffective** if they are not stored properly. 학평

다수의 약물들은 적절히 보관되지 않으면 **효과가 없어질** 것이다.

= **unproductive, useless** ↔ **effective** 형 효과가 있는

1505 □□□ ★★

regulate

[régjuleit]

동 조절하다, 규제하다

어원 reg(ul)[바르게 이끌다] + ate[동·접] ➜ 바르게 이끌기 위해 제한을 두어 조절하다

Melatonin is the substance that helps **regulate** sleep. 학평

멜라토닌은 수면을 **조절하는** 것을 돕는 물질이다.

➕ **regulatory** 형 조절하는, 규제하는 **regulation** 명 조절, 규정

= **control, manage**

01 02 03 04 05 06 07 08 09 10 11 12 13 14 15 16 17 18 19 20 21 22 23 24 25 26 27 28 29 30 31 32 33 34 35 36 37 38 DAY 39 40 41 42 43 44 45 46 47 48 49 50

1등급 완성 단어

1506 □□□ ★★	**repeated** [ripíːtid]	형 반복되는, 되풀이되는
1507 □□□ ★★	**readily** [rédəli]	부 손쉽게, 기꺼이
1508 □□□ ★★	**swell** [swel]	동 붓다, 팽창하다 명 증가, 팽창
1509 □□□ ★★	**infectious** [infékʃəs]	형 전염성의, 옮기 쉬운
1510 □□□ ★★	**cognitive** [kɑ́ːgnitiv]	형 인지의, 인식의
1511 □□□ ★★	**prescription** [priskrípʃən]	명 처방(전), 규정
1512 □□□ ★★	**skeptical** [sképtikəl]	형 회의적인, 의심 많은
1513 □□□ ★	**diagnose** [dàiəgnóus]	동 진단하다
1514 □□□ ★	**fatal** [féitl]	형 치명적인, 죽음을 초래하는
1515 □□□ ★	**artery** [ɑ́ːrtəri]	명 동맥
1516 □□□ ★	**epidemic** [èpədémik]	명 (병의) 유행, 전염병 형 전염성의, 유행성의
1517 □□□ ★	**surplus** [sə́ːrplʌs]	명 잉여(분), 흑자 형 여분의, 과잉의
1518 □□□ ★★	**paralyze** [pǽrəlàiz]	동 마비시키다, 무력하게 만들다
1519 □□□ ★	**transplant** 명[trǽnsplænt] 동[trænsplǽnt]	명 이식 동 이식하다
1520 □□□ ★★	**anatomy** [ənǽtəmi]	명 해부(학)

Repeated ear infections might permanently damage a nerve called the chorda tympani. (학평)
반복되는 귀병은 고삭신경이라고 불리는 신경을 영구적으로 손상시킬 수 있다.

The disease is readily spread by contact, by contaminated food or water, or through the air. (학평)
그 질병은 접촉, 오염된 음식이나 물, 또는 공기를 통해 **손쉽게** 퍼진다.

Your ankle is already starting to swell. (수능)
당신의 발목은 이미 **붓기** 시작하고 있다.

It's important to avoid infectious diseases such as malaria. (학평)
말라리아 같은 **전염성** 질병을 방지하는 것은 중요하다.

Even an invention as elementary as finger-counting changes our cognitive abilities. (수능)
손가락으로 헤아리기 같은 기초적인 발명이라도 우리의 **인지** 능력을 변화시킬 수 있다.

The doctor writes you a prescription. (수능)
의사는 당신에게 **처방전**을 써준다.

Many doctors are skeptical about the helpfulness of online medical information. (학평)
많은 의사들은 온라인상의 의학 정보의 유익함에 대해 **회의적이다**.

Mary was diagnosed with stomach cancer. (학평)
Mary는 위암을 **진단받았다**.

Malaria is a fatal disease but can be treated with drugs. (학평)
말라리아는 **치명적인** 질병이지만 약물로 치료될 수 있다.

Inflammation can lead to your arteries becoming blocked. (학평)
염증은 당신의 **동맥**을 막히게 할 수 있다.

To prevent measles epidemics, 95 percent of the population must be immunized. (학평)
홍역의 **유행**을 예방하기 위해서는, 인구의 95퍼센트가 면역력이 있어야 한다.

Wilkinson showed that the blood donors are typically sharing their surpluses. (수능)
Wilkinson은 헌혈자들이 일반적으로 그들의 **잉여분**을 나눠주고 있다는 것을 보여주었다.

Kevin had a car accident, and his legs were paralyzed. (수능)
Kevin은 교통사고를 당했고, 두 다리가 **마비되었다**.

The ability to perform heart transplants was linked to the development of respirators. (학평)
심장 **이식**을 수행할 수 있는 능력은 호흡기의 발달과 관련이 있었다.

The man knew nothing about anatomy. (수능)
그 남자는 **해부학**에 대해 아무것도 몰랐다.

Daily Quiz

영어는 우리말로, 우리말은 영어로 쓰세요.

01 swell ________	**11** 마비시키다 ________
02 duration ________	**12** 전염성의, 옮기 쉬운 ________
03 internal ________	**13** 만성적인, 고질의 ________
04 drug ________	**14** 유전(학)의, 유전적인 ________
05 anatomy ________	**15** 환자, 인내심이 있는 ________
06 temporary ________	**16** 증상, 징후 ________
07 fatal ________	**17** 회의적인, 의심 많은 ________
08 readily ________	**18** 조절하다, 규제하다 ________
09 prescription ________	**19** 반복되는, 되풀이되는 ________
10 wound ________	**20** 현상, 사건, 비범한 인물 ________

다음 빈칸에 들어갈 가장 알맞은 것을 박스 안에서 고르세요.

unlikely	surgery	rare	medical	cognitive

21 Even an invention as elementary as finger-counting changes our ________ abilities.
손가락으로 헤아리기 같은 기초적인 발명이라도 우리의 인지 능력을 변화시킬 수 있다.

22 Once you have had a disease like the chicken pox, you're ________ to get it again.
이전에 수두 같은 병을 앓은 적이 있다면, 당신은 다시 그것에 걸릴 가능성이 낮다.

23 They provide free ________ treatment for disabled children of poor families.
그들은 빈곤 가정의 장애 아동에게 무료 의학적 치료를 제공한다.

24 He has dental ________ scheduled in the morning.
그는 아침에 치과 수술이 예정되어 있다.

25 Monica was diagnosed with a(n) ________ disease.
Monica는 희귀병 진단을 받았다.

정답

01 붓다, 팽창하다, 증가, 팽창 **02** (지속) 기간, 지속 **03** 내부의, 내면의 **04** 약(물), 의약품, 마약 **05** 해부(학) **06** 일시적인, 임시의 **07** 치명적인, 죽음을 초래하는 **08** 손쉽게, 기꺼이 **09** 처방(전), 규정 **10** 상처, 부상, 상처를 입히다 **11** paralyze **12** infectious **13** chronic **14** genetic **15** patient **16** symptom **17** skeptical **18** regulate **19** repeated **20** phenomenon **21** cognitive **22** unlikely **23** medical **24** surgery **25** rare

점수 잡는 수능 고빈출 숙어 ⑬

contrary to	~과는 달리, ~과 상반되는

Contrary to popular belief, running on concrete is not more damaging to the legs than running on soft sand. (모평)

통념**과는 달리**, 콘크리트 위를 달리는 것이 푹신한 모래 위를 달리는 것보다 다리에 더 해롭지는 않다.

differ from	~과 다르다

Adolescents **differ from** adults in the way they behave, solve problems, and make decisions. (학평)

청소년들은 행동하고, 문제를 해결하고, 결정을 내리는 방식에서 어른들**과 다르다**.

take ~ for granted	~을 당연한 것으로 여기다, 대수롭지 않게 여기다

You should not **take** the kindness of others **for granted**. (학평)

당신은 다른 사람들의 친절**을 당연한 것으로 여기면** 안 된다.

at once	한꺼번에, 동시에, 즉시

If we try to absorb too many things **at once**, they often conflict. (학평)

만약 우리가 너무 많은 것들을 **한꺼번에** 흡수하려고 하면, 그것들은 종종 충돌한다.

look forward to ~ing	~을 기대하다, 고대하다

I **look forward to** receiv**ing** your feedback by the end of the week. (학평)

저는 이번 주말까지 당신의 의견을 받을 수 있기**를 기대합니다**.

식품·영양

MP3 바로 듣기

오늘은 식욕*이 없어서
많이 못 먹었네. 너무 아쉽다..

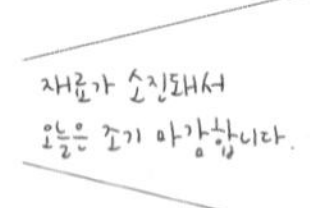

재료가 소진돼서
오늘은 조기 마감합니다.

* 식욕 **appetite**

1521 □□□ ★★

appetite

[ǽpətait]

명 식욕, 욕구

어원 ap[~에] + pet[추구하다] + ite[명·접] → 음식 등에 끌려 그것을 추구하는 욕구, 즉 식욕

Actually, I don't have much of an **appetite** now. 학평

사실, 나는 지금 별로 **식욕**이 없다.

⊕ **appetizer** 명 식욕을 돋우는 것, 애피타이저

1522 □□□ ★★

bitter

[bítər]

형 (맛이) 쓴, 혹독한, 격렬한

Both humans and rats dislike **bitter** and sour foods, which tend to contain toxins. 수능

인간과 쥐 모두 **쓰고** 신 음식을 좋아하지 않는데, 그것들은 독소가 들어 있는 경향이 있다.

⊕ **bitterness** 명 쓴 맛 **bitterly** 부 비통하게, 격렬히

Tips

'맛'과 관련된 단어들

bitter 쓴맛이 나는 **salty** 짠맛이 나는 **sweet** 단맛이 나는 **sour** 신맛이 나는
bland 싱거운 **savory** 풍미가 좋은 **spicy** 매운 **greasy** 느끼한

1523 □□□ ★★★

grain

[grein]

명 곡물, 낟알

Plant-based foods such as vegetables and **grain** help us stay healthy by lowering cholesterol. (모평)

채소와 **곡물** 같은 식물 기반의 음식은 콜레스테롤을 낮춤으로써 우리를 건강하게 해준다.

⊜ cereal, corn

1524 □□□ ★★

nutrition

[nju:tríʃən]

명 영양 (섭취), 음식물

어원 nutr(i)[영양분을 주다] + tion[명·접] → 생물에게 필요한 영양분을 주는 것을 받아 섭취함, 즉 영양 섭취

She saw children living without proper **nutrition** and education. (학평)

그녀는 아이들이 적절한 **영양 섭취**와 교육의 부재 속에서 살고 있는 것을 보았다.

⊕ nutritious 형 영양분이 풍부한 **nutritional** 형 영양(상)의

⊜ nourishment **↔ malnutrition** 명 영양실조

1525 □□□ ★★★

fiber

[fáibər]

명 섬유(질)

Mushrooms contain important vitamins, **fiber**, and minerals. (모평)

버섯은 중요한 비타민, **섬유질**, 그리고 무기질을 함유하고 있다.

1526 □□□ ★★

protein

[próuti:n]

명 단백질

Eating enough **protein** is necessary for your health. (학평)

충분한 **단백질** 섭취는 당신의 건강에 필수적이다.

Tips

5대 영양소

protein 단백질	**carbohydrate** 탄수화물	**fat** 지방
mineral 무기질	**vitamin** 비타민	

1527 □□□ ★★

weaken

[wí:kən]

동 약화시키다, 약해지다

Excessive consumption of salads, ice-cream, iced drinks, or fruit may **weaken** the spleen. (모평)

샐러드, 아이스크림, 찬 음료나 과일의 과도한 섭취는 비장을 **약화시킬** 수 있다.

⊕ weak 형 약한 **weakly** 부 힘 없이 **weakness** 명 약함

⊜ reduce, undermine

1528 □□□ ★★★

seed

[siːd]

명 종자, 씨앗

Today, most maize **seed** cultivated are hybrids. (수능)

오늘날, 재배되는 대부분의 옥수수 **종자**는 교배종이다.

Tips

'식물, 꽃'과 관련된 단어들

seed 종자, 씨앗 **sprout** 싹 **bud** 꽃봉오리 **stem** 줄기 **nectar** (꽃의) 꿀

1529 □□□ ★

wheat

[hwiːt]

명 밀

Wheat and maize are enriched with iron. (학평)

밀과 옥수수에는 철분이 풍부하다.

1530 □□□ ★★

squeeze

[skwiːz]

동 짜다, 압착하다, 꽉 쥐다 명 압착

Squeeze a lemon, and put the juice in the tea. (학평)

레몬을 **짜서**, 그 즙을 차에 넣어주세요.

⊕ **squeeze in** 비집고 들어가다

1531 □□□ ★

ripe

[raip]

형 익은, 숙성한, 원숙한

The color of fruit suggests whether it is **ripe**. (학평)

과일의 색깔은 그것이 **익었는지** 아닌지를 암시한다.

⊕ **ripen** 동 익다, 숙성시키다 **ripeness** 명 숙성, 원숙

⊜ **mature** ⇔ **unripe** 형 익지 않은, 시기상조의

1532 □□□ ★★★

ingredient

[ingríːdiənt]

명 재료, 성분

Like onions and chilies, garlic is a common **ingredient** in every kitchen. (학평)

양파와 고추와 마찬가지로, 마늘은 모든 주방에서 흔한 **재료**이다.

⊜ **element, component**

Tips

시험에는 이렇게 나온다

key ingredient 핵심 성분 **basic ingredient** 기본 재료

main ingredient 주요 성분 **fresh ingredient** 신선한 재료

Washington DC

1533 □□□ ★★

rot

동 썩다, 부패하다 명 썩음, 부패

[rɑːt]

Potatoes **rot** easily in plastic bags. 학평

감자는 비닐봉지 안에서 쉽게 **썩는다**.

➕ **rotten** 형 썩은, 부패한

⊟ **decay, spoil**

Tips

'음식의 상태'와 관련된 단어들

rotten 썩은 **fresh** 신선한 **stale** 신선하지 않은, 오래된 **raw** 설익은, 날것의

1534 □□□ ★

allergy

명 알레르기

[ǽlərdʒi]

어원 al(l)[다른] + ergy[일하다] ➜ 음식, 약물 등이 보통과 다르게 일해서 생기는 알레르기

I have a food **allergy** to peanuts. 학평

나는 땅콩에 대한 식품 **알레르기**가 있다.

➕ **allergic** 형 알레르기가 있는, 알레르기성의

have an allergy to ~에 알레르기가 있다, ~을 아주 싫어하다

1535 □□□ ★

cuisine

명 요리(법)

[kwizíːn]

Coffee is an important part of Italian **cuisine**. 학평

커피는 이탈리아 **요리**의 중요한 부분이다.

⊟ **cooking, food**

1536 □□□ ★★

fluid

명 유체, 유동체 형 유동적인

[flúːid]

어원 flu[흐르다] + id[명·접] ➜ 흐르는 것, 즉 유체

The hard-boiled egg has no **fluid** like that of the raw egg. 학평

완숙 달걀에는 날달걀의 것과 같은 **유체**가 없다.

⊟ **liquid** ⇔ **solid** 형 고체의, 고형체의

1537 □□□ ★

antibiotic

명 항생제, 항생 물질 형 항생 물질의

[æ̀ntibaiɑ́ːtik]

Garlic can be used as an **antibiotic** to treat fungal infections. 학평

마늘은 곰팡이 감염을 치료하는 **항생제**로 사용될 수 있다.

1538 □□□ ★★

stir

[stəːr]

동 휘젓다, 섞다, (감정을) 불러일으키다 명 동요

Stir the egg mixture into the flour mixture. 학평

달걀 혼합물을 밀가루 반죽에 넣어 **휘저으세요.**

⊕ **stirring** 형 마음을 뒤흔드는 **stir-fry** 동 볶다

⊜ **mix**

1539 □□□ ★

nourish

[nə́ːriʃ]

동 영양분을 공급하다, 키우다

어원 nour[영양분을 주다] + ish[동·접] → 영양분을 공급해서 키우다

Growing some of your own food in a garden can help you **nourish** your family. 학평

정원에서 몇몇 식재료를 직접 키우는 것은 당신의 가족에게 **영양분을 공급하는** 데 도움이 될 수 있다.

⊕ **nourishment** 명 영양(분) **nourishing** 형 영양이 되는

⊜ **feed, nurture**

1540 □□□ ★★★

overall

[òuvərɔ́ːl]

형 전반적인, 총체적인 부 전반적으로, 종합적으로

어원 over[위에] + all[전체] → 전체를 위에서 아우르는, 즉 전반적인

Adding more spinach to your diet can improve **overall** bodily health. 모평

식단에 더 많은 시금치를 추가하는 것은 **전반적인** 신체 건강을 향상시킬 수 있다.

⊜ **total, general**

1541 □□□ ★★★

artificial

[ɑ̀ːrtifíʃəl]

형 인공의, 인위적인

어원 art(i)[기술] + fic[만들다] + ial[형·접] → 기술로 만들어 낸, 즉 인공의

Many of the manufactured products made today contain so many **artificial** ingredients. 학평

오늘날 만들어지는 많은 제조품은 아주 많은 **인공** 성분들을 함유하고 있다.

⊕ **artificially** 부 인위적으로, 부자연스럽게 **artifact** 명 인공물, 공예품

⊜ **man-made** ⊖ **natural** 형 자연의 **genuine** 형 진짜의

Tips

시험에는 이렇게 나온다

artificial intelligence 인공 지능
artificial light 인공조명
artificial sweetener 인공 감미료
artificial satellite 인공위성

1542 □□□ ★★

conserve

동 보존하다, 유지하다

[kənsə́ːrv]

어원 con[모두] + serv(e)[지키다] ➜ 모두 지키다, 즉 보존하다

Now, many kinds of superior coffee beans are being decaffeinated in ways that conserve their strong flavors. (수능)

이제 많은 종류의 고급 커피 원두는 그것들의 진한 향을 **보존하는** 방식으로 카페인이 제거되고 있다.

⊕ **conservative** 형 보수적인 **conservation** 명 보존, 유지

⊜ **protect, preserve**

Tips

시험에는 이렇게 나온다

conserve forests 삼림을 보존하다 **conserve natural resources** 천연자원을 보존하다

1543 □□□ ★★★

derive

동 얻다, 끌어내다, 유래하다

[diráiv]

어원 de[떨어져] + rive[작은 강, 개울] ➜ 작은 강이 큰 강에서 떨어져 나와서 얻다

Palm oil is a type of vegetable oil that is derived from the palm fruit. (교과서)

야자유는 야자열매에서 **얻어지는** 일종의 식물성 기름이다.

⊕ **derivation** 명 유래, 유도 **derive from** ~에서 유래하다

⊜ **obtain, gain**

1544 □□□ ★★★

ease

동 완화하다, 덜어주다 명 편안함, 용이함

[iːz]

The protein and calcium in yogurt can ease anxiety. (학평)

요구르트의 단백질과 칼슘은 불안을 **완화할** 수 있다.

⊕ **easy** 형 쉬운, 편안한 **easily** 부 편하게, 용이하게 **at ease** 걱정 없이, 마음이 편하게

⊜ **comfort, relieve**

Tips

시험에는 이렇게 나온다

ease the pain 통증을 완화하다 **ease the tension** 긴장을 완화하다

1545 □□□ ★★★

label

명 상표, 라벨 동 표시하다, 라벨을 붙이다

[léibəl]

Food labels are a good way to find information about the foods you eat. (학평)

식품 **상표**는 당신이 먹는 음식에 대한 정보를 찾아낼 수 있는 좋은 방법이다.

⊜ **tag, mark**

01 02 03 04 05 06 07 08 09 10 11 12 13 14 15 16 17 18 19 20 21 22 23 24 25 26 27 28 29 30 31 32 33 34 35 36 37 38 39 DAY 40 41 42 43 44 45 46 47 48 49 50

1등급 완성 단어

1546 □□□ ★★	**storage** [stɔ́:ridʒ]	명 보관, 저장, 창고
1547 □□□ ★★	**drain** [drein]	동 흘려보내다, 배출하다 명 배수관
1548 □□□ ★★★	**furthermore** [fə̀:rðərmɔ́:r]	부 게다가, 더욱이
1549 □□□ ★★	**optimal** [ɑ́ptəməl]	형 최적의, 최선의
1550 □□□ ★★	**intake** [ínteik]	명 섭취(량), 흡입
1551 □□□ ★★	**lessen** [lésn]	동 줄이다, 감소하다
1552 □□□ ★★	**edible** [édəbl]	형 먹을 수 있는, 식용의
1553 □□□ ★★	**supplement** 명[sʌ́pləmənt] 동[sʌ́pləmènt]	명 보충(제), 보완 동 보충하다, 보완하다
1554 □□□ ★★	**misconception** [mìskənsépʃən]	명 오해, 잘못된 생각
1555 □□□ ★★	**spoil** [spɔil]	동 망치다, 버릇없게 만들다
1556 □□□ ★	**dissolve** [dizɑ́:lv]	동 녹다, 용해하다, 해산하다
1557 □□□ ★★	**vegetarian** [vèdʒətériən]	명 채식주의자
1558 □□□ ★	**deficiency** [difíʃənsi]	명 결핍, 부족
1559 □□□ ★	**dilute** [dilú:t]	동 희석하다, 묽게 하다 형 희석된, 묽은
1560 □□□ ★	**deficit** [défəsit]	명 부족(액), 결손, 적자

Sommeliers are in charge of wine **storage** and wine cellars. (학평)
소믈리에들은 와인 **보관**과 와인 저장실을 책임진다.

If the water is **drained** and changed daily, tofu should last for one week. (학평)
물이 매일 **흘려보내지고** 교체된다면, 두부는 일주일까지 유지될 것이다.

Furthermore, nuts are terrific sources of vitamin E. (학평)
게다가, 견과류는 비타민 E의 훌륭한 공급원이다.

Fish are foods that provide the types of fats which we need in order to maintain **optimal** health. (학평)
생선은 **최적의** 건강을 유지하기 위해 우리에게 필요한 유형의 지방을 제공하는 음식이다.

Food **intake** is essential for the survival of every living organism. (수능)
음식 **섭취**는 모든 생명체의 생존에 필수적이다.

Fiber helps to **lessen** calorie intake, because people don't feel hungry although they eat less. (수능)
섬유질은 열량 섭취를 **줄이는** 데에 도움이 되는데, 이는 사람들이 적게 먹더라도 배고픔을 느끼지 않기 때문이다.

Fish caught by commercial fishermen include **edible** species such as squid. (학평)
상업적인 어부들에게 잡히는 어류는 오징어와 같은 **먹을 수 있는** 종을 포함한다.

The beta carotene **supplement** actually increased the risk of certain cancers. (모평)
베타카로틴 **보충제**는 실제로 특정 암의 위험을 증가시켰다.

There are some **misconceptions** about organic foods. (수능)
유기농 식품에 대한 몇몇 **오해들**이 있다.

Too many cooks **spoil** the broth. (학평)
너무 많은 요리사는 수프를 **망친다**.(사공이 많으면 배가 산으로 간다.)

Stir until the powder **dissolves**. (학평)
가루가 **녹을** 때까지 저으세요.

Mushrooms are known as a good source of vitamins for **vegetarians**. (학평)
버섯은 **채식주의자들**에게 좋은 비타민 공급원으로 알려져 있다.

Iron **deficiency** is common among people who do not eat meat. (학평)
철분 **결핍**은 고기를 먹지 않는 사람들 사이에서 흔하다.

Try tasting a sour solution, such as **diluted** vinegar. (모평)
희석된 식초와 같은 신맛이 나는 용액을 맛보세요.

They adaptively adjust their eating behavior in response to **deficits** in water, calories, and salt. (수능)
그들은 물, 열량, 그리고 염분의 **부족**에 대응하여 자신의 섭식 행동을 순응적으로 조절한다.

Daily Quiz

영어는 우리말로, 우리말은 영어로 쓰세요.

01 label ____________

02 weaken ____________

03 vegetarian ____________

04 furthermore ____________

05 ease ____________

06 artificial ____________

07 ingredient ____________

08 protein ____________

09 fluid ____________

10 nutrition ____________

11 섬유(질) ____________

12 휘젓다, (감정을) 불러일으키다 ____________

13 짜다, 압착하다, 압착 ____________

14 섭취(량), 흡입 ____________

15 썩다, 부패하다, 썩음 ____________

16 종자, 씨앗 ____________

17 보존하다, 유지하다 ____________

18 최적의, 최선의 ____________

19 곡물, 낟알 ____________

20 전반적인, 전반적으로 ____________

다음 빈칸에 들어갈 가장 알맞은 것을 박스 안에서 고르세요.

drain	bitter	appetite	derive	storage

21 Palm oil is a type of vegetable oil that is ____________(e)d from the palm fruit.
야자유는 야자열매에서 얻어지는 일종의 식물성 기름이다.

22 Sommeliers are in charge of wine ____________ and wine cellars.
소믈리에들은 와인 보관과 와인 저장실을 책임진다.

23 Both humans and rats dislike ____________ and sour foods, which tend to contain toxins.
인간과 쥐 모두 쓰고 신 음식을 좋아하지 않는데, 그것들은 독소가 들어 있는 경향이 있다.

24 If the water is ____________(e)d and changed daily, tofu should last for one week.
물이 매일 흘려보내지고 교체된다면, 두부는 일주일까지 유지될 것이다.

25 Actually, I don't have much of a(n) ____________ now.
사실, 나는 지금 별로 식욕이 없다.

정답

01 상표, 라벨, 표시하다, 라벨을 붙이다 02 약화시키다, 약해지다 03 채식주의자 04 게다가, 더욱이 05 완화하다, 덜어주다, 편안함, 용이함 06 인공의, 인위적인 07 재료, 성분 08 단백질 09 유체, 유동체, 유동적인 10 영양 (섭취), 음식물 11 fiber 12 stir 13 squeeze 14 intake 15 rot 16 seed 17 conserve 18 optimal 19 grain 20 overall 21 derive 22 storage 23 bitter 24 drain 25 appetite

점수 잡는 수능 고빈출 숙어 ⑭

at length	마침내, 상세히

At length, they settled the deal, and he was delighted to purchase the carving at a reasonable price. (수능)

마침내, 그들은 거래를 성사시켰고, 그는 그 조각품을 합리적인 가격에 구매한 것에 기뻐했다.

in favor of	~에 찬성하여, ~을 위하여

Most people are **in favor of** using our resources wisely. (학평)

대부분의 사람들은 우리의 자원을 현명하게 사용하는 것**에 찬성한다**.

needless to say	말할 필요도 없이, 두말하면 잔소리지만

Needless to say, Phil was overjoyed with the laboratory report. (학평)

말할 필요도 없이, Phil은 실험실 보고서에 몹시 기뻐했다.

lose track of	~와 연락이 끊어지다, ~을 놓치다

It's a shame to **lose track of** my best friend. (학평)

나의 제일 친한 친구**와 연락이 끊어져** 유감이야.

on average	평균적으로, 대체로

On average, kids show a 30 to 40 percent strength gain when they start lifting for the first time. (학평)

평균적으로, 아이들은 처음으로 들어 올리기를 시작할 때 30퍼센트에서 40퍼센트의 힘 증가를 보인다.

DAY
40

물리·화학

MP3 바로 듣기

제발 음식 가지고 이상한
실험* 좀 하지 말아줄래?
이게 뭐야 대체..

* 실험 **experiment**

1561 □□□ ★★★

experiment

[ikspérəmənt]

명 실험 동 실험하다

어원 ex[밖으로] + per(i)[시도하다] + ment[명·접] → 아이디어를 머리 밖으로 꺼내 시도해보는 것, 즉 실험

Most importantly, the **experiment** must be repeatable. (수능)

가장 중요한 것은, **실험**이 반복될 수 있어야 한다는 것이다.

⊕ **experimental** 형 실험적인

⊜ **investigation**

1562 □□□ ★★★

element

[éləmənt]

명 성분, 요소, (화학) 원소

Uranium is a dangerous **element** because it is radioactive. (학평)

우라늄은 방사능이 있기 때문에 위험한 **성분**이다.

⊕ **elementary** 형 기본적인, 초급의

Tips

'성분'과 관련된 단어들

factor 요소, 원인 **component** 구성 요소, 부품 **ingredient** 재료, 성분

1563 □□□ ★★★

chemistry

[kéməstri]

명 화학 (반응)

In **chemistry** class, I got in trouble because I didn't have my textbook with me. (모평)

화학 수업에서, 나는 교과서를 가져오지 않아 곤경에 처했다.

⊕ **chemist** 명 화학자, 약사 **chemical** 형 화학의

1564 □□□ ★★★

theory

[θíːəri]

명 이론, 학설

To the majority of people, Einstein's **theory** is a complete mystery. (학평)

대다수의 사람들에게, 아인슈타인의 **이론**은 완전한 미스터리이다.

⊕ **theoretical** 형 이론의 **theoretically** 부 이론상

⊜ **assumption**

1565 □□□ ★★★

conduct

동[kəndʌ́kt]
명[kɑ́ːndʌkt]

동 실시하다, 지휘하다 명 행위, 지휘

어원 con[함께] + duc(t)[이끌다] → 함께 이끌어 지휘하다, 어떤 일을 실시하다

They **conduct** experiments and form theories. (학평)

그들은 실험을 **실시하고** 이론을 형성한다.

⊜ **carry out**

Tips

시험에는 이렇게 나온다

conduct a survey 설문조사를 실시하다	**conduct an experiment** 실험을 실시하다
conduct a study 연구를 실시하다	**conduct an inspection** 검사를 실시하다

1566 □□□ ★★★

consist

[kənsíst]

동 이루어지다, 구성되다, 존재하다

어원 con[함께] + sist[서다] → 여럿이 함께 서서 어떤 것 하나가 이루어지다

All natural sounds **consist** of constantly fluctuating frequencies. (수능)

모든 자연의 소리는 지속적으로 변동하는 주파수로 **이루어진다**.

⊕ **consist of** ~으로 이루어지다, 구성되다 **consist in** ~에 있다, 존재하다

1567 □□□ ★★

gravity

[grǽvəti]

명 중력, 중대성

어원 grav[무거운] + ity[명·접] → 무거운 만큼 잡아당기는 힘, 즉 중력

Gravity is the invisible force that pulls things toward the ground. 학평

중력은 지면으로 물체를 끌어당기는 보이지 않는 힘이다.

1568 □□□ ★★★

bias

[báiəs]

명 편견, 편향

Scientists should be careful to reduce bias in their experiments. 수능

과학자들은 그들의 실험에서 **편견**을 줄이도록 주의해야 한다.

⊕ **biased** 형 편향된, 선입견이 있는

⊜ **prejudice**

Tips

시험에는 이렇게 나온다

confirmation bias 확증 편향	**cognitive bias** 인지 편향
gender bias 성 편견	**have a bias toward** ~에 치우쳐 있다

1569 □□□ ★★★

perceive

[pərsíːv]

동 인지하다, 이해하다

어원 per[완전히] + ceive[잡다] → 어떤 것에 대해 완전히 감을 잡아 인지하다

Black is perceived to be twice as heavy as white. 학평

검은색은 흰색에 비해 두 배 더 무거운 것으로 **인지된다**.

⊕ **perception** 명 인지, 지각 **perceptual** 형 지각의 **perceptible** 형 지각할 수 있는

1570 □□□ ★★★

sum

[sʌm]

명 합(계), 액수

Combined resources produce output that exceeds the sum of the outputs of the same resources employed separately. 학평

결합된 자원은 동일한 자원들이 개별적으로 쓰일 때의 산출량의 **합**을 초과하는 산출량을 만들어낸다.

1571 □□□ ★★

bounce

[bauns]

동 튀어 오르다, 튀다

When a water wave hits a sea wall, it bounces back. 학평

파도가 방파제를 강타할 때, 그것은 다시 **튀어 오른다**.

1572 □□□ ★

atom

[ǽtəm]

명 원자

The theory of the **atom** has been repeatedly refined. (학평)

원자 이론은 반복적으로 개선되어왔다.

⊕ **atomic** 형 원자(력)의

1573 □□□ ★

garment

[gɑ́:rmənt]

명 의복, 옷

어원 gar[보호하다] + ment[명·접] → 몸을 외부 환경으로부터 보호하는 의복

Garments are manufactured using toxic chemicals. (학평)

의복들은 독성 화학 물질을 사용하여 제작된다.

1574 □□□ ★★★

float

[flout]

동 떠다니다, 뜨다

Some of the space trash **floats** in space. (교과서)

어떤 우주 쓰레기는 우주를 **떠다닌다**.

⊕ **floating** 형 유동적인

1575 □□□ ★

orbit

[ɔ́:rbit]

명 궤도 동 궤도를 돌다

Scientists keep a close watch on asteroids as there are so many of them in **orbit**. (학평)

과학자들은 **궤도**에 소행성들이 너무 많아서 그것들을 예의 주시하고 있다.

⊕ **orbital** 형 궤도의

Tips

우주와 관련된 단어들

orbit 궤도	**satellite** 위성	**rotation** 자전
revolution 공전	**comet** 혜성	**planet** 행성

1576 □□□ ★★★

odd

[ɑ:d]

형 이상한, 특이한, 홀수의

Aristotle developed an entire theory of physics that physicists today find **odd**. (수능)

아리스토텔레스는 오늘날 물리학자들이 **이상하다고** 여기는 하나의 총체적인 물리학 이론을 전개했다.

⊕ **oddly** 부 이상하게도 **at odd with** ~과 상충하는

⊜ **peculiar, strange**

1577 □□□ ★★

gaze

명 시야, 응시 동 응시하다, 바라보다

[geiz]

Many stars are beyond our **gaze**. (학평)

많은 별들이 우리의 **시야** 너머에 있다.

1578 □□□ ★★★

oppose

동 반대하다, 겨루다

[əpóuz]

어원 op[대항하여] + pos(e)[놓다] ➜ 상대에게 대항하는 의견을 놓다, 즉 반대하다

Lift is **opposed** by weight, which is the force of gravity that is constantly pulling the airplane down. (교과서)

양력은 무게에 **반대되는** 것으로, 이 무게는 비행기를 끊임없이 끌어 내리는 중력의 힘이다.

⊕ **opposite** 형 반대(편)의, 맞은편의 **opposition** 명 반대(측)

1579 □□□ ★★★

costly

형 비용이 많이 드는, 값비싼

[kɔ́:stli]

While manned space missions are more **costly** than unmanned ones, they are more successful. (수능)

유인 우주 비행은 무인 우주 비행보다 **비용이** 더 **많이 들지만**, 그것들은 더 성공적이다.

Tips

부사처럼 보이는 형용사

costly는 -ly로 끝나는 형태라서 부사처럼 보일 수 있지만, 부사가 아닌 형용사라는 점에 유의하세요. 이와 비슷한 예시로는 다음과 같은 단어들이 있어요.

leisurely 한가로운 **timely** 시기적절한 **elderly** 연세가 드신

1580 □□□ ★★

scratch

동 긁다, 할퀴다 명 긁힌 자국, 찰과상

[skrætʃ]

Rings are very rarely made from pure gold metal because they get **scratched** quickly. (학평)

반지는 순금으로는 거의 만들어지지 않는데 이는 그것이 빨리 **긁히기** 때문이다.

1581 □□□ ★★

hypothesis

명 가설, 가정

[haipɑ́:θəsis]

어원 hypo[아래에] + thes[두다] + (s)is[명·접] ➜ 어떤 결론의 아래에 깔아둔 가설

It turns out that neither **hypothesis** is true. (학평)

두 **가설** 모두 진실이 아닌 것으로 드러난다.

⊕ **hypothetic** 형 가설의, 가정의

⊜ **theory, assumption**

SYDNEY

1582 □□□ ★★★

apparent

[əpǽrənt]

형 명백한, 분명한, 외견상의

어원 ap[~쪽으로] + par[보이는] + ent[형·접] → 보이는 쪽으로 있어 분명히 잘 보이는, 즉 명백한

Scientists have good evidence that this **apparent** difference is real. (수능)

과학자들은 이 **명백한** 차이가 진짜라는 확실한 증거를 갖고 있다.

= obvious, evident

1583 □□□ ★★

particle

[pɑ́ːrtikəl]

명 입자, 작은 조각, 극소량

어원 part(i)[나누다] + cle[명·접] → 나눠서 생긴 아주 작은 조각 또는 입자

Toxic **particles** in cigarette smoke can remain on nearby surfaces. (학평)

담배 연기의 독성 **입자들**은 근처 표면에 남아 있을 수 있다.

1584 □□□ ★★★

laboratory

[lǽbrətɔ̀ːri]

명 실험실, 연구실

어원 labor(at)[일] + ory[명·접] → 이론을 증명하려 실제로 일을 하는 실험실

To be a mathematician, you don't need an expensive **laboratory**. (수능)

수학자가 되는 데 비싼 **실험실**은 필요하지 않다.

Tips

실험과 관련된 단어들

laboratory 실험실	**experiment** 실험	**hypothesis** 가설
report 보고서	**prove** 증명하다	**verify** 검증하다

1585 □□□ ★

explicit

[iksplísit]

형 분명한, 솔직한, 명시적인

어원 ex[밖으로] + plic(it)[접다] → 밖으로 접어 안의 것이 분명히 드러나는, 즉 분명한

The raw data of observation rarely exhibit **explicit** regularities. (모평)

가공되지 않은 관찰 정보는 **분명한** 규칙성을 거의 보이지 않는다.

= obvious, precise ↔ implicit 형 암시된, 내포된

Tips

시험에는 이렇게 나온다

explicit goal 분명한 목표	**explicit instructions** 분명한 지시
explicit language 솔직한 말투	**explicit memory** 명시적 기억

1586 □□□ ★★	**solvent** [sá:lvənt]	명 용매, 용제 형 용해력이 있는, 지불 능력이 있는
1587 □□□ ★★	**dense** [dens]	형 밀도가 높은, 빽빽한
1588 □□□ ★★	**vibration** [vaibréiʃən]	명 진동, 떨림
1589 □□□ ★★★	**assumption** [əsʌ́mpʃən]	명 가정, 추정, 인수
1590 □□□ ★	**halt** [hɔ:lt]	명 정지, 중단 동 중단하다, 멈추다
1591 □□□ ★★	**combustion** [kəmbʌ́stʃən]	명 연소, 산화
1592 □□□ ★	**falsify** [fɔ́:lsifai]	동 반증하다, 위조하다
1593 □□□ ★	**explicitly** [iksplísitli]	부 분명하게, 명확하게
1594 □□□ ★★	**intrigue** 동[intrí:g] 명[íntri:g]	동 흥미를 끌다, 음모를 꾸미다 명 음모, 계략
1595 □□□ ★	**vibrate** [váibreit]	동 진동하다, 떨리다, 흔들리다
1596 □□□ ★	**circuit** [sə́:rkit]	명 회로, 순회
1597 □□□ ★	**verify** [vérəfai]	동 증명하다, 확인하다
1598 □□□ ★	**compound** 명형[ká:mpaund] 동[kəmpáund]	명 혼합물 형 혼합의 동 혼합하다, 구성하다
1599 □□□ ★	**crude** [kru:d]	형 미숙한, 대강의, 천연 그대로의
1600 □□□ ★	**synthetic** [sinθétik]	형 합성의, 인조의, 종합의 명 합성품

The drained **solvent** is mixed with water, and the caffeine is drawn out to be sold. (수능)
배수된 **용매**는 물과 혼합되고, 카페인은 판매를 위해 추출된다.

Light travels faster in warmer, less **dense** air than it does in colder air. (학평)
빛은 차가운 공기 중에서보다 따뜻하고 **밀도가** 덜 **높은** 공기 중에서 더 빠르게 이동한다.

Light waves are characterized by different frequencies of **vibration**. (수능)
광파는 각기 다른 **진동** 주파수로 특징지어진다.

Until we have that evidence, it is better to believe that the **assumption** is false. (수능)
우리가 그 증거를 찾을 때까지, 그 **가정**이 거짓이라고 믿는 것이 더 낫다.

Once it is in motion, it continues to move like a pendulum until it comes to a **halt**. (학평)
그것은 일단 움직이면, **정지**할 때까지 진자처럼 계속 움직인다.

The **combustion** of oxygen sends out by-products called oxygen free-radicals. (수능)
산소의 **연소**는 활성산소라고 불리는 부산물을 배출한다.

What is distinctive about science is the search for ways to **falsify** a theory. (수능)
과학의 특징적인 점은 이론을 **반증하기** 위한 방법의 연구이다.

Scientists must **explicitly** account for the possibility that they might be wrong. (모평)
과학자들은 그들이 틀렸을 수도 있다는 가능성을 **분명하게** 설명해야 한다.

Exactly how cicadas keep track of time has always **intrigued** researchers. (수능)
정확히 어떻게 매미가 시간의 흐름을 파악하는지는 항상 연구자들의 **흥미를 끌어왔다**.

It requires more energy to make water **vibrate** than to **vibrate** air. (학평)
물을 **진동하게** 하는 것은 공기를 **진동하게** 하는 것보다 더 많은 에너지가 필요하다.

The electrons move along a **circuit** and produce electricity. (학평)
전자는 **회로**를 따라 움직이며 전기를 생산한다.

The experiment must be repeated and **verified** according to accepted procedures. (학평)
실험은 승인된 절차에 따라 반복되고 **증명되어야** 한다.

These **compounds** often contain bitter substances. (학평)
이 **혼합물들**은 종종 쓴 물질을 함유한다.

The philosophy of science seeks to avoid **crude** scientism and get a balanced view. (수능)
과학론은 **미숙한** 과학만능주의를 피하고 균형 잡힌 시각을 얻고자 한다.

Plastics are **synthetic** materials, which means that they are made from chemicals in factories. (학평)
플라스틱은 **합성** 물질인데, 이는 그것들이 공장에서 화학 물질로 만들어졌다는 뜻이다.

Daily Quiz

영어는 우리말로, 우리말은 영어로 쓰세요.

01 odd ________________

02 bias ________________

03 assumption ________________

04 theory ________________

05 apparent ________________

06 experiment ________________

07 oppose ________________

08 consist ________________

09 bounce ________________

10 element ________________

11 화학 (반응) ________________

12 실시하다, 지휘하다, 행위 ________________

13 시야, 응시하다, 바라보다 ________________

14 가설, 가정 ________________

15 인지하다, 이해하다 ________________

16 중력, 중대성 ________________

17 진동, 떨림 ________________

18 긁다, 할퀴다, 찰과상 ________________

19 용매, 용해력이 있는 ________________

20 떠다니다, 뜨다 ________________

다음 빈칸에 들어갈 가장 알맞은 것을 박스 안에서 고르세요.

costly laboratory particle dense sum

21 Light travels faster in warmer, less ________________ air than it does in colder air.
빛은 차가운 공기 중에서보다 따뜻하고 밀도가 덜 높은 공기 중에서 더 빠르게 이동한다.

22 Combined resources produce output that exceeds the ________________ of the outputs of the same resources employed separately.
결합된 자원은 동일한 자원들이 개별적으로 쓰일 때의 산출량의 합을 초과하는 산출량을 만들어낸다.

23 Toxic ________________(e)s in cigarette smoke can remain on nearby surfaces.
담배 연기의 독성 입자들은 근처 표면에 남아 있을 수 있다.

24 To be a mathematician, you don't need an expensive ________________.
수학자가 되는 데 비싼 실험실은 필요하지 않다.

25 While manned space missions are more ________________ than unmanned ones, they are more successful.
유인 우주 비행은 무인 우주 비행보다 비용이 더 많이 들지만, 그것들은 더 성공적이다.

정답

01 이상한, 특이한, 홀수의 **02** 편견, 편향 **03** 가정, 추정, 인수 **04** 이론, 학설 **05** 명백한, 분명한, 외견상의 **06** 실험, 실험하다 **07** 반대하다, 겨루다 **08** 이루어지다, 구성되다, 존재하다 **09** 튀어 오르다, 튀다 **10** 성분, 요소, (화학) 원소 **11** chemistry **12** conduct **13** gaze **14** hypothesis **15** perceive **16** gravity **17** vibration **18** scratch **19** solvent **20** float **21** dense **22** sum **23** particle **24** laboratory **25** costly

점수 잡는 수능 고빈출 숙어 ⑮

be accustomed to	~에 익숙하다

People **are accustomed to** using blankets to make themselves warm. (수능)
사람들은 담요를 이용해서 자신을 따뜻하게 하는 것**에 익숙하다**.

take responsibility for	~을 책임지다

You should **take responsibility for** your dog. (학평)
당신은 당신의 개**를 책임져야** 합니다.

on the basis of	~을 기반으로, ~에 근거하여

The judges will rate the kites **on the basis of** how beautiful they are and how high up they go. (학평)
심사위원들은 연이 얼마나 아름답고 얼마나 높이 올라가는지**를 기반으로** 연의 등급을 매길 것이다.

no later than	늦어도 ~까지

Please sign up for the camp **no later than** June 15th. (학평)
늦어도 6월 15일**까지** 캠프에 등록해 주세요.

on a regular basis	정기적으로

The key to a clean bathroom is cleaning your bathroom **on a regular basis**. (학평)
깨끗한 욕실의 비결은 당신의 욕실을 **정기적으로** 청소하는 것이다.

DAY 41

생물학

MP3 바로 듣기

아들아 유전자*는 바꿀 수 없다.
너도 탈모 100%
믿고 싶지 않은 아버지의 확신...

* 유전자 **gene**

1601 □□□ ★★★

gene

[dʒiːn]

명 유전자

You can't change your **genes**. (수능)

당신은 당신의 **유전자**를 바꿀 수 없다.

⊕ **genetic** 형 유전(학)의

1602 □□□ ★

inject

[indʒékt]

동 주사하다, 주입하다

어원 in[안에] + ject[던지다] → 약물 등을 몸 안으로 던져 넣다, 즉 주사하다 또는 주입하다

Injecting this bacteria into mice has been shown to increase serotonin levels and decrease anxiety. (학평)

이 박테리아를 쥐에 **주사하면** 세로토닌 수치가 증가하고 불안감이 줄어든다는 것이 드러났다.

⊕ **injection** 명 주사, 주입, 투입

⊜ **instill**

Tips

inject와 instill의 의미 구분

두 단어 모두 '주입하다'를 의미하지만, 그 쓰임이 조금 달라요. inject는 액체나 약물 등을 주입할 때, instill은 사상이나 감정 등을 주입할 때 사용돼요.

1603 □□□ ★★★

identical

[aidéntikəl]

형 일란성의, 동일한, 똑같은

Identical twins almost always have the same eye color. (학평)

일란성 쌍둥이는 거의 항상 동일한 눈 색깔을 가진다.

⊕ **identity** 명 신원, 정체, 유사성

⊟ **alike, twin**

1604 □□□ ★★★

mechanism

[mékənizm]

명 구조, (기계) 장치, 방법

We have an internal control mechanism: when we get too hot we start to sweat. (학평)

우리는 너무 더울 때 땀을 흘리기 시작하는 것과 같은 내부 통제 **구조**를 갖추고 있다.

⊟ **system, operation**

1605 □□□ ★★★

oxygen

[ɑ́:ksidʒən]

명 산소

어원 oxy[산] + gen[발생] → 다른 것과 결합해 산을 발생시키는 원소인 산소

All animals need oxygen. (학평)

모든 동물들은 **산소**가 필요하다.

1606 □□□ ★★

sequence

[sí:kwəns]

명 배열, 순서, 연속

어원 sequ[따라가다] + ence[명·접] → 앞의 것을 따라가면서 나타나는 순서, 즉 배열

It took 13 years to complete the first full genome sequence of one person. (교과서)

한 사람의 첫 번째 전체 유전자 **배열**을 완성하는 데 13년이 걸렸다.

⊕ **sequent** 형 연속적인 **sequential** 형 순차적인

⊟ **succession, series**

1607 □□□ ★★★

biology

[baiɑ́:lədʒi]

명 생물학

어원 bio[생명] + log[말] + y[명·접] → 생명에 대해 말하는 생물학

Our knowledge of the biology of the oceans is derived from sampling. (모평)

해양 **생물학**에 관한 우리의 지식은 표본 추출에서 얻어진다.

⊕ **biological** 형 생물학적인 **biologist** 명 생물학자

1608 □□□ ★★★

reproduce

[rìːprədúːs]

동 번식하다, 재생하다, 복사하다

어원 re[다시] + produce[생산하다] → 자기와 같은 존재를 다시 생산하다, 즉 번식하다

Although viruses can **reproduce**, they do not exhibit most of the other characteristics of life. 수능

바이러스는 **번식할** 수는 있지만, 그것들은 생명체의 다른 대부분의 특성을 보이지는 않는다.

⊕ **reproductive** 형 번식의 **reproduction** 명 번식

⊜ **multiply**

1609 □□□ ★★★

determine

[ditə́ːrmin]

동 결정하다, 결심하다, 알아내다

어원 de[떨어져] + termin(e)[경계] → 서로 떨어지도록 경계를 지어 영역을 확실히 결정하다

Genes **determine** the color of your eyes and the shape of your face. 학평

유전자는 당신 눈의 색깔과 얼굴형을 **결정한다**.

⊕ **determination** 명 결정, 결심 **determined** 형 단호한, 결정된

⊜ **decide, conclude**

1610 □□□ ★

tissue

[tíʃuː]

명 (세포) 조직, 화장지

It is known that 85% of our brain **tissue** is water. 학평

우리 뇌 **조직**의 85퍼센트가 물이라고 알려져 있다.

⊜ **cell**

1611 □□□ ★★

organ

[ɔ́ːrgən]

명 장기, 기관

Like any other **organ** in the body, bone becomes stronger when it is stressed regularly. 학평

신체의 다른 **장기**와 마찬가지로, 뼈는 주기적으로 압력이 가해질 때 더 강해진다.

⊕ **organism** 명 유기체, 생물체 **organic** 형 유기의, 유기농의

1612 □□□ ★

sensation

[senséiʃən]

명 감각, 느낌, 세상을 떠들썩하게 하는 사건

어원 sens[느끼다] + ation[명·접] → 느끼는 것, 즉 감각

Each person experiences a variety of **sensations**. 모평

각 사람은 다양한 **감각들**을 경험한다.

⊜ **feeling, sense**

LONDON

1613 □□□ ★★

physiology

[fìziάːlədʒi]

명 생리 (현상), 생리학

어원 physio[몸] + log[말] + y[명·접] → 몸의 조직이나 기능에 대해 말하는 생리학 또는 생리 현상

Most of the systems in human **physiology** are controlled by homeostasis. (수능)

인간 **생리**의 체계 대부분은 항상성에 의해 조절된다.

⊕ **physiological** 형 생리학의, 생리적인

1614 □□□ ★★

mature

[mətjúər]

형 다 자란, 성숙한 동 다 자라다, 성숙하다

Even a **mature** brain can grow new neurons. (교과서)

심지어 **다 자란** 뇌도 새로운 신경 세포를 생성할 수 있다.

⊜ **grown-up** ⇔ **immature** 형 미숙한

1615 □□□ ★★

inherent

[inhíərənt]

형 고유한, 내재된, 타고난

어원 in[안에] + her[붙다] + ent[형·접] → 안에 붙어 있는, 즉 고유한

The dictionary defines nature as the **inherent** character or basic constitution of a person or thing. (학평)

사전에서는 천성을 사람이나 사물의 **고유한** 특질 또는 기본적인 기질이라고 규정한다.

⊕ **inherently** 부 내재적으로, 선천적으로 **inherence** 명 고유(성)

⊜ **intrinsic, innate**

1616 □□□ ★★★

efficient

[ifíʃənt]

형 효율적인, 유능한

어원 ef[밖으로] + fic(i)[만들다] + ent[형·접] → 만든 것의 효과가 밖으로 잘 나오는, 즉 효율적인

The brain is **efficient** and doesn't let space go to waste. (학평)

뇌는 **효율적이며** 공간이 낭비되게 두지 않는다.

⊕ **efficiently** 부 효율적으로, 능률적으로 **efficiency** 명 효율, 능률

⊜ **effective, productive**

1617 □□□ ★★★

encounter

[inkáuntər]

동 직면하다, 마주치다 명 만남, 마주침

When humans **encounter** a dangerous circumstance, their breathing becomes faster. (학평)

인간이 위험한 상황에 **직면할** 때, 그들의 호흡은 더 빨라진다.

⊜ **face, meet**

1618 □□□ ★★

flexible

[fléksəbl]

형 유연한, 융통성 있는

The brain is a remarkably **flexible** and dynamic organ. (교과서)

두뇌는 놀라울 정도로 **유연하고** 활발한 기관이다.

⊕ **flexibility** 명 유연성, 융통성

⊟ **adaptable, adjustable** ⇔ **inflexible** 형 융통성[신축성] 없는

1619 □□□ ★★★

fundamental

[fʌ̀ndəméntl]

형 근본적인, 기본적인, 중요한

어원 fund(a)[기반] + ment[명·접] + al[형·접] → 기반을 이루는, 즉 근본적인

Fundamental differences may exist between men and women. (학평)

남자와 여자 사이에는 **근본적인** 차이들이 존재할 수 있다.

⊕ **fundamentally** 부 근본적으로

⊟ **essential, underlying**

1620 □□□ ★★★

response

[rispɑ́:ns]

명 반응, 응답

It is clear that TV activates an intrinsic **response** in the human brain. (학평)

TV가 인간의 뇌에서 내재적 **반응**을 활성화한다는 것은 분명하다.

⊕ **respond** 동 반응하다, 응답하다 **responsive** 형 대답하는, 즉각 반응하는

⊟ **reaction**

Tips

시험에는 이렇게 나온다

in response to ~에 응하여 **response rate** 응답률 **response time** 응답 시간

1621 □□□ ★

inborn

[ìnbɔ́:rn]

형 타고난, 선천적인

어원 in[안에] + born[태어난] → 안에 가지고 태어난, 즉 타고난

Humans have an **inborn** tolerance for risk. (수능)

인간은 위험에 대한 **타고난** 내성이 있다.

Tips

'타고난'과 관련된 단어들

innate 선천적인 **inherent** 고유의, 타고난, 내재된

natural 타고난, 자연의 **native** 선천적인, 토착의

1622 □□□ ★

withstand

[wiðstǽnd]

동 견뎌내다, 버티다

어원 with[뒤에] + stand[서다] → 무너지지 않도록 뒤에 서서 견뎌내다, 버티다

The eye, the most sensitive part of the body, has to **withstand** the dust present in the air. 학평

눈은 신체의 가장 민감한 부분인데, 공기 중에 존재하는 먼지를 **견뎌내야** 한다.

Tips

'견뎌내다'와 관련된 단어들

endure 견디다, 참다 **resist** 견디다, 저항하다 **sustain** 지속하다

1623 □□□ ★

partially

[pɑ́:rʃəli]

부 부분적으로, 불완전하게, 편파적으로

어원 part[부분] + ial[형·접] + ly[부·접] → 부분적으로

Shyness is a trait that seems to be **partially** hereditary. 학평

수줍음은 **부분적으로** 유전되는 것으로 보이는 특성이다.

⊕ **partial** 형 부분적인 **part** 명 부분

⊜ **partly, incompletely**

1624 □□□ ★★★

variation

[vὲəriéiʃən]

명 차이, 변화, 변형

Women are good at identifying the many **variations** of the color. 교과서

여성은 색의 많은 **차이들**을 파악하는 것에 능숙하다.

⊕ **vary** 동 다양하다, 다르다, 변하다 **variety** 명 다양성
variable 형 변동이 심한 명 변수

⊜ **difference, diversity**

1625 □□□ ★★

foster

[fɔ́:stər]

동 촉진하다, 양육하다, 기르다

From an evolutionary perspective, fear has contributed to both **fostering** and limiting change. 모평

진화론적 관점에서 보면, 두려움은 변화를 **촉진하고** 제한하는 데 모두 기여했다.

Tips

'촉진하다'와 관련된 단어들

encourage 장려하다 **promote** 촉진하다, 승진시키다 **develop** 발전시키다

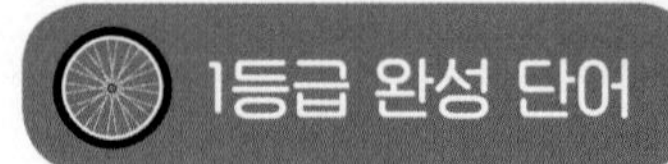

1626 □□□ ★	**reasoning** [rí:zəniŋ]	명 이성, 추론, 추리
1627 □□□ ★★	**prompt** [prɑ:mpt]	동 촉발하다, 자극하다 형 신속한, 즉각적인
1628 □□□ ★	**decent** [dí:snt]	형 품위 있는, 예의 바른, 적당한
1629 □□□ ★	**cease** [si:s]	동 멈추다, 그만두다
1630 □□□ ★★	**molecule** [mɑ́:likju:l]	명 분자
1631 □□□ ★	**heredity** [hərédəti]	명 유전, 세습
1632 □□□ ★★	**fuse** [fju:z]	동 결합하다, 녹이다, 융합하다 명 도화선
1633 □□□ ★	**metabolism** [mətǽbəlizm]	명 신진대사, 대사 (작용)
1634 □□□ ★★	**exert** [igzə́:rt]	동 가하다, (힘·지식 등을) 쓰다
1635 □□□ ★★	**shrink** [ʃriŋk]	동 수축하다, 줄어들다
1636 □□□ ★	**proficient** [prəfíʃənt]	형 능숙한, 숙달한
1637 □□□ ★	**mutation** [mju:téiʃən]	명 돌연변이, 변형, 변화
1638 □□□ ★	**retention** [riténʃən]	명 기억, 보유, 유지(력)
1639 □□□ ★	**prevailing** [privéiliŋ]	형 지배적인, 우세한
1640 □□□ ★	**satiety** [sətáiəti]	명 포만(감)

The frontal cortex is the area of the brain that controls **reasoning**. (학평)
전두엽은 **이성**을 통제하는 뇌의 부분이다.

Most overeating is **prompted** by feelings rather than physical hunger. (모평)
대부분의 과식은 육체적인 배고픔보다 감정에 의해 **촉발된다**.

Genes, development, and learning contribute to the process of becoming a **decent** human being. (수능)
유전자, 발달, 그리고 학습은 **품위 있는** 인간이 되는 과정에 기여한다.

In some cases, their brains had **ceased** to function altogether. (학평)
어떤 경우에는, 그들의 뇌가 완전히 기능하기를 **멈추었다**.

A geneticist unlocks new secrets of the DNA **molecule**. (수능)
유전학자는 DNA **분자**의 새로운 비밀을 밝혀낸다.

Heredity encodes the results of millions of years of environmental influences on the genome. (학평)
유전은 게놈에 대한 수백만 년의 환경적 영향의 결과를 암호화한다.

Hearing is the only sense that **fuses** an ability to measure with an ability to judge. (수능)
청각은 측정 능력과 판단 능력을 **결합하는** 유일한 감각이다.

Calorie restriction can cause your **metabolism** to slow down. (학평)
칼로리 제한은 당신의 **신진대사**를 둔화시킬 수 있다.

Nature does not reward those who do not **exert** effort. (수능)
자연은 노력을 **가하지** 않는 자들에게는 보상하지 않는다.

Never let yourself get thirsty because you are making your brain **shrink**. (학평)
당신의 뇌를 **수축하게** 만드는 것이므로 절대 자신을 목마르게 두지 마세요.

The rice farmers became more **proficient** at fertilizing. (학평)
쌀농사를 짓는 농부들은 거름 주는 것에 더 **능숙해졌다**.

Even genetic **mutations** are caused by environmental factors. (학평)
심지어 유전적 **돌연변이**도 환경적 요인에 의해 유발될 수 있다.

We let most facts and data pass through our brains with minimal **retention**. (학평)
우리는 대부분의 사실과 데이터가 최소한의 **기억**만 남기고 우리의 뇌를 빠져나가게 둔다.

The **prevailing** scientific view was that a person is born with a particular number of brain cells. (교과서)
지배적인 과학적 견해는 사람이 특정한 수의 뇌세포를 가지고 태어난다는 것이었다.

Sensory-specific **satiety** is defined as a decrease in appetite. (수능)
감각 특정적 **포만감**은 식욕의 감소로 정의된다.

Daily Quiz

영어는 우리말로, 우리말은 영어로 쓰세요.

01 determine ________________

02 flexible ________________

03 molecule ________________

04 shrink ________________

05 fuse ________________

06 oxygen ________________

07 response ________________

08 withstand ________________

09 variation ________________

10 physiology ________________

11 가하다, (힘·지식 등을) 쓰다 ________________

12 고유한, 내재된, 타고난 ________________

13 촉진하다, 양육하다 ________________

14 일란성의, 동일한, 똑같은 ________________

15 배열, 순서, 연속 ________________

16 구조, (기계) 장치, 방법 ________________

17 장기, 기관 ________________

18 효율적인, 유능한 ________________

19 다 자란, 성숙한, 다 자라다 ________________

20 촉발하다, 자극하다 ________________

다음 빈칸에 들어갈 가장 알맞은 것을 박스 안에서 고르세요.

gene	fundamental	biology	encounter	reproduce

21 When humans ________________ a dangerous circumstance, their breathing becomes faster.
인간이 위험한 상황에 직면할 때, 그들의 호흡은 더 빨라진다.

22 Although viruses can ________________, they do not exhibit most of the other characteristics of life.
바이러스는 번식할 수는 있지만, 그것들은 생명체의 다른 대부분의 특성을 보이지는 않는다.

23 Our knowledge of the ________________ of the oceans is derived from sampling.
해양 생물학에 관한 우리의 지식은 표본 추출에서 얻어진다.

24 You can't change your ________________(e)s.
당신은 당신의 유전자를 바꿀 수 없다.

25 ________________ differences may exist between men and women.
남자와 여자 사이에는 근본적인 차이들이 존재할 수 있다.

정답

01 결정하다, 결심하다, 알아내다 **02** 유연한, 융통성 있는 **03** 분자 **04** 수축하다, 줄어들다 **05** 결합하다, 녹이다, 융합하다, 도화선 **06** 산소 **07** 반응, 응답 **08** 견뎌내다, 버티다 **09** 차이, 변화, 변형 **10** 생리 (현상), 생리학 **11** exert **12** inherent **13** foster **14** identical **15** sequence **16** mechanism **17** organ **18** efficient **19** mature **20** prompt **21** encounter **22** reproduce **23** biology **24** gene **25** Fundamental

수능 만점을 위한 필수 연결어 ① 비교·대조

in contrast	그에 반해서

Achievement is something tangible, clearly defined and measurable. Success, **in contrast**, is a feeling or a state of being. (학평)

성취는 실체적이며, 명확하게 정의되고 측정 가능한 것이다. **그에 반해서**, 성공은 느낌이나 상태이다.

on the other hand	반면, 다른 한편으로는

Researchers found that 88% of smokers were bald or had gray hair. **On the other hand**, only 68% of nonsmokers were bald or had gray hair. (학평)

연구원들은 흡연자의 88퍼센트가 대머리이거나 백발을 가지고 있다는 것을 발견했다. **반면**, 비흡연자의 68퍼센트만이 대머리이거나 백발이었다.

likewise	또한, 마찬가지로, 비슷하게

Many studies have shown that eating garlic can strengthen the body's immunity against cancer. **Likewise**, it's also said to prevent heart disease. (학평)

많은 연구들은 마늘을 먹으면 암에 대한 신체의 면역력을 강화시킬 수 있다는 것을 보여주었다. **또한**, 그것은 심장병도 예방한다고 한다.

similarly	마찬가지로, 비슷하게, 유사하게

If you never take the risk of being rejected, you can never have a friend. **Similarly**, by not taking the risk of attending an interview, you will never get a job. (학평)

거절당할 위험을 무릅쓰지 않으면, 당신은 절대 친구를 사귈 수 없다. **마찬가지로**, 면접에 참석하는 위험을 무릅쓰지 않으면, 당신은 결코 직업을 갖지 못할 것이다.

DAY 42 기술

진짜 진짜 진짜 미안해..! 내가 꼭 수리할게*! 제발 용서해줘!!!

어떻게 고칠 건데?

싹 싹 싹 싹 싹!

만능 접착제로 붙이면 되지 않을까? 만능이잖아...

* 수리하다 **repair**

1641 □□□ ★★★

repair

[ripέər]

동 수리하다, (건강을) 회복하다 명 수리, 회복

어원 re[다시] + pair[준비하다] → 고장 난 것을 다시 쓸 수 있도록 준비하다, 즉 수리하다

Is there any place nearby that can **repair** electronics? 학평

근처에 전자 기기를 **수리할** 수 있는 곳이 있나요?

= fix

1642 □□□ ★★★

evaluate

[ivǽljueit]

동 평가하다, 감정하다

어원 e[밖으로] + val(u)[가치 있는] + ate[동·접] → 가치가 밖으로 보이게 해서 평가하다

You can **evaluate** the problem and come up with the best way to solve it. 수능

당신은 문제를 **평가하고** 그것을 해결하기 위한 가장 좋은 방법을 생각해낼 수 있다.

+ **evaluation** 명 평가

Tips

'평가하다'와 관련된 단어들

assess 평가하다, 가늠하다 **estimate** 평가하다, 견적을 내다 **judge** 판결하다, 심사하다

1643 □□□ ★★

wireless

[wáiərlis]

형 무선의 명 무선 (전신·전화)

I don't need an extra battery, but I'd like a **wireless** mouse. 수능

저는 보조 배터리는 필요하지 않지만, **무선** 마우스는 원해요.

⊕ **wire** 명 철사, 선

1644 □□□ ★★★

device

[diváis]

명 기기, 장치, 방책

Audio **devices** may only be used with headphones. 수능

음향 **기기**는 오직 헤드폰과 함께 사용될 수 있다.

≡ **gadget, instrument**

1645 □□□ ★★★

technical

[téknikəl]

형 기술적인, 전문적인

We've fixed every possible **technical** problem now. 학평

우리는 이제 가능성 있는 모든 **기술적인** 문제를 해결했다.

⊕ **technically** 부 기술적으로, 엄밀히 **technician** 명 기술자, 전문가

≡ **technological**

1646 □□□ ★★

mechanical

[məkǽnikəl]

형 기계적인, 기계의

Mechanical processes have replicated behaviors and talents we thought were unique to humans. 수능

기계적인 과정들은 우리가 인간 고유의 특징이라고 생각했던 행동과 재능을 복제했다.

⊕ **mechanically** 부 기계적으로 **mechanic** 명 정비사

≡ **automatic** ↔ **manual** 형 수동의, 인력이 필요한

1647 □□□ ★★★

vast

[væst]

형 광대한, 막대한

With the development of submarines, scientists can now explore this **vast** area under the sea. 교과서

잠수함의 발전으로, 과학자들은 이제 바다 밑의 이 **광대한** 지역을 탐사할 수 있다.

Tips

vast와 huge의 의미 구분

두 단어 모두 '거대한, 막대한'을 뜻하지만 vast는 면적이 거대할 때, huge는 수나 양이 막대할 때 주로 사용해요.

1648 □□□ ★★★

function

명 기능, 작용 동 기능하다, 작용하다

[fʌ́ŋkʃən]

The best **function** of our app is that you can download your favorite programs. (수능)

저희 앱의 최고 **기능**은 당신이 가장 좋아하는 프로그램들을 다운로드할 수 있다는 것입니다.

⊕ **functional** 형 기능성의, 편리한

⊟ **performance, operation**

1649 □□□ ★★

machinery

명 기계, 기구

[məʃíːnəri]

The early cotton masters wanted to keep their **machinery** running as long as possible. (수능)

초기의 목화 농장주들은 자신들의 **기계**를 가능한 한 오래 가동하기를 원했다.

⊟ **equipment, gear**

1650 □□□ ★★★

advance

명 발전, 진보 동 나아가게 하다, 진보하다

[ædvǽns]

어원 adv[~로부터] + anc(e)[앞에] → 어딘가로부터 앞에 있는 목표의 달성을 위해 나아감, 즉 발전

The people remaining in agriculture are not benefiting from technological **advances**. (수능)

농업에 계속 종사하는 사람들은 기술 **발전**으로부터 혜택을 받지 못하고 있다.

⊕ **advanced** 형 진보한, 고급의 **in advance** 미리, 사전에

⊟ **improvement, development**

1651 □□□ ★★★

least

형 최소의, 가장 적은 부 가장 적게 명 가장 적음

[liːst]

He paid the **least** attention to downtime, recovery breaks of the machinery. (학평)

그는 기계의 회복 시간인 비가동 시간에 **최소의** 주의를 기울였다.

⊕ **at least** 적어도, 최소한

⊟ **minimal, slightest**

1652 □□□ ★★★

electronic

형 전자의

[ìlektrɑ́ːnik]

Unplug **electronic** devices when they're not in use. (학평)

전자 기기가 사용되지 않을 때는 플러그를 뽑으세요.

⊕ **electronically** 부 전자적으로, 컴퓨터로

LONDON

1653 □□□ ★★★

illusion

[ilúːʒən]

명 환상, 환각, 착각

어원 il[안에] + lus[놀다] + ion[명·접] → 머리 안에서 제멋대로 노는 것, 즉 환상

In Hollywood, snow is made by machines to create the **illusion** of winter. (학평)

할리우드에서, 눈은 겨울의 **환상**을 만들어내기 위해 기계로 만들어진다.

⊕ **illusionary** 형 환상의, 착각의

⊜ **delusion, fantasy**

1654 □□□ ★

screw

[skruː]

명 나사, 못 동 나사로 고정하다

A **screw** is a simple mechanical device that multiplies effort. (모평)

나사는 힘을 배가시키는 간단한 기계 장치이다.

1655 □□□ ★★★

transmit

[trænsmít]

동 전송하다, 전하다, 전염시키다

어원 trans[가로질러] + mit[보내다] → 가로질러 보내다, 즉 전송하다

E-mail is a system for **transmitting** messages and computer files electronically. (학평)

이메일은 메시지와 컴퓨터 파일들을 전자적으로 **전송하기** 위한 시스템이다.

⊕ **transmission** 명 전송, 전염 **transmitter** 명 전송기, 송신기

⊜ **send, spread**

1656 □□□ ★★

innovative

[ínəveitiv]

형 혁신적인, 획기적인

Some of the best, most **innovative** ideas follow some of the silliest suggestions. (학평)

가장 뛰어나고 **혁신적인** 몇몇 발상은 가장 바보 같은 몇몇 제안에 뒤이어 일어난다.

⊕ **innovate** 동 혁신하다 **innovation** 명 혁신

⊜ **creative, groundbreaking**

1657 □□□ ★★

telescope

[téləskoup]

명 망원경

어원 tele[멀리] + scope[보다] → 멀리 보는 데 쓰는 망원경

You can use this **telescope** to see stars more clearly. (학평)

당신은 별들을 더 또렷이 보기 위해 이 **망원경**을 사용할 수 있다.

1658 □□□ ★★★

flow

명 흐름 동 흐르다

[flou]

Dust in the computer blocks the air **flow**. 수능

컴퓨터 속의 먼지가 공기의 **흐름**을 막는다.

= **stream, current**

1659 □□□ ★★

satellite

명 (인공) 위성

[sǽtəlait]

Satellites are collecting a great deal of imagery as you read this sentence. 수능

위성은 당신이 이 문장을 읽는 동안 상당히 많은 사진들을 수집하고 있다.

Tips

우주와 관련된 단어들

satellite 위성	**universe** 우주	**astronaut** 우주비행사
astronomer 천문학자	**spacecraft** 우주선	**planet** 행성

1660 □□□ ★

crush

동 으깨다, 박살 내다, 진압하다

[krʌʃ]

Industrial diamonds are **crushed** and powdered, and then used in polishing operations. 수능

산업용 다이아몬드는 **으깨지고** 가루로 만들어진 다음 광택 작업에 사용된다.

= **squash, break**

1661 □□□ ★★

irrelevant

형 무관한, 상관없는

[iréləvənt]

어원 ir[아닌] + re[다시] + lev[올리다] + ant[형·접] → 다시 주제로 올리지 않을 만큼 무관한

Robots often collect data that is unhelpful or **irrelevant**. 수능

로봇은 종종 쓸모없거나 **무관한** 정보를 수집한다.

+ **irrelevance** 명 무관함

= **unrelated** ↔ **relevant** 형 관련 있는

1662 □□□ ★★★

means

명 수단, 방법

[mi:nz]

All ages have had a **means** of sharing information. 수능

모든 시대는 정보를 공유하는 **수단**을 가지고 있었다.

= **method, way**

NEW YORK

1663 □□□ ★★

manufacture

[mænjufǽktʃər]

동 제조하다, 생산하다 **명** 제조, 생산

Since it **manufactured** its first car in 1955, Korea has grown to be the sixth largest automobile producer in the world. (수능)

1955년에 처음 자동차를 **제조한** 이후, 한국은 세계에서 여섯 번째로 큰 자동차 생산국으로 성장했다.

⊕ **manufacturer** 명 제조사, 제조업자 **manufacturing** 명 제조업

⊜ **make, produce**

1664 □□□ ★★★

satisfy

[sǽtisfai]

동 충족시키다, 만족시키다

어원 satis[충분한] + fy[동·접] → 충분하게 줘서 충족시키다 또는 만족시키다

To **satisfy** our audience's growing needs, we've added three new functions to our app. (수능)

우리 청취자들의 증가하는 욕구를 **충족시키기** 위해, 우리는 우리 앱에 세 가지 새로운 기능을 추가했다.

⊕ **satisfied** 형 만족하는 **satisfying** 형 만족을 주는 **satisfaction** 명 만족

Tips

시험에는 이렇게 나온다

be satisfied with ~에 만족하다 **satisfy one's needs** ~의 요구[욕구]를 충족시키다

1665 □□□ ★★★

eliminate

[ilímәneit]

동 없애다, 제거하다

어원 e[밖으로] + limin[경계] + ate[동·접] → 경계 밖으로 치워 없애다

The rise of AI might **eliminate** the economic value and political power of most humans. (학평)

인공 지능의 발흥은 대부분의 인간의 경제적 가치와 정치적 권력을 **없앨** 수도 있다.

⊕ **elimination** 명 제거

Tips

'없애다'와 관련된 단어들

remove 제거하다 **destroy** 파괴하다, 말살하다 **eradicate** 근절하다, 뿌리 뽑다

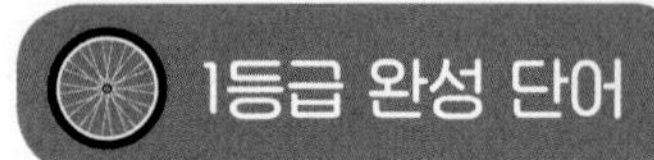

1666 □□□ ★★	**wreck** [rek]	명 난파(선), 잔해 동 난파시키다
1667 □□□ ★★★	**bind** [baind]	동 제본하다, 묶다
1668 □□□ ★★	**spatial** [spéiʃəl]	형 공간의, 공간적인
1669 □□□ ★	**monotonous** [mənɑ́:tənəs]	형 단조로운, 지루한
1670 □□□ ★	**simplify** [símpləfai]	동 단순화하다, 간소화하다
1671 □□□ ★	**outlet** [áutlet]	명 콘센트, (감정·물질 등의) 배출구, 직판장
1672 □□□ ★	**elastic** [ilǽstik]	형 탄력 있는, 신축성 있는, 융통성 있는
1673 □□□ ★	**insert** 동[insə́:rt] 명[ínsə:rt]	동 삽입하다, 끼워 넣다 명 삽입(물)
1674 □□□ ★	**grind** [graind]	동 갈다, 빻다
1675 □□□ ★★	**sustain** [səstéin]	동 유지하다, 지속하다
1676 □□□ ★★	**distort** [distɔ́:rt]	동 왜곡하다, 비틀다
1677 □□□ ★	**overtake** [òuvərteik]	동 앞지르다, 추월하다
1678 □□□ ★	**accelerate** [æksélərei t]	동 가속하다, 촉진하다
1679 □□□ ★★	**outward** [áutwərd]	부 바깥쪽으로, 밖에 형 밖으로 향하는, 표면상의
1680 □□□ ★	**amplify** [ǽmpləfai]	동 확대하다, 증폭시키다

The **wreck** was recently surveyed and mapped using sonar and remotely operated robots. (모평)
그 **난파선**은 최근 수중 음파 탐지기와 원격으로 작동되는 로봇을 사용하여 조사되고 위치가 발견되었다.

The stapler was used to mainly **bind** papers or books, but also carpet, furniture, or boxes. (학평)
스테이플러는 주로 종이나 책을 **제본하는** 데 쓰였지만, 카펫, 가구, 또는 상자에도 쓰였다.

MRI scans are capable of producing detailed **spatial** images. (학평)
MRI 스캔은 상세한 **공간** 이미지를 생성할 수 있다.

People dreamed of inanimate creatures that can do their **monotonous** work. (교과서)
사람들은 자신들의 **단조로운** 일을 해줄 수 있는 무생물을 꿈꿨다.

Scientists use models to help them **simplify** complicated ideas. (교과서)
과학자들은 복잡한 개념을 **단순화하는** 데 도움을 주는 모형을 사용한다.

Too many plugs in one **outlet** can cause an electrical fire. (학평)
하나의 **콘센트**에 너무 많이 꽂혀 있는 플러그는 전기 화재를 일으킬 수 있다.

They focused on developing **elastic** weapons. (수능)
그들은 **탄력 있는** 무기를 개발하는 데 집중했다.

I'm having difficulty **inserting** music into the video. (학평)
나는 영상에 음악을 **삽입하는** 데 어려움을 겪고 있다.

Windmills helped draw water and **grind** grain into flour. (학평)
풍차는 물을 끌어대고 곡식을 가루로 **가는** 것에 도움을 주었다.

A few hundred people cannot **sustain** a sophisticated technology. (수능)
몇백 명의 사람들만으로는 정교한 기술을 **유지할** 수 없다.

A map must **distort** reality to portray a three-dimensional world on a paper. (학평)
지도는 3차원의 세계를 종이에 묘사하기 위해 실체를 **왜곡해야** 한다.

The smartphone **overtook** the laptop as the most important device for Internet access. (학평)
스마트폰은 인터넷 접속을 위한 가장 중요한 기기로서 노트북을 **앞질렀다**.

Digital technology **accelerates** dematerialization. (모평)
디지털 기술은 비물질화를 **가속한다**.

Bad lighting design allows artificial light to shine **outward**, where it's not wanted. (학평)
형편없는 조명 디자인은 인공조명이 필요하지 않은 **바깥쪽으로** 비치게 한다.

Information technologies may serve to **amplify** existing prejudices and misconceptions. (학평)
정보 기술은 기존의 편견과 오해를 **확대하는** 역할을 할지도 모른다.

Daily Quiz

영어는 우리말로, 우리말은 영어로 쓰세요.

01 least ____________
02 means ____________
03 mechanical ____________
04 flow ____________
05 irrelevant ____________
06 evaluate ____________
07 repair ____________
08 eliminate ____________
09 telescope ____________
10 wreck ____________

11 환상, 환각, 착각 ____________
12 (인공) 위성 ____________
13 기계, 기구 ____________
14 기기, 장치, 방책 ____________
15 발전, 진보, 진보하다 ____________
16 제조하다, 생산하다, 제조 ____________
17 기능, 작용, 기능하다 ____________
18 충족시키다, 만족시키다 ____________
19 전송하다, 전하다 ____________
20 제본하다, 묶다 ____________

다음 빈칸에 들어갈 가장 알맞은 것을 박스 안에서 고르세요.

electronic	innovative	technical	wireless	vast

21 I don't need an extra battery, but I'd like a(n) ____________ mouse.
저는 보조 배터리는 필요하지 않지만, 무선 마우스는 원해요.

22 We've fixed every possible ____________ problem now.
우리는 이제 가능성 있는 모든 기술적인 문제를 해결했다.

23 With the development of submarines, scientists can now explore this ____________ area under the sea.
잠수함의 발전으로, 과학자들은 이제 바다 밑의 이 광대한 지역을 탐사할 수 있다.

24 Some of the best, most ____________ ideas follow some of the silliest suggestions.
가장 뛰어나고 혁신적인 몇몇 발상은 가장 바보 같은 몇몇 제안에 뒤이어 일어난다.

25 Unplug ____________ devices when they're not in use.
전자 기기가 사용되지 않을 때는 플러그를 뽑으세요.

정답

01 최소의, 가장 적은, 가장 적게, 가장 적음 **02** 수단, 방법 **03** 기계적인, 기계의 **04** 흐름, 흐르다 **05** 무관한, 상관없는 **06** 평가하다, 감정하다 **07** 수리하다, (건강을) 회복하다, 수리, 회복 **08** 없애다, 제거하다 **09** 망원경 **10** 난파(선), 잔해, 난파시키다 **11** illusion **12** satellite **13** machinery **14** device **15** advance **16** manufacture **17** function **18** satisfy **19** transmit **20** bind **21** wireless **22** technical **23** vast **24** innovative **25** electronic

수능 만점을 위한 필수 연결어 ② 강조

in particular	특히

Baseball, **in particular**, is one of the most popular sports frequently broadcast on TV. (모평)

야구는 **특히** TV에서 자주 방영되는 가장 인기 있는 스포츠 중 하나이다.

without a doubt	의심할 여지 없이

Without a doubt, dinosaurs are a popular topic for kids across the planet. (학평)

의심할 여지 없이, 공룡은 전 세계 어린이들에게 인기 있는 주제이다.

apparently	보아하니, 듣자하니, 분명히

Apparently, my poor posture when using my smartphone has affected my neck and caused the pain. (학평)

보아하니, 스마트폰을 사용할 때의 나쁜 자세가 나의 목에 영향을 주고 통증을 유발한 것 같다.

obviously	분명히, 확실히

Obviously, self-esteem can be hurt when someone whose acceptance is important — like a parent or teacher — constantly puts you down. (학평)

분명히, 자존감은 부모나 교사처럼 그 사람의 인정이 중요한 누군가가 당신을 계속해서 깎아 내릴 때 손상될 수 있다.

in other words	다시 말해, 달리 말하면

The mind is based on the body. **In other words**, the kind of body humans have influences the kind of mind they have. (학평)

정신은 육체에 기반을 두고 있다. **다시 말해**, 인간이 가진 육체의 유형은 그들이 가진 정신의 유형에 영향을 미친다.

DAY 43

교육

MP3 바로 듣기

야! 무슨 일이야!
갑자기 웬 공부야?
딱 기다려, 대한민국 최고의 학자*가 돼서 만나러 갈게!

* 학자 scholar

1681 □□□ ★★★

scholar

[skɑ́:lər]

명 학자, 장학생

One prominent **scholar** said, "Anything can look like a failure in the middle." 수능

한 저명한 **학자**는 "어떤 것이든 중도에는 실패처럼 보일 수 있다"라고 말했다.

⊕ **scholarship** 명 장학금, 학문 **scholarly** 형 학자의, 학구적인

1682 □□□ ★★★

remark

[rimɑ́:rk]

명 말, 논평, 주목 동 말하다, 주목하다

어원 re[다시] + mark[표시하다] → 의견을 반복해서 다시 표시하는 논평 또는 말

Children and adults alike want to hear positive **remarks**. 수능

아이와 어른 모두 긍정적인 **말**을 듣고 싶어 한다.

⊕ **remarkable** 형 주목할 만한 **remarkably** 부 현저하게

⊖ **comment, statement**

1683 □□□ ★★

orientation

명 예비 교육, 방향, 성향

[ɔ:riəntéiʃən]

There's an **orientation** for new members today. (수능)

오늘 신입 회원들을 위한 **예비 교육**이 있다.

1684 □□□ ★★

ultimate

형 궁극적인, 최후의

[ʌ́ltəmət]

The **ultimate** goal of an allowance is to have your child skillfully handle all expenditures. (학평)

용돈의 **궁극적인** 목적은 당신의 아이가 모든 지출을 능숙하게 처리할 수 있게 하는 것이다.

⊕ **ultimately** 부 궁극적으로, 결국

⊜ **final, last**

1685 □□□ ★★★

presence

명 (그 자리에) 있음, 존재, 참석

[prézns]

Some parents adopt a strategy of never smoking in their child's **presence**. (학평)

몇몇 부모들은 자녀가 **있을** 때는 절대 흡연하지 않는 전략을 취한다.

⊕ **present** 형 현재의, 존재하는 동 제시하다

⊜ **being, existence** ⇔ **absence** 명 부재, 결석

1686 □□□ ★

astronomy

명 천문학

[əstrɑ́:nəmi]

어원 astro[별] + nomy[학문] → 별을 연구하는 학문인 천문학

This camp is for high school students who want to learn more about **astronomy**. (학평)

이 캠프는 **천문학**에 대해 더 배우고 싶어 하는 고등학생들을 위한 것이다.

⊕ **astronomical** 형 천문학의 **astronomer** 명 천문학자

1687 □□□ ★★★

logical

형 논리적인, 타당한

[lɑ́:dʒikəl]

Participating in debates will help improve your **logical** thinking. (학평)

토론에 참여하는 것은 **논리적인** 사고를 향상시키는 데 도움이 될 것이다.

⊕ **logically** 부 논리적으로 **logic** 명 논리, 타당성

⊜ **reasonable, sensible** ⇔ **illogical** 형 비논리적인, 불합리한

1688 □□□ ★

comprehend

동 이해하다, 파악하다, 포함하다

[kɑ̀:mprihénd]

어원 com[모두] + prehend[붙잡다] → 관련된 것을 모두 붙잡아 종합적으로 이해하다

Children need to learn how to read and **comprehend**. (학평)

아이들은 읽고 **이해하는** 법을 배워야 한다.

⊕ **comprehension** 명 이해(력) **comprehensive** 형 포괄적인

Tips

'이해하다'와 관련된 단어들

understand 이해하다

figure out 알아내다, 이해하다

see 알다, 이해하다

appreciate 인식하다, 이해하다

1689 □□□ ★

deliberate

형 계획적인, 의도적인, 신중한 동 숙고하다

형[dilíbərət]
동[dilíbəreit]

Rather, **deliberate** practice toward a goal is much more important than natural-born ability. (교과서)

오히려, 목표를 향한 **계획적인** 연습이 타고난 능력보다 훨씬 더 중요하다.

⊕ **deliberately** 부 고의로, 신중하게 **deliberative** 형 숙고하는

⊜ **intentional, planned**

1690 □□□ ★★★

motivate

동 동기를 부여하다, 자극하다

[móutəveit]

어원 motiv(e)[움직이게 하는] + ate[동·접] → 상대가 움직이게 동기를 부여하다

I think the games **motivated** everyone to learn. (수능)

나는 그 게임이 모두에게 학습할 **동기를 부여했다고** 생각한다.

⊕ **motivation** 명 동기 부여 **motivational** 형 동기를 부여하는

⊜ **inspire, stimulate**

1691 □□□ ★★

accumulate

동 쌓다, 축적하다, 모으다

[əkjú:mjəleit]

어원 ac[~쪽으로] + cumulat(e)[쌓다] → ~쪽으로 무언가를 쌓다

Children's SNS activities should be encouraged to help them **accumulate** knowledge. (수능)

아이들의 SNS 활동은 그들이 지식을 **쌓는** 것을 돕기 위해 장려되어야 한다.

⊕ **accumulation** 명 쌓아 올림, 축적

⊜ **collect, gather**

Tips

시험에는 이렇게 나온다

accumulate는 주로 지식이나 정보와 관련된 명사와 함께 사용돼요.

accumulate knowledge 지식을 쌓다 **accumulate information** 정보를 모으다

1692 □□□ ★★★

insight

[ínsait]

명 통찰력, 이해

어원 in[안에] + sight[보다] → 보이지 않는 안을 들여다보는 통찰력

A moment's **insight** is sometimes worth a life's experience. 학평

순간의 **통찰력**은 때때로 평생의 경험만큼의 가치가 있다.

⊕ **insightful** 형 통찰력이 있는

⊜ **intuition, perception**

1693 □□□ ★★★

discourage

[diskə́ːridʒ]

동 좌절시키다, 단념시키다

어원 dis[반대의] + courage[용기] → '용기 나게 하다'의 반대, 즉 좌절시키다

The experience of failure would **discourage** students from future study. 학평

실패의 경험은 학생들의 향후 학습 의지를 **좌절시킬** 수 있다.

⊕ **discourage A from B** A가 B하는 것을 좌절[단념]시키다

⊜ **depress, dishearten** ↔ **encourage** 동 격려하다, 용기를 북돋우다

1694 □□□ ★★

persuade

[pərswéid]

동 설득하다, 납득시키다

어원 per[완전히] + suade[충고하다] → 상대에게 충고하여 의견이 완전히 넘어오도록 설득하다

From a very young age, kids try to **persuade** their parents to do things for them. 학평

아주 어릴 때부터, 아이들은 부모가 그들을 위해 무언가를 해주도록 **설득하려고** 노력한다.

⊕ **persuasion** 명 설득, 확신 **persuasive** 형 설득력 있는

⊜ **convince**

1695 □□□ ★★★

behave

[bihéiv]

동 (예의 바르게) 행동하다, 처신하다

어원 be[있다] + hav(e)[가지다] → 자신이 있는 상황에 맞는 몸가짐을 가지고 행동하다

His parents should teach him how to **behave**. 수능

그의 부모는 그에게 **예의 바르게 행동하는** 법을 가르쳐야 한다.

⊕ **behavior** 명 행동 **behave oneself** 예의 바르게 행동하다

↔ **misbehave** 동 품행이 좋지 못하다

1696 □□□ ★★★

critical

[krítikəl]

형 중요한, 결정적인, 비판적인, 위기의

A **critical** part of self-evaluation is deciding what caused the errors. (학평)

자기 평가의 **중요한** 부분은 무엇이 오류를 야기했는지 결정하는 것이다.

⊕ **critically** 부 비판적으로 **criticize** 동 비판하다 **critic** 명 비평가

⊜ **crucial, decisive**

Tips

시험에는 이렇게 나온다

critical role 중요한 역할

critical factor 결정적 요인

critical thinking 비판적 사고

critical comment 비판적 논평

1697 □□□ ★

intermediate

[ìntərmíːdiət]

형 중급의, 중간의 명 중급자, 중간물

어원 inter[사이에] + medi[중간] + ate[형·접] → 둘 사이 중간의 또는 중급의

I think I'm above the **intermediate** level. (학평)

나는 내가 **중급** 수준 이상이라고 생각한다.

⊜ **middle**

1698 □□□ ★★

input

[ínput]

명 입력 (정보), 투입 동 입력하다

Your **input** will help us make an educational plan for your child. (모평)

당신의 **입력 정보**는 저희가 당신의 아이를 위한 교육 계획을 세우는 데 도움이 될 것입니다.

⊜ **data, information** ⇔ **output** 명 생산, 산출

1699 □□□ ★★★

midterm

[mìdtə́ːrm]

명 중간고사 형 중간의

The teachers said the **midterm** would be easier this time. (학평)

선생님들이 이번에는 **중간고사**가 좀 더 쉬울 것이라고 말씀하셨다.

1700 □□□ ★★

curiosity

[kjùəriɑ́ːsəti]

명 호기심, 궁금증

Curiosity is the essence of life. (학평)

호기심은 삶의 본질이다.

⊕ **curious** 형 궁금해하는

Washington DC

1701 □□□ ★

concrete

명형[ká:nkri:t]
동[kənkrí:t]

형 구체적인, 명확한, 콘크리트의 명 콘크리트 동 굳어지다

Goddard realized the importance of setting **concrete** life goals. 교과서

고더드는 **구체적인** 삶의 목표를 설정하는 것의 중요성을 깨달았다.

⊜ specific, precise

1702 □□□ ★★★

distraction

[distrǽkʃən]

명 (집중에) 방해가 되는 것, 주의 산만, 오락

Smartphones are the biggest **distraction** from your studies. 학평

스마트폰은 공부에 가장 큰 **방해가 되는 것**이다.

⊕ distract 동 방해하다 distracted 형 주의가 산만해진

⊜ disturbance, interference

1703 □□□ ★★★

adjust

[ədʒʌ́st]

동 적응하다, 조절하다, 맞추다

어원 ad[~에] + just[올바른] → 어떤 것에 올바르게 맞추다, 또는 맞게 적응하다

Writing is an essential tool that will help you **adjust** to Korean university life. 수능

글쓰기는 당신이 한국의 대학 생활에 **적응하도록** 도와줄 필수 수단이다.

⊕ adjustment 명 적응, 조정

⊜ adapt

1704 □□□ ★★★

nurture

[nə́:rtʃər]

동 양성하다, 양육하다 명 양성, 양육

You need to develop and **nurture** your financial skills regularly just like your physical strength. 학평

당신은 체력과 마찬가지로 당신의 재무 역량을 주기적으로 개발하고 **양성할** 필요가 있다.

⊜ develop

1705 □□□ ★★★

practical

[prǽktikəl]

형 실용적인, 유용한, 현실적인

We give some **practical** education to our students. 학평

우리는 우리 학생들에게 몇몇 **실용적인** 교육을 제공한다.

⊕ practically 부 실용적으로, 현실적으로, 사실상

⊜ functional, realistic ⊖ impractical 형 비현실적인

1706 □□□ ★★	**imitation**	[ìmitéiʃən]	명 모방, 모조품
1707 □□□ ★	**trivial**	[tríviəl]	형 사소한, 하찮은
1708 □□□ ★★	**excel**	[iksél]	동 탁월하다, 뛰어나다
1709 □□□ ★★	**obstacle**	[á:bstəkl]	명 장애(물), 방해(물)
1710 □□□ ★	**complementary**	[kà:mpləméntəri]	형 상호 보완적인
1711 □□□ ★	**contradict**	[kà:ntrədíkt]	동 모순되다, 반박하다
1712 □□□ ★	**withhold**	[wiðhóuld]	동 억제하다, 허락하지 않다
1713 □□□ ★★	**repetition**	[rèpətíʃən]	명 반복, 되풀이
1714 □□□ ★★	**fulfill**	[fulfíl]	동 이행하다, 달성하다, (요건 등을) 만족시키다
1715 □□□ ★★	**thoroughly**	[θɔ́:rouli]	부 완전히, 철저히
1716 □□□ ★	**subtract**	[səbtrǽkt]	동 빼다, 공제하다
1717 □□□ ★★	**accustom**	[əkʌ́stəm]	동 익숙하게 하다, 습관을 들이다
1718 □□□ ★★	**reinforce**	[rì:infɔ́:rs]	동 강화하다, 보강하다
1719 □□□ ★★	**intervention**	[ìntərvénʃən]	명 개입, 간섭
1720 □□□ ★★	**elaborate**	형[ilǽbərət] 동[ilǽbəreit]	형 정교한, 공들인 동 공들여 만들다, 자세히 설명하다

Social **imitation** is the easiest form of self-improvement. (학평)
사회적 **모방**은 자기 계발의 가장 쉬운 방식이다.

They didn't know what was important and what was **trivial**. (학평)
그들은 무엇이 중요하고 무엇이 **사소한** 것인지 알지 못했다.

Students need to **excel** on their aptitude tests. (수능)
학생들은 적성 검사에서 **탁월해야** 할 필요가 있다.

In childhood you learn how to handle **obstacles** and adversity. (학평)
어린 시절 당신은 **장애물**과 역경에 어떻게 대처해야 하는지 배운다.

A partnership may benefit from the combination of the **complementary** skills of two people. (학평)
동업은 두 사람의 **상호 보완적인** 기량의 결합으로 이익을 얻을 수 있다.

This process **contradicts** the popular belief that the world "out there" is real. (학평)
이 과정은 "바깥에 있는" 세상이 진짜라는 통념과 **모순된다**.

Experts recommend that teachers **withhold** their personal opinions in classroom discussions. (학평)
전문가들은 교사들이 학급 토론에서 개인적인 의견을 **억제할** 것을 권고한다.

Practice and active **repetition** make the master. (학평)
연습과 적극적인 **반복**이 달인을 만든다.

The ability to decide what to do in what order is an essential skill to **fulfill** multiple social roles. (수능)
어떤 순서로 무엇을 할지 결정하는 능력은 다양한 사회적 역할을 **이행하는** 데 필수적인 기량이다.

Read your textbook until you can **thoroughly** understand what it says. (학평)
교과서가 무엇을 말하는지 **완전히** 이해할 수 있을 때까지 그것을 읽으세요.

Every educator would add or **subtract** a few subjects. (수능)
모든 교육자는 몇 가지 과목을 추가하거나 **빼곤** 한다.

When children are **accustomed** to using a toilet, they can gain independence. (학평)
아이들은 변기 사용에 **익숙해졌을** 때, 독립심을 얻을 수 있다.

What disturbs me is the idea that good behavior must be **reinforced** with incentives. (수능)
나를 신경 쓰이게 하는 것은 바람직한 행동이 유인책을 통해 **강화되어야** 한다는 견해이다.

Data analysts scan through student records to predict when **intervention** may be needed. (교과서)
데이터 분석가들은 언제 **개입**이 필요할지를 예측하기 위해 학생 기록을 살펴본다.

Some study guides advocate filling out **elaborate** calendars. (학평)
몇몇 학습 안내서는 **정교한** 일정표를 작성할 것을 주장한다.

Daily Quiz

영어는 우리말로, 우리말은 영어로 쓰세요.

01 scholar ________________

02 excel ________________

03 remark ________________

04 input ________________

05 motivate ________________

06 practical ________________

07 presence ________________

08 fulfill ________________

09 adjust ________________

10 critical ________________

11 모방, 모조품 ________________

12 궁극적인, 최후의 ________________

13 (예의 바르게) 행동하다 ________________

14 양성하다, 양육하다 ________________

15 호기심, 궁금증 ________________

16 장애(물), 방해(물) ________________

17 논리적인, 타당한 ________________

18 설득하다, 납득시키다 ________________

19 통찰력, 이해 ________________

20 쌓다, 축적하다, 모으다 ________________

다음 빈칸에 들어갈 가장 알맞은 것을 박스 안에서 고르세요.

distraction	orientation	repetition	midterm	discourage

21 There's a(n) ________________ for new members today.
오늘 신입 회원들을 위한 예비 교육이 있다.

22 Practice and active ________________ make the master.
연습과 적극적인 반복이 달인을 만든다.

23 The experience of failure would ________________ students from future study.
실패의 경험은 학생들의 향후 학습 의지를 좌절시킬 수 있다.

24 Smartphones are the biggest ________________ from your studies.
스마트폰은 공부에 가장 큰 방해가 되는 것이다.

25 The teachers said the ________________ would be easier this time.
선생님들이 이번에는 중간고사가 좀 더 쉬울 것이라고 말씀하셨다.

정답

01 학자, 장학생 **02** 탁월하다, 뛰어나다 **03** 말, 논평, 주목, 말하다, 주목하다 **04** 입력 (정보), 투입, 입력하다 **05** 동기를 부여하다, 자극하다 **06** 실용적인, 유용한, 현실적인 **07** (그 자리에) 있음, 존재, 참석 **08** 이행하다, 달성하다, (요건 등을) 만족시키다 **09** 적응하다, 조절하다, 맞추다 **10** 중요한, 결정적인, 비판적인, 위기의 **11** imitation **12** ultimate **13** behave **14** nurture **15** curiosity **16** obstacle **17** logical **18** persuade **19** insight **20** accumulate **21** orientation **22** repetition **23** discourage **24** distraction **25** midterm

수능 만점을 위한 필수 연결어 ③ 인과 관계

as a result	그 결과, 결과적으로

School funding has been cut, so Ms. Brown now only comes once a week. **As a result**, many art classes have been canceled. (학평)
학교 기금이 삭감되어, Brown 선생님은 이제 일주일에 한 번만 나옵니다. **그 결과**, 많은 미술 수업들이 취소되었습니다.

therefore	그러므로, 따라서

Tofu is rich in high quality protein, B vitamins and calcium. Tofu is, **therefore**, an excellent substitute for meat in many vegetarian recipes. (학평)
두부는 높은 질의 단백질, 비타민 B와 칼슘이 풍부하다. **그러므로**, 두부는 많은 채식주의 요리법에서 고기의 훌륭한 대용식이다.

thus	따라서, 그러므로

Price and value are not always the same. **Thus**, you should weigh the price you pay against the value of the item you wish to buy. (교과서)
가격과 가치가 항상 같은 것은 아니다. **따라서**, 당신이 지불할 가격을 사고자 하는 물건의 가치와 비교해야 한다.

hence	이런 이유로, 그러므로

The human body has evolved over time in environments of food scarcity; **hence**, the ability to store fat efficiently was a valuable physiological function. (학평)
인간의 몸은 식량 부족 환경에서 오랜 시간을 거쳐 진화해왔다. **이런 이유로**, 지방을 효율적으로 저장하는 능력은 유용한 생리학적 기능이었다.

DAY 44

학교

MP3 바로 듣기

오늘 원래 발표*가 있었는데,
입원해서 덕분에 학교도 안 가고 좋네!
럭키가이
후후후...
빠지지직!
긍정적인 마인드 리스펙!!

* 발표 **presentation**

1721 □□□ ★★★

presentation

명 발표, 제출, 제시

[prèzəntéiʃən]

The participants are all going to give a **presentation** in turn. (학평)

참가자들은 모두 돌아가며 **발표**를 할 것이다.

⊕ **present** 동 주다, 제시하다

1722 □□□ ★★★

graduate

동 졸업하다 명 졸업생

동 [grǽdʒueit]
명 [grǽdʒuət]

어원 grad(u)[단계] + ate[동·접] → 학교에서의 단계를 다 마치다, 즉 졸업하다

Despite her severe injury, Kazazic managed to **graduate** from a high school. (학평)

심각한 부상에도 불구하고, Kazazic은 가까스로 고등학교를 **졸업할** 수 있었다.

⊕ **graduation** 명 졸업 **undergraduate** 명 (대학) 학부생

Tips

시험에는 이렇게 나온다

graduate from ~를 졸업하다
graduate with honors 우등으로 졸업하다
graduate school 대학원
graduate student 대학원생

1723 □□□ ★★★

professor

[prəfésər]

명 교수

A **professor** of business studied employment patterns in Korea and the United States. 수능

한 경영학과 **교수**는 한국과 미국의 고용 유형에 대해 연구했다.

⊕ **profession** 명 (전문적인) 직업 **professional** 형 전문적인

1724 □□□ ★★★

lecture

[léktʃər]

명 강의 동 강의를 하다

어원 lect[읽다] + ure[명·접] → 원고, 책 등을 읽어 가르치는 것, 즉 강의

The **lecture** will be about policies for economic growth in the world. 학평

그 **강의**는 세계의 경제 성장 정책에 대한 것일 것이다.

⊕ **lecturer** 명 강연자

1725 □□□ ★★

disagree

[dìsəgríː]

동 동의하지 않다, (의견이) 다르다

I **disagree** with everyone saying Mr. Peterson's class is boring. 학평

나는 모두가 Mr. Peterson의 수업이 지루하다고 말하는 것에 **동의하지 않는다**.

⊕ **disagreement** 명 의견 충돌, 불일치

⊜ **dispute** ↔ **agree** 동 동의하다

1726 □□□ ★★

awake

[əwéik]

형 깨어 있는 동 깨우다, 깨다

I need to get enough sleep to stay **awake** in class. 수능

나는 수업 시간에 **깨어 있기** 위해 충분한 수면을 취해야 한다.

⊕ **awaken** 동 (잠에서) 깨우다, (감정을) 불러일으키다

↔ **asleep** 형 잠이 든

1727 □□□ ★★★

belong

[bilɔ́ːŋ]

동 속하다, 소속되다

어원 be[되다] + long[갈망하다] → 어떤 것이 되기를 갈망한 결과 그 집단에 속하다

A uniform can make students feel like they **belong** to a community. 학평

교복은 학생들이 공동체에 **속한다는** 느낌을 갖게 할 수 있다.

⊕ **belonging** 명 소유물, 속성 **belong to** ~에 속하다

1728 □□□ ★★★

highly

[háili]

부 매우, 대단히, 높이

Higher salaries attract **highly** qualified teachers. (수능)

더 높은 연봉은 **매우** 우수한 자질을 갖춘 교사들을 끌어들인다.

동 greatly

Tips

시험에는 이렇게 나온다

highly competitive 경쟁이 매우 심한　**highly recommended** 적극 추천되는

highly skilled 고도로 숙련된　**highly respected** 대단히 존경받는

1729 □□□ ★

tuition

[tjuːíʃən]

명 수업(료), 등록금

어원 tuit[가르치다] + ion[명·접] → 가르침의 대가로 지불하는 비용인 수업료

You don't need to pay your **tuition**. (수능)

당신은 **수업료**를 지불할 필요가 없다.

1730 □□□ ★★

debate

[dibéit]

명 토론, 논쟁 동 토론하다

어원 de[아래로] + bat(e)[치다] → 상대 의견을 쳐서 아래로 쓰러뜨리는 과정인 토론

There'll be a team **debate** competition next week. (학평)

다음 주에 팀별 **토론** 대회가 있을 것이다.

1731 □□□ ★★

sociology

[sòusiάːlədʒi]

명 사회학

어원 socio[친구, 동료] + log[말] + y[명·접] → 친구나 동료 집단 등을 포함한 사회에 대해 말하는 사회학

Shirley attended Brooklyn College and majored in **sociology**. (학평)

Shirley는 브루클린 대학을 다녔고 **사회학**을 전공했다.

⊕ **society** 명 사회　**social** 형 사회의, 사회적인

1732 □□□ ★★

duty

[djúːti]

명 의무, 관세

어원 du[신세 지다] + ty[명·접] → 신세를 지면 같이 따라오는 갚아야 할 의무

Schools have a **duty** to care for their students. (학평)

학교는 학생들을 보살필 **의무**가 있다.

동 responsibility

Washington DC

1733 □□□ ★★★

participate

[pɑːrtísəpeit]

동 참여하다, 참가하다

어원 part(i)[나누다] + cip[취하다] + ate[동·접] → 어떤 일의 역할을 나누어 취하다, 즉 그 일에 참여하다

Students **participate** in school activities for a number of very good reasons. (학평)

학생들은 여러 가지 아주 좋은 이유들로 학교 활동에 **참여한다**.

⊕ **participant** 명 참가자 **participation** 명 참여, 참가

⊜ **take part, join**

1734 □□□ ★★★

negative

[négətiv]

형 부정적인, 적대적인

어원 neg[아닌] + ative[형·접] → 어떤 것이 좋지 않다고 하는, 즉 그것에 부정적인

Noise in the classroom has **negative** effects on one's ability to pay attention. (학평)

교실에서의 소음은 집중하는 능력에 **부정적인** 영향을 미친다.

⊕ **negatively** 부 부정적으로

↔ **positive** 형 긍정적인

Tips

시험에는 이렇게 나온다

negative effect 부정적인 효과[영향] **negative emotion** 부정적인 감정
negative impact 부정적인 영향 **negative reaction** 부정적인 반응

1735 □□□ ★★

bulletin

[búlətin]

명 게시, 공고

The winners will be announced on the school **bulletin** board on November 9. (학평)

우승자들은 11월 9일 학교 **게시**판에 공지될 것이다.

⊕ **bulletin board** 게시판

⊜ **announcement**

1736 □□□ ★★★

creative

[kriéitiv]

형 창의적인, 창조적인

I'm trying to come up with a **creative** idea for the science project. (모평)

나는 과학 프로젝트를 위한 **창의적인** 아이디어를 고안하려고 노력하고 있다.

⊕ **creativity** 명 창의력, 창조성 **creation** 명 창조, 창작 **create** 동 창조하다

⊜ **inventive, imaginative**

1737 □□□ ★★

dormitory

명 기숙사

[dɔ́:rmətɔ:ri]

The cost of living in the **dormitory** is higher than I expected. 학평

기숙사에서의 생활 비용은 내가 예상했던 것보다 비싸다.

1738 □□□ ★★

committee

명 위원회

[kəmíti]

어원 com[함께] + mit(t)[보내다] + ee[명·접] → 명령과 함께 보내진 사람들, 즉 위원회

The teachers' **committee** will evaluate the presentations. 모평

교사 **위원회**가 발표를 평가할 것이다.

⊜ **board, assembly**

1739 □□□ ★★★

assignment

명 과제, 일, 임무

[əsáinmənt]

I've been really busy with my science **assignment**. 수능

나는 요즘 과학 **과제**로 정말 바빴다.

⊕ **assign** 동 배정하다, 일을 맡기다

⊜ **task, homework**

1740 □□□ ★★

psychology

명 심리(학)

[saikɑ́:lədʒi]

어원 psycho[심리, 정신] + log[말] + y[명·접] → 심리에 대해 말하는 학문인 심리학

This semester Jane is taking a **psychology** class. 학평

이번 학기에 Jane은 **심리학** 강의를 수강하고 있다.

⊕ **psychological** 형 심리(학)적인, 정신의 **psychologically** 부 심리(학)적으로

1741 □□□ ★★★

semester

명 학기

[səméstər]

Many students have probably set goals and plans for the new **semester** already. 교과서

많은 학생들이 아마 새 **학기**를 위한 목표와 계획들을 이미 세웠을 것이다.

Tips

학교와 관련된 단어들

semester 학기	**lecture** 강의	**tuition** 등록금, 수업료	**scholarship** 장학금
dormitory 기숙사	**bachelor** 학사	**master** 석사	**doctor** 박사

TORONTO

1742 ☐☐☐ ★★★

review

[rivjú:]

동 복습하다, 검토하다 명 복습, 검토

어원 re[다시] + view[보다] → 봤던 것을 다시 보며 복습하다

To study for the exam, **review** the list of artwork on the handout I gave you last week. (모평)

시험 공부로는, 제가 지난주에 배부한 유인물에 있는 미술품의 목록을 **복습하세요**.

⊕ **reviewer** 명 검토자, 비평가

⊜ **go over**

1743 ☐☐☐ ★★★

philosophy

[filɑ́:səfi]

명 철학, 인생관

어원 phil(o)[사랑하다] + soph[현명한] + y[명·접] → 현명함을 사랑하는 사람들이 하는 학문인 철학

We study **philosophy** because of the mental skills it helps us to develop. (모평)

우리는 그것이 심리적 기술을 발전시키는 데 도움을 주기 때문에 **철학**을 공부한다.

⊕ **philosopher** 명 철학자

1744 ☐☐☐ ★★

certificate

명 [sərtífikət]
동 [sərtífəkèit]

명 증명서, 자격증 동 증명서를 주다

어원 cert(i)[확실한] + fic[만들다] + ate[명·접] → 자격이나 능력을 확실하게 만들어 주는 증명서

Students will proudly receive their graduation **certificates**. (수능)

학생들은 자랑스럽게 그들의 졸업 **증명서**를 받을 것이다.

⊕ **certify** 동 (문서로) 증명하다

⊜ **certification, document**

Tips

certificate과 certification의 의미 구분

certificate은 자격 증명뿐 아니라 출생증명서(birth certificate)와 같은 일반적인 증명서에도 사용되지만, certification은 주로 전문 능력에 대한 자격을 증명하는 경우에 사용돼요.

1745 ☐☐☐ ★★★

attempt

[ətémpt]

명 시도 동 시도하다

어원 at[~에] + tempt[시도하다] → 목표에 이르려고 시도하는 것

On his third **attempt**, he was finally accepted into the school. (학평)

세 번째 **시도**에서, 그는 마침내 그 학교에 입학 허가를 받았다.

⊕ **attempt to** ~하려고 시도하다

⊜ **try, effort**

1746 □□□ ★	**recipient** [risípiənt]	명 수령인, 수취인
1747 □□□ ★	**recruit** [rikrú:t]	동 모집하다 명 신입 회원
1748 □□□ ★	**sophomore** [sɑ́:fəmɔ:r]	명 (고교·대학의) 2학년생
1749 □□□ ★	**deprive** [dipráiv]	동 빼앗다, 박탈하다
1750 □□□ ★★	**estimate** 동[éstəmeit] 명[éstəmət]	동 추정하다, 평가하다 명 견적(서), 추정(치)
1751 □□□ ★★	**reunion** [rijú:njən]	명 동창회, 모임, 재결합
1752 □□□ ★★	**nursery** [nə́:rsəri]	명 유치원, 탁아소
1753 □□□ ★	**dimension** [dimén∫ən]	명 차원, 관점, 치수
1754 □□□ ★	**stack** [stæk]	명 더미, 다량, 서가 동 쌓다, 포개다
1755 □□□ ★	**curriculum** [kəríkjuləm]	명 교육 과정, 교과 과정
1756 □□□ ★	**successive** [səksésiv]	형 연속의, 잇따른, 계승되는
1757 □□□ ★★★	**enrollment** [enróulmənt]	명 입학, 등록
1758 □□□ ★★	**auditorium** [ɔ̀:ditɔ́:riəm]	명 강당, 객석
1759 □□□ ★★	**approximately** [əprɑ́:ksəmətli]	부 약, 대략, 거의
1760 □□□ ★	**adolescent** [æ̀dəlésnt]	명 청소년 형 청(소)년기의

I was the **recipient** of the Dean's Scholarship. (학평)
나는 학장 장학금의 **수령인**이었다.

All the school clubs are giving auditions to **recruit** new members. (학평)
모든 학교 동아리들이 새 회원을 **모집하기** 위해 오디션을 하고 있다.

Scott and Jane are college **sophomores**. (학평)
Scott과 Jane은 대학 **2학년생**이다.

Students have been **deprived** of adequate facilities for physical education classes. (학평)
학생들은 체육 수업에 필요한 적절한 시설들을 **빼앗겼다**.

I **estimate** that 50 students from our school would like to participate in your program. (수능)
저는 우리 학교에서 50명의 학생들이 당신의 프로그램에 참여하기를 원할 것이라고 **추정합니다**.

We have our school **reunion** tomorrow. (학평)
우리는 내일 학교 **동창회**가 있다.

She ran back to the **nursery** to check on her daughter. (모평)
그녀는 딸을 확인하기 위해 **유치원**으로 급히 돌아갔다.

Preschoolers and young school-age children confuse temporal and spatial **dimensions**. (수능)
미취학 아동과 어린 학령기 아동은 시간적, 공간적 **차원**을 혼동한다.

He purposely dropped a book from the **stack**. (학평)
그는 일부러 책 **더미**에서 한 권을 떨어뜨렸다.

We successfully introduced Chinese, Spanish and French into the **curriculum**. (모평)
우리는 중국어, 스페인어, 프랑스어를 **교육 과정**에 성공적으로 도입했다.

He failed the entrance exam of Lodz Film School two **successive** years. (학평)
그는 2년 **연속** Lodz 영화 학교의 입학시험에서 떨어졌다.

The graph shows changes in school **enrollment** rates from 1970 to 2006. (수능)
그 그래프는 1970년에서 2006년까지의 학교 **입학** 비율의 변화를 보여준다.

The school orchestra was practicing in the **auditorium**. (모평)
학교 오케스트라는 **강당**에서 연습 중이었다.

Classes will be **approximately** one hour long. (학평)
수업은 **약** 1시간 정도 진행될 예정이다.

More than 95 percent of children and **adolescents** are enrolled in schools. (학평)
어린이와 **청소년**의 95퍼센트 이상이 학교에 등록되어 있다.

Daily Quiz

영어는 우리말로, 우리말은 영어로 쓰세요.

01 debate ______________

02 review ______________

03 belong ______________

04 assignment ______________

05 duty ______________

06 creative ______________

07 certificate ______________

08 psychology ______________

09 participate ______________

10 committee ______________

11 강의, 강의를 하다 ______________

12 매우, 대단히, 높이 ______________

13 발표, 제출, 제시 ______________

14 게시, 공고 ______________

15 기숙사 ______________

16 졸업하다, 졸업생 ______________

17 깨어 있는, 깨우다, 깨다 ______________

18 입학, 등록 ______________

19 학기 ______________

20 동의하지 않다 ______________

다음 빈칸에 들어갈 가장 알맞은 것을 박스 안에서 고르세요.

sociology	philosophy	professor	negative	attempt

21 A(n) ______________ of business studied employment patterns in Korea and the United States.
한 경영학과 교수는 한국과 미국의 고용 유형에 대해 연구했다.

22 We study ______________ because of the mental skills it helps us to develop.
우리는 그것이 심리적 기술을 발전시키는 데 도움을 주기 때문에 철학을 공부한다.

23 On his third ______________, he was finally accepted into the school.
세 번째 시도에서, 그는 마침내 그 학교에 입학 허가를 받았다.

24 Noise in the classroom has ______________ effects on one's ability to pay attention.
교실에서의 소음은 집중하는 능력에 부정적인 영향을 미친다.

25 Shirley attended Brooklyn College and majored in ______________.
Shirley는 브루클린 대학을 다녔고 사회학을 전공했다.

정답

01 토론, 논쟁, 토론하다 **02** 복습하다, 검토하다, 복습, 검토 **03** 속하다, 소속되다 **04** 과제, 일, 임무 **05** 의무, 관세 **06** 창의적인, 창조적인 **07** 증명서, 자격증, 증명서를 주다 **08** 심리(학) **09** 참여하다, 참가하다 **10** 위원회 **11** lecture **12** highly **13** presentation **14** bulletin **15** dormitory **16** graduate **17** awake **18** enrollment **19** semester **20** disagree **21** professor **22** philosophy **23** attempt **24** negative **25** sociology

수능 만점을 위한 필수 연결어 ④ 예시

for example	예를 들어

As a child grows, fears may disappear. **For example**, a child who couldn't sleep with the light off at age 5 may enjoy a ghost story years later. (수능)

아이가 자라면서, 두려움이 사라질 수 있다. **예를 들어**, 다섯 살 때 불을 끄고 잠들 수 없었던 아이가 몇 년 후에는 유령 이야기를 즐길 수도 있다.

in some cases	경우에 따라서는, 때로는

No matter how we shake the bottle of ketchup, some of it does not come out. **In some cases**, up to 20 percent is left in the packaging when it is thrown out. (모평)

우리가 케첩 병을 아무리 흔들어도, 그것들 중 일부는 나오지 않는다. **경우에 따라서는**, 그것이 버려질 때 용기 안에 20퍼센트까지 남아 있기도 한다.

that is	즉, 말하자면

This lab is mainly designed for self-directed study, **that is**, you choose what topic and level you want to study and then begin. (학평)

이 연구실은 주로 자기 주도적인 연구를 위해 고안되었는데, **즉**, 당신이 어떤 주제와 단계를 연구하고 싶은지 선택한 후 시작한다는 것이다.

such as	~과 같은, 예를 들어

Team sports **such as** basketball and soccer provide an opportunity for students to enjoy working and competing together as a team. (모평)

농구와 축구**와 같은** 팀 스포츠는 학생들이 팀으로 함께 노력하고 경쟁하는 것을 즐길 수 있는 기회를 제공한다.

DAY
45

진로·직업

MP3 바로 듣기

모든 가능성*을 열어놓고 생각하자…!
이 순간에 내 인생이 걸려 있어!!
손님 저희 곧
주문 마감합니다.

진로 고민은 10분, 저녁 메뉴 고민은 2시간

* 가능성 **possibility**

1761 □□□ ★★★

possibility

[pὰːsəbíləti]

명 가능성, 기회

Another **possibility** is looking for a different type of job in your present company. (수능)

또 다른 **가능성**은 현재 당신의 회사에서 다른 종류의 업무를 찾아보는 것이다.

⊕ **possible** 형 가능한 **possibly** 부 아마

1762 □□□ ★★★

offer

[ɔ́ːfər]

명 제의, 제공 동 제의하다, 제공하다

어원 of[향하여] + fer[나르다] → 상대방을 향하여 날라서 제공하는 것, 즉 제의

I accepted a job **offer** from Dr. Gilbert. (수능)

나는 Dr. Gilbert로부터의 일자리 **제의**를 받아들였다.

⊕ **accept an offer** 제의를 받아들이다

⊜ **proposition, suggestion**

Tips

시험에는 이렇게 나온다

offer a 20% discount 20퍼센트 할인을 제공하다 (학평)
offer to take a later flight 다음 비행기를 타라고 제의하다 (수능)

1763 □□□ ★★★

agent

[éidʒənt]

명 대리인, 중개인, 직원, 요원

어원 ag[행동하다] + ent[명·접] → 대신해서 행동하는 사람, 즉 대리인

Airline reservation **agents** are nearly helpless when their reservation system breaks down. (학평)

항공 예약 **대리인들**은 그들의 예약 시스템이 고장나면 거의 속수무책이다.

⊕ **agency** 명 대리점, 대행사

Tips

시험에는 이렇게 나온다		
travel agent 여행사 직원	**insurance agent** 보험 중개인	**secret agent** 첩보원

1764 □□□ ★★★

inform

[infɔ́:rm]

동 통지하다, 알리다

어원 in[안에] + form[형태] → 머릿속에 어떤 형태가 그려지도록 정보를 통지하다

The cooking school in Italy just **informed** me that I've been accepted. (수능)

이탈리아에 있는 요리 학교는 방금 나에게 합격했다고 **통지했다**.

⊕ **information** 명 정보 **informative** 형 정보를 주는, 유익한

Tips

'통지하다'와 관련된 단어들		
notify 알리다, 통지하다	**announce** 발표하다, 알리다	**advise** 조언하다, 알려주다

1765 □□□ ★★

ambition

[æmbíʃən]

명 야망, 의욕

어원 amb(i)[주변에] + it[가다] + ion[명·접] → 어떤 것의 주변에 가서 그것을 얻으려는 야망

If you've got **ambition**, drive, and smarts, you can rise to the top of your chosen profession. (학평)

만약 당신이 **야망**, 추진력, 지성을 지녔다면, 당신이 선택한 직업의 정상에 오를 수 있다.

⊕ **ambitious** 형 야망이 있는

1766 □□□ ★★

chief

[tʃi:f]

명 (단체의) 장, 우두머리 형 주요한

Lucy is the **chief** student editor of the school magazine. (학평)

Lucy는 학교 교지의 학생 편집**장**이다.

Tips

'우두머리'와 관련된 단어들		
chief 장, 우두머리	**boss** 상관, 상사	**head** 장, 우두머리
leader 지도자, 대표	**captain** 지도자, 선장	**director** 감독, 책임자

1767 □□□ ★★★

effort

명 노력, 수고

[éfərt]

어원 ef[밖으로] + fort[힘] → 무언가를 위해 힘을 밖으로 내보내는 것, 즉 노력

You need to make every **effort** to achieve your dreams. (교과서)

당신은 꿈을 이루기 위해 모든 **노력**을 기울여야 한다.

⊕ **effortless** 형 수월해 보이는, 쉽게 되는

Tips

시험에는 이렇게 나온다

make an effort to ~하려고 노력하다 **put a lot of effort into** ~에 많은 노력을 쏟다

1768 □□□ ★★★

suggest

동 제안하다, 암시하다

[səgdʒést]

I would **suggest** that you do something valuable and meaningful. (수능)

저는 여러분이 가치 있고 의미 있는 일을 할 것을 **제안하고자** 합니다.

⊕ **suggestion** 명 제안, 암시

⊜ **recommend, advise**

1769 □□□ ★★★

accept

동 받아들이다, 수락하다

[æksépt]

어원 ac[~쪽으로] + cept[취하다] → 내 쪽으로 취해서 받아들이다

She has **accepted** a new job in a different country. (학평)

그녀는 다른 나라에서의 새로운 일자리를 **받아들였다**.

⊕ **acceptance** 명 수락 **acceptable** 형 용인되는

⊜ **take** ⇔ **reject** 동 거절하다

1770 □□□ ★★★

expectation

명 기대, 예상

[èkspektéiʃən]

They should face reality and lower their **expectations**. (학평)

그들은 현실을 직시하고 **기대**를 낮추어야 한다.

⊕ **expect** 동 기대하다, 예상하다 **expectancy** 명 기대, 전망

⊜ **anticipation, assumption**

Tips

시험에는 이렇게 나온다

meet expectations 기대를 충족하다 **surpass expectations** 기대를 넘어서다

SYDNEY

1771 □□□ ★★★

available

[əvéiləbl]

형 이용할 수 있는, (카드·차표 등이) 유효한

어원 a[~에] + vail[가치 있는] + able[할 수 있는] → 가치가 있어 어떤 일에 이용할 수 있는

Free career tests are **available** at our office. (교과서)

우리 사무실에서 무료 진로 검사를 **이용할 수 있다**.

⊕ **availability** 명 유효성, 가능성

⊜ **accessible** ⇔ **unavailable** 형 이용할 수 없는

1772 □□□ ★★

terrific

[tərífik]

형 훌륭한, 아주 멋진

You ought to know that he is a **terrific** employee. (학평)

당신은 그가 **훌륭한** 직원이라는 것을 알아야 한다.

⊜ **excellent, outstanding**

1773 □□□ ★★★

unique

[juːníːk]

형 독특한, 유일한

어원 uni[하나] + (i)que[형·접] → 하나만 있어 독특한 또는 유일한

Everyone is **unique** and has different gifts. (수능)

모든 사람은 **독특하며** 서로 다른 재능을 가지고 있다.

⊕ **uniquely** 부 독특하게 **uniqueness** 명 독특함, 유일함

⊜ **distinct, special**

1774 □□□ ★★

profession

[prəféʃən]

명 직업, 전문직

Those who cannot make a success in their **profession** are the ones whose concentration is poor. (수능)

자신의 **직업**에서 성공하지 못하는 사람들은 집중력이 낮은 사람들이다.

⊕ **professional** 형 전문적인 명 전문가

⊜ **career, occupation**

1775 □□□ ★★★

pursue

[pərsúː]

동 종사하다, 추구하다, 해 나가다

어원 pur[앞으로] + su(e)[따라가다] → 목표 등을 잡기 위해 앞으로 따라가며 종사하다 또는 추구하다

Khan moved to Mumbai to **pursue** a full-time career in Bollywood. (학평)

Khan은 발리우드에서 전업으로 **종사하기** 위해 뭄바이로 이사했다.

⊕ **pursuit** 명 종사, 추구

1776 □□□ ★

ambitious

[æmbíʃəs]

형 야심이 있는, 의욕적인

어원 amb(i)[주변에] + it[가다] + ious[형·접] → 어떤 것의 주변에 가서 그것을 얻으려는 것처럼 야심이 있는

As a child I wasn't **ambitious**, and I didn't work very hard at my studies. (모평)

어렸을 때 나는 **야심이 있지** 않았고, 공부도 별로 열심히 하지 않았다.

= eager, enthusiastic

1777 □□□ ★★★

failure

[féiljər]

명 실패

어원 fail[잘못된] + ure[명·접] → 일이 잘못된 것, 즉 실패

The path to success is through analyzing **failure**. (수능)

성공으로 가는 길은 **실패**의 분석을 통한 것이다.

+ fail 동 실패하다

= defeat ↔ success 명 성공

1778 □□□ ★★★

opportunity

[ὰ:pərtú:nəti]

명 기회

The internship will be an excellent **opportunity** for any student who is considering a career in law. (모평)

그 인턴직은 법과 관련된 직업을 고려하는 어떤 학생에게든 훌륭한 **기회**일 것이다.

= chance, possibility

1779 □□□ ★★★

inspire

[inspáiər]

동 영감을 주다, 고무하다, 격려하다

어원 in[안에] + spir(e)[숨 쉬다] → 누군가의 안에 숨 쉬듯 영감을 불어 넣다, 즉 영감을 주다

Inspire people to use their individual talents. (수능)

사람들이 개개인의 재능을 사용하도록 **영감을 주세요**.

+ inspiration 명 영감, 자극

= motivate, encourage

1780 □□□ ★★★

factor

[fǽktər]

명 요소, 요인

Payment is the most preferred **factor** for job seekers in this age group. (수능)

이 연령대의 구직자들에게는 보수가 가장 우선적인 **요소**이다.

1781 □□□ ★★★

qualify

[kwɑ́:ləfai]

동 자격을 주다, 자격을 얻다

This course will **qualify** you for a better job. 학평

이 강의는 당신이 더 좋은 직업을 가질 수 있는 **자격을 줄** 것이다.

⊕ **qualified** 형 자격이 있는 **be qualified to[for]** ~할 자격이 있다

1782 □□□ ★★★

academic

[ӕkədémik]

형 학업의, 학문의

Your future career will benefit from the same effort that you've devoted to your **academic** work. 수능

당신의 장래 진로는 당신이 **학업** 공부에 헌신해온 노력만큼 득을 볼 것이다.

Tips

시험에는 이렇게 나온다

academic performance 학업 성취도 **academic field** 학문 분야

1783 □□□ ★★

retire

[ritáiər]

동 은퇴하다, 퇴직하다

어원 re[뒤로] + tire[끌다] → 뒤로 끌어 자리에서 물러나 은퇴하다

He finally **retired** from firefighting. 학평

그는 마침내 소방직에서 **은퇴했다**.

⊕ **retirement** 명 은퇴, 퇴직

⊜ **withdraw, leave**

1784 □□□ ★★★

analyze

[ǽnəlàiz]

동 분석하다, 검토하다

어원 ana[매우] + ly[느슨하게 하다] + (i)ze[동·접] → 어떤 것을 다 느슨하게 풀어서 매우 자세히 분석하다

A consultant can **analyze** the company's strengths and weaknesses. 수능

컨설턴트는 회사의 강점과 약점들을 **분석할** 수 있다.

⊕ **analysis** 명 분석 **analyst** 명 분석가

⊜ **examine, research**

1785 □□□ ★★★

suitable

[sú:təbl]

형 적합한, 적절한

Anderson was really **suitable** for teaching. 모평

Anderson은 정말 교직에 **적합했다**.

⊕ **suit** 동 맞다, 어울리다

⊜ **appropriate, fit**

01 02 03 04 05 06 07 08 09 10 11 12 13 14 15 16 17 18 19 20 21 22 23 24 25 26 27 28 29 30 31 32 33 34 35 36 37 38 39 40 41 42 43 44 45 DAY 46 47 48 49 50

1등급 완성 단어

1786	□□□ ★	**prospect** [prá:spekt]	명 전망, 가능성
1787	□□□ ★★	**optimistic** [à:ptimístik]	형 낙관적인, 낙천적인
1788	□□□ ★★★	**accomplish** [əká:mpliʃ]	동 성취하다, 완수하다
1789	□□□ ★★★	**deserve** [dizə́:rv]	동 누릴 자격이 있다, ~할 만하다
1790	□□□ ★	**inspector** [inspéktər]	명 검사관, 감독관
1791	□□□ ★★★	**discipline** [dísəplin]	명 훈련, 규율, 훈육, 학문 분야 동 훈육하다
1792	□□□ ★★	**scarce** [skeərs]	형 부족한, 드문
1793	□□□ ★★	**approve** [əprú:v]	동 찬성하다, 승인하다
1794	□□□ ★★	**commitment** [kəmítmənt]	명 약속, 전념, 헌신
1795	□□□ ★★	**classify** [klǽsifai]	동 분류하다, 구분하다
1796	□□□ ★★★	**perspective** [pərspéktiv]	명 시각, 관점, 원근법
1797	□□□ ★	**invaluable** [invǽljuəbl]	형 귀중한, 매우 유용한
1798	□□□ ★★	**permanent** [pə́:rmənənt]	형 영구적인, 불변의
1799	□□□ ★	**outstanding** [autstǽndiŋ]	형 우수한, 눈에 띄는, (부채 등이) 미지불된
1800	□□□ ★	**compromise** [ká:mprəmaiz]	명 타협, 절충(안) 동 타협하다

They say that I must use my degree somehow to advance my job **prospects**. (학평)
그들은 나의 취업 **전망**을 향상하기 위해 내가 어떻게든 내 학위를 이용해야 한다고 말한다.

He is **optimistic** about his future. (학평)
그는 자신의 미래에 대해 **낙관적이다**.

Trusting people allows you to focus on the things you need to **accomplish**. (수능)
사람들을 신뢰하는 것은 당신이 **성취해야** 할 것들에 집중할 수 있게 해준다.

You worked hard to enter that college, and you **deserve** your success. (학평)
당신은 그 대학에 들어가기 위해 열심히 공부했고, 당신의 성공을 **누릴 자격이 있다**.

His first job was with a US petroleum company as an **inspector**. (학평)
그의 첫 번째 직업은 미국 석유 회사에서 **검사관**으로 있는 것이었다.

Logic, **discipline**, persistence, and brilliant thinking are vital to scientific inquiry and inventing. (학평)
논리, **훈련**, 끈기, 그리고 뛰어난 사고는 과학적 연구와 발명에 필수적이다.

Jobs are **scarce** now. (학평)
요즘 일자리가 **부족하다**.

Her family did not **approve** when she decided to become an artist. (학평)
그녀의 가족은 그녀가 예술가가 되기로 결심했을 때 **찬성하지** 않았다.

If your **commitment** becomes weak, remember your dream and why it is important to you. (모평)
만약 당신의 **약속**이 나약해진다면, 당신의 꿈과 그것이 당신에게 왜 중요한지를 기억하세요.

Career counselors **classify** jobs according to three categories of skills. (학평)
직업 상담사들은 세 가지 기술 범주에 따라 직업을 **분류한다**.

My teen daughter had a negative **perspective** on her life and abilities. (수능)
나의 십 대 딸은 그녀의 인생과 능력에 대해 부정적인 **시각**을 갖고 있었다.

We all know how **invaluable** your advice will be. (수능)
우리 모두는 당신의 충고가 얼마나 **귀중할지** 알고 있다.

Jobs may not be **permanent**, and you may lose your job for countless reasons. (수능)
직업은 **영구적이지** 않을 수 있고, 당신은 셀 수 없이 많은 이유로 일자리를 잃을 수 있다.

The prize was established to praise **outstanding** mathematicians. (학평)
그 상은 **우수한** 수학자들을 칭송하기 위해 제정되었다.

He agreed to study chemical engineering as a **compromise** with his father. (모평)
그는 아버지와의 **타협**으로 화학 공학을 공부하는 데 동의했다.

Daily Quiz

영어는 우리말로, 우리말은 영어로 쓰세요.

01 ambition ______________
02 perspective ______________
03 pursue ______________
04 agent ______________
05 discipline ______________
06 accomplish ______________
07 expectation ______________
08 possibility ______________
09 inform ______________
10 unique ______________
11 학업의, 학문의 ______________
12 자격을 주다, 자격을 얻다 ______________
13 누릴 자격이 있다 ______________
14 영감을 주다, 고무하다 ______________
15 분석하다, 검토하다 ______________
16 노력, 수고 ______________
17 받아들이다, 수락하다 ______________
18 요소, 요인 ______________
19 기회 ______________
20 실패 ______________

다음 빈칸에 들어갈 가장 알맞은 것을 박스 안에서 고르세요.

offer	profession	available	suggest	suitable

21 Free career tests are ______________ at our office.
우리 사무실에서 무료 진로 검사를 이용할 수 있다.

22 Anderson was really ______________ for teaching.
Anderson은 정말 교직에 적합했다.

23 I would ______________ that you do something valuable and meaningful.
저는 여러분이 가치 있고 의미 있는 일을 할 것을 제안하고자 합니다.

24 I accepted a job ______________ from Dr. Gilbert.
나는 Dr. Gilbert로부터의 일자리 제의를 받아들였다.

25 Those who cannot make a success in their ______________ are the ones whose concentration is poor.
자신의 직업에서 성공하지 못하는 사람들은 집중력이 낮은 사람들이다.

정답

01 야망, 의욕 02 시각, 관점, 원근법 03 종사하다, 추구하다, 해 나가다 04 대리인, 중개인, 직원, 요원 05 훈련, 규율, 훈육, 학문 분야, 훈육하다 06 성취하다, 완수하다 07 기대, 예상 08 가능성, 기회 09 통지하다, 알리다 10 독특한, 유일한 11 academic 12 qualify 13 deserve 14 inspire 15 analyze 16 effort 17 accept 18 factor 19 opportunity 20 failure 21 available 22 suitable 23 suggest 24 offer 25 profession

수능 만점을 위한 필수 연결어 ⑤ 부연 설명

in addition	게다가

The color green inspires trust. **In addition**, it can also be welcoming. (모평)
녹색은 신뢰를 불러일으킨다. **게다가**, 그것은 또한 안락해 보이기도 한다.

moreover	게다가, 더욱이

Claire waited for Peter for over 30 minutes. **Moreover**, she couldn't call him as she hadn't brought her cell phone. (학평)
Claire는 Peter를 30분 이상 기다렸다. **게다가**, 그녀는 휴대폰을 가져오지 않았기 때문에 그에게 전화할 수도 없었다.

furthermore	뿐만 아니라, 더욱이

Doing chores can make children realize the importance of completing a given job. **Furthermore**, while doing chores, they can learn basic life skills for themselves. (학평)
집안일을 하는 것은 아이들에게 주어진 일을 완수하는 것의 중요성을 깨닫게 할 수 있다. **뿐만 아니라**, 집안일을 하는 동안, 그들은 자신을 위한 기본적인 생활 기술을 배울 수 있다.

besides	게다가, 뿐만 아니라

I thought this jacket would be warm enough. **Besides**, there wasn't much space in my suitcase. (모평)
나는 이 재킷이 충분히 따뜻할 것이라고 생각했다. **게다가**, 내 여행 가방에는 공간이 별로 없었다.

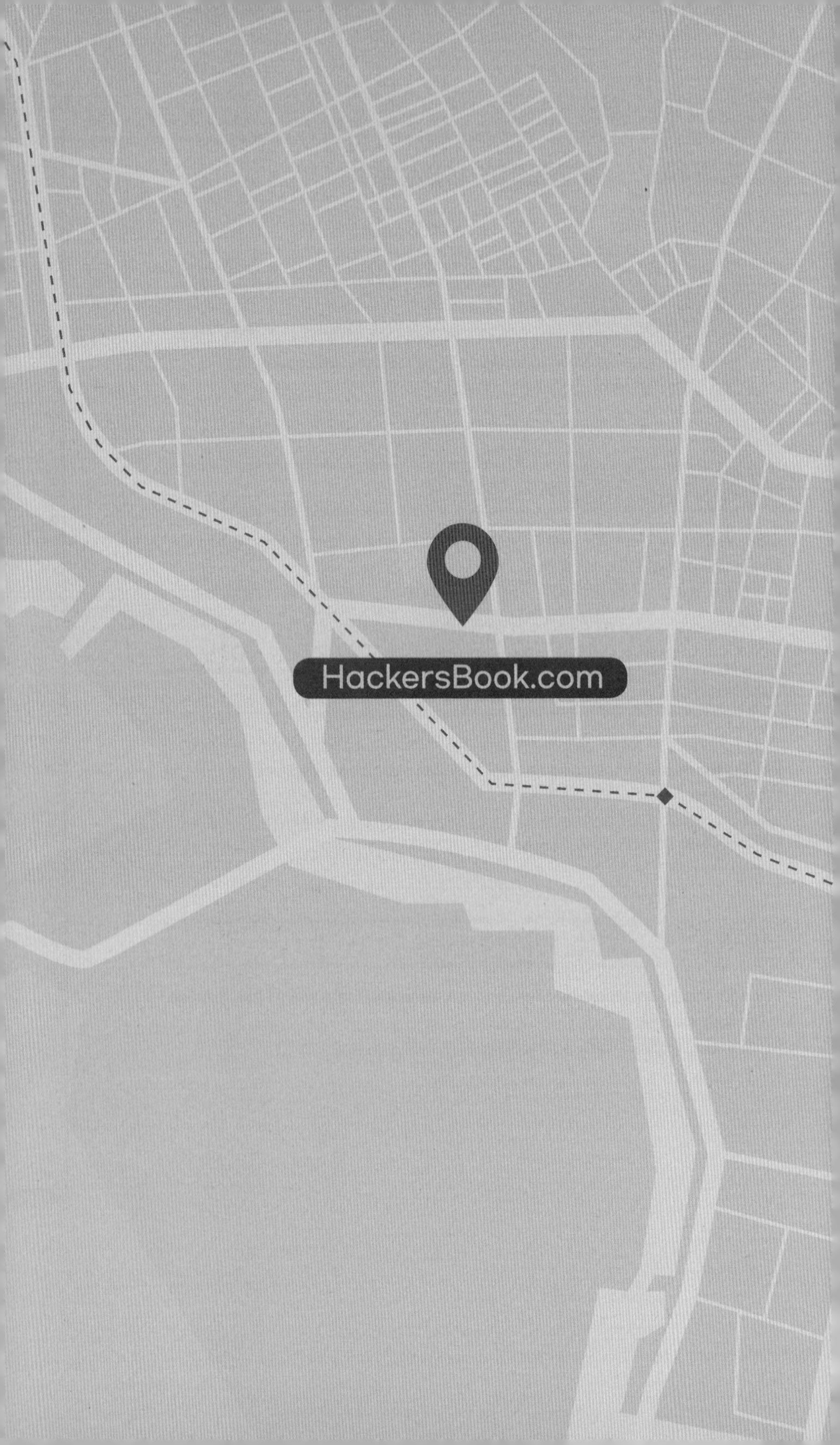
HackersBook.com

해커스 보카

수능 필수 2000+

PART 3

혼동어

혼동어 (1)

MP3 바로 듣기

딸한테
"넌 사실 입양해* 온 애야"라고
장난을 쳤는데 안 믿더라고~
하하...
이렇게 붕어빵인데 무슨 그런 말도 안 되는 장난을...

* 입양하다 **adopt**

adopt vs adapt

1801 □□□ ★★★

adopt 동 입양하다, 채택하다

[ədά:pt]

어원 ad[~쪽으로] + opt[선택하다] → 선택해서 내 쪽으로 데려오다, 즉 입양하다 또는 채택하다

Many people choose to **adopt** a new pet when their old pet passes away. (학평)

많은 사람들은 오랜 반려동물이 세상을 떠나면 새로운 반려동물을 **입양하기를** 택한다.

⊕ **adoption** 명 입양, 채택 **adoptee** 명 양자

1802 □□□ ★★★

adapt 동 적응하다, 조절하다, 맞추다

[ədǽpt]

어원 ad[~에] + apt[적합한] → 어떤 것에 적합하게 맞추다, 즉 적응하다

Certain insects are **adapted** for hiding. (수능)

어떤 곤충들은 몸을 숨기는 것에 **적응되어** 있다.

⊕ **adaptation** 명 적응, 각색

⊟ **adjust**

affect vs effect

1803 □□□ ★★★

affect

[əfékt]

동 ~에 영향을 미치다, 작용하다

어원 af[~에] + fec(t)[행하다] → 어떤 일을 행해서 상대에게 영향을 미치다

It **affects** their whole attitude toward learning. (수능)

그것은 학습에 대한 그들의 전체적인 태도**에 영향을 미친다**.

⊟ influence

1804 □□□ ★★★

effect

[ifékt]

명 효과, 영향, 결과

어원 ef[밖으로] + fec(t)[만들다] → 어떤 것을 만든 결과 밖으로 드러난 효과 또는 영향

It's a simple technique, but its **effect** is powerful. (수능)

그것은 간단한 기술이지만, 그 **효과**는 강력하다.

⊕ effective 형 효과적인 effectively 부 효과적으로

side effect 부작용 adverse effect 역효과 cause and effect 원인과 결과

⊟ impact

Tips

시험에는 이렇게 나온다

have an effect on ~에 영향을 미치다 / come into effect 실시되다, 발효되다

in effect 실시된, 시행 중인 / take effect 시행되다

process vs progress

1805 □□□ ★★★

process

[prá:ses]

명 과정, 절차 동 처리하다

Sleeping on your left side helps the digestive **process**. (수능)

왼쪽으로 누워 자는 것은 소화 **과정**을 돕는다.

⊟ procedure, course

1806 □□□ ★★★

progress

[prá:gres]

명 발전, 진행 동 진보하다, 나아가다

어원 pro[앞으로] + gress[걸어가다] → 점점 앞으로 걸어 나아가며 이루는 발전

Medical **progress** is extending our life expectancy. (교과서)

의학의 **발전**은 우리의 기대 수명을 늘리고 있다.

⊕ progressive 형 진보적인 progression 명 진보, 진행

⊟ development, advance

pray vs prey

1807 □□□ ★

pray

[prei]

통 기도하다, 기원하다

She **prayed** for his safety. (학평)

그녀는 그의 안전을 위해 **기도했다**.

⊕ **prayer** 명 기도, 기원

1808 □□□ ★★★

prey

[prei]

명 먹이, 사냥감, 희생자

Deer were the leopard's natural **prey**, but there weren't many left in this area. (수능)

사슴은 표범의 자연적 **먹이**였지만, 이 지역에는 많은 수가 남아 있지 않았다.

⊜ **victim, target** ⇔ **predator** 명 포식자, 약탈자

physical vs physics

1809 □□□ ★★★

physical

[fízikəl]

형 신체의, 물리적인

어원 phys[몸] + ical[형·접] → 몸의, 즉 신체의

Physical activities such as running help improve blood circulation. (교과서)

달리기 같은 **신체** 활동은 혈액 순환을 개선하는 데 도움이 된다.

⊕ **physically** 부 신체적으로, 물리적으로

Tips

시험에는 이렇게 나온다

physical appearance 신체적 외형	**physical strength** 체력
physical education(= PE) 체육	**physical abilities** 신체 능력

1810 □□□ ★★

physics

[fíziks]

명 물리학

어원 phys[자연] + ics[명·접] → 자연 물질의 이치에 대한 학문인 물리학

In **physics**, scientists invent theories to describe the data we observe about the universe. (수능)

물리학에서, 과학자들은 우리가 세상에 관해 관찰하는 정보를 설명하기 위해 이론을 만든다.

⊕ **physicist** 명 물리학자

acquire vs require

1811 □□□ ★★★

acquire

[əkwáiər]

동 얻다, 습득하다

어원 ac[~쪽으로] + quir(e)[구하다] → 구하는 것 쪽으로 가서 그것을 얻다

Outdated books allow students to **acquire** wrong information. (학평)

시대에 뒤떨어진 책은 학생들이 잘못된 정보를 **얻게** 한다.

⊕ **acquisition** 명 습득, 취득(물)

⊟ **gain, get**

1812 □□□ ★★★

require

[rikwáiər]

동 요구하다, 필요로 하다

어원 re[다시] + quir(e)[구하다] → 구하는 것을 상대에게 반복해서 다시 요구하다

Moral decisions **require** taking other people into account. (모평)

도덕적인 결정은 다른 사람들을 고려할 것을 **요구한다**.

⊕ **requirement** 명 요건, 필요(조건)　**require A to B** A가 B하도록 요구하다

⊟ **order, demand**

decrease vs disease

1813 □□□ ★★★

decrease

동 [dikríːs]
명 [díːkriːs]

동 감소하다, 줄이다 명 감소, 하락

어원 de[아래로] + crea(se)[자라다] → 아래로 자라다, 즉 감소하다

The consumption of rice steadily **decreased**. (수능)

쌀의 소비가 꾸준히 **감소했다**.

⊟ **drop, decline**　⇔ **increase** 동 증가하다, 늘리다 명 증가

1814 □□□ ★★★

disease

[dizíːz]

명 질환, (질)병

어원 dis[반대의] + ease[몸의 편함] → 몸을 편한 것과 반대의 상태로 만드는 질병, 즉 질환

The omega-3 fatty acids in salmon lower the chance of eye **diseases**. (학평)

연어의 오메가-3 지방산은 안구 **질환**의 발생 가능성을 낮춘다.

⊟ **illness**

appeal vs appear

1815 □□□ ★★★

appeal

[əpíːl]

명 매력, 호소 동 흥미를 끌다, 호소하다

어원 ap[~에] + peal[끌어내다] → 어떤 대상에게 향하도록 흥미를 끌어내는 매력

Cuteness, like beauty, has a universal **appeal**. 학평

아름다움과 마찬가지로, 귀여움에는 보편적인 **매력**이 있다.

⊕ **appealing** 형 매력적인, 마음을 끄는

⊜ **attraction, charm**

Tips

자동사 appeal

동사 appeal은 자동사이므로 목적어를 취하려면 뒤에 전치사 to가 와야 해요.

appeal to an emotion 감정에 호소하다 모평

1816 □□□ ★★★

appear

[əpíər]

동 나타나다, 출현하다, ~인 것 같다

어원 ap[~쪽으로] + pear[보이는] → 보이는 쪽으로 나타나다

Auroras **appear** most commonly at the northern or southern poles of our planet. 교과서

오로라는 우리 행성의 북쪽이나 남쪽의 극지에서 가장 흔하게 **나타난다**.

⊕ **apparent** 형 분명한, 외견상의 **appearance** 명 모습, 외모

⊜ **emerge** ⇔ **disappear** 동 사라지다

popularity vs population

1817 □□□ ★★★

popularity

[pɑ̀ːpjulǽrəti]

명 인기, 대중성

Recreational tree climbing is growing in **popularity**. 수능

나무 타기 놀이는 **인기**를 얻고 있다.

⊕ **popular** 형 인기 있는

1818 □□□ ★★★

population

[pɑ̀ːpjuléiʃən]

명 인구, 개체 수

The increased **population** brought more demand for food, and more money went into farming. 수능

늘어난 **인구**가 식량에 대한 더 많은 수요를 가져왔고, 농사에 더 많은 돈이 들어갔다.

⊕ **populous** 형 인구가 많은 **populate** 동 거주하다, 살다

addiction vs addition

1819 □□□ ★★

addiction

명 중독

[ədíkʃən]

Nicotine causes changes in brain structure believed to lead to **addiction.** 학평

니코틴은 **중독**을 야기하는 것으로 여겨지는 뇌 구조의 변화를 일으킨다.

⊕ **addictive** 형 중독성의 **addict** 동 중독되게 하다 명 중독자

⊜ **dependence, obsession**

Tips

시험에는 이렇게 나온다

drug addiction 약물 중독 **alcohol addiction** 알코올 중독
Internet addiction 인터넷 중독 **game addiction** 게임 중독

1820 □□□ ★★★

addition

명 더하기, 추가

[ədíʃən]

Board games with two dice instead of one can be a good way to learn basic **addition.** 학평

하나 대신 두 개의 주사위로 하는 보드게임은 기초적인 **더하기**를 배우는 좋은 방법이 될 수 있다.

⊕ **additional** 형 추가의 **additionally** 부 추가적으로 **in addition** 게다가

raw vs row

1821 □□□ ★★

raw

형 날것의, 가공하지 않은

[rɔː]

The earliest Stone Age humans cut **raw** food with sharpened flints. 학평

초기 석기 시대인들은 뾰족하게 깎은 부싯돌로 **날것의** 음식을 잘랐다.

⊕ **raw material** 원자재, 원료

1822 □□□ ★★

row

명 열, 줄, 말다툼 동 노를 젓다

[rou]

Hannah was seated in the fifth **row**, hallway side. 수능

Hannah는 복도 쪽의 다섯 번째 **열**에 앉게 되었다.

Tips

시험에는 이렇게 나온다

in a row 잇달아, 연이어 **in the front row** 앞줄에

cancel vs cancer

1823 □□□ ★★★

cancel

[kǽnsːl]

동 취소하다, 무효화하다

I'll call customer service to **cancel** the membership. (학평)

나는 회원권을 **취소하기** 위해 고객 서비스에 전화할 것이다.

⊕ **cancellation** 명 취소, 무효화

Tips

cancel의 유래

cancel은 라틴어 cancelli(격자무늬로 된 창살)에서 유래했어요. 지우개 같은 도구가 없던 시절에는 잘못 쓴 부분에 X 표시를 하고 고쳐야만 했어요. 이 X 표시가 창살을 비스듬히 세운 모양과 같다고 하여 창살이라는 단어가 '취소하다'라는 뜻의 cancel이 되었어요.

1824 □□□ ★★★

cancer

[kǽnsər]

명 암

Researchers have found a treatment for **cancer** using wild mushrooms. (수능)

연구원들은 야생 버섯을 이용해 **암** 치료제를 발견했다.

mental vs metal

1825 □□□ ★★★

mental

[méntl]

형 정신의, 마음의

어원 ment[정신] + al[형·접] → 정신의

There is no evidence of a link between **mental** illness and creativity. (학평)

정신 질환과 창의성 사이에 관련성이 있다는 증거는 없다.

⊜ **psychological**

Tips

시험에는 이렇게 나온다

mental illness 정신 질환	**mental activity** 정신 활동
mental health 정신 건강	**mental capacity** 지능

1826 □□□ ★★

metal

[métl]

명 금속 (제품)

In 2000, **metals** were the third most landfilled material. (학평)

2000년에, **금속**은 세 번째로 많이 매립된 물질이었다.

⊕ **metallic** 형 금속의

poverty vs property

1827 □□□ ★★

poverty

[pá:vərti]

명 가난, 빈곤

Schubert spent his whole life in **poverty**. (수능)

슈베르트는 그의 전 생애를 **가난** 속에서 보냈다.

1828 □□□ ★★★

property

[prá:pərti]

명 재산, 소유물, 특성

어원 proper[자기 자신의] + ty[명·접] → 자기 자신의 재산

I saw many people fight with their brothers and sisters because of **property**. (학평)

나는 많은 사람들이 **재산** 때문에 그들의 형제자매들과 싸우는 것을 보았다.

⊟ possession, asset

belief vs brief

1829 □□□ ★★★

belief

[bilí:f]

명 신념, 믿음

어원 be[만들다] + lief[올리다] → 의심으로 무거운 마음을 가볍게 만들어 들어 올리는 것, 즉 신념

We are quite proud of our opinions and **beliefs**. (학평)

우리는 우리의 의견과 **신념**에 상당히 자부심을 느낀다.

⊕ believe 동 믿다, 생각하다

⊟ faith, trust ↔ disbelief 명 불신

1830 □□□ ★★★

brief

[bri:f]

형 간단한, 짧은 동 간단히 보고하다 명 요약

After a **brief** skills test, participants will be trained based on their levels. (수능)

간단한 역량 평가 후에, 참가자들은 그들의 수준에 따라 교육받을 것이다.

⊕ briefly 부 간단하게

⊟ short, quick

Tips

시험에는 이렇게 나온다

a brief introduction 간단한 소개	a brief conversation 짧은 대화
a brief time 짧은 시간	in brief 간단히 말해서, 요컨대

spill vs split

1831 □□□ ★★

spill

[spil]

동 엎지르다, 흘리다 명 유출

Somebody **spilled** juice all over the bench. (수능)

누군가가 온 벤치에 주스를 **엎질렀다**.

1832 □□□ ★★

split

[split]

동 나뉘다, 분열되다 명 분열

A school of fish will **split** in two to avoid a predator. (모평)

물고기 떼는 포식자를 피하기 위해 둘로 **나뉠** 것이다.

⊕ **split up** 헤어지다, 결별하다

⊟ **divide, separate**

contract vs contrast

1833 □□□ ★★★

contract

명[kɑ́:ntrækt]
동[kəntrǽkt]

명 계약(서) 동 계약하다, 수축하다

어원 con[함께] + tract[끌다] → 양쪽 당사자들을 함께 끌어와서 하는 계약

I'll correct the delivery date in the **contract** and send it to you again. (수능)

제가 **계약서**의 납품일을 정정한 후 다시 보내 드리겠습니다.

⊕ **contraction** 명 수축, 축소

⊟ **agreement**

Tips

시험에는 이렇게 나온다

sign a contract 계약을 맺다
renew a contract 계약을 갱신하다
extend a contract 계약을 연장하다
3 year contract 3년짜리 계약

1834 □□□ ★★★

contrast

명[kɑ́:ntræst]
동[kəntrǽst]

명 대조, 차이 동 대조하다, 대조를 이루다

어원 contra[반대의] + st[서다] → 반대하는 위치에 서 있어서 드러나는 차이 또는 대조

The **contrast** between Western Europe and America is particularly sharp. (수능)

서유럽과 미국 간의 **대조**는 특히 뚜렷하다.

⊕ **contrast A with B** A와 B를 대조하다 **by[in] contrast (to/with)** ~과 대조적으로

⊟ **difference**

protect vs protest

835 □□□ ★★★

protect
[prətékt]

동 보호하다, 지키다

어원 pro[앞에] + tect[덮다] → 앞에서 덮어 보호하다

Recycling is an important way to **protect** our environment. 학평

재활용은 우리의 환경을 **보호하기** 위한 중요한 방법이다.

⊕ **protective** 형 보호하는 **protection** 명 보호

Tips

'보호하다'와 관련된 단어들

defend 지키다, 방어하다 **guard** 지키다, 보호하다 **preserve** 지키다, 보호하다
secure 지키다, 안전하게 하다 **conserve** 보호하다, 보존하다

836 □□□ ★★

protest
동[prətést]
명[próutest]

동 반대하다, 항의하다, 주장하다 명 항의

어원 pro[앞에] + test[증언하다] → 앞에 나서서 잘못된 것을 증언하며 반대하다

Mark Twain **protested** against the war in the Philippines. 학평

마크 트웨인은 필리핀 전쟁에 **반대했다**.

⊜ **object, demonstrate**

desire vs desirable

837 □□□ ★★★

desire
[dizáiər]

명 욕구, 욕망, 바람 동 바라다

어원 de[떨어져] + sire[별] → 별이 떨어질 때 이뤄지기를 비는 바람 또는 욕구

The **desire** to make money can inspire us. 수능

돈을 벌고자 하는 **욕구**는 우리를 고무할 수 있다.

⊕ **desirous** 형 바라는

⊜ **longing**

838 □□□ ★★

desirable
[dizáiərəbl]

형 매력적인, 바람직한, 가치 있는

We think pale skin is no longer **desirable** in summer season. 학평

우리는 여름에는 창백한 피부가 더 이상 **매력적이지** 않다고 생각한다.

⊖ **unattractive** 형 매력적이지 않은 **undesirable** 형 바람직하지 않은

general vs generous

1839 □□□ ★★★

general

[dʒénərəl]

형 일반적인, 보편적인 명 장군

어원 gener[종류] + al[형·접] → 종류 전체에 걸친, 즉 일반적인

You can increase your **general** knowledge by surfing the Internet. (모평)

당신은 인터넷 검색을 통해 **일반적인** 지식을 증대할 수 있다.

⊕ **generally** 부 일반적으로 **generalize** 동 일반화하다
generalization 명 일반화 **in general** 보통, 전반적으로

⊜ **common, universal** ⇔ **particular** 형 특정한 **specific** 형 특정한

1840 □□□ ★★

generous

[dʒénərəs]

형 너그러운, 관대한

어원 gener[태생] + ous[형·접] → 태생이 좋아 성품이 너그럽고 관대한

If children are to be brought up properly, their parents must be careful not to be too **generous** towards them. (학평)

아이들을 올바르게 양육하려면, 부모들은 그들을 너무 **너그럽게** 대하지 않도록 주의해야 한다.

⊕ **generously** 부 아낌없이, 관대하게 **generosity** 명 너그러움, 관대함

Daily Quiz

다음 중 우리말 뜻과 일치하는 어휘를 고르세요.

01 계약(서), 계약하다, 수축하다 ⓐ contract / ⓑ contrast

02 나타나다, 출현하다, ~인 것 같다 ⓐ appeal / ⓑ appear

03 일반적인, 보편적인, 장군 ⓐ general / ⓑ generous

04 재산, 소유물, 특성 ⓐ property / ⓑ poverty

05 간단한, 짧은, 간단히 보고하다, 요약 ⓐ belief / ⓑ brief

06 질환, (질)병 ⓐ decrease / ⓑ disease

07 효과, 영향, 결과 ⓐ affect / ⓑ effect

08 입양하다, 채택하다 ⓐ adapt / ⓑ adopt

09 얻다, 습득하다 ⓐ acquire / ⓑ require

10 발전, 진행, 진보하다, 나아가다 ⓐ process / ⓑ progress

다음 괄호 안에서 문맥에 알맞은 어휘를 고르세요.

11 We think pale skin is no longer (ⓐ desire / ⓑ desirable) in summer season.
우리는 여름에는 창백한 피부가 더 이상 매력적이지 않다고 생각한다.

12 I'll call customer service to (ⓐ cancel / ⓑ cancer) the membership.
나는 회원권을 취소하기 위해 고객 서비스에 전화할 것이다.

13 Board games with two dice instead of one can be a good way to learn basic (ⓐ addiction / ⓑ addition).
하나 대신 두 개의 주사위로 하는 보드 게임은 기초적인 더하기를 배우는 좋은 방법이 될 수 있다.

14 Mark Twain (ⓐ protected / ⓑ protested) against the war in the Philippines.
마크 트웨인은 필리핀 전쟁에 반대했다.

15 Recreational tree climbing is growing in (ⓐ popularity / ⓑ population).
나무 타기 놀이는 인기를 얻고 있다.

16 There is no evidence of a link between (ⓐ mental / ⓑ metal) illness and creativity.
정신 질환과 창의성 사이에 관련성이 있다는 증거는 없다.

정답

01 ⓐ 02 ⓑ 03 ⓐ 04 ⓐ 05 ⓑ 06 ⓑ 07 ⓑ 08 ⓑ 09 ⓐ 10 ⓑ 11 ⓑ 12 ⓐ 13 ⓑ 14 ⓑ 15 ⓐ 16 ⓐ

혼동어 (2)

MP3 바로 듣기

진짜 안 갈 거니?
나까지 여행 가면
소중한 우리 집은 누가 지켜?
우리 집을 지키는 것은 나의 소명*이야!

* 소명 **vocation**

vocation vs vacation

1841 □□□ ★

vocation 명 소명, 직업, 천직

[voukéiʃən]

어원 voc[부르다] + ation[명·접] → 신이 불러서 하게 된 일, 즉 소명

There was a social pressure for art to come up with some **vocation** that distinguished it from science. (모평)

예술은 예술을 과학과 구별 짓는 어떤 **소명**을 제시해야 한다는 사회적인 압력이 있었다.

= calling, profession

1842 □□□ ★★★

vacation 명 방학, 휴가

[veikéiʃən]

Summer **vacation** is just around the corner. (수능)

여름 **방학**이 코앞으로 다가왔다.

Tips 시험에는 이렇게 나온다

be on vacation 휴가 중이다
take a vacation 휴가를 얻다[쓰다]
leave for vacation 휴가를 떠나다
during a vacation 휴가[방학] 중에

temperate vs temperature

1843 □□□ ★

temperate

형 온화한, 적당한, 절제하는

[témpərət]

어원 temper[조화시키다] + ate[형·접] → 잘 조화가 되어 적당한 또는 온화한

The angel shark is a wonderful marine creature that lives in warm **temperate** oceans. (학평)

전자리상어는 따뜻하고 **온화한** 바다에 사는 경이로운 해양 생물이다.

⊕ **temperance** 명 절제

⊜ **mild, gentle**

1844 □□□ ★★★

temperature

명 온도, 기온, 체온

[témpərətʃər]

어원 temperat(e)[온화한] + ure[정도] → 온화한 정도를 숫자로 나타낸 것, 즉 온도

The **temperature** was maintained at the same level. (수능)

온도가 동일한 수준으로 유지되었다.

Tips

'온도'와 관련된 단어들

thermometer 온도계	**degree** (온도 단위인) 도
Celsius(centigrade) 섭씨의	**Fahrenheit** 화씨의

award vs reward

1845 □□□ ★★★

award

명 상(금) 동 수여하다, 주다

[əwɔ́ːrd]

어원 a[밖으로] + ward[지켜보다] → 잘하는지 지켜본 후 밖으로 내어준 상

You deserve to receive the **award**. (수능)

당신은 그 **상**을 받을 자격이 있다.

⊜ **prize**

1846 □□□ ★★★

reward

명 보상(금), 대가 동 보상하다, 보답하다

[riwɔ́ːrd]

어원 re[다시] + ward[지켜보다] → 상대의 노력을 지켜본 후 대가로 다시 주는 보상

Hobbies are practiced for interest and enjoyment rather than for financial **reward**. (학평)

취미는 금전적 **보상**보다는 흥미와 즐거움을 위해 행해진다.

⊕ **rewarding** 형 보람 있는, 수익이 나는

⊜ **return**

attribute vs contribute vs distribute

1847 □□□ ★★★

attribute

동 ~의 결과로 보다, ~의 탓으로 돌리다 명 속성, 자질

동[ətríbjuːt]
명[ǽtrəbjuːt]

어원 at[~에] + tribute[배정하다] → 원인을 다른 대상에 배정하다, 즉 그것의 결과로 보다

Not all residents **attribute** environmental damage to tourism. (수능)

모든 주민들이 환경 파괴를 관광 산업**의 결과로 보는** 것은 아니다.

⊕ **attribution** 명 귀속, 속성 **attribute A to B** A를 B의 결과로 보다[탓으로 돌리다]

Tips

'속성'과 관련된 단어들

characteristic 특성, 특징 **trait** 특성, 특징 **quality** 속성, 자질
feature 특징, 기능 **property** 특성, 속성

1848 □□□ ★★★

contribute

동 기여하다, 공헌하다, 기부하다

[kəntríbjuːt]

어원 con[함께] + tribute [배정하다] → 역할을 배정해 여럿이 함께 어떤 일에 기여하다

If you participate, you will **contribute** to preserving our environment. (학평)

만약 당신이 참여한다면, 우리의 환경을 보존하는 데 **기여하게** 될 것입니다.

⊕ **contribution** 명 기여, 기부(금) **make a contribution to** ~에 기여하다

Tips

시험에는 이렇게 나온다

contribute to success 성공에 기여하다 **contribute to society** 사회에 공헌하다
contribute to charity 자선 단체에 기부하다

1849 □□□ ★★★

distribute

동 배포하다, 분배하다

[distríbjuːt]

어원 dis[떨어져] + tribute[나눠주다] → 따로 떨어진 여럿에게 나눠주다, 즉 배포하다

Some magazines are **distributed** only by subscription. (수능)

몇몇 잡지들은 오로지 구독을 통해서만 **배포된다**.

⊕ **distribution** 명 배포, 분배

⊜ **hand out, circulate**

access vs assess

1850 □□□ ★★★

access

[ǽkses]

동 접속하다, 접근하다 **명** 접근, 입장

어원 ac[~에] + cess[가다] → ~에 가까이 가서 접근하다 또는 접속하다

Most people **access** the Internet to get information. (모평)

대부분의 사람들은 정보를 얻기 위해 인터넷에 **접속한다**.

Tips

시험에는 이렇게 나온다

명사 access는 전치사 to와 함께 '~에 대한 접근'이라는 뜻으로 자주 출제돼요. 동사 access는 바로 뒤에 목적어를 취하는 타동사이므로, 뒤에 전치사가 올 수 없다는 점도 알아두세요.

1851 □□□ ★★

assess

[əsés]

동 측정하다, 평가하다

어원 as[~쪽으로] + sess[앉다] → 어떤 것 쪽으로 앉아 자세히 보고 그것을 측정하다

A huge amount of effort is often employed to **assess** the size of actual losses. (수능)

실제 손실의 규모를 **측정하기** 위해서는 보통 엄청난 양의 수고가 든다.

⊕ **assessment** 명 평가(액)

⊜ **estimate, evaluate**

expert vs export

1852 □□□ ★★★

expert

[ékspəːrt]

명 전문가, 숙련자 **형** 전문적인, 숙련된

어원 ex[밖으로] + per(t)[시도하다] → 어떤 일을 시도한 결과 밖으로 보여줄 만큼 잘하게 된 전문가

Experts point out that this is a serious problem. (수능)

전문가들은 이것이 심각한 문제라고 지적한다.

⊕ **expertise** 명 전문 지식

⊜ **specialist, professional**

1853 □□□ ★★★

export

동 [ikspɔ́ːrt]
명 [ékspɔːrt]

동 수출하다 **명** 수출(품)

어원 ex[밖으로] + port[운반하다] → 나라 밖으로 물품을 운반해서 수출하다

In 2013, Thailand **exported** almost the same amount of rice as Vietnam. (학평)

2013년에, 태국은 베트남과 거의 같은 양의 쌀을 **수출했다**.

⇔ **import** 동 수입하다 명 수입(품)

assume vs consume

1854 □□□ ★★★

assume

[əsúːm]

통 가정하다, 추정하다, (책임을) 맡다

어원 as[~쪽으로] + sum(e)[취하다] → 생각의 방향을 어떤 쪽으로 취하다, 즉 그 방향으로 가정하다

We always **assume** that all that is beautiful is art. (학평)

우리는 항상 모든 아름다운 것은 예술이라고 **가정한다**.

⊕ **assumption** 명 가정, 추정

⊜ **suppose**

1855 □□□ ★★★

consume

[kənsúːm]

통 먹다, 섭취하다, 소비하다

어원 con[모두] + sum(e)[취하다] → 어떤 것을 취해서 모두 소비하다 또는 먹다

When people **consume** a variety of foods, they tend to overeat. (수능)

사람들은 다양한 종류의 음식을 **먹을** 때, 과식하는 경향이 있다.

⊕ **consumption** 명 소비 **consumer** 명 소비자

concentrate vs contaminate

1856 □□□ ★★★

concentrate

[kɑ́ːnsəntreit]

통 집중하다, 전념하다, (한 곳에) 모으다

어원 con[모두] + centr[중심] + ate[동·접] → 중심에서 모두의 관심을 한 곳에 모아 집중하다

The brain isn't built to **concentrate** on two things at once. (모평)

뇌는 한 번에 두 가지 일에 **집중하도록** 만들어져 있지 않다.

⊕ **concentration** 명 집중, 농도

⊜ **focus, pay attention**

Tips

시험에는 이렇게 나온다

concentrate on ~에 집중하다 **concentrate A on B** A를 B에 집중시키다

1857 □□□ ★

contaminate

[kəntǽməneit]

통 오염시키다, 더럽히다

Try not to **contaminate** the flowers with pesticides. (교과서)

꽃들을 살충제로 **오염시키지** 않도록 하세요.

⊕ **contamination** 명 오염 **contaminant** 명 오염 물질

⊜ **pollute, infect**

release vs relieve

1858 □□□ ★★★

release
동 풀어주다, 방출하다, 출시하다 **명** 석방, 방출

[rilíːs]

어원 re[다시] + leas(e)[느슨하게 하다] ➜ 묶었던 것을 느슨하게 해서 다시 풀어주다

We should **release** animals into the wild. (학평)

우리는 동물들을 야생으로 **풀어주어야** 한다.

⊜ **free, discharge**

1859 □□□ ★★★

relieve
동 완화하다, 경감하다, 안심시키다

[rilíːv]

어원 re[다시] + liev(e)[올리다] ➜ 다시 좋은 상태로 올라가도록 통증 등을 완화하다

Taking a trip is a great way to **relieve** stress. (수능)

여행을 하는 것은 스트레스를 **완화하는** 훌륭한 방법이다.

⊕ **relief** 명 완화, 경감, 안심 **relieved** 형 안심한

⊜ **ease, relax**

Tips

> **시험에는 이렇게 나온다**
> **relieve stress** 스트레스를 완화하다 **relieve pain** 고통을 완화하다

conservation vs conversation

1860 □□□ ★

conservation
명 보존, 보호, 관리

[kὰːnsərvéiʃən]

It is an annual event to raise funds for local environmental **conservation**. (학평)

그것은 지역 환경 **보존**을 위한 기금을 모으는 연례행사이다.

⊕ **conserve** 동 보존하다 **conservative** 형 보수적인

⊜ **preservation, protection**

1861 □□□ ★★★

conversation
명 대화, 회담

[kὰːnvərséiʃən]

After a short **conversation** with Kate, Joan went to prepare coffee. (수능)

Kate와의 짧은 **대화** 후, Joan은 커피를 준비하러 갔다.

⊕ **conversational** 형 대화의, 회화(체)의

⊜ **talk, discourse**

altitude vs aptitude vs attitude

1862 □□□ ★★

altitude 명 고도, 높이

[ǽltətjuːd]

At such a high **altitude**, oxygen levels in the atmosphere start to fall. (학평)

그렇게 높은 **고도**에서는, 대기 중 산소 농도가 떨어지기 시작한다.

⊕ **altitudinal** 형 고도의

⊜ **height, elevation**

1863 □□□ ★★

aptitude 명 적성, 소질

[ǽptitjuːd]

We should test our children's **aptitudes** in various subject areas. (수능)

우리는 다양한 주제 분야에서 아이들의 **적성**을 시험해보아야 한다.

1864 □□□ ★★★

attitude 명 태도, 자세

[ǽtitjuːd]

어원 att(i)[적합한] + tude[명·접] → 어떤 일을 하기에 적합한 태도

Of course, within cultures individual **attitudes** can vary dramatically. (학평)

물론, 문화 안에서 개인의 **태도**는 극적으로 다양할 수 있다.

⊜ **manner, stance**

statue vs status

1865 □□□ ★

statue 명 조각상

[stǽtʃuː]

I like the bear **statue** in the middle of the picture. (수능)

나는 사진 정중앙에 있는 곰 **조각상**이 마음에 든다.

⊜ **sculpture, figure**

1866 □□□ ★★★

status 명 지위, 신분, 상태

[stéitəs]

Minorities tend not to have much power or **status**. (수능)

소수 집단들은 막강한 권력이나 **지위**를 가지지 못하는 경향이 있다.

⊕ **status quo** 현재 상태, 현 상황

personal vs personnel

1867 □□□ ★★★

personal

[pə́ːrsənəl]

형 개인의, 개인적인

Remove your **personal** information from the website. 모평

웹 사이트에서 당신의 **개인** 정보를 삭제하세요.

⊕ **personally** 부 개인적으로 **personalized** 형 개인화된 **personality** 명 개성, 성격

⊜ **private, individual**

Tips

시험에는 이렇게 나온다

personal belongings 개인 소지품 **personal growth** 자기 계발

1868 □□□ ★

personnel

[pə̀ːrsənél]

명 직원들, 인사과 형 직원의, 인사의

NASA **personnel** acquired the necessary information. 학평

NASA **직원들**은 필요한 정보를 얻었다.

⊜ **staff**

favor vs flavor

1869 □□□ ★★★

favor

[féivər]

명 부탁, 호의 동 찬성하다, 호의를 보이다

Would you do me a **favor**? 수능

제 **부탁**을 들어주실 수 있나요?

⊕ **favorable** 형 호의적인, 유리한 **in favor of** ~을 위하여, ~에 찬성하여

⊜ **request**

1870 □□□ ★★★

flavor

[fléivər]

명 맛, 향, 풍미

I like tasting the **flavors** of different coffee beans. 학평

나는 다양한 커피콩의 **맛**을 보는 것을 좋아한다.

⊜ **taste, savor**

Tips

flavor와 taste의 의미 구분

두 단어 모두 '맛'을 나타내지만 taste는 단맛, 짠맛 등 입 안에서 느껴지는 일반적인 의미의 맛을, flavor는 식감, 향 등을 포함하여 맛과 관련된 전반적인 풍미를 일컬을 때 사용해요.

soar vs sore

1871 □□□ ★

soar

[sɔːr]

동 급증하다, 치솟다

The number of customers coming into his shop **soared.** (교과서)

그의 가게를 방문하는 고객의 수가 **급증했다**.

⊕ **soaring** 형 치솟는

Tips

'급증하다'와 관련된 단어들

increase 증가하다, 늘리다	**rise** 증가, 오르다	**grow** 증가하다, 커지다
skyrocket 급등하다	**multiply** 증식하다, 증가시키다	**jump** 급등하다

1872 □□□ ★★

sore

[sɔːr]

형 아픈, 쓰라린 명 상처, 염증

I have a **sore** throat, but it's not that serious. (수능)

나는 목이 **아프긴** 하지만, 그렇게 심하지는 않다.

⊜ **painful**

confirm vs conform

1873 □□□ ★★★

confirm

[kənfə́ːrm]

동 확인하다, 입증하다

어원 con[함께] + firm[확실한] → 여럿이 함께 확실하다고 확인하다

I'm here to **confirm** my reservation for a flight to Singapore next week. (수능)

저는 다음 주 싱가포르행 비행기 예약을 **확인하기** 위해 왔습니다.

⊕ **confirmed** 형 확고부동한, 확인된 **confirmation** 명 확인

⊜ **verify**

1874 □□□ ★★

conform

[kənfɔ́ːrm]

동 순응하다, 따르다, 일치하다

어원 con[함께] + form[형태] → 여럿이 함께 형태를 똑같이 하다, 즉 순응하다

Larger groups put more pressure on their members to **conform.** (수능)

더 큰 집단은 구성원들에게 **순응하도록** 더 많은 압력을 가한다.

⊕ **conformity** 명 순응, 따름

⊜ **obey, follow**

capability vs capacity

1875 □□□ ★★

capability

[kèipəbíləti]

명 능력, 역량

In depression, we often lose the inner **capability**. 학평

우울증에 걸리면, 우리는 종종 내면의 **능력**을 잃는다.

1876 □□□ ★★★

capacity

[kəpǽsəti]

명 수용력, 능력, 용량

It is beyond our facility's **capacity** to care for animals with special needs. 학평

특별한 보살핌이 필요한 동물들을 돌보는 것은 저희 시설의 **수용력**을 넘어서는 것입니다.

Tips

capability와 capacity의 의미 구분

capability와 capacity는 둘 다 능력을 의미하지만, capability는 사람이 할 수 있는 일의 양이나 능력, capacity는 어떤 일을 하는 데 필요한 자질이나 수용력을 나타낼 때 쓰여요.

proper vs prosper

1877 □□□ ★★★

proper

[prά:pər]

형 적절한, 올바른

All new houses must now be built with **proper** building materials. 수능

모든 새로운 집들은 이제 **적절한** 건축 자재로 지어져야 한다.

⊕ **properly** 부 적절히, 제대로

⊜ **appropriate** ⇔ **improper** 형 부적절한, 부당한

1878 □□□ ★★

prosper

[prά:spər]

동 번영하다, 성공하다

어원 pro[앞으로] + sper[희망] → 희망차게 앞으로 발전해 나가다, 즉 번영하다

The groups that encourage individual members will **prosper**, whereas those that do not will fail. 수능

구성원 개개인을 격려하는 집단은 **번영할** 것이고, 반면 그렇지 않은 집단은 실패할 것이다.

⊕ **prosperous** 형 번영한 **prosperity** 명 번영

Tips

'번영하다'와 관련된 단어들

flourish 번성하다, 잘 자라다	**progress** 진보하다, 나아가다
thrive 번성하다, 성공하다	**succeed** 성공하다

exploit vs explore

1879 □□□ ★★

exploit

통 착취하다, 활용하다, 개발하다 명 위업, 공적

동[ikspl5it]
명[éksplɔit]

Humans tend to **exploit** natural resources to benefit themselves. (모평)

인간은 자신의 이익을 위해 천연자원을 **착취하는** 경향이 있다.

⊟ take advantage of

1880 □□□ ★★★

explore

통 탐험하다, 탐구하다, 조사하다

[iksplɔ́:r]

어원 ex[밖으로] + plore[소리치다] → 밖으로 크게 소리치며 미지의 장소를 탐험하다

I've always wanted to **explore** the Amazon. (수능)

나는 항상 아마존을 **탐험해보고** 싶었다.

⊕ explorer 명 탐험가 exploration 명 탐험, 탐구

⊟ examine, research

Daily Quiz

다음 중 우리말 뜻과 일치하는 어휘를 고르세요.

01 착취하다, 활용하다, 개발하다, 위업, 공적 — ⓐ exploit / ⓑ explore

02 순응하다, 따르다, 일치하다 — ⓐ confirm / ⓑ conform

03 지위, 신분, 상태 — ⓐ statue / ⓑ status

04 완화하다, 경감하다, 안심시키다 — ⓐ release / ⓑ relieve

05 가정하다, 추정하다, (책임을) 맡다 — ⓐ assume / ⓑ consume

06 대화, 회담 — ⓐ conservation / ⓑ conversation

07 수출하다, 수출(품) — ⓐ expert / ⓑ export

08 고도, 높이 — ⓐ altitude / ⓑ attitude

09 개인의, 개인적인 — ⓐ personal / ⓑ personnel

10 적절한, 올바른 — ⓐ proper / ⓑ prosper

다음 괄호 안에서 문맥에 알맞은 어휘를 고르세요.

11 Summer (ⓐ vocation / ⓑ vacation) is just around the corner.
여름 방학이 코앞으로 다가왔다.

12 Hobbies are practiced for interest and enjoyment rather than for financial (ⓐ award / ⓑ reward).
취미는 금전적 보상보다는 흥미와 즐거움을 위해 행해진다.

13 Not all residents (ⓐ attribute / ⓑ contribute) environmental damage to tourism.
모든 주민들이 환경 파괴를 관광 산업의 결과로 보는 것은 아니다.

14 I like tasting the (ⓐ favors / ⓑ flavors) of different coffee beans.
나는 다양한 커피콩의 맛을 보는 것을 좋아한다.

15 Most people (ⓐ access / ⓑ assess) the Internet to get information.
대부분의 사람들은 정보를 얻기 위해 인터넷에 접속한다.

16 In depression, we often lose the inner (ⓐ capability / ⓑ capacity).
우울증에 걸리면, 우리는 종종 내면의 능력을 잃는다.

정답
01 ⓐ 02 ⓑ 03 ⓑ 04 ⓑ 05 ⓐ 06 ⓑ 07 ⓑ 08 ⓐ 09 ⓐ 10 ⓐ 11 ⓑ 12 ⓑ 13 ⓐ 14 ⓑ 15 ⓐ 16 ⓐ

혼동어 (3)

사실 교장*으로서의 위엄이 안 설까 봐 계속 가발을 쓰고 있었어.
김 선생한테만 얘기하는 거야~
이미 모두가 알고 있었던 교장 선생님의 비밀

* 교장 **principal**

principal vs principle

1881 □□□ ★★★

principal 명 교장, 학장 형 주요한, 주된

[prínsəpəl]

The **principal** suspended the boys for a day. (모평)

교장은 그 소년들을 하루 동안 정학시켰다.

⊟ **chief, head**

1882 □□□ ★★★

principle 명 원칙, 원리

[prínsəpəl]

어원 prin[첫 번째의] + cip[취하다] + le[명·접] → 첫 번째로 취해야 하는 원칙

You should know the company's vision and its basic **principles.** (수능)

당신은 회사의 비전과 기본 **원칙들**을 알아야 한다.

⊟ **rule, law**

region vs religion

1883 □□□ ★★★

region

[ríːdʒən]

명 지방, 지역, 영역

어원 reg[통치하다] + ion[명·접] → 통치하는 지방

Sausage trees are found in tropical **regions** of Africa. (수능)

소시지 나무는 아프리카의 열대 **지방**에서 발견된다.

⊕ **regional** 형 지방의, 지역의

⊜ **area, place**

1884 □□□ ★★★

religion

[rilídʒən]

명 종교, 신앙

어원 re[다시] + lig[묶다] + ion[명·접] → 인간을 신과 다시 묶어 주는 종교

Religion sets guidelines for acceptable behavior. (학평)

종교는 받아들여질 수 있는 행동에 대한 지침들을 정한다.

⊕ **religious** 형 종교의, 신앙심이 깊은

⊜ **belief, faith**

evolution vs revolution

1885 □□□ ★★★

evolution

[èvəlúːʃən]

명 진화, 발전

Evolution works to maximize the number of descendants that an animal leaves behind. (수능)

진화는 동물이 남기는 후손들의 수를 최대화하는 데 작용한다.

⊕ **evolve** 동 진화하다 **evolutionary** 형 진화의

⊜ **development**

1886 □□□ ★★★

revolution

[rèvəlúːʃən]

명 혁명, 공전, 회전

어원 re[다시] + volu[돌다] + tion[명·접] → 반복해서 다시 돌아온 혁명, 변혁

The Industrial **Revolution** began in the 18th century. (모평)

산업 **혁명**은 18세기에 시작되었다.

⊕ **revolutionary** 형 혁명의, 혁명적인

revolve 동 (축을 중심으로) 회전하다

interrupt vs interpret

1887 □□□ ★★★

interrupt

[ìntərʌ́pt]

동 방해하다, 중단시키다

어원 inter[사이에] + rupt[깨다] → 사이에 끼어들어 연결을 깨서 방해하다

If you disagree with someone, you may be tempted to **interrupt**. (학평)

만약 당신이 누군가와 의견이 일치하지 않는다면, 당신은 **방해하고** 싶어질지도 모른다.

⊕ **interruption** 명 방해, 중단

⊟ **interfere, disturb**

1888 □□□ ★★★

interpret

[intə́ːrprit]

동 이해하다, 해석하다, 통역하다

어원 inter[서로] + pret[거래하다] → 거래하는 사이에서 서로 말이 통하도록 통역하여 이해하다

Puppies can **interpret** human signals. (학평)

강아지들은 인간의 신호를 **이해할** 수 있다.

⊕ **interpretation** 명 이해, 해석　**interpreter** 명 통역사

⊟ **understand, comprehend**

peel vs pill

1889 □□□ ★★★

peel

[piːl]

동 (과일·채소 등의) 껍질을 벗기다 명 껍질

We **peel** off the white skin inside an orange because it is tasteless. (학평)

우리는 오렌지 안쪽의 흰색 **껍질을 벗기는데** 이는 그것이 아무런 맛이 없기 때문이다.

⊕ **peel off** 껍질을 벗기다, 떨어져 나가다

⊟ **strip**

1890 □□□ ★★

pill

[pil]

명 알약, 정제

There are two types of vitamin C, jelly and **pill**. (학평)

비타민 C는 젤리와 **알약**으로 두 종류가 있다.

⊟ **tablet, capsule**

SYDNEY

reserve vs reverse

1891 □□□ ★★★

reserve

[rizə́:rv]

동 예약하다, 보존하다 명 비축(물)

어원 re[뒤에] + serv(e)[지키다] → 지켜서 뒤에 따로 남겨두다, 즉 예약하다

I'd like to **reserve** a room on the 21st of December. (학평)

저는 12월 21일에 방을 **예약하고** 싶습니다.

⊕ **reservation** 명 예약, 보류

⊜ **book, engage**

1892 □□□ ★★

reverse

[rivə́:rs]

동 거꾸로 하다, 뒤집다 형 반대의 명 (정)반대

어원 re[뒤로] + vers(e)[돌리다] → 뒷면이 앞으로 오도록 뒤로 돌려 뒤집다, 즉 거꾸로 하다

To prove his theory, Newton **reversed** the process. (학평)

그의 이론을 증명하기 위해, 뉴턴은 그 과정을 **거꾸로 했다**.

⊕ **reversal** 명 반전, 역전

⊜ **overturn**

formal vs former

1893 □□□ ★★

formal

[fɔ́:rməl]

형 격식을 차린, 공식적인

Formal wear is required at weddings and funerals. (학평)

결혼식과 장례식에는 **격식을 차린** 의상이 요구된다.

⊕ **formality** 명 형식적임

⊜ **official** ⇔ **informal** 형 격식을 차리지 않는, 비공식적인

1894 □□□ ★★★

former

[fɔ́:rmər]

형 (이)전의, 과거의 명 전자

Former US President Jimmy Carter has toured various countries since 1994. (수능)

미국의 **전** 대통령 지미 카터는 1994년부터 다양한 국가들을 순방했다.

⇔ **latter** 형 후자의, 마지막의 명 후자

Tips

'이전의'와 관련된 단어들

past 과거의, 옛날의 **ancient** 고대의, 먼 옛날의 **bygone** 지나간, 과거의

expand vs extend

1895 □□□ ★★★

expand

동 확장하다, 넓히다

[ikspǽnd]

어원 ex[밖으로] + pand[펼치다] → 밖으로 펼쳐 범위를 확장하다

I love learning and want to **expand** my knowledge about the world. (학평)

나는 배우는 것을 아주 좋아하며 세상에 대한 지식을 **확장하고** 싶다.

⊕ **expansion** 명 확장, 팽창 **expansive** 형 광활한, 넓은

⊟ **grow, enlarge**

1896 □□□ ★★★

extend

동 연장하다, 확장하다

[iksténd]

어원 ex[밖으로] + tend[뻗다] → 현재의 범위 밖으로 뻗어 연장하다

It's time to **extend** the mandatory retirement age of 65 to all professionals. (학평)

모든 전문직 종사자들에 대한 정년퇴직 연령을 65세로 **연장할** 때이다.

⊕ **extended** 형 연장된, 확장된 **extensive** 형 넓은, 광범위한

⊟ **prolong, lengthen**

Tips

expand와 extend의 의미 구분

두 단어 모두 '확장하다'를 뜻하지만 expand는 주로 '부피나 공간'이 커지는 것을, extend는 주로 '길이'가 늘어나는 것을 의미해요.

thread vs threat

1897 □□□ ★★

thread

명 실, 가닥 동 실을 꿰다

[θred]

With a needle and **thread**, you can make a design which features your favorite things. (학평)

바늘과 **실**만 있으면, 당신이 가장 좋아하는 것들로 특색을 이루는 디자인을 만들 수 있다.

1898 □□□ ★★★

threat

명 위협, 협박

[θret]

Responses to **threats** are faster, and harder to inhibit. (학평)

위협에 대한 반응은 더 빠르며, 억제하기가 더 어렵다.

⊕ **threaten** 동 위협하다 **threatening** 형 위협적인, 협박하는

⊟ **danger**

precious vs previous

1899 □□□ ★★★

precious

[préʃəs]

형 귀중한, 소중한

어원 preci[값] + ous[형·접] → 값이 나가는, 즉 귀중한

Time is too **precious** to waste. (학평)

시간은 낭비하기에는 너무 **귀중하다**.

⊟ valuable, priceless

1900 □□□ ★★★

previous

[príːviəs]

형 이전의, 앞의

어원 pre[앞서] + vi[길] + ous[형·접] → 걸어온 길 중 앞선 부분의, 즉 이전의

To participate, students are required to have **previous** experience in design projects. (학평)

참가하려면, 학생들은 디자인 프로젝트에 관한 **이전** 경험이 있어야 한다.

⊕ previously 부 이전에, 미리

⊟ former, past, prior

Tips

시험에는 이렇게 나온다

previous는 'previous year(작년)'로 도표 관련 지문에서 자주 출제돼요. 도표에 작년의 수치나 정보가 명시되어 있지 않을 경우, previous year가 포함된 문장을 통해 작년의 정보를 유추할 수 있어요.

sensible vs sensitive

1901 □□□ ★

sensible

[sénsəbəl]

형 합리적인, 분별력 있는

어원 sens[느끼다] + ible[할 수 있는] → 옳고 그름을 느낄 수 있는, 즉 합리적인

Bike riding is a **sensible** choice to improve health. (학평)

자전거 타기는 건강을 증진하기 위한 **합리적인** 선택이다.

⊕ sensibility 명 감성, 감수성

1902 □□□ ★★★

sensitive

[sénsətiv]

형 예민한, 민감한, 세심한

Some people are especially **sensitive** about being properly addressed. (학평)

어떤 사람들은 제대로 된 호칭으로 불리는 것에 대해 특히 **예민하다**.

⊕ sensitivity 명 예민함, 세심함

⊟ keen

intellectual vs intelligence

1903 □□□ ★★★

intellectual

형 지적인, 지성의

[ìntəléktʃuəl]

Individual authors have rights to their **intellectual** property during their lifetimes. (수능)

개별 작가들은 일생 동안 자신의 **지적** 재산에 대한 권리를 가진다.

⊟ intelligent, cognitive

1904 □□□ ★★★

intelligence

명 지능, 지성

[intélədʒəns]

Intelligence is much more than mere memory. (학평)

지능은 단순한 기억 이상의 것이다.

⊕ intelligent 형 지능이 있는, 지적인

⊟ intellect

council vs counsel

1905 □□□ ★★★

council

명 의회, 협의회

[káunsəl]

어원 coun[함께] + cil[외치다] → 여럿이 모여서 함께 의견이나 주장을 외치는 의회

All the activities of the **council** are planned during regular meetings. (학평)

의회의 모든 활동은 정기 회의 동안 계획된다.

⊟ committee, board

1906 □□□ ★

counsel

명 조언, 상담 동 상담하다, 조언하다

[káunsəl]

A mother's good **counsel** cannot work on her son. (수능)

엄마의 훌륭한 **조언**이 아들에게 통하지 않을 수 있다.

⊕ counselor 명 상담 전문가

⊟ advice, suggestion

Tips

counsel과 advice의 의미 구분

두 단어 모두 '조언'을 뜻하지만 counsel은 주로 전문가의 상담이나 견해를, advice는 일반적인 의미의 조언이나 충고를 가리켜요.

ethical vs ethnic

1907 □□□ ★★★

ethical

형 윤리적인, 도덕적인

[éθikəl]

Ethical and moral systems are different for every culture. (학평)

윤리적이고 도덕적인 체계는 모든 문화마다 다르다.

⊕ **ethically** 부 윤리적으로 **ethics** 명 윤리학

1908 □□□ ★★

ethnic

형 민족의, 민족 특유의

[éθnik]

The Nuer are one of the largest **ethnic** groups in South Sudan, primarily residing in the Nile River Valley. (수능)

누에르족은 남수단의 가장 큰 **민족** 집단 중 하나인데, 주로 나일강 계곡에 거주한다.

⊕ **ethnicity** 명 민족성

Tips

'민족의'와 관련된 단어들

racial 인종의, 민족의 **national** 국가의, 국민의 **cultural** 문화의
traditional 전통의 **tribal** 부족의, 종족의

strip vs stripe

1909 □□□ ★★

strip

명 띠, 가느다란 조각 동 벗기다, 빼앗다

[strip]

The card has a magnetic **strip** on one side. (학평)

카드의 한쪽 면에는 마그네틱 **띠**가 있다.

⊕ **strip A of B** A에게서 B를 빼앗다

1910 □□□ ★★

stripe

명 줄무늬

[straip]

We have one with **stripes** and one without **stripes**. (수능)

저희는 **줄무늬**가 있는 것과 **줄무늬**가 없는 것을 가지고 있어요.

Tips

'무늬, 모양'과 관련된 단어들

stripe 줄무늬 **polka dot** 물방울무늬
checkered 체크무늬의 **triangle-shaped** 삼각형 모양의
square-shaped 정사각형 모양의

emit vs omit

1911 □□□ ★★

emit

동 방출하다, 내뿜다

[imít]

어원 e[밖으로] + mit[보내다] → 밖으로 내보내다, 즉 방출하다

In fact, the subway **emits** practically no harmful gases. ⓗ학평

사실상, 지하철은 유독 가스를 거의 **방출하지** 않는다.

⊕ **emission** 명 (빛·열 등의) 방출, 배출물

⊟ **discharge, release**

1912 □□□ ★

omit

동 생략하다, 빠뜨리다

[oumít]

Frequently, they **omit** information that lies beneath the statements they make. ⓗ학평

흔히, 그들은 자신이 하는 진술 아래에 깔려 있는 정보를 **생략한다**.

⊕ **omission** 명 생략, 누락

⊟ **skip, leave out**

scatter vs shatter

1913 □□□ ★

scatter

동 분산시키다, 흩뿌리다, 흩어지다

[skǽtər]

These dust particles in the atmosphere **scattered** light. ⓗ학평

대기 중의 이 먼지 입자들은 빛을 **분산시켰다**.

⊕ **scattered** 형 흩뿌려진, 드문드문 있는

⊟ **spread, disperse**

1914 □□□ ★

shatter

동 산산이 부서지다, 파괴하다

[ʃǽtər]

Jason woke up in the middle of the night, when he heard glass **shattering**. ⓗ학평

유리가 **산산이 부서지는** 소리를 들었을 때, Jason은 한밤중에 잠에서 깼다.

Tips

'산산이 부서지다'와 관련된 단어들

break 깨다, 부수다 **destroy** 파괴하다 **smash** 박살 내다 **crash** 충돌하다, 박살 내다

numerical vs numerous

1915 □□□ ★

numerical

[njuːmérikəl]

형 숫자의, 숫자로 나타낸

Until recently, **numerical** grading has been applied only to American coins. (수능)

최근까지, **숫자** 등급 체계는 미국 동전에만 적용되어 왔다.

⊕ **numeric** 명 숫자, 분수

1916 □□□ ★★★

numerous

[núːmərəs]

형 수많은, 다수의

어원 numer[숫자] + ous[형·접] → 숫자가 많은, 즉 수많은

There are **numerous** explanations for the fall of the Roman empire. (수능)

로마 제국의 몰락에 대한 **수많은** 설명들이 있다.

⊜ **many, various**

simulate vs stimulate

1917 □□□ ★

simulate

[símjuleit]

동 모의실험하다, 가장하다

어원 simul[비슷한] + ate[동·접] → 어떤 것을 비슷하게 모의실험하다

They are made to **simulate** the behavior of a human body in a motor-vehicle crash. (수능)

그것들은 자동차 충돌에서 인체의 움직임을 **모의실험하기** 위해 제작되었다.

⊕ **simulation** 명 모의실험, 가장

1918 □□□ ★★★

stimulate

[stímjuleit]

동 활발하게 하다, 자극하다

어원 stim(ul)[찌르다] + ate[동·접] → 움직이도록 찔러서 활발하게 하다 또는 자극하다

Environmental protection actually creates jobs and **stimulates** business. (학평)

환경 보호는 실제로 일자리를 창출하고 거래를 **활발하게 한다**.

⊕ **stimulation** 명 자극, 격려 **stimulating** 형 자극이 되는, 고무적인

Tips

'자극하다'와 관련된 단어들

arouse 자극하다, 일으키다 **prompt** 자극하다, 촉구하다 **inflame** 자극하다, 부추기다

assist vs resist

1919 ☐☐☐ ★★★

assist

[əsíst]

동 돕다, 조력하다

어원 as[~쪽으로] + sist[서다] → 돕고자 하는 쪽으로 서서 그쪽을 돕다

I have been asked to **assist** in creating a committee to improve the Sunshine Charity. (수능)

나는 Sunshine 자선 단체를 개선하기 위한 위원회 창설을 **도와줄** 것을 요청받았다.

⊕ **assistant** 명 조수, 보조원 **assistance** 명 도움, 지원

⊜ **help, support, aid**

1920 ☐☐☐ ★★★

resist

[rizíst]

동 저항하다, 견디다

어원 re[다시] + sist[서다] → 압박에 굴하지 않고 다시 일어서 저항하다

Fear is an emotion we find hard to **resist** or control. (모평)

두려움은 우리가 **저항하거나** 통제하기 어렵다고 생각하는 감정이다.

⊕ **resistance** 명 저항(력) **resistant** 형 저항력이 있는

⊜ **withstand, oppose**

Daily Quiz

다음 중 우리말 뜻과 일치하는 어휘를 고르세요.

01 실, 가닥, 실을 꿰다 ⓐ thread / ⓑ threat

02 숫자의, 숫자로 나타낸 ⓐ numerical / ⓑ numerous

03 지적인, 지성의 ⓐ intellectual / ⓑ intelligence

04 연장하다, 확장하다 ⓐ expand / ⓑ extend

05 (이)전의, 과거의, 전자 ⓐ formal / ⓑ former

06 예약하다, 보존하다, 비축(물) ⓐ reserve / ⓑ reverse

07 방해하다, 중단시키다 ⓐ interrupt / ⓑ interpret

08 지방, 지역, 영역 ⓐ region / ⓑ religion

09 원칙, 원리 ⓐ principal / ⓑ principle

10 조언, 상담, 상담하다, 조언하다 ⓐ council / ⓑ counsel

다음 괄호 안에서 문맥에 알맞은 어휘를 고르세요.

11 The Nuer are one of the largest (ⓐ ethical / ⓑ ethnic) groups in South Sudan, primarily residing in the Nile River Valley.
누에르족은 남수단의 가장 큰 민족 집단 중 하나인데, 주로 나일강 계곡에 거주한다.

12 The card has a magnetic (ⓐ strip / ⓑ stripe) on one side.
카드의 한쪽 면에는 마그네틱 띠가 있다.

13 Time is too (ⓐ precious / ⓑ previous) to waste.
시간은 낭비하기에는 너무 귀중하다.

14 There are two types of vitamin C, jelly and (ⓐ peel / ⓑ pill).
비타민 C는 젤리와 알약으로 두 종류가 있다.

15 Fear is an emotion we find hard to (ⓐ assist / ⓑ resist) or control.
두려움은 우리가 저항하거나 통제하기 어렵다고 생각하는 감정이다.

16 The Industrial (ⓐ Evolution / ⓑ Revolution) began in the 18th century.
산업 혁명은 18세기에 시작되었다.

정답
01 ⓐ 02 ⓐ 03 ⓐ 04 ⓑ 05 ⓑ 06 ⓐ 07 ⓐ 08 ⓐ 09 ⓑ 10 ⓑ 11 ⓑ 12 ⓐ 13 ⓐ 14 ⓑ 15 ⓑ 16 ⓑ

DAY 49

혼동어 (4)

MP3 바로 듣기

목적지까지는
문자 그대로* 쭉 직진인데 대체
어떻게 길을 잃은 거지?
없는 길도 만들어 내는 길치가 운전하고 있기 때문이다.

* 문자 그대로 **literally**

literally vs literary vs literacy

1921 □□□ ★★

literally [lítərəli]

부 문자 그대로, 실제로

The response to the campaign was **literally** explosive. (학평)

그 캠페인에 대한 반응은 **문자 그대로** 폭발적이었다.

1922 □□□ ★★

literary [lítəreri]

형 문학의, 문학적인

Do you think reading **literary** works will help improve my imagination? (모평)

당신은 **문학** 작품을 읽는 것이 제 상상력을 향상하는 데 도움이 될 거라고 생각하나요?

1923 □□□ ★★

literacy [lítərəsi]

명 글을 읽고 쓰는 능력

Finland is number one in the world in **literacy**. (학평)

핀란드는 **글을 읽고 쓰는 능력**에서 세계 1위이다.

somehow vs somewhat

1924 □□□ ★★★

somehow

[sʌ́mhau]

부 어떻게든, 왠지

Somehow the slave escaped from that room and ran away. (학평)

노예는 그 방에서 **어떻게든** 탈출하여 달아났다.

1925 □□□ ★★★

somewhat

[sʌ́mwɑ:t]

부 약간, 다소

The next day, to Nancy's surprise, the teen girl seemed **somewhat** cheerful. (수능)

다음 날, Nancy에게는 뜻밖에도, 그 십 대 소녀는 **약간** 활기차 보였다.

⊟ slightly

defect vs detect

1926 □□□ ★★

defect

[dí:fekt]

명 결함, 결점

어원 de[떨어져] + fec(t)[만들다] → 질이 떨어지게 만들어진 것, 즉 결함

The machine's failure is caused by a manufacturing **defect**. (수능)

기계의 고장은 생산 **결함**에 의해 발생한다.

⊕ defective 형 결함이 있는

⊟ fault, flaw

1927 □□□ ★★★

detect

[ditékt]

동 감지하다, 발견하다

어원 de[떨어져] + tect[덮다] → 덮고 있던 것을 떨어뜨려 안의 것을 발견하다 또는 감지하다

Human eyes face forward, enabling people to **detect** danger. (학평)

인간의 눈은 앞쪽을 향해 있어, 사람들이 위험을 **감지할** 수 있게 한다.

⊕ detectable 형 감지할 수 있는 detection 명 감지 detective 명 탐정, 형사

Tips

'감지하다'와 관련된 단어들

discover 발견하다, 찾아내다	**notice** 알아채다	**spot** 발견하다, 찾다
locate 알아내다	**sense** 감지하다, 느끼다	**perceive** 인지하다, 감지하다

extinct vs instinct

1928 □□□ ★★

extinct

[ikstíŋkt]

형 멸종된, 사라진

어원 ex[밖으로] + (s)tinct[찌르다] → 찔러서 밖으로 쫓아내어 없어져 버린, 즉 멸종된

All dinosaurs have been **extinct** for about 65 million years. (학평)

모든 공룡들은 약 6천5백만 년 전 **멸종되었다**.

⊕ **extinction** 명 멸종

⊟ **dead, gone**

1929 □□□ ★★★

instinct

[ínstiŋkt]

명 본능, 직감

어원 in[안에] + stinct[찌르다] → 머리나 마음 안에 쿡 찌르고 들어오는 본능 또는 직감

Following your **instincts** could lead you to make impulsive decisions. (수능)

본능을 따르는 것은 당신이 충동적인 결정을 내리도록 이끌 수 있다.

⊕ **instinctive** 형 본능적인, 직감적인

⊟ **intuition**

quality vs quantity

1930 □□□ ★★★

quality

[kwɑ́:ləti]

명 (품)질, 특성, 우수함 **형** 고급의

Humans use all five of their senses to analyze food **quality**. (수능)

인간은 음식의 **질**을 분석하기 위해 자신의 다섯 가지 감각 모두를 사용한다.

⊕ **qualitative** 형 질적인

1931 □□□ ★★★

quantity

[kwɑ́:ntəti]

명 양, 수량

Once Europeans began to grow potatoes, their food supplies doubled in **quantity**. (교과서)

유럽인들이 감자를 재배하기 시작하자, 그들의 식량 공급**량**이 두 배로 늘어났다.

⊕ **quantitative** 형 양적인

⊟ **amount**

saw vs sew vs sow

1932 □□□ ★★

saw

[sɔː]

명 톱 동 톱질하다

If all he has is a **saw**, then he will think about ways of cutting pieces off of what he is doing. (학평)

만약 그가 가진 게 **톱**밖에 없다면, 그는 지금 하고 있는 것에서 조각들을 잘라낼 방법들에 대해 생각할 것이다.

Tips

공구의 종류

saw 톱	**hammer** 망치	**plane** 대패	**drill** 드릴
wrench 렌치	**screw** 나사	**nail** 못	

1933 □□□ ★

sew

[sou]

동 바느질하다, 꿰매다

She cut the dress pattern, picked out white silk fabric, and **sewed** every piece of cloth together very carefully. (학평)

그녀는 드레스 패턴을 자르고, 흰 실크 천을 고르고, 옷감의 모든 조각을 함께 매우 신중히 **바느질했다**.

⊕ **sew up** ~을 꿰매어 붙이다, ~을 잘 마무리 짓다

⊜ **stitch**

1934 □□□ ★

sow

[sou]

동 (씨를) 뿌리다, 심다

The farmer **sowed** seeds and reaped what he **sowed**. (수능)

농부는 씨를 **뿌렸고** 그가 **뿌린** 것을 수확했다.

Tips

'농작물'과 관련된 단어들

seed 씨, 종자, 씨를 뿌리다	**crop** 작물, 수확하다	**plant** 식물, 심다
grain 곡물, 낟알	**reap** 수확하다	**harvest** 추수, 수확하다

underlie vs undermine

1935 □□□ ★★★

underlie

[ʌ̀ndərlái]

동 ~의 기초가 되다, 기저가 되다

어원 under[아래에] + lie[누워 있다] → 어떤 것의 아래에 누워 그것의 기초가 되다

One widely held view is that self-interest **underlies** all human interactions. (학평)

널리 퍼져 있는 하나의 견해는 사리 추구가 모든 인간 상호 작용**의 기초가 된다는** 것이다.

⊕ **underlying** 형 기초가 되는, 근본적인

1936 □□□ ★★

undermine

[ʌ̀ndərmáin]

동 약화하다, 쇠퇴시키다

어원 under[아래에] + mine[땅굴을 파다] → 아래에 땅굴을 파서 약화하다

Anxiety **undermines** the intellect. (수능)

불안감은 지성을 **약화한다**.

⊟ **weaken**

pour vs pure

1937 □□□ ★★★

pour

[pɔːr]

동 붓다, 따르다, 마구 쏟아지다

Keep the sponge moist by **pouring** a little water on it from time to time. (학평)

가끔씩 약간의 물을 **부어** 스펀지를 촉촉하게 유지하세요.

⊕ **pouring** 형 퍼붓는 듯한

1938 □□□ ★

pure

[pjuər]

형 순수한, 깨끗한

Pure maple syrup is a natural product. (학평)

순수한 단풍나무 시럽은 천연 제품이다.

⊕ **purify** 동 정화하다 **purity** 명 순수성, 순도

⊟ **clean, clear**

prevalent vs prevent

1939 □□□ ★

prevalent

[prévələnt]

형 일반적인, 널리 퍼져 있는

It derives from the **prevalent** belief that all of us are similar bio-mechanical units. (수능)

그것은 우리 모두가 유사한 생물 역학 단위라는 **일반적인** 믿음에서 비롯된다.

⊕ **prevalence** 명 널리 퍼짐, 유행, 보급

⊜ **widespread, prevailing**

1940 □□□ ★★★

prevent

[privént]

동 예방하다, 방지하다

어원 pre[앞에] + vent[오다] → 어떤 것의 앞에 와서 진행을 막다, 즉 예방하다

If you do these exercises regularly, you can **prevent** both back and neck pain. (교과서)

만약 당신이 이 운동들을 규칙적으로 한다면, 등과 목의 통증을 모두 **예방할** 수 있다.

⊕ **preventive** 형 예방의 **prevention** 명 예방, 방지

⊜ **stop, avoid**

extent vs intent

1941 □□□ ★★★

extent

[ikstént]

명 정도, 규모, 크기

While urban-rural differences are well known, the **extent** of the differences varies. (모평)

도시와 농촌의 차이는 잘 알려져 있지만, 그 차이의 **정도**는 다양하다.

⊜ **level, range**

1942 □□□ ★★

intent

[intént]

명 의도, 의향 형 열중하는

What is important is to bring a painting back to an artist's original **intent**. (수능)

중요한 것은 그림을 예술가의 원래 **의도**대로 되돌리는 것이다.

⊕ **intentional** 형 의도적인, 고의의

⊜ **aim, purpose**

considerable vs considerate

1943 □□□ ★★★

considerable

형 상당한, 많은

[kənsídərəbl]

Advertisers gain **considerable** benefits from price competition. 수능

광고주들은 가격 경쟁으로부터 **상당한** 이익을 얻는다.

⊕ **considerably** 부 상당히, 많이

⊟ **substantial**

1944 □□□ ★★

considerate

형 사려 깊은, 남을 배려하는

[kənsídərət]

We hope our children will grow up to be honest and **considerate.** 수능

우리는 우리 아이들이 정직하고 **사려 깊은** 사람으로 자라기를 바란다.

⊕ **consideration** 명 사려, 숙고

⊟ **thoughtful**

appliance vs application

1945 □□□ ★★

appliance

명 (가정용) 기기, 기구

[əpláiəns]

Home **appliances** are on sale this week. 수능

가정용 **기기**가 이번 주에 할인 중이다.

⊟ **device, instrument**

1946 □□□ ★★★

application

명 지원(서), 적용, 애플리케이션

[æplikéiʃən]

The **application** deadline is September 28th. 학평

지원 마감일은 9월 28일이다.

⊕ **applicant** 명 지원자 **apply** 동 지원하다

Tips

시험에는 이렇게 나온다

fill out an application form 지원서 양식을 작성하다
send an application 지원서를 보내다
complete an application 지원서를 완성하다
submit an application 지원서를 제출하다

natural vs neutral

1947 □□□ ★★★

natural

[nǽtʃərəl]

형 천연의, 자연의, 타고난, 자연스러운

These bamboo straws are made from **natural** materials. 수능

이 대나무 빨대들은 **천연** 재료들로 만들어진다.

⊕ **naturally** 부 자연스럽게, 당연히

1948 □□□ ★★

neutral

[njúːtrəl]

형 중립적인, 중립의

어원 ne[아닌] + utr[둘 중 하나] + al[형·접] → 둘 중 하나를 편들지 않고 중립적인

In a **neutral** context, a more valid survey can be conducted. 수능

중립적인 맥락에서, 더 타당한 조사가 시행될 수 있다.

⊕ **neutralize** 동 중화하다, 상쇄하다 **neutrality** 명 중립

⊜ **unbiased, impartial**

quit vs quite

1949 □□□ ★★

quit

[kwit]

동 그만두다, 중지하다

If you **quit** smoking, you can save money. 학평

흡연을 **그만둔다면**, 당신은 돈을 절약할 수 있다.

⊜ **stop, cease, end**

Tips

시험에는 이렇게 나온다

quit practicing 연습을 그만두다	**quit smoking** 담배를 끊다, 금연하다
quit the job 일을 그만두다	**quit participating** 참여를 그만두다

1950 □□□ ★★★

quite

[kwait]

부 꽤, 상당히

Julia thinks the program looks **quite** good and wants to do it again. 수능

Julia는 그 프로그램이 **꽤** 좋아 보인다고 생각하고 그것을 다시 하고 싶어 한다.

⊜ **pretty, rather, fairly**

phase vs phrase

1951 □□□ ★★

phase

[feiz]

명 단계, 양상 동 단계적으로 실행하다

Although every forensic case is different, each case goes through many of the same **phases**. (학평)

모든 법의학적 사건은 다르긴 하지만, 각 사건은 많은 동일한 **단계들**을 거친다.

⊟ stage, step

1952 □□□ ★★★

phrase

[freiz]

명 구(절) 동 (특정한 방식으로) 표현하다

Many words and **phrases** are used both literally and metaphorically. (교과서)

많은 단어와 **구절**은 문자 그대로도 그리고 비유적으로도 사용된다.

⊕ **phrasal** 형 구의, 구로 된

⊟ expression

evolve vs involve

1953 □□□ ★★★

evolve

[ivɑ́:lv]

동 진전하다, 발달하다, 진화하다

어원 e[밖으로] + volv(e)[말다] → 말려 있던 것이 밖으로 펼쳐져 점점 크게 진전하다

A new development may take years to **evolve**. (학평)

새로운 개발은 **진전하는** 데 수년이 걸릴지도 모른다.

⊕ **evolution** 명 진전, 진화 **evolutionary** 형 진전의, 진화의

⊟ develop, advance

1954 □□□ ★★★

involve

[invɑ́:lv]

동 참여시키다, 포함하다, 수반하다

어원 in[안에] + volv(e)[말다] → 어떤 것을 다른 것 안에 말아서 포함하다 또는 참여시키다

Many young people are already actively **involved** in climate and energy issues. (교과서)

많은 젊은이들이 이미 기후와 에너지 문제에 적극적으로 **참여하고** 있다.

⊕ **involvement** 명 포함, 관련, 개입

Tips

시험에는 이렇게 나온다

be involved in ~에 참여하다, 관여하다 **involve A in B** A를 B에 말려들게 하다

distant vs distinct

1955 □□□ ★★

distant

[dístənt]

형 먼, 떨어져 있는

An Indian put his ear to the ground in order to detect **distant** footsteps. 학평

한 인디언이 **먼** 발소리를 감지하기 위해 바닥에 그의 귀를 갖다 댔다.

⊕ **distance** 명 거리, 먼 곳

⊜ **far, remote**

1956 □□□ ★★★

distinct

[distíŋkt]

형 뚜렷한, 별개의

One of the most **distinct** features of the Internet as a medium is its interactivity. 학평

매체로서 인터넷의 가장 **뚜렷한** 특징 중 하나는 상호 작용성이다.

⊕ **distinction** 명 차이, 대조 **distinctive** 형 독특한, 구별되는

⊜ **clear, definite**

noble vs novel

1957 □□□ ★★

noble

[nóubəl]

형 숭고한, 고귀한, 귀족의 명 귀족

어원 no[알다] + ble[형·접] → 누구나 잘 알 정도로 신분이 높은, 또는 숭고한

Schubert had one **noble** purpose in life. 수능

슈베르트는 인생에서 단 하나의 **숭고한** 목적이 있었다.

⊕ **nobility** 명 고귀함, 귀족

⊜ **virtuous**

1958 □□□ ★★★

novel

[nάːvəl]

명 소설 형 새로운, 신기한

I recommend you read the original **novel** first. 수능

나는 당신이 원작 **소설**을 먼저 읽기를 권장합니다.

⊕ **novelty** 명 새로움, 참신함

⊜ **fiction, narrative**

prefer vs prepare

1959 □□□ ★★★

prefer

[prifə́ːr]

동 선호하다, ~을 더 좋아하다

어원 pre[앞서] + fer[나르다] → 다른 것보다 앞서 날라 가져올 만큼 선호하다

Needless to say, I **prefer** the cheaper one. (수능)

말할 필요도 없이, 나는 더 저렴한 것을 **선호한다**.

⊕ **preferred** 형 우선의 **preference** 명 선호(하는 것)

Tips

prefer + to

일반적으로 비교급을 표현할 때 비교 대상 앞에 than이 오지만, prefer과 같이 라틴어에서 유래한 단어는 비교 대상 앞에 전치사 to가 와요.

An introvert may prefer online to in-person communication. (모평)

내향적인 사람은 직접 대화하는 것보다 온라인으로 하는 것을 더 선호할 수 있다.

1960 □□□ ★★★

prepare

[pripέər]

동 준비하다, 대비하다

어원 pre[앞서] + par(e)[준비하다] → 앞서서 미리 준비하다

You still have time to **prepare** for it. (수능)

당신은 아직 그것을 **준비할** 시간이 있다.

⊕ **prepared** 형 준비된, 각오가 된 **preparation** 명 준비, 대비

⊜ **arrange**

Daily Quiz

다음 중 우리말 뜻과 일치하는 어휘를 고르세요.

01	중립적인, 중립의	ⓐ natural / ⓑ neutral
02	본능, 직감	ⓐ extinct / ⓑ instinct
03	어떻게든, 왠지	ⓐ somehow / ⓑ somewhat
04	(품)질, 특성, 우수함, 고급의	ⓐ quality / ⓑ quantity
05	진전하다, 발달하다, 진화하다	ⓐ evolve / ⓑ involve
06	단계, 양상, 단계적으로 실행하다	ⓐ phase / ⓑ phrase
07	선호하다, ~을 더 좋아하다	ⓐ prefer / ⓑ prepare
08	상당한, 많은	ⓐ considerable / ⓑ considerate
09	문학의, 문학적인	ⓐ literacy / ⓑ literary
10	약화하다, 쇠퇴시키다	ⓐ underlie / ⓑ undermine

다음 괄호 안에서 문맥에 알맞은 어휘를 고르세요.

11 An Indian put his ear to the ground in order to detect (ⓐ distant / ⓑ distinct) footsteps.
한 인디언이 먼 발소리를 감지하기 위해 바닥에 그의 귀를 갖다 댔다.

12 Julia thinks the program looks (ⓐ quit / ⓑ quite) good and wants to do it again.
Julia는 그 프로그램이 꽤 좋아 보인다고 생각하고 그것을 다시 하고 싶어 한다.

13 What is important is to bring a painting back to an artist's original (ⓐ extent / ⓑ intent).
중요한 것은 그림을 예술가의 원래 의도대로 되돌리는 것이다.

14 Home (ⓐ appliances / ⓑ applications) are on sale this week.
가정용 기기가 이번 주에 할인 중이다.

15 The machine's failure is caused by a manufacturing (ⓐ defect / ⓑ detect).
기계의 고장은 생산 결함에 의해 발생한다.

16 I recommend you read the original (ⓐ noble / ⓑ novel) first.
나는 당신이 원작 소설을 먼저 읽기를 권장합니다.

정답

01 ⓑ 02 ⓑ 03 ⓐ 04 ⓐ 05 ⓐ 06 ⓐ 07 ⓐ 08 ⓐ 09 ⓑ 10 ⓑ 11 ⓐ 12 ⓑ 13 ⓑ 14 ⓐ 15 ⓐ 16 ⓑ

혼동어 (5)

MP3 바로 듣기

어머! 너 무슨 일 있었니?
상태가 왜 이리 엉망*이야?
아니..
독서실
갔다 왔어.
안 쓰던 머리를 좀 썼더니 몸에 무리가..

* 엉망 **mess**

mess vs mass

1961 □□□ ★★

mess | 명 엉망, 혼잡 동 엉망으로 만들다

[mes]

The house is a **mess**. (학평)

집이 **엉망**이다.

➕ **messy** 형 엉망인, 어질러진

⊟ **chaos, disorder**

1962 □□□ ★★★

mass | 명 질량, 덩어리, 대량, 대중

[mæs]

The shift in Earth's **mass** has changed the location of the axis on which Earth rotates. (학평)

지구 **질량**의 변화는 지구가 회전하는 축의 위치를 변화시켰다.

Tips

시험에는 이렇게 나온다

mass production 대량 생산 **mass media** 대중 매체 **mass culture** 대중문화

constitute vs substitute

1963 □□□ ★★

constitute

동 구성하다, 설립하다, 제정하다

[kά:nstitju:t]

어원 con[함께] + stit(ute)[서다] → 여럿이 함께 서서 기관, 단체 등을 구성하다

Some people claim that the whaling industry **constitutes** an important part of the economy. (수능)

어떤 사람들은 포경업이 경제의 중요한 부분을 **구성한다고** 주장한다.

⊕ **constitution** 명 헌법 **constitutional** 형 헌법의, 입헌의

⊜ **compose, comprise**

1964 □□□ ★★

substitute

동 대체하다, 대신하다 명 대체물, 대안

[sʌ́bstitju:t]

어원 sub[아래에] + stit(ute)[서다] → 아래에 있던 사람이 위의 사람 대신 서다, 즉 대체하다

We need someone who can **substitute** for her. (학평)

우리는 그녀를 **대체할** 수 있는 누군가가 필요하다.

⊕ **substitution** 명 대리, 대용 **substitute A for B** A로 B를 대체하다

⊜ **replace, exchange**

conscience vs conscious

1965 □□□ ★

conscience

명 양심

[kά:nʃəns]

어원 con[모두] + sci[알다] + ence[명·접] → 모두가 가지고 있는 옳고 그름을 아는 마음, 즉 양심

A **conscience** does not develop by itself. (수능)

양심은 저절로 발달하지 않는다.

⊕ **conscientious** 형 양심적인, 성실한

1966 □□□ ★★

conscious

형 의식하는, 자각하는, 의도적인

[kά:nʃəs]

어원 con[함께] + sci[알다] + ous[형·접] → 어떤 것이 함께 있다는 것을 알고 그것을 의식하는

Ethics begins with our being **conscious** that we choose how we behave. (수능)

윤리는 우리가 어떻게 행동할지 선택한다는 것을 **의식하는** 데서 시작한다.

⊕ **consciousness** 명 의식, 자각

⊜ **aware** ⇔ **unconscious** 형 의식이 없는

greed vs greet

1967 □□□ ★★

greed

명 탐욕, 욕심

[griːd]

Social interaction is always vulnerable to eruptions of violence, **greed**, and selfishness. (학평)

사회적 상호 작용은 항상 폭력, **탐욕**, 그리고 이기심의 분출에 취약하다.

⊕ **greedy** 형 탐욕스러운

1968 □□□ ★★

greet

동 인사하다, 환영하다

[griːt]

Elephants may **greet** each other simply by reaching their trunks into each other's mouths. (수능)

코끼리들은 단순히 서로의 입에 코를 갖다 대는 것으로 서로 **인사할** 수 있다.

⊕ **greeting** 명 인사(말)

submit vs summit

1969 □□□ ★★★

submit

동 제출하다, 복종하다

[səbmít]

어원 sub[아래에] + mit[보내다] → 어떤 사람 아래에 무언가를 보내다, 즉 그에게 제출하다

We need to **submit** it by next Friday, so we should hurry. (수능)

우리는 그것을 다음 금요일까지 **제출해야** 하므로, 서둘러야 한다.

⊕ **submission** 명 제출, 굴복, 항복 **submissive** 형 복종하는, 유순한

Tips

시험에는 이렇게 나온다

submit an application 지원서를 제출하다
submit a report 보고서를 제출하다
submit a document 서류를 제출하다
submit a proposal 계획안을 제출하다

1970 □□□ ★

summit

명 정상, 정점, 정상 회담

[sʌ́mit]

The mountain is steepest at the **summit**, but that's no reason to turn back. (수능)

산은 **정상**이 가장 가파르지만, 그것이 발길을 돌려야 할 이유는 아니다.

⊜ **peak, top**

complement vs compliment

1971 □□□ ★

complement

명 보완물 동 보완하다, 보충하다

명[kάːmpləmənt]
동[kάmpləmènt]

어원 com[모두] + ple[채우다] + ment[명·접] → 부족한 부분을 모두 채워 주는 보완물

When a fall in the price of one good raises the demand for another good, the two goods are called **complements.** (학평)

한 제품의 가격 하락이 다른 제품의 수요를 올릴 때, 이 두 제품들은 **보완물**이라 불린다.

⊕ **complementary** 형 (상호) 보완적인

1972 □□□ ★★

compliment

명 칭찬, 찬사 동 칭찬하다

명[kάːmpləmənt]
동[kάmpləmènt]

어원 com[모두] + pli[채우다] + ment[명·접] → 인간의 욕구를 모두 채우기 위해 필요한 것, 즉 칭찬

Thank you for the **compliment.** (학평)

칭찬해주셔서 감사합니다.

⊕ **complimentary** 형 칭찬하는

⊜ **praise**

loyal vs royal

1973 □□□ ★

loyal

형 충성스러운, 충실한, 성실한

[lɔ́iəl]

어원 loy[법] + al[형·접] → 정해진 법을 잘 지키는, 즉 충성스러운

Daisies mean innocence, **loyal** love, and purity. (학평)

데이지는 천진함, **충성스러운** 사랑, 그리고 순수함을 의미한다.

⊕ **loyalty** 명 충성, 충실함

⊜ **faithful**

1974 □□□ ★★

royal

형 왕실의, 왕족의

[rɔ́iəl]

어원 roy[통치하다] + al[형·접] → 통치하는 사람의, 즉 왕실의

Leather shoes were only for the **royal** family or rich people in ancient Egypt. (학평)

고대 이집트에서 가죽 신발은 오직 **왕실** 가족과 부자들을 위한 것이었다.

⊕ **royalty** 명 왕족(들)

occupation vs occupy

1975 □□□ ★★

occupation

명 직업, 점령, 점거

[à:kjupéiʃən]

Sam has never been unhappy with his **occupation**. (수능)

Sam은 자신의 **직업**에 불만스러웠던 적이 전혀 없다.

➕ **occupational** 형 직업의

Tips

'직업'과 관련된 단어들

job 직업, 일 **work** 일, 직장, 직업 **career** 경력, 직업 **profession** 직업

1976 □□□ ★★★

occupy

동 거주하다, 차지하다

[á:kjupai]

어원 oc[향하여] + cupy[취하다] → 어딘가로 향하여 가서 그곳을 취하다, 즉 차지하다

There is no tenant **occupying** an apartment. (학평)

아파트에 **거주하고** 있는 세입자가 없다.

➕ **occupant** 명 입주자, 사용자

〓 **inhabit, live in**

shallow vs swallow

1977 □□□ ★

shallow

형 얕은, 얄팍한

[ʃǽlou]

American Coots build floating nests in wetlands or **shallow** lakes. (학평)

아메리카물닭은 습지나 **얕은** 호수에 떠다니는 둥지를 짓는다.

↔ **deep** 형 깊은, 난해한

1978 □□□ ★★

swallow

동 삼키다 명 삼킴, 제비

[swá:lou]

This pill is too big to **swallow**. (학평)

이 알약은 **삼키기에** 너무 크다.

Tips

시험에는 이렇게 나온다

swallow는 주로 동물이 먹이를 삼키거나 사람이 음식을 삼키는 것을 표현할 때 사용되지만, 모욕이나 사실 등을 '받아들이다, 인정하다'라는 뜻으로도 사용될 수 있어요.

compete vs competent

1979 □□□ ★★★

compete

[kəmpíːt]

동 경쟁하다, 겨루다

어원 com[함께] + pet(e)[찾다] → 먼저 찾기 위해 여럿이 함께 경쟁하다

Bacteria **compete** against each other for food. (교과서)

박테리아는 먹이를 위해 서로 **경쟁한다**.

⊕ **competitive** 형 경쟁의, 경쟁적인 **competitor** 명 경쟁자, 경쟁 상대

⊜ **fight, battle**

1980 □□□ ★★

competent

[kɑ́ːmpitənt]

형 유능한, 능숙한

어원 compete[경쟁하다] + (e)nt[형·접] → 경쟁에서 이길 능력이 있는, 즉 유능한

Celebrities are generally considered to be **competent** individuals. (학평)

유명 인사들은 일반적으로 **유능한** 사람으로 여겨진다.

⊕ **competently** 부 유능하게 **competence** 명 능력, 능숙함

⊜ **proficient** ↔ **incompetent** 형 무능력한

precede vs proceed

1981 □□□ ★

precede

[prisíːd]

동 선행하다, 앞서다, 우선하다

어원 pre[앞서] + cede[가다] → 다른 것보다 먼저 앞서가다, 즉 선행하다

Failure **precedes** success. (학평)

실패는 성공에 **선행한다**.

⊕ **preceding** 형 이전의, 앞선 **precedent** 명 선례 형 선행하는

⊜ **predate, antecede** ↔ **follow** 동 뒤따르다, 뒤를 잇다

1982 □□□ ★★

proceed

[prəsíːd]

동 계속해서 ~하다, 나아가다, 진행하다

어원 pro[앞으로] + ceed[가다] → 앞으로 계속 나아가다, 즉 계속해서 ~하다

Picasso and Braque **proceeded** to intensely criticize each other's work. (학평)

피카소와 브라크는 **계속해서** 서로의 작품을 격하게 비난**했다**.

⊕ **process** 명 과정, 처리

⊜ **continue**

content vs context

1983 □□□ ★★★

content

명 내용(물), 목차 형 만족하는 동 만족시키다

명[kά:ntent]
형동[kəntént]

Bottles can reveal their **contents** without being opened. (수능)
병은 뚜껑을 열지 않고도 그 **내용물**을 드러낼 수 있다.

⊕ **contentment** 명 만족

1984 □□□ ★★★

context

명 문맥, 맥락, 전후 사정

[kά:ntekst]

어원 con[함께] + text[짜다] → 앞뒤에 함께 짜여 있는 맥락 또는 문맥

Words should be defined depending on **context**. (학평)
단어는 **문맥**에 따라 정의되어야 한다.

absorb vs absurd

1985 □□□ ★★★

absorb

동 흡수하다, 받아들이다

[æbsɔ́:rb]

어원 ab[~로부터] + sorb[빨아들이다] → 어떤 것으로부터 무언가를 빨아들이다, 즉 흡수하다

Greenhouse gases **absorb** heat and hold this heat in the atmosphere. (수능)
온실가스는 열을 **흡수하고** 이 열을 대기 중에 억류한다.

⊕ **absorbed** 형 몰두한 **absorption** 명 흡수

⊜ **ingest, soak up**

Tips

absorb와 ingest의 의미 구분
두 단어 모두 '흡수하다'를 뜻하지만 absorb는 주로 열이나 습기, 액체 등의 물질을 흡수하거나 빨아들일 때, ingest는 사상 등을 흡수하거나 받아들일 때 또는 음식 등을 섭취할 때 주로 사용돼요.

1986 □□□ ★

absurd

형 터무니없는, 어리석은

[æbsə́:rd]

어원 ab[떨어져] + surd[안 들리는] → 상식에서 떨어져 있어 그것이 안 들리는 듯 터무니없는

It is **absurd** to suggest that governments decide what art is. (모평)
예술이 무엇인지 정부가 결정하라고 제안하는 것은 **터무니없다**.

⊕ **absurdity** 명 불합리, 어리석은 일

⊜ **ridiculous, silly**

inhabit vs inhibit

1987 □□□ ★★

inhabit

🅢 살다, 거주하다

[inhǽbit]

어원 in[안에] + hab(it)[가지다] → 어떤 장소를 가져서 그 안에 살다

People may **inhabit** very different worlds according to their wealth or poverty. (학평)

사람들은 부와 가난에 따라 매우 다른 세계에 **살** 수 있다.

⊕ **inhabitant** 명 주민, 거주자

⊜ **live in, reside in**

1988 □□□ ★

inhibit

동 억제하다, 저지하다

[inhíbit]

어원 in[안에] + hib(it)[잡다] → 안에 잡아두고 행동을 억제하다

The expectation of evaluation **inhibits** creativity. (학평)

평가에 대한 예상은 창의력을 **억제한다**.

⊕ **inhibition** 명 억제, 억압

⊜ **hinder, prevent**

integral vs integrate

1989 □□□ ★★

integral

형 필수적인, 완전한, 통합된

[íntigrəl]

Light is an **integral** element of all life. (수능)

빛은 모든 생명체에 **필수적인** 요소이다.

⊕ **integrality** 명 완전성, 불가결

⊜ **essential, necessary**

1990 □□□ ★★

integrate

동 통합하다, 합치다

[íntigreit]

어원 in[아닌] + teg(r)[접촉하다] + ate[동·접] → 다른 것과 접촉하지 않고 하나로 통합하다

Edison learned that marketing and invention must be **integrated**. (학평)

에디슨은 마케팅과 발명이 **통합되어야** 한다는 것을 알게 되었다.

⊕ **integration** 명 통합 **be integrated into** ~에 통합되다

⊜ **unite, combine**

fiction vs friction

1991 □□□ ★★

fiction

명 소설, 허구

[fíkʃən]

어원 fic[만들다] + tion[명·접] → 사실이 아니라 만들어진 이야기인 소설

Science **fiction** involves much more than shiny robots and fantastical spaceships. (학평)

공상 과학 **소설**은 빛나는 로봇과 환상적인 우주선보다 훨씬 더 많은 것을 포함한다.

⊕ **fictional** 형 소설의, 허구적인

⊜ **fantasy, novel** ⇔ **non-fiction** 명 비소설, 실화

1992 □□□ ★

friction

명 마찰, 충돌, 불화

[fríkʃən]

The heat generated by the sweeping melts the ice, which reduces **friction**. (교과서)

쓸어서 발생한 열이 얼음을 녹이고, 이것이 **마찰**을 줄인다.

marble vs marvel

1993 □□□ ★★

marble

명 대리석, 구슬

[mά:rbəl]

Michelangelo looked at a block of **marble** and saw a man. (수능)

미켈란젤로는 **대리석** 덩어리를 쳐다보았고 사람의 형상을 보았다.

1994 □□□ ★

marvel

동 경탄하다, 경이로워하다 명 경이로운 것[사람]

[mά:rvəl]

Morocco is one of the places where you can **marvel** at the beauty of the Sahara Desert. (교과서)

모로코는 사하라 사막의 아름다움에 **경탄할** 수 있는 장소 중 하나이다.

⊕ **marvelous** 형 놀라운, 아주 훌륭한

⊜ **wonder**

command vs comment

1995 □□□ ★★

command

[kəmǽnd]

동 명령하다, 지휘하다 명 명령, 지휘

The soldier **commanded** him to leave his home. 학평

군인이 그에게 집을 떠날 것을 **명령했다**.

⊕ **commander** 명 사령관, 지휘관

⊜ **order, demand**

1996 □□□ ★★★

comment

[kɑ́ːment]

동 언급하다, 논평하다 명 의견, 논평

No one **commented** on his mistake — apart from his drama teacher. 모평

그의 연극 선생님을 제외하고는, 누구도 그의 실수에 대해 **언급하지** 않았다.

⊕ **commentary** 명 논평, 해설 **commentator** 명 논평자, 해설자

⊜ **remark, mention**

Tips

시험에는 이렇게 나온다

make a comment 논평하다 **comment on** ~에 대해 언급[논평]하다

virtual vs virtue

1997 □□□ ★★

virtual

[və́ːrtʃuəl]

형 가상의, 사실상의, 실제의

Many **virtual** reality games now allow players to feel sensations of motion and touch. 모평

이제 많은 **가상** 현실 게임은 이용자들이 움직임과 접촉의 감각을 느낄 수 있게 해준다.

⊕ **virtually** 부 사실상, 실질적으로

1998 □□□ ★

virtue

[və́ːrtʃuː]

명 (미)덕, 선(행), 장점

Though efficiency is a great **virtue**, it is not the only economic goal of interest to the society. 학평

효율은 큰 **미덕**이지만, 그것이 사회가 관심을 두는 유일한 경제적 목표는 아니다.

⊕ **virtuous** 형 덕이 높은, 고결한

⊜ **morality**

restrict vs restrain

1999 □□□ ★★

restrict

[ristríkt]

동 제한하다, 한정하다

어원 re[뒤로] + strict[팽팽히 당기다] → 선을 넘지 못하게 뒤로 팽팽히 당겨 제한하다

The problem is that it is difficult to **restrict** Internet access by children. (학평)

문제는 어린이들의 인터넷 접속을 **제한하기가** 어렵다는 것이다.

⊕ **restricted** 형 제한된, 한정된 **restriction** 명 제한, 한정

be restricted to ~으로 한정되다

⊜ **limit, regulate**

Tips

시험에는 이렇게 나온다

restrict access 접근을 제한하다 **restrict imports** 수입을 제한하다

2000 □□□ ★

restrain

[ristréin]

동 억누르다, 억제하다, 제지하다

어원 re[뒤로] + strain[팽팽히 당기다] → 뒤로 팽팽히 당겨 어떤 일을 못 하게 억누르다

In one study, some people were asked to **restrain** their emotions while watching a sad movie. (학평)

한 연구에서, 몇몇 사람들은 슬픈 영화를 보면서 감정을 **억누르도록** 요청받았다.

⊕ **restrained** 형 억제된 **restraint** 명 억제, 제지

Tips

'억누르다'와 관련된 단어들

suppress 억누르다 **inhibit** 억제하다 **control** 억제하다 **forbear** 참다, 삼가다

Daily Quiz

다음 중 우리말 뜻과 일치하는 어휘를 고르세요.

01 내용(물), 목차, 만족하는, 만족시키다 ⓐ content / ⓑ context

02 언급하다, 논평하다, 의견, 논평 ⓐ command / ⓑ comment

03 구성하다, 설립하다, 제정하다 ⓐ constitute / ⓑ substitute

04 경탄하다, 경이로워하다, 경이로운 것[사람] ⓐ marble / ⓑ marvel

05 정상, 정점, 정상 회담 ⓐ submit / ⓑ summit

06 소설, 허구 ⓐ fiction / ⓑ friction

07 유능한, 능숙한 ⓐ compete / ⓑ competent

08 칭찬, 찬사, 칭찬하다 ⓐ complement / ⓑ compliment

09 직업, 점령, 점거 ⓐ occupation / ⓑ occupy

10 탐욕, 욕심 ⓐ greed / ⓑ greet

다음 괄호 안에서 문맥에 알맞은 어휘를 고르세요.

11 It is (ⓐ absorb / ⓑ absurd) to suggest that governments decide what art is.
예술이 무엇인지 정부가 결정하라고 제안하는 것은 터무니없다.

12 The shift in Earth's (ⓐ mess / ⓑ mass) has changed the location of the axis on which Earth rotates.
지구 질량의 변화는 지구가 회전하는 축의 위치를 변화시켰다.

13 American Coots build floating nests in wetlands or (ⓐ shallow / ⓑ swallow) lakes.
아메리카물닭은 습지나 얕은 호수에 떠다니는 둥지를 짓는다.

14 People may (ⓐ inhabit / ⓑ inhibit) very different worlds according to their wealth or poverty.
사람들은 부와 가난에 따라 매우 다른 세계에 살 수 있다.

15 Daisies mean innocence, (ⓐ loyal / ⓑ royal) love, and purity.
데이지는 천진함, 충성스러운 사랑, 그리고 순수함을 의미한다.

16 Light is an (ⓐ integral / ⓑ integrate) element of all life.
빛은 모든 생명체에 필수적인 요소이다.

01 ⓐ 02 ⓑ 03 ⓐ 04 ⓑ 05 ⓑ 06 ⓐ 07 ⓑ 08 ⓑ 09 ⓐ 10 ⓐ 11 ⓑ 12 ⓑ 13 ⓐ 14 ⓐ 15 ⓐ 16 ⓐ

해커스북 중고등
HackersBook.com

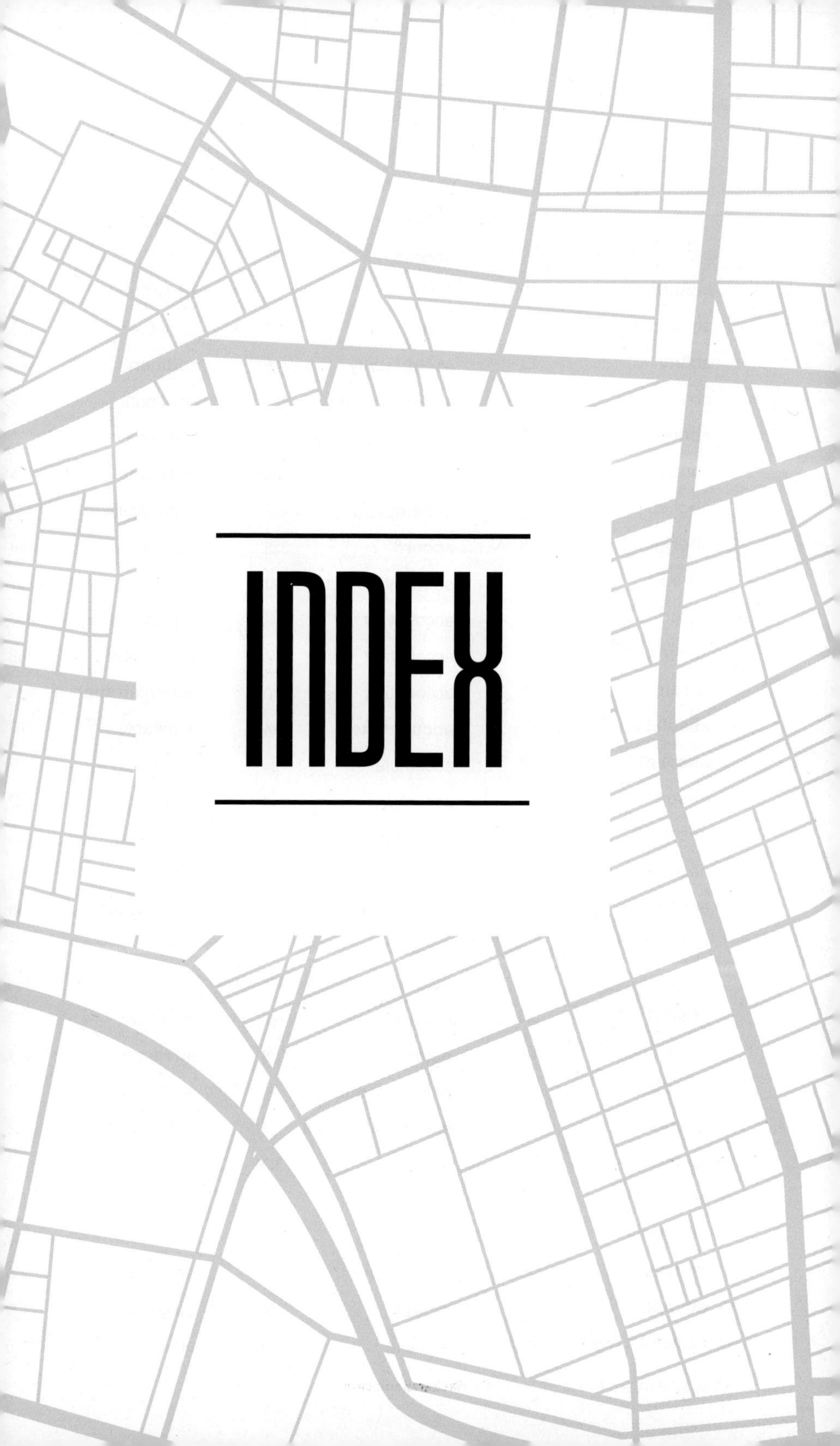

INDEX

뜻이 생각나지 않는 단어에 체크해보세요. 나만의 단어장 양식(온라인 제공)에 체크된 단어들만 따로 모아서 복습하면 완벽하게 암기할 수 있어요.

A

B

C

D

E

G

M

T

U

V

MEMO

수능·내신 한 번에 잡는 고교 필수 영단어

초판 7쇄 발행 2024년 12월 2일

초판 1쇄 발행 2021년 4월 14일

지은이	해커스 어학연구소
펴낸곳	(주)해커스 어학연구소
펴낸이	해커스 어학연구소 출판팀
주소	서울특별시 서초구 강남대로61길 23 (주)해커스 어학연구소
고객센터	02-537-5000
교재 관련 문의	publishing@hackers.com 해커스북 사이트 (HackersBook.com) 고객센터 Q&A 게시판
동영상강의	star.Hackers.com
ISBN	978-89-6542-415-4 (53740)
Serial Number	01-07-01